suhrkamp taschenbuch
wissenschaft 1724

D1238717

Anders als der klassischen Anthropologie geht es der noch jungen Disziplin der Kulturanthropologie nicht um den Menschen im allgemeinen und sein unabhängig von historischen und kulturellen Prägungen konstituiertes ›Wesen‹, sondern um die unterschiedlichen Menschenbilder, die sich im Verlauf der Diskursgeschichte herausgebildet haben. Im Vordergrund stehen dabei die materiellen, ideellen und medialen Grundlagen ihrer Entstehung, ihre Wirkung und mitunter gewaltsame Durchsetzung. Darüber hinaus interessiert sich diese literarisch informierte und kulturwissenschaftlich interessierte Anthropologie auch für die Körpergeschichte, das heißt für die physischen und psychischen Voraussetzungen des Menschen, die den verschiedenen kulturellen Forderungen und Formungen immer wieder Grenzen setzen. Aus dieser doppelten Perspektive widmen sich die Aufsätze dieses interdisziplinär angelegten Bandes dem Zusammenhang zwischen »Literatur« und »Anthropologie«. Als Leitmotiv durchzieht den Band dabei die Frage, wie sich das Studium der Literatur für die Grundfrage nach dem Menschen in seinen historischen und kulturellen Bedingungen fruchtbar machen läßt.

Positionen der Kulturanthropologie

Herausgegeben von
Aleida Assmann, Ulrich Gaier,
Gisela Trommsdorff
unter Mitarbeit von Karolina Jeftić

Suhrkamp

Bibliografische Information Der Deutschen Bibliothek
Die Deutsche Bibliothek verzeichnet diese Publikation in der
Deutschen Nationalbibliografie
http://dnb.ddb.de

suhrkamp taschenbuch wissenschaft 1724
Erste Auflage 2004
© Suhrkamp Verlag Frankfurt am Main 2004
Suhrkamp Taschenbuch Verlag
Druck: Nomos Verlagsgesellschaft, Baden-Baden
Printed in Germany
Umschlag nach Entwürfen von
Willy Fleckhaus und Rolf Staudt
ISBN 3-518-29324-9

1 2 3 4 5 6 – 09 08 07 06 05 04

Inhalt

III. BILDER UND MENSCHENBILDER

Vorwort

Der vorliegende Band faßt Forschungsperspektiven zusammen, die während der Förderungsperiode des Sonderforschungsbereiches »Literatur und Anthropologie« von 1996 bis 2002 durch die Deutsche Forschungsgemeinschaft entwickelt worden sind. Er dokumentiert dabei den interdisziplinären Dialog zwischen unterschiedlichen Fächern wie Literaturwissenschaften, Philosophie, Ethnologie, Soziologie, Geschichte und Psychologie sowie das übergreifende Interesse an Fragen der Universalien und Kulturspezifika menschlichen Handelns. Die unterschiedlichen Fragestellungen und methodischen Vorgehensweisen haben eine Vielfalt von Zugängen der anthropologischen und literaturwissenschaftlichen Diskurse gefördert und an vielen Stellen durch gegenseitige Annäherungen und Perspektivenwechsel einen fruchtbaren Blick auf noch offene Fragen und mögliche Wege für gemeinsame Vorhaben eröffnet.

Solch ein gemeinsames Vorhaben wurde nach Beendigung des Sonderforschungsbereiches nunmehr in Form dieses Bandes geplant und nach relativ mühevollen Schritten schließlich realisiert. Die drei Herausgeber waren sich von Beginn ihres Vorhabens darin einig, daß dieser Band als eine gemeinsame Veröffentlichung aus den langjährigen Arbeiten vieler Mitarbeiter im Rahmen des Sonderforschungsbereiches hervorgehen müßte, auch wenn damit keinesfalls die verschiedenen Facetten und Ausrichtungen oder gar Ergebnisse dieser Arbeiten dokumentiert oder gar zusammengefaßt werden können.

Damit ein solcher Band entstehen kann, ist der Einsatz vieler Beteiligter erforderlich, die an dieser Stelle nicht alle einzeln genannt werden können. Stellvertretend gilt unser Dank zunächst den Initiatoren und Leitern dieses Sonderforschungsbereiches, die dieses Unternehmen mit Geschick, Phantasie und großer Spannkraft inhaltlich, organisatorisch und menschlich koordiniert haben: Jürgen Schlaeger, Gerhart von Graevenitz und Ulrich Gaier.

Um die Realisierung dieses Bandes hat sich Karolina Jeftić besonders verdient gemacht, indem sie den Kontakt mit Autoren und

Verlag hervorragend koordinierte. Ferner sind Stephan Greitemeier und Florian Arnegger zu nennen, die sich mit Kompetenz und bewundernswertem Engagement eingesetzt und viele technische Hindernisse überwunden haben.

Konstanz, Juli 2004

Aleida Assmann
Ulrich Gaier
Gisela Trommsdorff

Aleida Assmann
Einleitung

»Der Mensch als Mensch ist tot!« verkündete Michel Foucault Mitte der 1960er Jahre. Mit diesem Satz wollte er den Humanwissenschaften ihren humanistischen und anthropologischen Boden entziehen, um sie mit aller Entschiedenheit auf eine neue soziologische Grundlage zu stellen. Dieser Gedanke war keineswegs neu, sondern wurde dreißig Jahre zuvor schon von Brecht ausgesprochen. Wie Foucault für die Soziologisierung des Menschen kämpfte, kämpfte Brecht für seine Historisierung. Er richtete seinen Widerstand gegen das bürgerliche Theater, das auf die Darstellung des sogenannten ›Ewig-Menschlichen‹ ausgerichtet war. »Diese Auffassung«, so schreibt er, »mag die Existenz einer Geschichte zugeben, aber es ist dennoch eine geschichtslose Auffassung. Es ändern sich einige Umstände, es verwandeln sich die Milieus, aber der Mensch ändert sich nicht« (Brecht 1984, 95). Gegen diese Bühnenpraxis hat Brecht bekanntlich sein ›historisierendes Theater‹ entwickelt, dessen wichtigstes Verfahren der ›V(erfremdungs)-Effekt‹ ist. Brechts Analyse der Theaterpraxis mündet in den programmatischen Satz: »Alle Vorgänge unter Menschen werden geprüft, *alles* muß vom gesellschaftlichen Standpunkt aus gesehen werden« (98). Brecht setzte sich von einem Humanismus bürgerlicher Kunst des 19. Jahrhunderts ab, der das Allgemeine gegenüber dem Besonderen privilegierte. Man denke hier nur an Goethes auf Einheit und Allgemeinheit angelegten Symbolbegriff und dessen Abwertung der auf Differenz und Besonderung gerichteten ›Allegorie‹. Etwa gleichzeitig mit Brecht nahm Walter Benjamin eine grundlegende Umwertung der Prämissen dieser bürgerlichen Kunsttheorie vor und rehabilitierte dabei die von Goethe entwertete Allegorie.

Foucaults programmatische Richtungsänderung war also keineswegs neu; sie markiert allerdings deutlich den in den 1970er Jahren auch wirklich eingetretenen Paradigmenwechsel einer ›Soziologisierung‹ von Kunst und Menschenbildern. Mit dieser Wende zur Historisierung und Soziologisierung waren die anthropologischen ›Diskurse‹ (wie man Sprechkonventionen und Schreibtraditionen fortan mit Foucault nannte) jedoch keineswegs tot, sondern erlebten in den 1980er Jahren einen unerwarteten Aufschwung. Dieses erneuerte Interesse am Menschen hatte freilich nichts mehr mit dem ›Allgemein-Menschlichen‹ bürgerlich-humanistischer Tradition zu tun, sondern hing vor allem mit der Wiederentdeckung des Körpers zusammen, der sich als ein willkommener Schnittpunkt interdisziplinärer Forschungsaktivitäten anbot. Einen weiteren wichtigen Impuls erfuhr die anthropologische Perspektive durch die Ethnologie, die die Soziologie in den letzten beiden Dekaden des 20. Jahrhunderts als Leitwissenschaft der Geisteswissenschaften ablöste. Im Zuge dieser Umorientierung wurde der Forschungshorizont über die Grenzen des europäischen und westlichen Kulturraums hinaus ausgeweitet und die Frage nach der Begegnung mit dem Fremden in den Mittelpunkt des Interesses gerückt. In diesem allgemeinen Rahmen ist auch der Sonderforschungsbereich entstanden, der 1996 in Konstanz unter dem Stichwort »Literatur und Anthropologie« angetreten ist und in dem bis 2002 Positionen der Kulturanthropologie als Fragen zwischen den Fächern der Literaturwissenschaften, der Philosophie, der Soziologie, der Geschichte, der Linguistik, der Kunst- und Medienwissenschaft sowie der Psychologie erprobt, diskutiert und gemeinsam entwickelt wurden.

Der Konstanzer Sonderforschungsbereich ruhte auf drei theoretischen Säulen: einer vorwiegend philosophischen, einer ausgeprägt historischen und einer eher ethnographischen Form von Anthropologie. Die im Konstanzer Forschungsverbund aufgerufene Tradition einer *philosophischen Anthropologie* reicht von Kant bis zu Plessner und kreist um das Thema der Unbestimmtheit des Menschen. Als eine besonders wichtige und folgenreiche Anschlußstelle zwischen Philosophie und Literatur hat sich hier die literarische Anthropologie Wolfgang Isers erwiesen, der in seinen Forschungen konsequent den Schritt vom älteren Konstanzer Forschungsparadigma der Rezeptionsästhetik zum neueren der Literaturanthropologie vorgezeichnet hat. Sein Aufsatz über die anthropologischen Funktionen des Fiktiven, der als Entwurf und Matrix für die neue theoretische Grundlegung einer literarischen Anthropologie gelesen werden kann, eröffnet deshalb diesen Band. Die zweite Säule der *historischen Anthropologie* geht auf eine Forschungsrichtung zurück, die von wissenschafts- und diskursgeschichtlich interessierten Germanisten entwickelt worden ist (Pfotenhauer, Schings, Campe, Koschorke). In dieser Forschungsrichtung werden anthropologische

Diskurse seit dem 18. Jahrhundert rekonstruiert und ihre Bedeutung für die kulturhistorische Entwicklung der Moderne untersucht. Das Thema dieses neuzeitlichen anthropologischen Diskurses, der historisch bis zu Kant, Rousseau oder Goethe zurückreicht, ist der ›ganze Mensch‹ – ein Stichwort, das auf die epochale Neufassung des Menschenbildes im ausgehenden 18. Jahrhundert gemünzt ist. Für die genannten Germanisten beginnt die moderne Anthropologie mit einem integrierten Bild des Menschen, das die Dichotomie von Körper und Seele überwindet und beide als Komponenten eines komplexen und konfliktuellen Austauschs versteht. Als dritte Säule des Konstanzer SFB ist die (vor allem US-amerikanische) *Kulturanthropologie* zu nennen, die von der Ethnologie ausging und eine große internationale und interdisziplinäre Ausstrahlung entfaltete. Für sie stehen u. a. die Namen von Clifford Geertz und James Clifford, die den Schrift- und Textbegriff für ihre Disziplin stark gemacht und damit einen wichtigen Schritt in Richtung auf eine ›Literarisierung‹ der Anthropologie getan haben. Ihr innovativer Beitrag bestand darin, daß sie den konstruktiven Anteil, für den sie selbst als Beobachter und Beschreiber von kulturellen Handlungen verantwortlich waren, reflektierten und thematisierten, was zu einer multidisziplinären Beschäftigung mit Phänomenen der ›Repräsentation‹ im weitesten Sinne führte. Der Begriff der Repräsentation ist weiter als der Textbegriff, weil er auch die Vollzugsformen kulturellen Handelns mit einschließt. So ist inzwischen parallel zum Textbegriff, der Elemente wie Fixierung, Strukturiertheit und Speicherung akzentuiert, ein weiteres Begriffsfeld entstanden, das mit Hilfe von Stichworten wie Performance, Theatralität und Inszenierung den Vollzugs-, Prozeß- und Verkörperungscharakter von Handlungen untersucht. Die drei Säulen, auf denen der Konstanzer SFB aufbauen konnte, zeigen untereinander Anschlußmöglichkeiten und Ergänzungen, markieren aber auch deutliche Unterschiede. Allen genannten Richtungen ist jedoch gemeinsam, daß sie etwa gleichzeitig in den 1980er Jahren entstanden sind.

Der Sammelband vermittelt einen Überblick über kulturanthropologische Positionen, die im Konstanzer Forschungsrahmen entwickelt worden sind. Der erste Abschnitt umfaßt Texte, die den Zusammenhang zwischen Literatur und Anthropologie erkunden. Er wird eingeleitet durch einen Text *Wolfgang Isers*, der eine Brücke schlägt zwischen dem Konstanzer DFG-Schwerpunkt ›Funktionen des Fingierens‹ und seinem Nachfolgeprojekt der ›literarischen Anthropologie‹. In diesem Text, der für die folgenden Arbeiten Isers absolut richtungweisend ist, werden anthropologische Grundmuster untersucht, die in der Praxis des literarischen Fingierens in idealtypischer Weise zum Vorschein kommen. Die zentralen Begriffe wie ›Grenzüberschreitung‹, ›Doppelung‹, ›Doppelgänger‹, ›Maske‹, ›Ek-stase‹ und ›Spiel‹ machen deutlich, wie dieser Text den Horizont der Literaturwissenschaft auf eine philosophisch inspirierte Anthropologie hin überschreitet.

Der Beitrag von *Renate Lachmann* ist einer Sonderform des Fingierens, der Literatur der Phantastik, gewidmet, in der mit dem phantasierenden und ›phantastischen Menschen‹ einer Meta- und Gegenanthropologie gegenüber herrschenden Menschenbildern zum Ausdruck verholfen wird. Entscheidendes Merkmal der phantastischen Literatur ist wiederum die Grenzüberschreitung, nun allerdings im Sinne einer normendurchkreuzenden Transgression, die sowohl in antikanonischen literarischen Verfahren als auch in einem Menschenbild der verstörenden Exzentrik, haltlosen Verwandlung und beunruhigenden Devianz in Erscheinung tritt. Mit Hilfe von Figuren des Grotesken, des Oxymoron und des Paradoxon werden Grenzen des Bewußtseins verschoben und kulturell ausgegrenzte Menschenbilder literarisch als Wiederkehr von Verdrängtem inszeniert.

Mit Devianzen und dem Grotesken hat es auch das Lachen zu tun, das *Ulrich Gaier* in seinem Beitrag in gleich drei Dimensionen untersucht: als rein physischen Vorgang (nach der Devise Plessners, daß der Mensch im Lachen ganz Körper wird), als soziale Therapie der Entlastung und Strategie der Ein- beziehungsweise Ausgrenzung sowie als literarische Inszenierung. In allen Dimensionen spielt das Lachen als eine ›reflexive Metareaktion‹ des Körpers eine Rolle, die den Menschen im Falle von Reaktionskonflikten Distanz gewinnen und Spannungen aushalten läßt. Bedeutungsvoll für das Konstanzer Gespräch wurde die von Gaier vorgeschlagene Unterscheidung zwischen ›Anthropologon‹ im weiten Sinne dessen, was überhaupt menschenmöglich ist, und ›Humanum‹, worunter die normativen Selbstbilder zu verstehen sind, an denen sich Menschen innerhalb spezifischer Kulturen (oder ›Programmgruppen‹) orientieren.

Der Beitrag von *Aleida Assmann* schließt den ersten Block ab und leitet zugleich zum zweiten über, der diskurshistorisch ausgerichtet ist. In diesem Beitrag wird an (zu Recht oder Unrecht) vergessene Positionen der Literaturanthropologie des 20. Jahrhunderts erinnert. Im Mittelpunkt stehen dabei die Theorien von Northrop Frye und Kenneth Burke aus den 1950er und 60er Jahren, die noch einmal besichtigt und zu neueren Entwicklungen, insbesondere der Theorie W. Isers, in Verbindung gesetzt werden.

Thomas Hauschild, der zünftige Ethnologe im Konstanzer Forschungsteam, eröffnet den zweiten Block über anthropologische Diskurse mit einem wissenschaftshistorischen Beitrag, in dem er die Geschichte der deutschen Ethnologie zwischen ›Universalienkunde am Menschen‹ und ›historischem Partikularismus‹ rekapituliert. Er richtet dabei seinen ethnologischen Blick auf die Ethnologen selbst und ihre Geschichte, die seit ihren Anfängen von nationalen, religiösen und – nicht zuletzt – rassischen Kontexten bestimmt war. Ethnologische Diskurse sind ihrerseits politisch instrumentalisierbar für Strategien der ›Ver-Anderung‹ mit der stetigen Bereitschaft zur Grenzziehung zwischen ›uns‹ und ›ihnen‹. Durch Migrationen bestimmter Ethnologen, wie zum Beispiel derjenigen von Franz Boas aus Deutschland in die USA, und durch politische Verfolgung jüdischer Ethnologen während der NS-Zeit verschieben sich die geographischen Konturen der Forschungsrichtungen. Die historische Anamnese rekonstruiert vergessene Traditionen der Kulturanthropologie und zeigt, daß vieles, was heute als Neuheit erscheint, wie etwa die in den 1990er Jahren anlaufende ›Writing-Culture Debatte‹, durchaus eine Vorgeschichte hat.

Der folgende Beitrag von *Gerhart von Graevenitz* schließt an diese Thematik an, indem er – sozusagen im Zoom-Verfahren – eine weithin vergessene Tradition der deutschen Ethnologie-Geschichte in den Blick nimmt. Es handelt sich dabei um die zwischen 1860 und 1880 in 20 Bänden von M. Lazarus und H. Steinthal herausgegebene *Zeitschrift für Völkerpsychologie und Sprachwissenschaft*. Dieses außerhalb der akademischen Institutionen als Zwei-Mann-Unternehmen organisierte wissenschaftliche Großprojekt rekonstruiert der Germanist in seinen kultursoziologischen und ideengeschichtlichen Kontexten und unterzieht es einer sorgfältigen Re-Lektüre. Es zeigt sich dabei, wie fruchtbar eine solche diskurshistorische Studie sein kann, die unter den inzwischen nicht nur fremd, sondern auch verdächtig gewordenen Begriffen wie ›Volksgeist‹ oder ›Kollektivseele‹ ein bis heute aktuell gebliebenes Forschungsprogramm entdeckt und in die aktuelle Diskussion einer kulturalistisch orientierten Anthropologie zurückholt.

Mit zwei Schlüsselbegriffen der Kulturanthropologie setzen sich *Manfred Weinberg* und *Matthias Schöning* in ihrem Beitrag über ›Horizont‹ und ›Grenze‹ auseinander. Um ›Schlüssel‹begriffe handelt es sich insofern, als sie in der Diskussion um Eigenes und Fremdes, kulturelle Identität und Differenz eine ›eröffnende‹ oder ›verschließende‹ Rolle spielen. Während der Horizontbegriff, der aus der Optik stammt, immer schon von einer konkret eingenommenen und darin je meinigen Position ausgeht, ist der Begriff der Grenze eher mit politischen Setzungen und Verkörperungen assoziiert. Die beiden Autoren argumentieren, daß das Problem der Zwangsalternative zwischen kulturellem Relativismus einerseits und Ethnozentrismus andererseits durch übergeordnete Konzepte wie die ›Monade mit eingebautem Fenster‹ oder den beweglichen Raum ›zwischen‹ Grenze und Horizont umgangen werden kann, die sich der einen wie der anderen Logik entziehen.

Ulrich Bröckling stellt in seinem Beitrag drei neuere anthropologische Veröffentlichungen aus vorwiegend medizinisch-psychiatrischer (Thomas Fuchs), philosophischer (Hans-Peter Krüger) und historisch-politischer Perspektive (Andreas Steffens) vor. Diese Positionen reichen von der grundlegenden Verankerung des menschlichen Leibes in der Welt über den von Plessner inspirierten (und an den Einleitungstext von Wolfgang Iser anschließenden) ›kategorischen Konjunktiv‹, der uns vor Augen hält, daß wir immer auch anders sein können, bis hin zu den Varianten desaströser totalitärer Anthropolitik des 20. Jahrhunderts im Namen eines ›Neuen Menschen‹. Die von U. Gaier eingeführte Unterscheidung zwischen ›Anthropologon‹ und ›Humanum‹ kommt auch in Bröcklings kritischer Sichtung der aktuellen Positionen in der Gegenüberstellung von ›Beschreibung‹ und ›Bestimmung‹ des Menschen noch einmal zum Tragen. Er versteht den anthropologischen Diskurs als eine Archäologie des Wissens vom Menschen und damit als eine ›reflexive Grenzwissenschaft‹, die selbst weder Normen setzt noch Grenzen absteckt (das wäre die Aufgabe des Grenzregimes ›humanistischer‹ Diskurse), sondern diese kritisch unterläuft und erschüttert.

Der letzte Themenblock, Bilder und Menschenbilder, beginnt mit einem Aufsatz von *Christiane Kruse* zum Thema Bild- und Medienanthropologie. Im Zentrum steht das Grundbedürfnis des Menschen, seine physische und metaphysische Existenz in Bildern zu reflektieren. Anhand der Bildanthropologie Hans Beltings, die den ästhetischen Kunstbegriff der Kunstgeschichte hinter sich läßt, wird nach einer umfassenden, nicht-hierarchischen und Kulturen übergreifenden Bildergeschichte der Menschheit gefragt. Eine solche weit ausgespannte Bildanthropologie gewinnt Konturen und Prägnanz durch eine Medienanthropologie, die grundsätzlich zwischen hergestellten und vorgestellten Bildern unterscheidet und dabei die hergestellten Bilder weiter auf ihre unterschiedlichen Vermittlungsstrukturen als physische Zeichenträger hin untersucht. Am Beispiel der Darstellung der Menschwerdung Christi wird anschaulich beschrieben, wie parallel zur Inkarnation die Zeichen zu ihren materiellen Medien kommen.

Zwei weitere Beiträge befassen sich mit Bildern aus soziologischer und philosophischer Perspektive. *Hans-Georg Soeffner* und *Jürgen Raab* interessieren sich für Bilder als Träger und Vermittler sozialen Sinns, den sie im Rahmen einer sozialwissenschaftlichen Bildhermeneutik untersuchen. In der postmodernen Gesellschaft durchdringen sich der symbolische Modus des Bildes und der der Sprache auf neue Weise in den audiovisuellen Medien und bilden als apparatives Gefüge für den menschlichen Körper und seine Sinne eine neuartige Umwelt und damit auch eine ›zweite Natur‹.

Gottfried Seebaß stellt die Frage nach der Unvermeidlichkeit der Bilder: Sind sie eine unersetzliche kognitive Stütze für den Menschen, oder ist er ihnen gar ausgeliefert angesichts einer immer bedrohlicher werdenden Überproduktion? Die traditionelle Wertschätzung des menschlichen Augensinns und bildlichen Vorstellungsvermögens wird unter die kritische philosophische Lupe genommen. Im zweiten Teil des Beitrags, der der Metapher gewidmet ist, werden die Möglichkeiten und Grenzen des sprachlichen Bildes untersucht (hier ist noch einmal ein Querverweis zum Beitrag von Weinberg und Schöning zur erschließenden und verschließenden Kraft der Metaphern von ›Horizont‹ und ›Grenze‹ angebracht). Nietzsches These von der unhintergehbaren Metaphorizität der Sprache, die tatsächlich so etwas wie eine Unvermeidlichkeit von Bildern bestätigen würde, wird allerdings energisch zurückgewiesen. Die Isersche Kategorie des Fingierens erscheint hier vor dem philosophischen Tribunal, wo sie kritisch auf ihre Anteile von Wahrheit und Lüge hin befragt wird.

Die letzten drei Beiträge handeln von Menschenbildern, wobei die beiden ersten davon in einem europäischen, der letzte in einem interkulturellen Horizont verankert sind. Die beiden Beiträge zur ›negativen Anthropologie‹ machen in ihrer Juxtaposition deutlich, daß im Konstanzer Forschungsrahmen unter identischer Bezeichnung durchaus unterschiedliche anthropologische Positionen entdeckt, erforscht und bezogen wurden.

Karlheinz Stierle hat sein Konzept einer negativen Anthropologie aus einer modernen Re-Lektüre des französischen ›klassischen Zeitalters‹ gewonnen. Diese Neuinterpretation des 17. Jahrhunderts legt unter dem Firnis der kanonisierten Epoche der Regeln und der Klarheit das andere Gesicht einer Klassik frei, die die unlösbare Frage nach dem Menschen zu ihrem zentralen Thema gemacht hat. An Texten der Pascalschen *Pensées* wird anschaulich, wie radikal dieser anthropologische Diskurs auf gründende Vorannahmen verzichtet und die Grundlosigkeit menschlicher Existenz ins Zentrum stellt. Der zersplitterte Diskurs der *Pensées* und das Paradoxon, das bereits im Beitrag von Renate Lachmann eine besondere Bedeutung gewann, sind literarische Manifestationen einer offenen und unabschließbaren Suchbewegung, die allein von der Sprache getragen ist und sich im Vollzug ereignet. In diesen Texten kommen Literarität und Anthropologie exemplarisch zur Deckung.

Während Stierles Begriff der ›negativen Anthropologie‹ in Analogie zum Begriff der ›negativen Theologie‹ gebildet und auf die Grundlosigkeit, Nichtfeststellbarkeit und Entzogenheit eines bestimmten menschlichen ›Wesens‹ gerichtet ist, bezieht sich ›negative Anthropologie‹ in der von *Ruth Groh* rekonstruierten Diskurstradition auf negativ bewertete Eigenschaften, die in eine Definition des Menschen eingehen oder gar zur Grundlage einer solchen Definition gemacht werden. Die im vorliegenden Band leitmotivische Unterscheidung zwischen einem anthropologischen Beschreibungsdiskurs und einem ›humanistischen‹, auf Grenzziehung und Wertsetzung ausgerichteten Diskurs taucht auch bei Groh wieder auf. Sie unterscheidet zwischen einem ›Begriff des Menschen‹ einerseits, in den all das eingeht, was auf dieser Welt im Spannungsfeld zwischen anthropologischem Vermögen und seiner Aktualisierung bekannt geworden ist, und ›Menschenbildern‹ als kulturellen Konstruktionen andererseits, die normative Setzungen und mehr oder weniger implizite Wertungen enthalten. Der Beitrag rekonstruiert die lange

Geschichte solcher Menschenbilder von den Griechen und christlichen Denkern übers Mittelalter und die Neuzeit bis in die Gegenwart. Diese wechselhafte Geschichte der Selbsteinschätzung des Menschen zeigt, daß Menschenbilder durch ›Universalisierung von Partikularem‹ entstehen, indem positive oder negative, gute oder böse Züge des Menschen verabsolutiert werden, um den so (pessimistisch oder optimistisch) stilisierten Menschen in einen stimmigen Zusammenhang mit Weltbildern und bestimmten religiösen oder politischen Ordnungen zu bringen. In diesem historischen Panorama wird auch noch einmal ein Blick auf die französische Klassik geworfen, die bei Groh in einem pessimistischen, von der gefallenen Natur des Menschen verdüsterten Licht aufscheint. Ein wichtiges Ergebnis dieses eindrucksvollen Durchgangs durch die Epochen der europäischen Geschichte ist die Beobachtung, daß religiöse Muster bis in späte, scheinbar säkulare Epochen eine anhaltende Wirkung entfalten. Der trotz aller Unterschiede in ihren Essays dezidiert europäische Horizont von Stierle und Groh wird im letzten Beitrag dieses Bandes überschritten.

Aus der Perspektive einer kulturvergleichenden Psychologie fragen *Gisela Trommsdorff* und *Wolfgang Friedlmeier* nach dem Verhältnis zwischen Individuum und Kultur. Unbefriedigt von monodirektionalen und monodimensionalen Theorien, haben sie sich auf die Suche nach den Sozialisationsbedingungen und -agenturen gemacht, die als Mittler für kulturelle Werthaltungen und individuelle Entwicklungs(un)möglichkeiten in Frage kommen. Da neben Altersgruppen und Erziehungsinstitutionen insbesondere der Familie eine wichtige Schaltstelle zwischen Kultur und Individuum zukommt, haben die Autoren dieses Beitrags eine kulturvergleichende Studie in Deutschland, Brasilien und der Republik Korea durchgeführt, in der sie Mütter und Kindergärtnerinnen auf ihre subjektiven Erziehungstheorien hin befragt haben. In diesen weitgehend impliziten Alltagstheorien sind Menschenbilder – ganz im von R. Groh definierten Sinne impliziter kultureller Wertsetzungen – abgespeichert, deren handlungsleitende und entwicklungsermöglichende oder verunmöglichende Wirkungen und Tradierungen hier in ihren psychosozialen und kulturspezifischen Kontexten eingehend untersucht werden.

Der Band, der interdisziplinäre Beiträge des Konstanzer Forschungsrahmens zusammenfaßt, soll unter Beweis stellen, daß der

Mensch als Mensch keineswegs tot, sondern als eine wichtige Frage durchaus lebendig ist, die gerade in Krisenzeiten immer wieder mit neuem Nachdruck gestellt wird. Während es müßig ist, ›das Wesen‹ ›des Menschen‹ ergründen zu wollen, können wir uns doch vor der Herausforderung nicht verschließen, kritisch zu untersuchen, wie sich Menschen im Rahmen und Namen von kulturellen, literarischen, historischen, sozialen und psychologischen Menschenbildern selbst verstehen und wie sie mit anderen Menschen umgehen.

Literatur

Brecht, Bertolt (1984), »Verfremdungseffekte in der chinesischen Schauspielkunst« (1937), in: Hermann Helmers (Hg.), *Verfremdung in der Literatur*, Wege der Forschung 551, Darmstadt, S. 87-98.

Campe, Rüdiger (1990), *Affekt und Ausdruck. Zur Umwandlung der literarischen Rede im 17. und 18. Jahrhundert*, Tübingen.

Clifford, James (Hg.) (1986), *Writing Culture. The Poetics and Politics of Ethnology*, Berkeley

Foucault, Michel (1974), *Die Ordnung der Dinge. Eine Archäologie der Humanwissenschaften*, Frankfurt am Main.

Geertz, Clifford (1999), *Dichte Beschreibung. Beiträge zum Verstehen kultureller Systeme*, 6. Auflage, Frankfurt am Main.

Koschorke, Albrecht (2003), *Körperströme und Schriftverkehr: Mediologie des 18. Jahrhunderts*, 2. Auflage, München.

Pfotenhauer, Helmut (1987), *Literarische Anthropologie: Selbstbiographien und ihre Geschichte am Leitfaden des Leibes*, Stuttgart.

Schings, Hans-Jürgen (Hg.) (1994), *Anthropologie und Literatur im 18. Jahrhundert*, DFG Symposion 1992, Stuttgart.

I. Literatur und Anthropologie

Wolfgang Iser
Fingieren als anthropologische Dimension der Literatur[1]

Fingieren besitzt im Grimmschen Wörterbuch nur einen einzigen Eintrag, nämlich *erdichten*.[2] Der Verzicht darauf, durch Varianten zu spezifizieren, was das Erdichten sei, läßt das Wort in einer Doppeldeutigkeit zurück, die sich geradezu wie dessen Kernbedeutung ausnimmt. Denn Erdichten kann sowohl Lügen als auch das Herstellen eines literarischen Kunstwerks heißen. In beiden Fällen geschieht ein Gleiches: das Überschreiten dessen, was ist. Im Lügen wird ein wahrer Sachverhalt überschritten und im literarischen Werk die in ihm wiederkehrende Welt. Es war daher auch nicht von ungefähr, daß man die Dichtung in ihrer Geschichte bisweilen als Lüge brandmarkte, weil es das, wovon sie redete, nicht gab, wenngleich sie sich ihrerseits so präsentierte, *als ob* das von ihr Erdichtete vorhanden sei.

Der alte platonische Vorwurf, daß die Dichter lügen, stieß in der literarischen Öffentlichkeit der Renaissance zum ersten Mal auf entschiedenen Einspruch. Sir Philip Sidney (um 1580) wies ihn mit dem Einwand zurück, daß die Dichter schon deshalb nicht lügen könnten, weil sie nichts behaupteten,[3] denn sie redeten nicht von dem, was ist, sondern von dem, was sein soll,[4] und dies ist eine andere Art des Überschreitens als diejenige der Lüge. Fingieren also bezeichnet eine Doppelheit, die in Lüge und Dichtung zu jeweils andersartigen Realisierungen führt. Das heißt, die Doppelheit des Fingierens ist kontextabhängig und bestimmt sich nicht von vornherein als Lüge beziehungsweise Dichtung.

Liegt die Doppelung des Fingierens ihrer jeweiligen kontextuellen

---

1 Der vorliegende Text ist die leicht erweiterte Fassung eines Vortrags, der am 24. November 1989 auf dem Wissenschaftsforum Donaueschingen gehalten wurde. Erstabdruck in: *Konstanzer Universitätsreden* 175, Konstanz 1990.

2 Jacob Grimm und Wilhelm Grimm, *Deutsches Wörterbuch* III, Leipzig 1982, S. 1663.

3 Sir Philip Sidney, *The Defence of Poesie* (The Prose Works III), herausgegeben von Albert Feuillerat, Cambridge ²1962, S. 29.

4 Ebd.

Ausprägung voraus, so ist dem Lügen sowie dem Dichten das Überschreiten von Grenzen gemeinsam. Daraus ergäbe sich Grenzüberschreitung als Grundbedeutung von Fingieren. Wer lügt, muß die Wahrheit verschleiern, und das kann heißen, daß in der Lüge die Wahrheit oftmals bis zu dem Grade anwesend ist, in dem die Verschleierung ausschließlich dem Verdecken der Wahrheit dient. Im Dichten hingegen werden vorhandene Welten überschritten, die in ihren Einzelheiten wiederzuerkennen sind, nun aber in einem Horizont unvertrauter Zuordnung erscheinen. Daraus folgt, daß im Fingieren immer zwei Welten gegenwärtig sind: im Lügen die Wahrheit und das, woraufhin sie überschritten wird; im Dichten eine identifizierbare Realität im Horizont ihres Verändertseins. Wenn sich daher Fingieren ganz allgemein als Akt der Grenzüberschreitung bezeichnen läßt,[5] so heißt dies, daß der je überschrittene Bereich nicht transzendiert wird, sondern gegenwärtig bleibt, woraus sich jene das Fingieren kennzeichnende Doppelheit ergibt, die sich als Matrix zu unterschiedlicher Nutzung anbietet. Heißt *erdichten* sowohl lügen als auch Kunstwerke hervorbringen, so bezeugt dieser Eintrag im Grimmschen Wörterbuch die extreme Spannweite des Fingierens.

I

Deshalb soll im folgenden vom Fingieren als einer Ermöglichungsbedingung die Rede sein, und zwar in der Absicht, durch das literarische Fingieren etwas über die menschliche Fiktionsbedürftigkeit in Erfahrung zu bringen. Wenn man auch heute die Literatur ob ihres Fingierens nicht mehr der Lüge zeiht, so haftet dem Fiktionsbegriff immer noch der Makel des Uneigentlichen an, ungeachtet dessen, daß Fiktionen in unserem Leben eine gewichtige Rolle spielen. Nelson Goodman hat in seinem Buch *Ways of Worldmaking*[6] deutlich gemacht, daß wir nicht in einer Realität, sondern in einer Mehrzahl von Welten leben, die zum einen immer schon bestimmte

---

5 Vgl. dazu meinen Aufsatz »Akte des Fingierens. Oder: Was ist das Fiktive im fiktionalen Text?«, in: *Funktionen des Fiktiven* (Poetik und Hermeneutik X), herausgegeben von Dieter Henrich und Wolfgang Iser, München 1983, S. 125-151.
6 Nelson Goodman, *Ways of Worldmaking*, Hassocks 1978, bes. S. 6-10 (deutsch: *Weisen der Welterzeugung*, Frankfurt am Main 1984).

Verarbeitungen sind und die sich zum anderen nicht auf eine ihnen allen unterliegende Fundierung zurückbringen lassen.[7] Statt dessen werden neue Welten aus der Materialität vorhandener gefertigt, weshalb immer viele Welten existieren, deren Herstellung Goodman als »fact from fiction«[8] gekennzeichnet hat. Fiktionen wären demzufolge nicht die der Realität abgewandten Seiten, geschweige denn deren Gegenbegriff, wie es uns ein »stummes Wissen« glauben machen will; vielmehr erweisen sich Fiktionen als Bedingungen für das Herstellen von Welten, deren Realitätscharakter wiederum nicht zu bezweifeln ist.

Überlegungen dieser Art wurden zum ersten Mal unmißverständlich an der Schwelle der Neuzeit von Sir Francis Bacon geäußert, der meinte, daß uns Fiktionen deshalb eine so große Befriedigung gewähren, weil sie nicht vor dem haltmachen, was unserer Einsicht verschlossen bleibt.[9] Das mag noch keine Weise der Weltherstellung im Sinne Goodmans sein, aber es ist dennoch ein Auftakt, das dem Menschen Entzogene durch das Erdenken von Möglichkeiten verfügbar zu machen. Diese Ansicht hat sich durchgehalten, und vier Jahrhunderte nach Bacon hat Marshall McLuhan die Kunst der Fiktion als eine Extension des Menschen verstanden.[10]

Solche Einschätzungen indes kontrastieren mit der Fiktionskritik, wie sie die Erkenntnistheorie der frühen Neuzeit entwickelt hat. Für John Locke galt die Fiktion als eine Selbstbehexung des Geistes,[11] da ihr keine Realität entspreche, und es dauerte mehr als ein halbes Jahrhundert, bis David Hume von den »fictions of the mind«[12] re-

---

7 Ebd., S. 6 und 96.

8 Ebd., S. 102-107.

9 Vgl. Sir Francis Bacon, *Of the Dignity and Advancement of Learning* (*The Works* IV), herausgegeben von J. Spedding u. a., London 1860, Buch II, Kapitel XIII, S. 315.

10 Vgl. Marshall McLuhan, *Understanding Media: The Extensions of Man*, New York, London, Sidney, Toronto, 1964, S. 42, 66, 107, 235, 237 und 242; vgl. ferner Susan Sontag, »The Basic Unit of Contemporary Art is not the Idea, but the Analysis of and Extension of Sensations«, in: Marshall McLuhan: *Hot and Cold*, herausgegeben von Gerald Emanuel Stearn, New York 1967, S. 255, »The new sensibility understands art as the extensions of life«.

11 Vgl. John Locke, *An Essay Concerning Human Understanding* I, London (Everyman's Library) 1971, S. 315-317, 127 und 335.

12 Vgl. David Hume, *A Treatise of Human Nature*, herausgegeben von L. A. Selby-Bigge, Oxford 1968, S. 216, 220 ff., 254, 259 und 493.

dete, welche die Organisation unserer Erfahrung bedingten. Hume indes war vornehmlich darauf bedacht, durch diese Kennzeichnung den Setzungscharakter erkenntnistheoretischer Prämissen zu entlarven. Mit Kant begann dann die Positivierung der Fiktion, indem es galt, Kategorien zu postulieren, die wir so nehmen sollten, *als ob* ihnen etwas entspräche. Dieses *Als-ob* verkörperte für Kant im Blick auf die Erkenntnis eine Notwendigkeit, zu der es keine Alternative gibt. Notwendigkeiten aber, die alternativlos sind, müssen wahr sein,[13] wenngleich – so gilt es hinzuzufügen – diese Wahrheit weniger eine erkenntnistheoretische als vielmehr eine anthropologische sein dürfte.

Daraus läßt sich bereits entnehmen, daß Fiktionen primär eine anthropologische Relevanz haben und daher ontologisch im Sinne der Prämissen neuzeitlicher Erkenntnistheorie nicht zu gründen sind. Deshalb gibt es wohl auch *die* Fiktion nicht. Sie läßt sich lediglich über ihre Funktionen und damit über die Manifestationen ihres Gebrauchs sowie die daraus resultierenden Produkte bestimmen.

Das zeigt sich schon bei oberflächlicher Betrachtung. In der Erkenntnistheorie begegnen wir den Fiktionen als Setzungen; in der Wissenschaft als Hypothesen; in den uns leitenden Weltbildern als deren Fundierungen und in unseren Handlungen als orientierungsleitenden Annahmen. In jedem dieser Fälle hat die Fiktion etwas anderes zu leisten. Im Blick auf die Handlung ist sie ein Vorgriff; im Blick auf die Hypothese ist sie eine Probierbewegung und im Blick auf die Fundierung von Weltbildern ein Dogma, dessen Fiktionscharakter verdeckt bleiben muß, um die Fundierungsleistung zu sichern. Wenn Fiktion je nach ihrer Verwendung so Verschiedenes sein kann, dann ist es nicht uninteressant, danach zu fragen, was sie in der Literatur sei und was dadurch offenkundig wird. Dafür empfiehlt es sich, zunächst auf ein Beispiel zurückzugreifen, aus dem sich weiterführende Überlegungen gewinnen lassen.

13 Vgl. dazu Dieter Henrich, »Versuch über Fiktion und Wahrheit«, in: *Funktionen des Fiktiven* (Poetik und Hermeneutik X), herausgegeben von Dieter Henrich und Wolfgang Iser, München 1983, S. 516.

II

Es gibt in der Geschichte der Literatur den ausgezeichneten Fall, in dem das Fingieren selbst zu einer bildhaften Darstellung gekommen ist. Gemeint ist die Bukolik, die im Schäferroman der Renaissance ihre detaillierteste Ausprägung gefunden hat. Wenn Arkadien als eine von Vergil erfundene Kunstwelt gilt, so ist diese schon in den Eklogen mit einer politischen Welt verkoppelt.[14] Im Schäferroman der Renaissance nun spielen zwei radikal voneinander unterschiedene Welten ineinander: In ihm ist die Kunstwelt an eine politisch-historische Welt angeschlossen. Wie sehr der Schäferroman auf die Abbildung zweier voneinander abgehobener Welten angelegt ist, läßt sich daran ablesen, daß zwischen beiden eine scharf markierte Grenze verläuft, so daß sich die zentralen Figuren des Romans, die eine solche Grenze überschreiten, ihrerseits doppeln müssen. Als Personen agieren sie in einer Schäfermaske, und in dieser tarnen sie ihr Person-Sein. Eine solche Spaltung der Protagonisten in Maske und Person signalisiert die Bedeutung der Grenze, die die beiden Welten voneinander trennt. Wiederum stellt sich das Merkmal literarischen Fingierens ein: Es ist Grenzüberschreitung, durch die zwei voneinander unterschiedene Welten ineinandergeblendet werden, um deren Differenz auszuspielen.

Daraus ergibt sich die Strukturformel des Fingierens: Es bewirkt die Gleichzeitigkeit dessen, was sich wechselseitig ausschließt. Da das aber auch auf die Lüge zutrifft, gibt es in der Literatur eine Zusatzbedingung, die den Verdacht der Lüge beseitigt: Literarisches Fingieren entblößt sich als solches, was sich das Lügen nicht leisten kann. Folglich besitzt die Literatur eine Reihe konventionsstabilisierter Signale, durch die dem Leser bedeutet wird, daß es sich nicht um einen Diskurs, sondern um einen inszenierten Diskurs handelt.[15] Das heißt: Alles, was nun gesagt wird, steht unter dem Vor-

---

14 Vgl. dazu Bruno Snell, »Arkadien. Die Entdeckung einer geistigen Landschaft«, in: ders., *Die Entdeckung des Geistes. Studien zur Entstehung des europäischen Denkens bei den Griechen,* Hamburg 1948, S. 277 und 286; ferner Thomas Rosenmeyer, *The Green Cabinet. Theocritus and the European Pastoral Lyric,* Berkeley, Los Angeles, London 1973, S. 214

15 Vgl. dazu Rainer Warning, »Der inszenierte Diskurs. Bemerkungen zur pragmatischen Relation der Fiktion«, in: *Funktionen des Fiktiven* (Poetik und Hermeneutik X), herausgegeben von Dieter Henrich und Wolfgang Iser, München 1983, S. 183-206.

zeichen des Als-ob, und das bedeutet, daß das Geschriebene nun so genommen werden soll, als ob es eine Wirklichkeit bezeichnete, während es gerade dieses Bezeichnen in Klammern gesetzt hat, um dadurch etwas zu figurieren. Deshalb sind die Schäfer in der Bukolik, aber auch die literarischen Gattungen beispielsweise, solche konventionsstabilisierten Fiktionssignale. Die Schäfer repräsentieren daher nicht die Rhythmen bäuerlichen Tagwerks, sondern eine Dimension, für die ihr Tagewerk nur als Bild möglicher Vorstellbarkeit gedacht ist. Insofern geschieht in der Literatur immer eine Inszenierung, und der Schäferroman ist für die Klärung des Fingierens deshalb ein ausgezeichnetes Beispiel, weil er in seinen Spätformen das Fingieren selbst zum Thema macht.

Einer von Shakespeares Narren äußert einmal: »The truest poetry is the most feigning«,[16] und stößt bei seiner Dialogpartnerin auf totales Unverständnis. Wenn aber nur der Narr gewärtigt, daß die wahre Poesie gesteigertes Fingieren sei, dann deshalb, weil er immer in zwei Welten gleichzeitig zu Hause ist.[17] Ist also Doppelung die basale Struktur des Fingierens, in der ständig Grenzüberschreitungen stattfinden, so fragt es sich, was das Fingieren indiziert. Dafür ist Philip Sidneys *Arcadia*[18] ein zentrales Beispiel.

Die Protagonisten kommen aus ihrer Lebenswelt und überschreiten die Grenze nach Arkadien, um dort noch einmal zum Überschreiten einer weiteren Grenze verlockt zu werden, die ein Außenarkadien von einem Binnenarkadien trennt. Denn sie wollen sich den verbotenen Zutritt zu den von ihnen geliebten Prinzessinnen erzwingen. Sie müssen sich deshalb maskieren, um dort zu sein, wo sie nicht sein dürfen. In Binnenarkadien erzählen nun die maskierten Prinzen den Prinzessinnen von jenen Abenteuern, die sie in der politisch-historischen Welt bestanden haben, aus der sie kom-

---

16 William Shakespeare, *As You Like It* (The Arden Shakespeare), herausgegeben von Agnes Latham, London 1975, S. 80.

17 Vgl. dazu meinen Aufsatz »Die Dramatisierung des Doppelsinns in Shakespeares *As You Like It*«, in: *Das Gespräch* (Poetik und Hermeneutik XI), herausgegeben von Karlheinz Stierle und Rainer Warning, München 1984, S. 345-350.

18 Sir Philip Sidney, *Arcadia* (Penguin English Library), herausgegeben von Maurice Evans, Harmondsworth 1977. Für alle weiteren Zitierungen wurde diese Ausgabe der *Complete Arcadia* zugrunde gelegt, die auf die Ausgabe von Sir William Alexander von 1621 zurückgeht und die revidierte, wenngleich Fragment gebliebene *New Arcadia* mit Teilen der erst 1912 als vollständige Ausgabe erschienenen *Old Arcadia* verbindet. Sir William Alexander hat das Zwischenglied selbst verfaßt.

men. Sie bekennen, daß es dort das Motiv der Prinzen gewesen sei, Ehre zu gewinnen, sich in Tugend und Tapferkeit zu bewähren, verweisen aber gleichzeitig darauf, daß eine solche Zielsetzung nicht mit jener der epischen Helden aus heroischer Vergangenheit, wie sie Odysseus und Äneas bezeugt haben, verwechselt werden darf.[19] Die Prinzen seien vielmehr von dem Impuls geleitet gewesen, »(to) go privately to seek exercises of their virtue«.[20] Zwar vermag die Praktizierung heroischer Tugenden überall gefährdete Ordnungen wiederherzustellen und persönliche Konflikte zu entwirren; es läßt sich jedoch nicht verkennen, daß die Taten der Prinzen folgenlos geblieben sind. Denn die Bewährung der heroischen Tugenden bewirkte in der politisch-historischen Welt keinen grundlegenden Wandel.

Die wiedergegebenen Abenteuer der Prinzen gleichen den Abenteuern epischer Helden, wenngleich die maskierten Prinzen eigens vermerken, daß die, von denen sie berichten, den epischen Helden nicht nachzueifern bestrebt waren; statt als Suche vollzieht sich die Abenteuerfolge »in unknown order«.[21] Das Zentralmotiv der Epik also, die Suche, verkörpert das in ihren Erzählungen ausgefallene Verfahren.[22] Nun aber berichten die maskierten Prinzen den von ihnen geliebten Prinzessinnen von ihren Taten ja nur deshalb, weil sie sich beim Überschreiten der Grenze nach Arkadien doppeln mußten, so daß Musidorus in der Maske eines Schäfers agieren muß und Pyrocles sogar in der einer Amazone. Wenn sie den Königstöchtern daher ihre Geschichten erzählen, so wird ganz unversehens die in ihren heroischen Abenteuern ausgefallene Suche, zu der die epischen Helden der Vergangenheit aufgebrochen waren, in auffallender Weise wiederhergestellt. Denn nun gilt es für die Prinzen, sich durch die Masken hindurch mittels ihrer Erzählungen den Königstöchtern als die zu entdecken, die sie sind. Folglich kann sich ihre Erzählung nicht auf die Wiedergabe dessen beschränken, was sie in der politisch-historischen Welt geleistet haben; vielmehr dienen nun die Abenteuer dazu, diesen einen anderen Sinn abzugewinnen. Nicht die Bewährung heroischer Tugenden bildet den Sinn der

---

19 Sidney, *Arcadia*, S. 275.

20 Ebd.

21 Ebd.

22 Das ausgefallene, aber erwartbare Verfahren hat Ju. M. Lotman, *Die Struktur literarischer Texte*, übersetzt von Rolf-Dietrich Keil, München 1972, S. 144 ff., 207 und 267, als »Minusverfahren« beschrieben.

von den Prinzen wiedergegebenen Ereignisse; vielmehr wird diesem Sinn heroischer Abenteuer ein anderer überlagert, der darin besteht, in den Königstöchtern die Vermutung zu wecken, daß der Schäfer und die Amazone in Wahrheit die Urheber dieser Taten seien.

So muß der Sinn heroischer Abenteuer ständig als ein anderer Sinn verstanden werden, um in den Königstöchtern eine Bewunderung für die Prinzen zu entfachen. Denn es gilt, die Person durch die Maske hindurchscheinen zu lassen. Deshalb muß der Sinn der Tugendbewährung seinen manifesten Charakter behalten, gleichzeitig aber von einem latenten Sinn durchschossen sein, der nichts mit den heroischen Abenteuern zu tun hat, weil er darauf gerichtet ist, die Maske durchsichtig werden zu lassen. Indem die Prinzen immer etwas anderes sagen, als sie sagen wollen, wird der Code heroischer Abenteuer zu einem manifesten Sinn und der Wunsch, durch die Maske hindurch als der wahrgenommen zu werden, der man ist, zum latenten Sinn. Das aber heißt: Der besondere Gebrauch, der je von den Geschichten gemacht wird, beginnt den von der heroischen Konvention stabilisierten Sinn solcher Geschichten zu metaphorisieren. Diese hören auf, der Bezeichnung heroischer Abenteuer zu dienen, geschweige denn die Bewährung heroischer Tugenden vorzustellen; statt dessen werden sie zum Zeichen dafür, die hinter der Maske verborgene Person hervorzukehren. Die heroische Welt muß zum Schema entleert werden, damit eine verdeckte Realität zur Sprache kommen kann. Denn erst eine metaphorisch verstandene Geschichte läßt sich als Bild einer anderen Realität lesen.

Wenn aber der eine Sinn – der der Abenteuergeschichte – zum Zeichen eines anderen – dem des Wunsches – wird, dann dürfen sie sich wechselseitig nicht verdrängen, so daß die duale Einheit der von den Prinzen erzählten Abenteuer die Struktur des Doppelsinns hervortreibt. Es gibt folglich einen manifesten Sinn, der ständig auf einen verborgenen Sinn verweist, der immer eine Sache und zugleich auch eine andere bedeutet und dabei nicht aufhört, die vorangegangene zu bedeuten.

Diese Doppelsinnstruktur ist der des Traums verwandt; denn der Traum ist es, wie Paul Ricœur einmal formulierte, »der – allen Schulstreit beiseite gestellt – davon zeugt, daß wir unablässig etwas anderes sagen, als wir sagen wollen; es gibt manifesten Sinn, der niemals aufhört, auf verborgenen Sinn zu verweisen; das macht aus jedem Schlafenden einen Poeten«.[23] Angesichts dieser Sachlage ist es nun bemerkenswert, daß in der *Arcadia* selbst ein Hinweis auf die Natur des Doppelsinns gegeben wird; an einer für die Entfaltung der Fabel wichtigen Stelle heißt es:

»As for Pamela, she kept her accustomed majesty, being absent where she was, and present where she was not. Then, the supper being ended, after some ambiguous speeches which might, for fear of being mistaken, be taken in two senses, or else were altogether estranged from the speaker's mind (speaking, as in a dream, not what they thought, but what they would be thought to think).«[24]

Damit ist der Doppelsinn explizit mit der Traumstruktur zusammengedacht.

Wird der manifeste Sinn von dem abgelöst, was er bezeichnet, dann wird er für andere Verwendungen frei. Wenn er sich vom Bezeichneten löst, um als Metapher eine verborgene Realität ans Licht zu ziehen, dann eröffnet sich ein Spielraum zwischen dem manifesten und dem latenten Sinn. Es ist dieser Spielraum, der literarisches Fingieren als die Ermöglichung von Sinn kennzeichnet. Denn nun kann man das Gesagte und das Gemeinte je unterschiedlich zuordnen, und daraus folgt, daß sich je nach Zuordnung bald vom manifesten, bald vom latenten Sinn immer neue Bedeutungen abspalten lassen.

Ist die Doppelsinnstruktur das zentrale Charakteristikum literarischen Fingierens, durch das sie in eine »Familienähnlichkeit« (Wittgenstein) zum Traum rückt, so fragt es sich, inwieweit sie das, was auch den Traum kennzeichnet, unterschiedlich ausprägt. Es kann sich folglich in der Doppelsinnstruktur literarischen Fingierens nicht um eine Wiederholung dessen handeln, was auch im Traum geschieht; desgleichen kann diese Doppelsinnstruktur nicht auf die bloße Repräsentation des Traumgeschehens eingeschränkt werden, wenngleich der Schäferroman in seiner Epoche immer wieder durch Traumanalogien beschrieben worden ist.[25]

---

23 Paul Ricœur. *Die Interpretation. Ein Versuch über Freud*, übersetzt von Eva Moldenhauer, Frankfurt am Main 1974, S. 27.

24 Sidney, *Arcadia*, S. 624 f.

25 Das gilt von Sannazaro bis zu Cervantes. Vgl. dazu Iacopo Sannazaro, *Opere*, herausgegeben von Enrico Carrara, Turin 1952, S. 193 f., und Miguel de Cervantes Saavedra, *Obras Completas*, herausgegeben von Angel Valbuena Prat, Madrid 1967, S. 1001.

Die Masken im Schäferroman kehren etwas hervor, das auch im Traum eine Rolle spielt, in der Theorie der Traumanalyse jedoch weitgehend marginal geblieben ist; gemeint sind die Formen der Verkleidung, in die die Traumgedanken gehüllt werden. Die in Sidneys *Arcadia* erfolgte Zweiteilung der Protagonisten in Maske und Person gleicht noch insoweit der Traumstruktur, als die Verkleidung dem Verbergen dessen dient, was die Prinzen sind, um sich den Zutritt zu einer ihnen verwehrten Welt zu erzwingen. Hier wie dort bedarf es der Täuschung, um Verbotsschwellen übertreten zu können. Es ist die Wunschphantasie der Prinzen, in jener Welt, in der sie nicht sein dürfen, als die wahrgenommen zu werden, die sie sind, weil sie die Liebe der Prinzessinnen erringen möchten. Das führt zwangsläufig zu einem Spiel mit ihrer eigenen Maskerade, die sich dadurch von der des Traums abzuheben beginnt.

Denn im Traum dominiert die Verschleierung, die durchgehalten werden muß, um die Wiederkehr des Verdrängten zu ermöglichen. Die Prinzen hingegen möchten ihre Verschleierungen lüften, um ihr Prinz-Sein offenbar zu machen. Deshalb müssen sie das Verbergen mit dem Enthüllen verbinden. Enthüllen aber kann nicht heißen, die Masken abzuwerfen, denn die Prinzen müssen Verbote überlisten und scharf bewachte Grenzen überschreiten. Ihr Ziel treibt sie dazu, sich im Verkleiden offenbar zu machen, und eine solche Dualität von Verhüllen und Entschleiern gilt es, in Gleichzeitigkeit zu praktizieren. Diese von den Protagonisten vorgeführte duale Einheit von Verhüllen und Entschleiern erwiese sich dann als eine Verbildlichung des Fingierens, das es erlaubt, Verdecktes durch Täuschung offenbar zu machen.

In dem verhüllenden Entschleiern zeigt sich eine erste Differenz zur Traumstruktur. Es gilt, in der Maske die Person zu inszenieren, um zu erreichen, was noch nicht ist. Deshalb wird die Person in der Maske auch nicht hinter sich gelassen, sondern hat sich als etwas, das sie als Person nicht sein kann. Im Gegensatz zum Traum, in dem der Schlafende der Gefangene seiner Bilder ist, fächert sich hier durch die Bilder der Maske die Person in ihre Möglichkeiten auf. Tritt die Person in der Inszenierung aus sich heraus, so muß sie sich nichtsdestotrotz gegenwärtig bleiben, weil sonst nichts inszeniert werden könnte. Daraus ergibt sich ein erster Hinweis auf das, was die Doppelsinnstruktur des Fingierens ermöglicht und wodurch sie sich vom Traum unterscheidet. Denn sich gegenwärtig zu sein und sich so zu nehmen, als ob man ein anderer sei, ist ein ek-statischer Zustand. Die Person, so müßte man formulieren, hat sich im Außerhalb ihrer. Fingieren also wäre eine Ekstase, und das heißt, man tritt gleichzeitig aus dem heraus, worin man eingeschlossen ist: in seiner Person. In dieser Hinsicht überschießt literarisches Fingieren die Traum-Analogie, deren Struktur sie teilt. Paul Ricœur, der noch am ehesten geneigt ist, den Traum mit der Poesie zusammen zu sehen, gibt gerade im Blick auf das verhüllende Entschleiern zu bedenken: »Nur eine Studie dieser konkreten Beziehungen, dieser Akzentverschiebungen und Rollenvertauschungen zwischen der Funktion der Verkleidung und der Funktion der Entschleierung könnte das überwinden, was im Gegensatz von Regression und Progression (im Traum) abstrakt bleibt.«[26]

An dieser Stelle läßt sich nun eine erste Zwischenbilanz ziehen. Literarisches Fingieren hat die Struktur des Doppelsinns. Dieser ist eine Ermöglichung von Sinn und nicht schon ein bestimmter Sinn. Verhüllendes Entschleiern ist die Form des Doppelsinns, der ständig etwas anderes sagt, als er meint, um dadurch etwas zu figurieren, das das überschießt, was ist. Daraus ergibt sich der ekstatische Zustand, den literarisches Fingieren hervorzubringen vermag, und das heißt im Blick auf das vorgeführte Beispiel, daß die Protagonisten gleichzeitig bei sich und außerhalb ihrer sind. Literarisches Fingieren wird zur Signatur eines Zustands, der in den Vollzügen der Lebenswelt weitgehend unmöglich ist.

Es fragt sich nun, wie eine solche Doppelsinnstruktur funktioniert und welcher anthropologische Indexwert sich daraus entnehmen läßt. Dafür kann noch einmal kurz an das verhüllende Entschleiern angeknüpft werden. Wenn in Sidneys *Arcadia* die Protagonisten als Masken agieren, dann ist ihr Prinz-Sein in die Abwesenheit verschoben, wenngleich diese Abwesenheit insoweit gegenwärtig ist, als sie die Operationen der Maske lenkt. Da die Protagonisten Situationen bewältigen müssen, die ihnen unvertraut sind, ist nicht alles, was sie sind, in der jeweiligen Situation gefragt; im Gegenteil: Manche Haltungen, manche ihrer Fähigkeiten, aber auch manche ihrer Normen und Werte, denen sie sich verpflichtet fühlen, müssen zeitweilig in den Hintergrund treten, weil das Situationserfordernis ihren Einsatz problematisch machen würde. Dem-

26 Ricœur, S. 534.

zufolge gibt es ständig wechselnde Verbindungen zwischen dem, was die Protagonisten jeweils als Person, und dem, was sie jeweils als Maske sind. Darin bezeugt sich der Ermöglichungscharakter des Doppelsinns. Folglich ist weder die Maske noch die Person in je reiner Gegenwart anwesend, und dieser ständige Wechsel zwischen Anwesenheit und Abwesenheit läßt erkennen, daß die Person immer zugleich über das hinaus ist, was sie ist. Ein solcher ek-statischer Zustand indes wird aber nicht um seiner selbst willen erstrebt; denn es fragt sich, was es heißt, immer zugleich bei sich und außerhalb seiner zu sein. Wird in der Maskierung die jeweilige Bestimmtheit dessen überschritten, was man ist, so kann man sich im Fingieren immer auch zu dem machen, was man sein will, so daß der ek-statische Zustand die Minimalbedingung des Herstellens überhaupt verkörpert: sei es des eigenen Selbst oder das der Welt.

III

Dadurch kommt im literarischen Fingieren ein weiteres anthropologisches Grundmuster zum Vorschein, das man als das Doppelgängertum des Menschen bezeichnet hat; denn zweigeteilt zu sein gilt als dessen Signatur. Dafür genügt es, auf einschlägige Vorstellungen der Sozialanthropologie zu verweisen. Helmuth Plessner hat diesen Sachverhalt einmal wie folgt beschrieben:

»Unser rationales Selbstverständnis gewinnt seine Formalisierbarkeit ... aus der Idee des Menschen als eines zwar auf soziale Rolle definierten Wesens. Der Rollenspieler oder Träger der sozialen Figur fällt zwar nicht mit ihr zusammen, kann jedoch nicht für sich abgelöst gedacht werden, ohne seine Menschlichkeit zu verlieren ... Nur an dem anderen seiner selbst hat er – sich. Mit dieser Struktur von Doppelgängertum, in welchem Rollenträger und Rollenfigur verbunden sind, glauben wir eine Konstante getroffen zu haben ... Dem Doppelgängertum des Menschen als solchem, als einer jedwede Selbstauffassung ermöglichenden Struktur, darf die eine Hälfte der anderen keineswegs in dem Sinne gegenübergestellt werden, als sei sie ›von Natur‹ die bessere.«[27]

Entscheidend an dieser Plessnerschen Überlegung ist zunächst die Zurückweisung einer ontologisch fundierten Subjektstruktur, die –

27 Helmuth Plessner, »Soziale Rolle und menschliche Natur«, (*Gesammelte Schriften* 10), herausgegeben von Günter Dux u. a., Frankfurt am Main 1985, S. 235.

in idealistischer Terminologie gesprochen – dem *homo nuomenon* einen *homo phaenomenon* gegenüberstellt, eine Kontrastierung, die in Marxismus und Psychoanalyse gleichermaßen virulent geblieben ist. Die Marxsche Selbstentfremdung setzt ein idealistisches Gefälle im Menschen voraus, durch das ein wahres Selbst von den Formen seiner Erniedrigung unterschieden werden kann; die Psychoanalyse spricht von einem Kern-Selbst, das im Spiegel-Ich seiner ansichtig wird. Als Doppelgänger seiner selbst hingegen ist der Mensch allenfalls das Differential seiner Rollen, die sich gegeneinander vertauschen und wechselseitig umprägen lassen. Rollen sind dann weder Charaktermasken noch Tarnungen, um ein Selbst mit einer herrschenden Pragmatik zu vermitteln, sondern Möglichkeiten, immer auch das andere der jeweiligen Rollen zu sein.

Konditioniert die soziale Dimension die jeweilige Rolle, so bedingt sie zwar deren Gestalt, nicht aber schon das Doppelgängertum des Menschen; sie ist nur der Prägestock dieser Zweiteilung, die von ihr weder übergriffen noch aufgehoben, sondern lediglich in einer Rollenvielfalt aufgefächert wird. Das Doppelgängertum selbst hingegen entspringt der exzentrischen Position des Menschen, dessen Existenz unbestreitbar, wenngleich dem Menschen unverfügbar ist. Ludwig Feuerbach meinte: »In der Unwissenheit ist der Mensch bei sich zu Hause, in seiner Heimat«,[28] und daran ließe sich anschließen, was der französische Sozialphilosoph Cornelius Castoriadis einmal wie folgt formuliert hat: »Der Mensch überschreitet seine Definitionen stets wieder, weil er sich selbst *schafft*, indem er etwas schafft und damit auch *sich selbst* erschafft; weil keine rationale, natürliche oder geschichtliche Definition beanspruchen könnte, die endgültige zu sein. Der Mensch ist, was er nicht ist und was nicht er ist.«[29] Ist dieser Mangel Quelle des Fingierens, so qualifiziert das Fingieren wiederum das, was es ins Werk setzt: den schöpferischen Prozeß sowie das *Wozu* solcher Inszenierungen.

28 Ludwig Feuerbach, *Sämtliche Werke* X, herausgegeben von W. Bolin und F. Jodl, Stuttgart 1911, S. 310
29 Cornelius Castoriadis, *Gesellschaft als imaginäre Institution. Entwurf einer politischen Philosophie*, übersetzt von Horst Brühmann, Frankfurt am Main 1984, S. 233.

IV

Alles Fingieren möchte etwas bewirken – was aber wäre dieses? Literarisches Fingieren, so hat sich bislang gezeigt, besitzt durch die Doppelsinnstruktur eine »Familienähnlichkeit« mit dem Traum, ohne jedoch dessen Repräsentation, geschweige denn dessen Wiederholung zu sein. Besitzt der Träumende allenfalls noch ein Bewußtsein davon, daß er träumt, so bleibt er doch an den Traumhorizont gebunden, den er im Traum nicht zu überschreiten vermag. Anders, so hatten wir gesehen, verhält es sich im literarischen Fingieren, in dem der ek-statische Zustand immer erlaubt, bei sich und über sich hinaus zu sein.

Hans-Georg Gadamer hat diesen Zustand als die »subjektive Leistung menschlichen Verhaltens« charakterisiert; denn es hieße, »die Ekstatik des Außersichseins zu verkennen ..., wenn man darin eine bloße Negation des Beisichseins, also eine Art von Verrücktheit sieht. In Wahrheit ist Außersichsein eine positive Möglichkeit, ganz bei etwas dabei zu sein.«[30]

Was das beinhalten könnte, läßt sich wiederum über die Traum-Analogie plausibilisieren, allerdings in einem Aspekt, der für Freud und die ihm darin folgende Psychoanalyse nicht im Blick stand. Der Traum ist nach den experimentellen Untersuchungen von Gordon Globus kein syntaktisches Zusammensetzen von Erinnerungsbildern, geschweige denn auf die Wiederkehr des Verdrängten einzuschränken, sondern ist ein schöpferischer Vorgang, in dem jedesmal eine Welt von neuem geschaffen wird.[31] Im Gegensatz dazu ist die Lebenswelt, in der wir uns bewegen, immer da, und wir vermögen sie bestenfalls im Blick auf das, was uns angeht, zu interpretieren. Geschieht im Traum ein ständiges Erschaffen alternativer Welten, deren bizarrer Charakter durch die Unterbrechung des sensorischen Input während des Schlafs bedingt ist, so vermag der Träumende sich nicht an den Horizont der von ihm erzeugten Welt zu versetzen, um zu sehen, was er hervorgebracht hat. Denn mehr als zu gewärtigen, daß man träumt, gestattet auch das ›lucid dreaming‹ nicht.[32]

30 Hans-Georg Gadamer, *Wahrheit und Methode* (*Gesammelte Werke*), Tübingen 1986, S. 130 f.
31 Gordon Globus, *Dream Life, Wake Life. The Human Condition through Dreams*, Albany 1987, S. 57.
32 Vgl. dazu S. LaBerge, *Lucid Dreaming*, Los Angeles 1985, S. 6.

Literarisches Fingieren prägt diese anthropologische Disponiertheit unterschiedlich aus. Ist der Mensch Scheitelpunkt seiner Rollenvielfalt, so führt literarisches Fingieren den Menschen als das vor, wozu er sich macht und versteht. Dazu muß er aus sich heraustreten, um seine Begrenzungen zu hintergehen. Literarisches Fingieren erwiese sich daher als eine Bewußtseinsmodifikation, um das verfügbar zu machen, was dem Menschen im Traum lediglich widerfährt. Bleibt der Träumende im Erschaffen einer je bestimmten Welt an den Traumhorizont gebunden, so erlaubt literarisches Fingieren ein Überschreiten solcher Gebundenheiten. Ist der Träumende – in einer Formulierung von Eduard Dreher – im Traum in einen Traumerleber und in einen Traumspieler gespalten,[33] der die von ihm geschaffenen Welten ständig auch erleidet, so gibt sich literarisches Fingieren durch seine Kennzeichnung des Als-ob immer als Schein zu erkennen; damit ist angezeigt, daß sich die Fähigkeit des Menschen, sich in je bestimmte Gestalten zu verwandeln, nicht verdinglichen läßt. Gleichzeitig erlaubt es dieser Schein, sich immer erneut zu erfinden, und schließlich bezeugt er, daß es für das, wozu man sich im Fingieren macht, keine Bezugsrahmen gibt, wenngleich Fiktionalität als Extension des Menschen so funktioniert, als ob sie selbst einen solchen Bezugsrahmen darstellen würde.

Literarisches Fingieren wäre dann ein Indiz dafür, daß sich der Mensch nicht gegenwärtig sein kann – ein Zustand, der ihn bis in den Traum hinein schöpferisch werden läßt, ohne daß er je in dem, was er hervorbringt, mit sich selbst zusammenfiele. Als Inszenierung sind dem Sich-selbst-Erschaffen keine Grenzen gesetzt, wenngleich um den Preis mangelnder Endgültigkeit des je Hervorgebrachten. Schafft sich der Mensch durch das Fingieren die Vorstellbarkeit seines Grundbefindens, so macht er die Unaufhebbarkeit eines solchen gerade durch das Fingieren zu einem Urteil über sich selbst.

---

33 Eduard Dreher, *Der Traum als Erlebnis*, München 1981, S. 62-93. »Der Traumerleber decouvriert ... die potentiellen Möglichkeiten eines von der Selbstkontrolle befreiten Ich« (68); »Der Traumspieler verfügt über eine schöpferische Phantasie, die in aller Regel deutlich über die Wunschphantasie des Träumers hinausgeht« (84).

V

Versteht sich Fingieren als Inszenierung kreativer Prozesse, so gibt es hinsichtlich dessen, was inszeniert werden kann, keine Beschränkung. Gleichzeitig aber qualifiziert die Doppelsinnstruktur des Fingierens den kreativen Prozeß; denn dieser bietet die paradoxe, aber vielleicht gerade deshalb begehrenswerte Chance, im Mittendrinsein des Lebens das Leben selbst überschreiten zu können. Die Gleichzeitigkeit von mitten im Leben und zugleich an dessen Horizont zu sein macht das Fingieren zu einer Figur innerweltlicher Totalität. Denn das Mittendrinsein im Leben wird durch das Fingieren inszeniert und gewährt damit einen Zustand, den es in den Lebensvollzügen sonst nicht gibt. Es fragt sich daher, was man dem Mittendrinsein abgewinnen möchte, indem man es durch das Fingieren so versteht, als ob man wüßte, was es sei, im Leben mittendrin zu sein.

Dazu sei zunächst an eine Überlegung Milan Kunderas angeknüpft, die er in seinem Roman *Die unerträgliche Leichtigkeit des Seins* angestellt hat:

»Wieder sehe ich ihn vor mir, wie er mir am Anfang des Romans erschienen ist. Er steht am Fenster und schaut über den Hof auf die Mauer des Wohnblocks gegenüber. Das ist das Bild, aus dem er geboren ist. Wie ich schon gesagt habe, werden Romanpersonen nicht wie lebendige Menschen aus einem Mutterleib, sondern aus einer Situation, einem Satz, einer Metapher geboren, in deren Kern eine Möglichkeit des Menschen verborgen liegt, von der der Autor meint, daß sie noch nicht entdeckt oder daß noch nichts Wesentliches darüber gesagt worden sei. Oder stimmt es, daß ein Autor nur über sich selbst reden kann? Hilflos über den Hof zu schauen und nicht zu wissen, was tun; das Rumoren des eigenen Bauches im Moment verliebter Erregung zu hören; zu verharren und nicht innehalten zu können auf dem schönen Weg von Verrat zu Verrat; die Faust zu erheben im Zuge des Langen Marsches; seinen Scharfsinn vor den geheimen Mikrophonen der Polizei zur Schau zu stellen – alle diese Situationen habe ich selbst kennengelernt und erlebt, und trotzdem ist aus keiner die Person erwachsen, die ich selbst in meinem Curriculum vitae bin. Die Personen meines Romans sind meine eigenen Möglichkeiten, die sich nicht verwirklicht haben. Deshalb habe ich sie alle gleich gern, deshalb machen sie mir alle die gleiche Angst. Jede von ihnen hat eine Grenze überschritten, der ich selbst ausgewichen bin. Gerade diese unüberschrittene Grenze (die Grenze, jenseits deren mein Ich endet) zieht mich an. Erst dahinter beginnt das große Geheimnis, nach dem der Roman fragt. Ein Roman ist nicht die Beichte eines Autors, sondern die Erforschung dessen, was das menschliche Leben bedeutet in der Falle, zu der unsere Welt geworden ist.«[34]

Die Möglichkeiten, von denen hier gesprochen wird, liegen jenseits dessen, was ist, wenngleich sie ohne das, was ist, nicht wären. Eine solche Doppelheit läßt sich durch Schreiben zur Geltung bringen, das dem Impuls entspringt, jene Wirklichkeit, auf die sich der Romanschriftsteller bezieht, zu überschreiten. Daher gilt das Schreiben nicht dem, was ist, und bezieht sich als Grenzüberschreitung auf eine Dimension, die doppelsinnig bleibt. Denn diese ist abhängig von dem, was ist, ohne daraus ableitbar zu sein. Auf der einen Seite schattet sich die Wirklichkeit des Schreibenden zu ihren Möglichkeiten hin ab, und auf der anderen sind es diese, die die Geltung dessen, was ist, durch das Überschreiten entwerten. Dieser Möglichkeitshorizont des Wirklichen entstünde allerdings nicht, wenn man die zur Falle gewordene Welt hinter sich ließe. Statt dessen gilt es hervorzukehren, was die Wirklichkeit, auf die man sich bezieht, nicht zu gewähren scheint.

Im Text des Romans kommt es daher zur Gleichzeitigkeit des Wirklichen und des Möglichen, denn erst eine aus der Lebenswelt des Autors ausgewählte und im Text dargestellte Welt schafft die Voraussetzung für deren Möglichkeitshorizont, dessen ungegenständlicher Charakter keine Kontur gewönne, wenn er nicht die Brechung einer Vorgabe wäre. Diese wiederum bliebe bedeutungslos, wenn es nicht gelänge, das in ihr Verwehrte herauszukehren. Beides zugleich zu haben und die Differenz durchzuhalten ist ein Vorgang, der in der Lebenswelt ausgeschlossen ist und folglich nur unter dem Vorzeichen des Als-ob inszeniert werden kann. Denn wer in der Wirklichkeit ist, ist nicht zugleich in der Möglichkeit und umgekehrt.

In welchem Sinne ist nun die Welt, in der wir leben, eine Falle, und warum sind wir gedrängt, Grenzen zu überschreiten? Dazu fühlen sich Autoren versucht, die das Fingieren ins Werk setzen, wie auch die Leser, die trotz der Kenntnis, daß es sich um Fingiertes handelt, nicht davon ablassen können. Wenn das Fingieren einen ek-statischen Zustand ermöglicht, bei sich und außer seiner, jenseits

---

34 Milan Kundera, *Die unerträgliche Leichtigkeit des Seins*, übersetzt von Susanna Roth, München 1984, S. 211 f.

der Grenzen des eigenen Ich und im Leben mittendrin sowie zugleich an dessen Horizont zu sein, so bezeugt die Notwendigkeit des Fingierens, daß sich der Mensch *qua* Mensch nicht gegenwärtig zu sein vermag.

Das heißt, der Grund, aus dem er ist, bleibt ihm entzogen. Samuel Beckett läßt eine seiner Figuren in seiner Romantrilogie einmal sagen: »Live and invent«,[35] und damit ist bedeutet, daß wir nicht wissen, was es ist zu leben, weshalb uns nur die Möglichkeit bleibt, das zu erfinden, was wir nicht wissen können. Ein ähnlicher Merksatz findet sich in der Sozialanthropologie, wenn Plessner formuliert: »Ich bin, aber ich habe mich nicht.«[36] Haben hieße zu wissen, was es sei, das man ist. Dazu aber bedürfte es einer dritten Dimension beziehungsweise eines transzendentalen Ortes, der es erlauben würde, die selbstevidente Gewißheit, daß wir sind, nun auch in all ihren Implikationen, ihrer Bedeutsamkeit, ja schließlich in ihrem Sinn erfassen zu können. Wenn wir den Sinn dessen besitzen wollen, was es ist zu sein, werden wir zwangsläufig über uns hinausgetrieben, und da wir nicht zugleich der transzendentale Ort unserer selbst sein können, mündet das Begehren zu wissen, was es ist zu sein, ins Fingieren. Beckett hat ausgesprochen, was auch für Plessner im Blick stand: daß es von untrüglichen Grundbefindlichkeiten des Menschen kein Wissen gibt.

Diese Differenz ist der Quellpunkt für die anthropologische Bedeutsamkeit des Fingierens, das immer dort einsetzt, wo sich Grenzen der Wißbarkeit im Blick auf vorhandene Gewißheit oder vorhandene Wirklichkeiten abzeichnen. Nun gibt es im menschlichen Leben viele solcher unwißbaren Realitäten: die wohl bedeutsamsten dürften Anfang und Ende sein. Damit aber sind die kardinalen Bedingungen unserer Existenz der Verfügbarkeit durch Wissen entzogen. Der griechische Arzt Alkmaion soll einmal mit Zustimmung des Aristoteles gesagt haben, daß die Menschen sterben müssen, weil sie nicht in der Lage sind, Anfang und Ende miteinander zu verknüpfen.[37] Erwiese sich der Tod als Resultat einer solchen Un-

35 Samuel Beckett, *Malone Dies*, New York 1956, S. 18.
36 Helmuth Plessner, »Die anthropologische Dimension der Geschichtlichkeit«, in: *Sozialer Wandel. Zivilisation und Fortschritt als Kategorien der soziologischen Theorie*, herausgegeben von Hans Peter Dreitzel, Neuwied 1972, S. 160.
37 Aristoteles, *Problemata Physica (Werke* 19), herausgegeben und übersetzt von Hellmut Flashar, Berlin 1983, S. 152.

möglichkeit, so könnte er ebensogut zum Antrieb dafür werden, Vorstellungen zu entbinden, die auf seine Aufhebung drängen. Das würde bedeuten, Anfang und Ende als die Ungewißheiten des menschlichen Lebens durch Möglichkeiten zu besetzen, um jenen verweigerten Zusammenhang herzustellen, der dann den Horizont dafür bilden könnte, was es heißt, im Leben immer mittendrin zu sein. Wenn solche Besetzungen zu einer Mannigfaltigkeit geraten, so deshalb, weil die Verbindung von Ungewißheiten kein Maß möglicher Zulässigkeit für die herzustellenden Zusammenhänge in sich trägt. Statt dessen werden historisch konditionierte Bedürfnisse für das Verspannen der konstitutiven Ungewißheiten des menschlichen Lebens maßgebend sein.

Entspringt die Notwendigkeit des Fingierens dem Überschreiten jener Realitäten, deren Wißbarkeit uns entzogen ist, dann werden zu diesen Realitäten Möglichkeiten hinzugedacht, die Aufschluß darüber liefern, was wir durch unwißbaren Anfang und unwißbares Ende als jeweils verborgen, unverfügbar und entzogen glauben. Das Fingieren wird dann zur Signatur der geschichtlichen Wandelbarkeit menschlichen Begehrens.

Setzt das Fingieren dort ein, wo die Wißbarkeit an ihre Grenzen stößt, dann läßt es auch ein Ökonomieprinzip des menschlichen Haushalts erkennen. Was gewußt werden kann, muß nicht fingiert werden. Fingieren ist daher immer ein Zuschuß zum Unwißbaren. Ein Ökonomieprinzip bekundet sich im Fingieren insofern, als es im menschlichen Leben Evidenzerfahrungen von Realitäten gibt, die ihrerseits nicht wißbar sind. Die Liebe dürfte dafür das zentrale Beispiel sein. Wiederum scheinen wir uns nicht mit dem zu bescheiden, was ist, sondern möchten es in dem Plessnerschen Sinne auch haben. Deshalb muß man es auf seine Möglichkeiten hin überschreiten, um es in eine Form der Verfügbarkeit zu überführen. Das gilt auch für jenen Gedanken, den Kundera geäußert hat, wenn er sein Ich überschreiten möchte, um jenseits dessen sich selbst durch seine Möglichkeiten zu haben. Denn was in Evidenz gegeben ist, entzieht sich der Wißbarkeit, wenngleich gerade dadurch die Neugier zu wachsen beginnt. Damit ist auch der Punkt bezeichnet, an dem sich literarisches Fingieren von den Fiktionen der Lebenswelt unterscheiden läßt. Diese geben sich als Vorgriff, als Annahme, als Hypothese, ja, im Blick auf Weltbilder als deren Grund und sind damit immer Komplemente, die in einer treffenden Wendung von

Frank Kermode »concord fictions«[38] verkörpern, weil sie im Sinne dessen, was erreicht werden soll, etwas zum Abschluß bringen, das seiner Anlage oder vielleicht gar seiner Natur nach offen ist.

Von anderer Tendenz scheint literarisches Fingieren zu sein. Unverfügbare Realitäten wie Anfang und Ende oder das Mittendrinsein im Leben zu überschreiten, um sie mit einem Horizont vorstellbarer Möglichkeiten zu umstellen, erweist sich als Medium menschlicher Selbstinszenierung. Dieses Bedürfnis entspringt offensichtlich dem Drang, ständig hinter das, was ist, entweder zurück- oder hinauszugreifen, was gewiß auch einem Kompensationsbedürfnis entspringt, sich als Kompensation aber gerade nicht erfüllt. Denn literarisches Fingieren ist durchweg von konventionsstabilisierten Signalen begleitet, die den Als-ob-Charakter dessen anzeigen, was als Möglichkeitshorizont des Wirklichen vorstellbar gemacht wird. Folglich verbirgt eine solche Kompensation niemals, daß die im Fingieren geleistete Inszenierung der Realitäten, auf die sie sich bezieht, in letzter Instanz immer nur eine Form der Täuschung über das uns Entzogene sein kann. Daher sind alle vorstellbaren Möglichkeiten letztlich inauthentisch, und dennoch vermag die mangelnde Authentizität uns von solchen Selbstinszenierungen nicht abzuhalten. Denn im literarischen Fingieren schwindet nie das Bewußtsein, daß es sich um etwas handelt, das wir uns lediglich vormachen. Bemerkenswert bleibt dabei nur, daß ein solches Durchschauen dessen, was Fingieren ist, uns nicht davon abbringt, es aufzugeben.

Ein möglicher Hinweis auf die historisch ungebrochene Faszination des Fingierens und damit auf eine anthropologische Disponiertheit ergibt sich aus der Tatsache, daß ein Fingieren, welches sich als solches zu erkennen gibt, allen erdichteten Möglichkeiten ihre Scheinhaftigkeit einschreibt. Der Schein indiziert nun mehreres zugleich.

1. Keine der erdichteten Möglichkeiten ist repräsentativ für etwas, denn jede ist nur der Widerschein ihrer Vorgabe und daher unendlich variabel. So schließt die Scheinhaftigkeit die endlose Veränderbarkeit dessen auf, was als Realität der Wißbarkeit entzogen ist.

38 Frank Kermode, *The Sense of an Ending. Studies in the Theory of Fiction*, New York 1967, S. 4 und 62-64.

2. Scheinhaftigkeit besagt ferner, daß die erdichteten Möglichkeiten immer den Riß erkennen lassen, der zwischen ihnen und jenen der Wißbarkeit entzogenen Realitäten klafft.
3. Schließlich manifestiert sich in der Scheinhaftigkeit, daß sich diese Differenz unendlich ausspielen läßt, so daß dem Fingieren als Grenzüberschreitung keine Grenzen gezogen sind.

Ein solcher Sachverhalt läßt dann auch die im Fingieren inszenierte Position des Menschen in einem vielleicht zunächst gar nicht erwartbaren Licht erscheinen. Ist es ein tief verwurzeltes Begehren, gleichzeitig zu sein und sich in diesem Sein zu haben, um zu gewärtigen – wenn nicht gar zu wissen –, was das sei, wenn man ist, dann eröffnet literarisches Fingieren als Inszenierung einer solchen Unverfügbarkeit im Prinzip zwei Möglichkeiten: Das Fingieren kann die Erfüllbarkeit dieses Wunsches vorstellen, es kann aber auch erfahrbar machen, was es heißt, daß sich der Mensch nicht gegenwärtig ist. Dabei ist zu beobachten, daß ein erfülltes Begehren rasch historisch wird, während eine Inszenierung sich dort als wirkungsmächtiger erweist, wo sie nicht in Erfüllung des Begehrens aufgeht, sondern die Unmöglichkeit einer kompensatorischen Illusion selbst zu ihrem Thema hat. Die Inszenierung erschöpft sich dann nicht in einer Fluchtbewegung; statt dessen läßt sie erkennen, daß keine der Möglichkeiten die begehrte Kompensation in sich trägt. Daraus läßt sich schließen, daß offensichtlich Erfüllung und Begehren, Komplettierung und Kompensation in letzter Instanz *nicht* die anthropologischen Verankerungen literarischen Fingierens sein dürften.

Einen Anhaltspunkt dafür, daß sich literarisches Fingieren nicht auf ein Kompensationsbedürfnis zurückbringen läßt, liefert die Tatsache, daß die aus der Grenzüberschreitung entstehenden Möglichkeiten nicht aus den überschrittenen Realitäten ableitbar sind. Das unterscheidet literarisches Fingieren von aller Utopie. Denn in der Utopie geschieht immer die Extrapolation der Möglichkeiten aus dem, was ist. Deshalb ist auch, wie Hans Jonas einmal betont hat, die

»inhaltliche Bestimmung des utopischen Zustandes ... in der Literatur naturgemäß mager, da er eben dem uns Bekannten so verschieden sein soll; und besonders herrscht diese Magerkeit hinsichtlich dessen, wie der unter seinen Bedingungen lebende *Mensch*, ja auch nur ein typischer Lebenslauf, denn nun konkret ›aussehen‹ wird, da gerade dies wegen der entbindenden

Kraft der Bedingungen und des noch verborgenen Reichtums der mensch-licher Natur offenbleiben muß und gewiß nicht aus dem Stande ihrer ›vor-geschichtlichen‹ Atrophie, unserm jetzigen, vorhersagbar ist«.[39]

Möglichkeiten, die aus dem, was ist, nicht ableitbar sind, können daher nur erzählt werden; das Erzählen aber verkörpert lediglich den Modus ihrer Existenz, sagt indes noch nichts darüber aus, wo-her sie kommen.

Wenn wir schon im Traum immer neue Welten erstellen, so wären wir, wie es Gordon Globus einmal im Anschluß an Leibniz formu-liert hat,[40] die Möglichkeiten unserer selbst. Gerade weil wir deren Urheber sind, fallen wir nicht mit ihnen zusammen, sondern hän-gen dazwischen. Uns als die Möglichkeiten unserer selbst zu entfal-ten, ohne diese in der jeweiligen Pragmatik der Lebensvollzüge zu verbrauchen, würde literarisches Fingieren zum Zeichen einer an-thropologischen Disponiertheit machen.

Es fragt sich dann nur, ob es für ein solches Fingieren auch eine Pragmatik gibt. Mögliche Antworten lauten: Ein solches Fingieren sei Indiz dafür, daß sich der Mensch lediglich in seinen eigenen Möglichkeiten gegenwärtig wird; oder dafür, daß er sich als Mona-de dadurch bestimmt, daß er alle Möglichkeiten in sich trägt; oder dafür, daß er seiner Weltoffenheit nur durch die aus sich selbst her-ausgesetzten Möglichkeiten zu begegnen vermag; oder am Ende dafür, daß er im Inszenieren seiner Möglichkeiten ständig bestrebt ist, sein Ende zu verschieben.

Vielleicht aber fällt literarisches Fingieren weder mit dem einen noch mit dem anderen zusammen, sondern indiziert auch hier je-nes Dazwischen, das von der Doppelsinnstruktur über das Dop-pelgängertum bis hin zur Variabilität dessen reicht, wozu sich der Mensch macht und versteht. Literarisches Fingieren erwiese sich dann als das Eröffnen von Spielräumen zwischen all diesen Positio-nen, so daß das im Fingieren freigesetzte Spielen zu einem solchen wird, das gegen jedwede Bestimmung als einer zwangsläufigen Einschränkung spielt. Es wäre dann eine Antwort darauf, was der griechische Arzt Alkmaion für unmöglich hielt: Anfang und Ende miteinander zu verknüpfen, um sich dadurch eine letzte Möglich-keit zu verschaffen, durch die das Ende zwar nicht überschritten,

39 Hans Jonas, *Das Prinzip Verantwortung*, Frankfurt am Main 1989, S. 342 f.
40 Vgl. dazu Globus, S. 125-137.

wohl aber illusionär verschoben wäre. Henry James sagte einmal, daß wir im Lesen von Literatur wenigstens zeitweilig immer andere werden und, in andere Welten versetzt, dort ein anderes Leben führen.[41]

41 Henry James, *Theory of Fiction*, herausgegeben von. James E. Miller, Jr., Lincoln 1972, S. 93.

Renate Lachmann
Literatur der Phantastik als Gegen-Anthropologie

Welche Rolle kann die Literatur in einer Kultur übernehmen? Tritt sie in Kontakt mit ihrer Vergangenheit und dem, was eine gegebene aktuelle Kultur eliminiert oder vergessen hat? Entwickelt sie Prognosen für deren weiteren Verlauf? Ist sie an der Fabrikation von für die Kultur relevanten Menschenbildern beteiligt? Auf diese Fragen antwortet die Literatur des Phantastischen, die kulturologische und anthropologische Pointe verschärfend, mit Projekten des Unerwarteten und Spekulativen. Ihr anthropologisches Projekt läßt ein Menschenbild der Exzentrik, Anomalie und beunruhigenden Devianz hervortreten. Transformierbarkeit, Mutabilität, plötzlich eintretende oder allmählich sich vollziehende Wandlungen lassen auf Instabilität und Unbeständigkeit von Körper und Seele schließen und stellen in extremen Fällen die personale Identität auf den Kopf. Physische und psychische, von außen hervorgerufene oder von innen hervorbrechende Metamorphosen scheinen von einer paradoxen Konzeption menschlicher Verfaßtheit auszugehen.[1] Die Wandlungen von lebendig in tot – und umgekehrt, von menschlich in nicht-menschlich, in Mineral, Pflanze, Tier oder Stern, wie sie entweder von Göttern und Magiern verursacht werden oder einem inneren Impuls des Menschen folgend sich vollziehen, sind vom phantastischen Text spektakulär in Gang gesetzte Grenzüberschreitungen, die der Text selbst als Beunruhigung der Ordnung, Inversion geltender Annahmen über die menschliche Natur vorführt. In die Darstellung metamorphotischer Vorgänge fließen Komponenten unterschiedlicher Traditionen ein: arkane schöpfungsmythologische Konzepte, die alchemistische Kreationen einerseits und Entwürfe von Automatenmenschen gleichermaßen bestimmen, aber auch jeweils zeitgenössisches halboffizielles Wissen, medizinisches oder seelenkundliches, spielt eine Rolle, wenn Gerüchte über phy-

---

1 Zur Mythopoetik der Metamorphose vgl. Friedmann Harzer, *Erzählte Verwandlung. Eine Poetik epischer Metamorphosen (Ovid – Kafka – Ransmayr)*, Tübingen 2000.

siotechnische und psychotechnische Umwandlungen, über Experimente an Mensch und Tier, die die Gattungsgrenzen auf skandalöse Weise verletzen, Unruhe verbreitet haben. Gerade die Metamorphose-Vorgänge thematisierenden und gestaltenden Texte der Phantastik arbeiten Menschenbilder heraus, die akzeptierte anthropologische Annahmen in Zweifel ziehen. Der phantastische Text entblößt in der Metamorphose die Exzentrik, das Liminale der Protagonisten, zeigt sie als genauer Beschreibung Entzogene.[2]

Der Nichtbeschreibbarkeit und letztlichen Nichtmetrifizierbarkeit des Menschen, wie sie viele Texte der Phantastik vorstellen, kann die Manipulierbarkeit durch Methoden der Wissenschaft entgegengehalten werden. Hier erscheint der Mensch weder entzogen noch verborgen, sondern vielmehr durchschaubar und offenbar. Es kann in ihn eingegriffen werden, weil sein Bauplan, seine Grammatik bekannt sind und umstrukturiert beziehungsweise umgeschrieben werden können. Wer greift ein, wer kennt den Bauplan? Es ist wiederum der Mensch, der als Kenner, als Wissenschaftler den anderen Menschen zum Objekt macht (zum Erkenntnis- und Experimentierobjekt) und sich damit zum Zweitschöpfer oder Um-Schöpfer aufwirft. Jedenfalls würde dies für die physiotechnisch, aber auch psychotechnisch herbeigeführte Metamorphose gelten. Hier ist der zum Objekt gemachte Mensch, der zum Anderen des ihn objektifizierenden Menschen wird, nur sich ›selbst‹, nicht dem Eingreifenden entzogen. Die Macht über ihn hat der ›Wissende‹ an sich genommen, der ihn damit zum Körper-Analphabeten macht. Die von außen bewirkte Metamorphose thematisiert der phantastische Text als einen Körper und Seele betreffenden entsetzlichen Eingriff durch ein bedrohliches Wesen: den Wissenschaftler, der mit Apparaturen hantiert, schneidet und Tinkturen verabreicht. Er ist ein mit diabolischen Zügen versehener unnahbar Fremder, ein Feind. Das angewandte Wissen um Bauplan und Grammatik wird als gewaltsames Eindringen in den unantastbaren Körper- und Seelenraum dargestellt. Der kognitiv-therapeutische Aspekt des neuen Wissens vom Menschen, den die Aufklärung vermittelt, wird ins Unheilvolle gekehrt. Nichtbeschreibbarkeit und Beschreibbarkeit, Entzogenheit und Manipulierbarkeit der menschlichen Natur wer-

---

2 Vgl. hierzu ausführlicher Renate Lachmann, *Erzählte Phantastik. Zu Phantasiegeschichte und Semantik phantastischer Texte,* Frankfurt am Main 2002.

den Themen unterschiedlicher Texte der Phantastik: In beiden Fällen geht es um eine Aufklärungsinversion. Die Unbeschreibbarkeit des Menschen ist Folge des Extremen, Exorbitanten, das er in seiner phantastischen Universalisierung repräsentiert. Exorbitantes kann nicht mit den Kategorien des Orbitanten erfaßt werden. Seine Beschreibbarkeit wiederum ist Folge des neuen Wissens, das aber dazu führt, daß er durch Operationen unterschiedlicher Art zu einem Exorbitanten wird. Während die nicht-phantastische Literatur mit ihren Menschenbildern, in denen die in verschiedenen Diskursen einer Kultur verstreuten Konzepte (philosophische, religiöse, pädagogische, medizinische) antizipiert oder pointiert zur Darstellung gebracht werden, wie eine Proto-Anthropologie fungiert, erscheint die Phantastik in der Überschreitung akzeptierter *Anthropologica* eher als Meta-Anthropologie oder Anti-Anthropologie. Der *phantastische* Mensch scheint seine Anthropologie zu durchkreuzen oder gar zu leugnen – er wird Agent und Patient einer alternativen Anthropologie, in der er als Träumer, Halluzinierender, Wahnsinniger, Monster auftritt.

Neben dem anthropologischen spielt der kulturologische Entwurf mit unterschiedlichen Konzepten des Alternativen eine zentrale Rolle. Dazu gehört die Alternative des Ausgegrenzten, Vergessenen ebenso wie die Alternative des Fremden. Zum Fremden wird auch das, was die Kehrseite einer Kultur, ihr Anderes, Verleugnetes, Verbotenes, Begehrtes ist. Es scheint, als sei es allein die phantastische Literatur, die sich mit dem Anderen in dieser Doppelbedeutung beschäftigt und etwas in die Kultur zurückholt und manifest macht, was den Ausgrenzungen zum Opfer gefallen ist. Sie nimmt sich dessen an, was eine gegebene Kultur von dem abgrenzt, was sie als Gegenkultur oder Unkultur betrachtet. Fremd – eigen ist dabei die Opposition, die das Verhältnis einer Kultur zu dem, was sie nicht ist und nicht sein will, bestimmt. Diese Opposition scheint dem Vorgang zugrunde zu liegen, der entscheidet, was einverleibt und ausgestoßen, zugelassen und verdrängt wird. Das Fremde ist Bedrohung des Eigenen, aber auch Verheißung von Alterität. In der Transformation des Vergessenen oder Verdrängten in das Fremdkulturelle beziehungsweise im Einsatz des Fremdkulturellen als Stellvertretung für das Verdrängte und Vergessene der eigenen Kultur wird die phantastische Schreibweise zu einer konzeptuellen Größe und tritt damit in Konkurrenz zu denjenigen Vorstellungen, die die gegebene Kultur entwickelt, um mit ihnen Alterität und der Bedrohung durch Alternativen zu begegnen.

Der Kontakt mit dem Fremden als dem Anderen der Kultur vollzieht sich als Eintritt in einen Bereich der Unordnung oder Gegenordnung, Ausgangspunkt ist dabei stets der Boden der geltenden Kultur. Die Phantastik wird geradezu zum Gradmesser für die in der geltenden Kultur herrschenden Beschränkungen. Das Irreale, das der phantastische Text favorisiert, stellt die Kategorie des (vereinbarungsgemäß) Realen auf die Probe. Insofern das Reale als die Präsenz einer funktionierenden Kultur und als Repräsentation des axiologischen Modells interpretiert werden kann, das deren Mechanismus kontrolliert, bewirkt die Einführung des Anderen, Kulturabgewandten und damit Abwesenden eine Verschiebung der Kategorien von Präsenz und Repräsentation. Das Phantastische erscheint als eine quasi häretische Version nicht nur des (oder eines) Realitätsbegriffs, sondern auch der Fiktion selbst. Es unterwirft sich nämlich nicht den Regeln, die der fiktionale Diskurs, den eine Kultur toleriert, zugrunde legt, es überschreitet die Erfordernisse der mimetischen Grammatik (das Andere, so scheint es, entzieht sich als Gegenstand mimetischen Bemühungen), es entstellt die Kategorien von Zeit, Raum (so entsteht der phantastische Chronotop) und Kausalität. Es verwirft oder unterläuft die Geltung fundamentaler ästhetischer Kategorien wie Angemessenheit und Proportion. Die Gegen- oder eher Kryptogrammatik des Phantastischen erlaubt sich semiotische Exzesse, Hypertrophien, Extravaganzen und schließt an Traditionen des Ornamentalen, Arabesken und Grotesken an beziehungsweise entwickelt sie eigentlich erst. Die Sujetfügung ist von Strukturen der Steigerung, der Höhepunkte, der Abbrüche, exorbitanter Ereignisse und Handlungen bestimmt (wozu das Wunderbare, das Rätsel, das Abenteuer, Mord, Inzest, Verwandlung und die Wiederkehr der Toten gehören). Die Protagonisten des Phantastischen befinden sich stets in exzentrischen Gemütszuständen (Halluzination, Angst, Fieber, Alptraum oder fatale Neugier suchen sie heim); sie müssen Gespenster, Monster, Wahnsinnige, die Revenants und die Enthüllung der gräßlichen Familiengeheimnisse ertragen, geraten in Kontakt mit Geheimwissen (Alchimie) oder mit esoterischem Wissen, in dem hermetische, gnostische oder kabbalistische Elemente – vermischt – enthalten sind.

Das Phantastische als das Unmögliche, Gegenrationale und Irreale kann trotz seiner Aufkündigung der fiktionalen Darstellungs-regeln und der versuchten Desintegration des Bestehenden nicht ohne die Welt des Realen, Möglichen, Rationalen bestehen. Und dennoch gelingt es der Phantastik, diese parasitäre Abhängigkeit offensiv auszulegen. Denn in den alternativen Formen, die sie (scheinbar unverbindlich) erfindet, wird bedrohlich das Unbewußte der Kultur sichtbar gemacht. Oder anders: In der Phantastik wird die Begegnung der Kultur mit ihrem Vergessen erzählt.

Aber das Vergessen, das die Phantastik der Kultur vorhält, indem sie das Entschwundene und Verschobene in ihren neu ge- und erfundenen Bildern wiederauferstehen läßt – Phantastik als mnemotechnische Institution der Kultur –, ist andererseits jener Motor der Willkürschöpfungen, der das geltende, der Erinnerung erlaubte Imaginarium durch Gegenbilder zu überdecken oder zu löschen erlaubt – Phantastik als *ars oblivionalis*. Denn es bedarf eines durch das Gegengedächtnis ermöglichten Raums, in dem die *imagines* des Ungesehenen, Unvorgedachten niedergelegt werden.

Die Aufdeckung des Anderen der Kultur bedeutet nicht nur die Projektion alternativer Welten, sondern auch die Wiedergutmachung von Mängeln, die aus den Zwängen der faktischen Kultur entstehen. Der Kompensationsaspekt, der in dieser Funktion des Phantastischen fortbesteht, ist freilich nicht der einzige die semantischen Möglichkeiten des Phantastischen bestimmende Aspekt. Es geht nicht nur um eine durch Revokation von Vergessenem und Verbotenem hergestellte Gegen- oder Anderweltlichkeit, sondern auch um Entwürfe ohne Präzedenz, um Inversionen des Bestehenden, wie sie in utopischen, idyllischen, komischen und karnevalesken Diskursen sowie Diskursen der Paradoxie und des alternativen Wissens zur Geltung kommen.

Folgt man der Theorie des russischen Religionsphilosophen Vladimir Solov'ev,[3] die dem Phänomen des Phantastischen in der Literatur gilt, so eröffnet sich neben der anthropologischen und kulturologischen eine ontologische Perspektive, in der das Phantastische stellvertretend für das Übernatürliche erscheint. Zwei Seinsebenen werden angenommen, wobei die höhere, unsichtbare in die sichtbare allmählich einsickert, das Sichtbare in andere Deutungsansichten umbiegt.

---

3 »Predislovie k ›Upyrju‹ grafa A. K. Tolstogo«, in: Vladimir Solov'ev, *Sobranie socinenij*, Bd. 7, Sankt Petersburg 1897-1900, S. 173-176.

Auch die Theorien von Pierre-Georges Castex,[4] Louis Vax, Roger Caillois[5] u. a. gehen von einer Zwei-Welten-Szenerie aus, die das Spiel zwischen natürlich und übernatürlich ermöglicht, doch ermuntern sie keineswegs dazu, das Wunderbare, Unsägliche, Unerklärliche als Wirkliches anzunehmen, während die ontologische Variante im Phantasma ein wirkendes Anderes erkennen will.[6] Entscheidend in der Solov'evschen Argumentation ist allerdings die Einführung eines Begriffs, der der Bestimmung des semantischen Status des Phantasmas dient: die Unschlüssigkeit bei der Lektüre des Textes, der doppelte Deutungen provoziert und keine Entscheidung (zwischen natürlich und übernatürlich) zuläßt. Der bei Tzvetan Todorov zum zentralen Terminus avancierte Begriff der *hésitation* steht in dieser Tradition und kann zudem auf ein Theorem von Guy de Maupassant[7] bezogen werden, das bei vergleichbarer Argumentation mit dem nämlichen Begriff operiert.

Die unschlüssigkeitsbezogenen Theorien und poetologischen Reflexionen zum Phantastischen operieren ausnahmslos mit binären Konzepten, die das Tertium verschweigen. Gleichwohl wird die Oszillation in der Beurteilung der ›Wirklichkeiten‹, die der phantastische Text unterstellt oder vorführt, mit Begriffen wiedergegeben, die die Pole (real/irreal) vermitteln. Wenn die Pole wegschmelzen, wie in der Neophantastik, verlieren sie ihre Relevanz. In der monistisch konstruierten Neophantastik ist es die Katapultierung in das ganz ›Andere‹ (das heißt in das Jenseits eines Horizonts), die in der Konfrontation mit dem ›reinen‹ Phantasma eine Art kognitiven Schock hervorruft. Jedoch ist die Paradoxie der andern Welt hier nicht auf Bezweiflung angewiesen (ebensowenig wie dies im Märchen der Fall ist). Das in der dualistisch konstruierten Phantastik aus dem Zusammenstoß der konträren Signifikate – Irrealität/Rea-

4 *Le conte fantastique en France de Nodier à Maupassant*, Paris 1951, S. 455. Castex bezieht in seine der französischen Phantastik gewidmete Studie Hoffmanns für die französische Tradition ungemein wichtige Erzählungen mit ein, das Absonderliche, Morbide darin betonend.

5 Roger Caillois, *Au cœur du fantastique*, Paris 1965, bes. sein Konzept der »rupture«; Louis Vax, *La séduction de l'étrange. Etude sur la littérature fantastique*, Paris 1965.

6 Auch Stanislaw Lem räumt dem Ontologischen (allerdings ohne religiöse Färbung) einen zentralen Platz im Phantastischen ein, *Phantastik und Futurologie*, Bd. I, übersetzt von Beate Sorger, Wiktor Szacki, Frankfurt am Main 1977, S. 85-128.

7 »Le fantastique«, in: *Chroniques littéraires et chroniques parisiennes, Œuvres complètes*, Paris o. J., S. 235-239.

lität – entstehende Phantasma erscheint als eine Art ›Wirklichkeitshybride‹, die das Tertium einer (durchlässigen) Grenze einschließt, zu deren beiden Seiten sich die (ontologisch) inkompatiblen Zonen erstrecken.

Roger Caillois hat in *Die Spiele und die Menschen. Maske und Rausch*[8] über die Rolle der Grenze reflektiert, die die Formen und Äußerungen des Spiels von der Realität (des Alltags) trennt. »Wenn die Präzision der Grenzziehung« (S. 59) vernachlässigt wird, wenn die »Wunderwelt« des Spiels (die den Status des Phantastischen hat) nicht mehr von der »realen Welt« getrennt ist beziehungsweise diese Trennlinie ihre Verbindlichkeit verliert, treten Vermischungen, Vermengungen auf, die die Spielformen »pervertieren« und ihre Eigengesetzlichkeit verletzen. Caillois beharrt auf der Apartheid der getrennten Bereiche, läßt keine Transgression zu. Dem hybriden Charakter des Phantasmas entspricht eher, wenngleich es nicht auf dieses bezogen ist, das Konzept von Michel Foucault in *Préface à la transgression*,[9] das es erlaubt, in der Übertretung der Grenze (Grenze als Übertretung) auch die Aufgabe des Geltungsbereichs (ontologischer) Ordnungen zu sehen. Zur Ortsbestimmung des Phantasmas läßt sich auch eine die Grenze ›steigernde‹ Metapher anführen, die der »Schwelle«, die in Benjamins *Passagenwerk* als Ort in der Schwebe gehaltener Überschreitung erscheint. »Die Schwelle ist ganz stark von der Grenze zu scheiden. Schwelle ist wie eine Zone. Wandel, Übergang, Fluten liegen im Wort ›schwellen‹.«[10] Auch der in Bachtins Romanpoetik zentrale Chronotop der Schwelle meint das Zwischen, den *space between*, einen unvermeßbaren Raum.

Wie ließe sich neben dem Versuch metaphorischer Ortsbestimmung (Grenze, Schwelle) das Phantasma als semantisches Konstrukt bestimmen? Die Rhetorik bietet eine Gedankenfigur an, deren Struktur und Funktion Analogien zur dualistischen Phantasma-Konstruktion zulassen: das Oxymoron. Das Oxymoron ist »die sinnreich pointierte Verbindung sich gegenseitig ausschließender Begriffe« (Lausberg). Es ist eine Gedankenfigur, die sich über Bruch, Kipp-Bewegung, Ambivalenz beschreiben läßt und die in der barocken (und vorbarocken) Formel der *discors concordia* ihre knappste Darstellung erfährt. Das diesem tropischen Ausdruck in-

---

8 Frankfurt am Main 1982, S. 52 ff.

9 Deutsch in: *Schriften zur Literatur*, Frankfurt am Main, S. 73.

10 *Passagenwerk* I, Frankfurt am Main 1983, S. 618.

newohnende aggressive und zugleich verbindliche Moment entfaltet sich im Zusammenstoß zweier Extreme. Das Oxymoron ist Element eines *lusus verborum*, der ein Gedankenspiel antreibt, in dem ein Tertium gedacht werden muß, das die Ambivalenzbewegung auspendeln läßt und dennoch die Pointe des Spiels nicht verspielt. Die im Oxymoron verschränkten Extreme oder Antonyme (heiß/kalt, Trugbild/Echtbild, irreal/real) spiegeln einander nicht nur, sondern sie partizipieren auch aneinander. Sie sind Metaphern füreinander, die über eine unähnliche Ähnlichkeit sich herstellen, und sie sind Metonymien: in nächste Berührung gebrachte Komponenten einer Doppelstruktur. Der ›gleitende‹ Sinn, der zwischen beiden entsteht, schließt den Zweifel ein, der dem Zwitterstatus des Phantasmas zwischen Realität und Irrealität gilt. Das Phantasma hat so, das heißt rhetorisch gesehen, eine oxymorale Struktur.

Die oben genannten Diskurse, die in Genres verfestigte Formen hervorgebracht haben, operieren mit dem Phantastischen als dem Kontrafaktischen und Irrealen. Auch der phantastische Diskurs weist in Vorromantik, Romantik und Postromantik epochenspezifisch genremäßige Konsolidierungen auf. Die semantische Leistung des Phantastischen in narrativen Texten ist allerdings nicht auf ein Genre eingrenzbar,[11] vielmehr läßt sich von einem ›Modus des Schreibens‹ ausgehen. Die Formulierung »the fantastic mode of writing« hat Walter Scott in einer Rezension über E. T. A. Hoffmanns phantastische Erzählungen[12] eingeführt; sie taucht in Remo Ceseranis Monographie *Il Fantastico* als »modo di scrittura fantastico« wieder auf.[13] Dem »fantastic mode of writing« läßt sich auch in Texten nachgehen, die nicht zum ›klassischen‹ Kanon der phantastischen Literatur, wie sie die Romantik hervorgebracht hat, gezählt werden. Postromantische Texte, insbesondere solche des Realismus, aber auch Texte der literarischen Moderne und Postmoderne, ar-

---

11 Rosemary Jackson, *Fantasy. The Literature of subversion*, London 1981, S. 71.
12 Für die Theoriebildung des 19. und 20. Jahrhunderts spielt sowohl die Rezeption der Werke Hoffmanns als auch seine eigene Poetologie eine konstitutive Rolle.
13 Sir Walter Scott, »On the Supernatural in Fictitious Composition, and particularly on the Works of Ernest Theodore William Hoffmann« (1827), in: ders., *On Novelists and Fiction*, herausgegeben von Ioan Williams, London 1968, S. 325; Remo Ceserani, *Il Fantastico*, Bologna 1996; Tzvetan Todorov, der seine Monographie *Introduction à la littérature fantastique*, Paris 1970, mit einer genretheoretischen Reflexion beginnt, zieht den Begriff »discours fantastique« vor.

beiten mit Phantasmen unterschiedlicher Genese, die je andere Funktionen realisieren.

Innerhalb einer weit gefaßten Konzeption hat jede Irrealisierung von Sprache ein phantastisches Moment, wie es etwa für die »kühne Metapher«,[14] generell für die sogenannte dunkle Lyrik und jedes sprachliche Erzeugnis einer nicht ausschließlich realitätsbezogenen Einbildungskraft gilt. Dabei spielen die formalen Koalitionen mit Schreibweisen des Idyllischen, Karnevalesken, Komischen, Utopischen, Paradoxen, die ihrerseits gemeinsame Züge haben, ebenso eine Rolle wie die Analogien und Differenzen der Funktion.

Ein Vergleich des Komischen, speziell was die Funktion des Humors angeht, mit dem Phantastischen mag Affinitäten und Differenzen, wie sie zwischen Schreibweisen dieser Prägung bestehen, exemplarisch belegen. Es ist der Humor, der – entsprechend geltenden Theorien[15] – eine dem Phantasma analoge Funktion übernimmt. Allerdings dürften die Exkursionen ins Horrormäßige und Häßliche, ins Abgründige und Experimentelle, die dem Phantastischen mit unterschiedlicher Akzentsetzung eignen, im Humor versöhnliche, nicht auf Schock gerichtete Konkurrenten haben. Die Paradoxien, die für beide Formen der Abweichung vom Vereinbarten, Erwartbaren und gemäßigt Vernünftigen ihre prägnante Verkehrungslogik bereithalten, weisen unterschiedliche Grade des Spekulativen auf. Während das Gedankenexperiment im Spiel mit dem Unmöglichen (*impossibile*, *adynaton*) die phantastischen Eskapaden bestimmt, beugt sich der Humor, eher weise als verspielt, über die Formen des Denkmöglichen. In der Koexistenz von Vernunft und Humor (die menschlichen Umgang mit der Welt bestimmt), verspricht letzterer, die dem Faktischen verschriebene Vernunft womöglich doch, wenn auch nur kurzfristig, zu überlisten. Das Phantasma, das sich mit der Vernunft nicht arrangieren kann, selbst wenn es ihr gelegentlich mit Rationalisierungen zuarbeitet, läßt die Vernunft nie als koexistent, sondern immer nur als scheiternden Versuch der Ausgrenzung des Unerklärlichen erscheinen. Das Phantasma usurpiert den Platz, den die vernünftige Bewältigung

14 Vgl. Harald Weinrich, »Semantik der kühnen Metapher«, in: *Theorie der Metapher*, herausgegeben von Anselm Haverkamp, Darmstadt 1983, S. 316-339.
15 Vgl. Wolfgang Preisendanz, *Humor als dichterische Einbildungskraft*, München 1976, bes. Kapitel »E. T. A. Hoffmann. Die Notwendigkeit der Verbindung von Phantasie und Humor«, S. 47-117.

der Wirklichkeit innehat, indem es das Ungesehene, Ungedachte, Undarstellbare und Unsagbare diktatorisch vorführt. Mit dem Humor teilt es die Lust an Gegenwelten, die durch die Plötzlichkeit des Einfalls in Erscheinung treten. In beiden Fällen ist es die Zurichtung der Sprache, die dies ermöglicht. Die Rhetorik des Humors und die des Phantasmas berühren sich in den Verfahren der Inversion und Transgression. Während Humor die Spannung, die er erzeugt, durch Lachen kompensieren kann, ja die Appellfunktion des Lachens zur zentralen Funktion macht, läßt das Phantasma in nur seltenen Fällen die Verlachung des Unerklärlichen und Seltsamen zu. Zumeist ist die Wirkungsabsicht auf Schrecken, Neugier, Verführung zum Geheimnis und Verführung ins Aporetische bestimmt. Die Spannung löst sich selten, es sei denn, ein aufgeklärter Erzähler vermittelt das Ungeheuerliche. Die Neophantastik, soweit sie nicht dem Horrorstrang der Gothic-Tradition folgt, läßt Kryptologik und Chronotopie des Anderen zum Spannungszentrum werden. Ein Entrinnen in die kühleren Regionen des Entzifferns und Deutens wird schwierig, weil eine ästhetisch-zerebrale, aber durchaus erhitzte Faszination nachwirkt.

Zur Phantastik als Ausdruck von Krise, Umbruch im Widerspiel von Aufklärung und Gegenaufklärung, in dem das Andere, Fremde und Unerklärliche zum beunruhigenden Gegenstand wird, lassen sich zwar keine vorromantischen Parallelen herausstellen, für die typologisch dieselben Parameter gelten würden. Aber es gibt andere das Phantasma bestimmende Momente, die sich in den Texten, die weit vor der Romantik liegen, ausmachen lassen. Dazu gehört, daß das Phantasma auf dem Grundparadox der sprachlichen Repräsentation von Nicht-Faktischem beruht, daß es sich narrative und mimetische Lizenzen einräumt, die die jeweils geltende Standard-Fiktion nicht zuläßt und die der akzeptierten Logik zuwiderlaufen. Und dazu gehört, daß das Unmögliche in unterschiedlicher Gestalt Platz greift und neben dem kompensatorischen einen ludistischen und spekulativen ›Zweck‹ verfolgt.

Daß es lohnen würde, einer vorromantischen Spur nachzugehen, legen einige Thesen Michail Bachtins nahe, die den Wurzeln des Phantastischen in der Gattung der Menippeischen Satire gewidmet sind.[16] Zu Bachtins genrespezifischer Bestimmung der Menippea

16 Michail Bachtin, *Probleme der Poetik Dostoevskijs*, München 1971, übersetzt von

gehören thematische und stilistische Charakteristika ebenso wie Besonderheiten der Sujetfügung, der Zeit-Raum-Behandlung und des Personeninventars. Verletzungen des allgemein Akzeptierten, des üblichen Gangs der Ereignisse, der etablierten Normen des Verhaltens und der verbalen Etikette führen wie Skandale, Abenteuer und exzentrische Ereignisse in der Menippea zur Störung der in Epos und Tragödie bewahrten Integrität der Welt. Die Menippea macht Halluzinationen, Träume, Wahnsinn und Metamorphosen zum Thema, bezieht außerirdische Bereiche (Unterwelt und ›Ober‹welt) mit ein und entwirft Figuren mit instabiler Identität (Doppelgänger, Verwandelbare). Als proteisches Genre mißachtet sie die kanonisierten Gattungen bezüglich ihrer Geschlossenheit und strukturellen Reinheit durch Grenzüberschreitung und Hybridisierung. Die Regeln, die die aristotelischen Techniken der Rhetorik und Poetik vorschreiben, sind außer Kraft gesetzt, ebenso wie die vernünftigen, an den Kenntnissen der Natur und ihrer Gesetze orientierten Annahmen durch die Setzung des Unmöglichen brüskiert werden.

Durch Bachtins epochemachende Neuschreibung der Literaturgeschichte erhält die Menippea, der klassischen Philologie seit langem bekannt, eine neue Dimension als eine zur kanonisierten Literaturgeschichte parallel verlaufende Gegentradition. Aus dieser destilliert Bachtin eine Schreibweise, die er als karnevaleske bezeichnet. Deren Charakteristika umfassen dem Phantastischen verwandte Elemente: formale und semantische Grenzverschiebungen, exquisite Gedankenkonstrukte, skandalöse Spekulationen und kognitive sowie ästhetische Sensationseffekte.

Der Weg der karnevalesken Schreibweise, den Bachtin von der Antike über die Renaissance[17] bis hin zum Realismus aufzeichnet, läßt sich bis in die Neophantastik weiter verfolgen. Besonders die Momente des Paradoxen und des Experimentellen, die er in der menippeischen Phantastik hervorhebt, lassen die Annahme einer solchen Tradition plausibel erscheinen.

Adelheid Schramm. Bachtin liefert eine knappe Geschichte des Genres und seiner Amalgame mit anderen Formen, schreibt seine Geschichte mit Nennung einer Vielzahl von Autoren und arbeitet einen vierzehn Punkte umfassenden Merkmalskatalog heraus, S. 125-136.

17 *Rabelais und seine Welt. Volkskultur als Gegenkultur*, herausgegeben von Renate Lachmann, übersetzt von Gabriele Leupold, Frankfurt am Main 1987.

Trotz der skizzierten Verwandtschaft gilt es auch hier, eine Konturierung des Phantastischen in Abgrenzung vom Karnevalesken vorzunehmen. Während die Formen des Hypertrophen, Grotesken, der Übertreibung und Überschreitung, der unkontrollierbaren semantischen Verschiebungen, der Inversion der Wertehierarchie u. a., die das Karnevaleske in einer Interaktion mit der bestehenden Kultur (die die offizielle ist) aufbietet, um diese temporär außer Kraft zu setzen, wird das Fremde, Andere weniger als geheimnisvoll und bedrohlich denn als etwas eingesetzt, das als Maske spielerisch einverleibt wird. Anstelle des Übernatürlichen, Wunderbaren und Unerklärlichen privilegiert das Karnevaleske die Phantasmen der verkehrten Welt, der Verkehrung und des Unmöglichen.

Im einzelnen kann man, die von Bachtin suggerierte Vorgeschichte einbeziehend, folgende semantische Verhältnisse für die Hervorbringung des Phantasmas geltend machen:

Die Menippea läßt sich bestimmen durch den Verstoß gegen die geltende rhetorische Konvention, die Grenzüberschreitung zwischen Wahrscheinlichem und Unwahrscheinlichem, das Unmögliche, das Gedankenexperiment, den Synkretismus, die Parodie der etablierten literarischen und philosophischen Diskurse. Es gibt keinen Legitimations- und Motivierungszwang: ein permissives, transgressives Phantasma tritt hervor.

Im Verlauf des 18. Jahrhunderts kommt es zur Lockerung der rhetorischen Disziplin, die sich das Romangenre in seiner Abenteuer- und seiner Schauer-Ausprägung erlaubt. Abenteuer und/oder Phantasma funktionieren als Einbruch in das narrative Kontinuum: Gespenster, Wiederkehr der Toten, das Wunderbare und Fremde haben Konjunktur. Jedoch kommt es nicht zur Entwicklung eines differenzierten Räsonnements bezüglich dieses Einbruchs des Unerklärlichen, vielmehr bildet sich eine Art Schock-Phantasma heraus.

Die Intensivierung des phantastischen Moments in der Romantik bedeutet die Aufladung des literarischen Diskurses, der zum Ort philosophischer (Aufklärung/Gegenaufklärung) und ästhetischer (Maß/Unmaß, Wahrscheinlichkeit/Unwahrscheinlichkeit) Kontroversen wird. Die Kollision zwischen offiziellen und inoffiziellen, das heißt arkanen, Diskursen wird im Text selbst ausgetragen. Die romantischen Texte knüpfen an die Phantasma-Tradition an, lassen ein stark selbstreflexives Potential hervortreten, das das Phantasma immer auch der Kritik zu unterwerfen scheint. Komplizierte Motivierungs- und Legitimierungsstrategien werden aufgeboten, die das Phantasma ambivalent machen und Argumentationen zur Rolle des Zufalls und des Kontingenten begünstigen.

Das (unerwartbare) Auftreten des phantastischen Moments in der Postromantik, das den realistischen Text unterwandert, bezeugt die Unausgeschöpftheit des romantischen ›Erbes‹. Das spekulative Potential, das sich an exklusiven und weniger exklusiven wissenschaftlichen Diskursen entzündet, transportiert zugleich (nicht überwundene) Elemente der Gegenaufklärung. Neoromantik und Symbolismus schließen an diesen Aspekt wiedererstarkter Gegenaufklärung an, wobei sowohl die mehr oder weniger popularisierten Erkenntnisse und Annahmen neuer Wissensdisziplinen als auch die neu eingeführten Medien gegenaufklärerisch interpretiert werden. Das Phantasma funktioniert subversiv – vor allem in bezug auf die realistische Programmatik

Mit der Gothic Novel sind zum einen romantische und postromantische Nachfolgephänomene zu verbinden, wobei das Arkanwissen eine zentrale Stellung behaupten kann. Zum andern hat der Schauerroman eine Tendenz inspirieren können, die weniger arkanem Wissen als dem Horror zugetan ist und eine das Phantastische tangierende Tradition des Perversen und Abjekten entwickelt, die das 19. Jahrhundert hindurch eine Poetik des Verbrechens und sexueller Obsession aufrechterhalten hat.[18] Die Perversionsphantastik hat eine stabile Tradition herausgebildet. Sie läßt sich an der Weiterentwicklung des romantischen Schauerromans gotischer Prägung hernach in den Werken der französischen *École frénétique* verfolgen. Beide, die gotische und die frenetische Schule, prägen Autoren des 19. Jahrhunderts, die literarhistorisch der Romantik oder Postromantik beziehungsweise dem Realismus zugerechnet werden. Die Schauer- und Schreckensliteratur des 20. Jahrhunderts verstärkt die expressiven Momente des Horrors: das Exorbitante, Degutante, Abjekte und Exotische. Das phantasmatische Moment der Greuel- und Ekelliteratur entfaltet sich in der Schilderung der Exorbitanz und des das Unmögliche einschließenden Exzesses, denn die Hyperbolik führt über das Unwahrscheinliche hinaus zum *adynaton*. Experiment, Prognose und eine eher manifestierende als verge-

---

18 Mario Praz, *Liebe, Tod und Teufel. Die schwarze Romantik*, München 1988, italienische Originalausgabe *La carne, la morte e il diavolo nella letteratura romantica*, Firenze 1930.

heimnissende oder Horroreffekte provozierende Richtung, die menippeische Spuren trägt, entwickelt die wissenschaftliche Phantastik mit ihrer unterschiedlichen Akzentuierung des Wahrscheinlichkeitsanspruchs, die eine jeweils anders dosierte Aufnahme rezenter Erkenntnisse der Naturwissenschaften manifestiert. Das heißt, sie operiert nicht mit dem Unmöglichen, sondern mit dem noch nicht Möglichen, das sich als Denkmögliches aus der Radikalisierung von naturwissenschaftlichen und technischen Vorgaben herleiten läßt.[19]

Es gibt zumindest zwei im phantastischen Text zur Vorführung des Irrealen eingesetzte Modi, die erlauben, das subjektive Phantastische und das objektive Phantastische einander gegenüberzustellen. Die nicht ›eingebildeten‹, sondern ›realen‹ Phantasmen sind diejenigen, die sich, nachdem Sinnestäuschungen mit Hilfe umwegiger Argumente ausgeschlossen sind, als Erscheinungen des Wunderbaren, Übernatürlichen erweisen, von denen sich mehr als eine Person überzeugen kann – mithin das nicht von Menschensinn und Menschengedanken gemachte Wunderbare –, ›objektive‹ Phantasmen also. Dagegen stehen die Phantasmen, die man (willkürlichunwillkürlich) produziert, die ›subjektiven‹ Phantasmen, die aus (echten) Sinnestäuschungen, Träumen, Halluzinationen, Angstobsessionen, Fieberwahn,[20] Vorstellungen von Perversionen, ›unmöglichen‹, hyperbolischen Greueln und unvordenklichen Schreckenssensationen, Heimsuchungen durch Visionen,[21] dem Unmöglichen geltenden Experiment-Gedanken erzeugt werden.[22]

Beide Phantasma-Domänen sind in dieser Wechselbeziehung vom Autor verantwortet, der die der Aufklärung entgleitenden Be-

---

19 Stanislaw Lem ist nicht nur der wichtigste Vertreter einer ›aufgeklärten‹ Sciencefiction, sondern mit den beiden Bänden seiner *Phantastik und Futurologie* auch einer ihrer bedeutendsten Theoretiker.

20 Die Träumer, Halluzinierer, Fiebernden, unschuldige Opfer ihrer psychischen oder physischen Disposition, werden in manchen Texten von den psychopathischen Verbrechern abgelöst, die als Schuldige erscheinen.

21 In mystischen Texten hat die Vision als Offenbarungsvision und übersinnliche Erfahrung einen anderen Stellenwert. Auch in phantastischen Texten wird die Vision zuweilen als subjektiv-objektiv indiziert.

22 Nicht nur die Perversionsphantasmen, auch die rein zerebralen Phantasmen sind produzierte Phantasmen: Verkehrung der moralischen Ordnung im Falle der Perversionsphantasmen, Verkehrung der logischen Ordnung im Falle der Logophantasmen. An die Stelle des Übernatürlichen treten das Widernatürliche, das Unbewußte beziehungsweise das Unmögliche.

reiche des Dies- und Andersseitigen ins Bild und ins Wort setzt. Der phantastische Text treibt beide Pole hervor, deren letzte Verursachung die Einbildungskraft ist. Die Einschätzung dieses Vermögens, an der die Disziplinen der Rhetorik und Poetik und seit dem 18. Jahrhundert auch der Ästhetik beteiligt sind, kommt in zwei entgegengesetzten Traditionen zum Ausdruck. Der Lizenz zur Regelüberschreitung, Brüskierung rationaler Parameter, Erfindung realitätsunverträglicher Bilder, der Ermächtigung der Sprache, metamorphotisch zu operieren und das Unmögliche auszusagen, stehen Reglementierung, Verurteilung der Transgression, Zügelung der Verwandlungsexzesse entgegen.

Intertextuelle Beziehungen bestehen nicht nur innerhalb genremäßig verfestigter Traditionen,[23] sondern auch genreübergreifend zwischen Texten unterschiedlicher Phantasmaorientierung. Partizipation an einem Verfahrensbestand, Transformation der Schemata sowie ihre Auflösung und Verkehrung bestimmen diese Beziehungen. Zitat, Allusion und Parodie, die Übernahme oder Bearbeitung semantischer Konstellationen, des phantastischen Chronotops und des Figurenensembles oder einzelner Figuren aus den Prätexten lassen im jeweils nachfolgenden Text komplexe Verweisungszusammenhänge entstehen.[24] Die Späteren zehren nicht nur vom Textfleisch der Früheren, sondern ›begegnen‹ ihnen in einem Raum zwischen den Texten, den Michel Foucault als »un ›fantastique‹ de bibliothèque« bezeichnet hat.[25]

In den verschiedenen Varianten des Phantastischen, von denen die Rede war, wird das Phantasma entweder argumentativ ›vertre-

23 Vgl. die Untersuchungen zur Utopie, Idylle, Science-fiction, Horrorerzählung, Gespenstergeschichte. (Wilhelm Voßkamp, *Utopieforschung. Interdisziplinäre Studien zur neuzeitlichen Utopie*, Bd. 1-3, Stuttgart 1982; Leonid Heller, Michel Niqueux, *Histoire de l'utopie en Russie*, Paris 1995; Renate Böschenstein-Schäfer, *Idylle*, Stuttgart 1967; Peter Penzoldt, »Die Struktur der Gespenstergeschichte«, in: *Phaicon* 2, 1975, S. 11-32; Ulrich Suerbaum, Ulrich Broich, Raimund Bergmaier, *Science-fiction. Theorie und Geschichte, Themen und Typen, Form und Weltbild*, Stuttgart 1981.)

24 Vorschläge zu einer Intertextualitätstypologie in: Renate Lachmann, *Gedächtnis und Literatur*, Frankfurt am Main 1990, S. 13-50.

25 Michel Foucault, »Nachwort zu Gustave Flauberts ›Die Versuchung des Heiligen Antonius‹«, in: ders., *Schriften in vier Bänden. Dits et Ecrits*, Bd. I, 1954-1969, übersetzt von Michael Bischoff, Hans-Dieter Gondek und Hermann Kocyba, Frankfurt am Main 2001, S. 397-433.

ten‹ oder von deutenden Motivierungen ausgeschlossen. Es geht bei den komplexen Verfahren der im Text selbst angestellten Sinnzuweisung zum einen und den Gesten der Abschottung und Hermetisierung zum andern um die Thematisierung beziehungsweise Nicht-Thematisierung von Erstaunen, Schrecken oder Zweifel in bezug auf die Tatsächlichkeit des Phantasmas. Wird letzteres Gegenstand innertextlicher Reflexion, dann werden die jeweils gültigen Vernunftkriterien herangezogen, als deren Verfechter Held oder Erzähler fungieren. Da diesen personalisierten Kontrollinstanzen die Verwunderung oder die Skepsis bezüglich des Unerklärlichen obliegt – was das Phantasma als Geheimnis oder Täuschung auszulegen erlaubt –, wird die innertextliche Perspektive mit einer außertextlichen, die an denselben Kriterien partizipiert, vermittelbar. Dabei werden in einigen Texten Motivierungen konstruiert, die vorwiegend auf die subjektiven Phantasmen von Traum, Wahnsinn, Halluzination und Sinnestäuschung rekurrieren – während in anderen Texten auch Wundersuggestionen zugelassen sind und damit eine Unbestimmtheit bezüglich des Status des Phantasmas zwischen ›natürlich‹ und ›übernatürlich‹ aufrechterhalten wird, deren innertextlich scheiternde Klärung die Deutungsarbeit der Textinterpreten stimuliert. Etliche nicht-hermetische Texte entwickeln spezielle Strategien der Situierung des Phantasmas und dessen Befragung im Gefüge der Doppeldeutigkeit. Mit der Konstruktion von Zufällen, die eine Art ›lebensweltlicher‹ Einkleidung erhalten, wird das Phantasma – als Erscheinung oder Ereignis – auf einer Grenze zwischen Unerklärbarkeit und Erklärbarkeit in dieser Doppeldeutigkeit belassen, obgleich der innertextliche Deutungsaufwand der Überführung des Zufalls aus dem Unbekannten und Obskuren in die Bekanntheit des klaren Alltags gilt.

Von diesem Typ phantastischer Texte, der dem Phantasma innerhalb eines Referenzrahmens einen, wenn auch prekären, Ort zubilligt, ist jener zu unterscheiden, der das Phantasma ortlos läßt, indem er ihm alle Koordinaten entzieht, damit auf sich selbst zurückverweist und hermetisiert. Die im Akt des Lesens produzierten Deutungsmodelle, die das hermetische Phantasma nachgerade herausfordert, können sich auf keine innertextlichen Vorgaben berufen.

Dies bedeutet, poetologisch gesehen, daß das semantische Kriterium der Unschlüssigkeit, *hésitation*, seine Bedeutung verloren hat.

Die Autoren der Neophantastik[26] des 20. Jahrhunderts betreiben, unschlüssigkeitsresistent, eine hermetische Phantastik. Nicht nur auf Paradoxie aufgebaute, sondern auch Metamorphose und Mystifikation privilegierende Texte schließen – phantasmalogisch – innertextliche Zweifelsargumente ebenso aus wie eine auf Skepsis beruhende Rezeption. Verwandlung und Erfindung werden ohne klärende Rahmung ins Textspiel gebracht. (Das gilt für Texte von Kafka, Borges, Schulz, Nabokov.)

Die Neophantastik[27] setzt das Gedankenexperiment an die Stelle der Mirakel und Ekstasen. Der Ersatz der Psychophantasmen und der sie begleitenden bizarren, arabesken Bilderfluten durch das Konzept und die Spekulation mit dem Adynaton geht mit einer diktatorischen und apodiktischen Paradoxie zusammen, die die mehrsinnige Diskussion über Wahrnehmungstäuschung und den Einbruch des Jenseitigen verdrängt. Im Entwurf von Gegenordnungen und irrealen Systemen von monströser (A-)Logik wird die kulturell verankerte Imaginationstradition ebenso aufgehoben wie die Topik der Wissensordnung. Phantastik scheint hier aus den Gedächtnisräumen der Kultur herauszutreten. Es liegt in der Konsequenz dieser Strategie, die Phantastik als Gegenmodell zur Memoria erscheinen zu lassen und damit zugleich die Befreiung von den Deponien des orthodoxen Wissens zu verheißen.

Es kommt zu einer Paradoxalisierung sämtlicher Kategorien des Denkens. Das Paradox entfaltet seine semantische Energie nicht nur in der Erfindung von Argumenten, die die eigentlichen Verhältnisse der Dinge camoufliert und verdeckt, sondern auch in der Zerstörung oder Aufstörung der akzeptierten Vorstellungen über Denkprozesse als solche.

---

26 Ein von Jaime Alazraki als Bezeichnung für die Literatur der lateinamerikanischen Autoren Borges, Bioy Casares und Cortázar eingeführter Begriff in: »Introducción: Hacia la ultima casilla de la ruyela«, in: Jaime Alazraki, Ivar Ivask, Joaquin Marco (Hg.), *La Isla final*, Madrid 1981, S. 59-82.
27 Dazu ausführlicher »Erzählte Phantastik« (*Mnemophantastik: Das andere Wissen*), S. 375-435.

Ulrich Gaier
Lachen und Lächeln – anthropologisch, soziologisch, poetologisch

»Bisher wurde die Diskussion des Phänomens des Lachens in den Literaturwissenschaften einerseits stark gattungsbezogen geführt, wenn es darum
ging, die Komödie, die Satire, den Witz etc. als Stimuli des beim Leser intendierten Lachens zu analysieren; andererseits war sie stark theoriebezo-
gen, wenn Bergsons, Bachtins, Plessners etc. Lachtheorien dazu dienten,
Ridicula, Typen des Lachens und seiner Funktionen, zu klassifizieren. Das
hat insgesamt zu Übergeneralisierungen und damit zu einer Vernachlässigung der historischen und kulturspezifischen Dimensionen des Untersu-
chungsgegenstandes geführt.«[1]

Diesem Befund ist für die Literaturwissenschaft zuzustimmen, auch
der Korrekturbewegung in den Beiträgen des durch diese Sätze ein-
geleiteten Symposiums, das zum Ziel hatte, »die ahistorischen Ansätze durch Textanalysen zu kontrapunktieren, die der historischen
Vielfalt des dargestellten und intendierten Lachens und seiner Bedingungen Rechnung tragen« (ebd.). Dennoch offenbart der Band,
in dem die Beiträge des Symposiums versammelt sind, selbst die
Unzulänglichkeit des Unterfangens. Walter Haug stellt in seiner
Studie über »Schwarzes Lachen« fest, »daß das Phänomen des Lachens sich nicht im Blick auf das Komische, nicht über eine Analyse
komischer Strukturen fassen läßt«, denn »es gibt auch das spontane
Lachen als Ausdruck schlichter Daseinsbejahung und Lebensfreu-
de, ja als Manifestation vitaler Überlegenheit«; statt aber zunächst
die Erscheinungsformen des Lachens ohne Bezug auf Lächerliches
und ohne den Blick auf die Literatur zu studieren, meint er, »daß
vielmehr eine Theorie des Lachens die Voraussetzung ist für ein Verständnis dessen, was als komisch erscheint, sowie der vielfältigen
Formen, in denen es sich insbesondere literarisch darstellt«.[2] Und

1 Lothar Fietz, »Einleitung«, in: Lothar Fietz, Joerg O. Fichte, Hans-Werner Ludwig
   (Hg.), *Semiotik, Rhetorik und Soziologie des Lachens. Vergleichende Studien zum
   Funktionswandel des Lachens vom Mittelalter zur Gegenwart,* Tübingen 1996, S. 1.
2 Walter Haug, »Schwarzes Lachen. Überlegungen zum Lachen an der Grenze zwischen dem Komischen und dem Makabren«, in: Fietz, *Semiotik* (Anm. 1), S. 49-64,

wenn Lothar Fietz in seiner Studie »Möglichkeiten und Grenzen einer Semiotik des Lachens« das »Lachen als symptomatisches und kommunikatives Zeichen« beschreibt,[3] wird mit dem unscharf gebrauchten, Symbol und Index vermischenden Zeichenbegriff das Fehlen »symbolischer Prägung«, die Zugehörigkeit des Lachens zum »Kreis der Vorgänge des Errötens, Erblassens, Erbrechens, Hustens, Niesens und anderer, den willkürlichen Einflüssen weitgehend entzogener vegetativer Prozesse«, auf der Plessner insistiert[4] und die von der neueren Lachforschung unterstrichen wird, überspielt.

Gerade diese vegetative Qualität des Lachens, seine physiologische Basis, die von der Literaturwissenschaft vernachlässigt wurde, die aber über alle Transformationen hinweg das Ziel kompliziertester komischer und absurder Literatur ist, bedarf zunächst der Beachtung. Ihr nähert man sich nur phänomenologisch deskriptiv, denn Verstehen und Erklären haben zu diesem Bereich ihrer eigenen Voraussetzungen keinen Zugang – der Fehler aller Theorien über das Lachen und über das Komische liegt darin, daß mit dem Verstande eine Sache erklärt werden soll, die gar nichts mit dem Verstande zu tun hat, ja, die geradezu die Ausschaltung des Verstandes bewirkt.[5] Statt einer Theorie verweise ich im Sinne einer Topik auf meine Rekonstruktion.[6] Besonderer Aufmerksamkeit bedarf dann der soziale Aspekt des Lachens und seine kommunikativen Funktionen, die zur Bildung von Lachkulturen, vom Identifikations- und Ausgrenzungslachen einer Gruppe bis zu historisch und geographisch differierenden Lachgewohnheiten führen. Erst danach kann mit den Stufen der Semiotisierung und Ästhetisierung nach dargestelltem und provoziertem Lachen in der Literatur gefragt werden.

50. Auch die Beiträge in dem Band Wolfgang Preisendanz, Rainer Warning (Hg.), *Das Komische,* München 1976 (Poetik und Hermeneutik VII) gehen nicht von einer Anthropologie des Lachens aus und setzen mit den Untersuchungen des Komischen in der Literatur in vielen Fällen auf der ästhetischen Ebene an, ohne die Grundlagen gesichert zu haben.

3 Lothar Fietz, »Möglichkeiten und Grenzen einer Semiotik des Lachens«, in: Fietz, *Semiotik* (Anm. 1), S. 7-20, 15.

4 Helmuth Plessner, *Lachen und Weinen. Eine Untersuchung nach den Grenzen menschlichen Verhaltens,* [3]Bern 1961, S. 29.

5 Gottfried Müller, *Theorie der Komik,* Würzburg 1964, S. 9.

6 Ulrich Gaier, *System des Handelns. Eine rekonstruktive Handlungswissenschaft,* Stuttgart 1986, S. 97-106, 162-182.

I. Der entfesselte Körper

1. Unter Lachen wird ein körperlicher Vorgang verstanden, der im Normalfall wiederholte, verschieden getönte, aber unartikulierte Lautäußerungen produziert, die die empirische Gesprächsforschung mit HAHA, HEHE etc. transkribiert.[7] Muskulär wird folgendes beobachtet:

>»There takes place a contraction of the facial muscles [...]. The *orbiculares oculorum* go into action. The mouth opens, widely so in the vulgar; flushing of the face and lacrimation occur when the laughter is extreme. The musculature of the trunk and upper limbs undergoes changes in tonus. At first there is a spasm so that the neck and head are thrown back [...]. The truncal muscles, including the diaphragm and perhaps the elevators of the shoulders, contract and relax. Semipurposeful movements, unattractive to observe, may supervene when the laugher may slap his thighs, clap his hands, or violently nudge his neighbour. When laughter becomes excessive, a tonelessness develops that is not altogether pleasant to experience or to behold. In women the urinary sphincters may relax. The arms and trunk may flop forward helplessly, and it is not unknown for the lower limbs to become flaccid, causing a fall.«[8]

Je weiter das Lachen ins Extrem geht, desto seltener entspannen sich Bauchmuskulatur und Zwerchfell und desto zusammenhängender, langgezogenen Brüll- oder Klagelauten näher werden die Lautäußerungen. Am Ende steht Erschöpfung; ein mittelalterlicher Hofnarr erfüllte seinen Auftrag so gewissenhaft und erfolgreich, daß sein Herr starb, welcher sich eigentlich nur Zwerchfellmassage zur Unterstützung beim Verdauen einer verspeisten Gans erhofft hatte.[9]

Die moderne Gelotologie stellt für die innere Medizin fest,

>»daß beim Lachen die Herztätigkeit so stark angeregt wird, wie dies sonst nur bei einer anstrengenden sportlichen Betätigung der Fall ist. Gleichzeitig steigt der Blutdruck, die Lunge wird überreichlich mit Blut (und damit auch mit Sauerstoff) versorgt, die Verdauungsdrüsen werden angeregt und die Immunabwehr wird gefördert. [...] Schließlich konnte auch festgestellt werden, daß es im Gehirn lachender Menschen zur Ausschüttung eines

---

7 Helga Kotthoff (Hg.), *Scherzkommunikation. Beiträge aus der empirischen Gesprächsforschung,* Opladen 1996, zum Beispiel S. 162.

8 Macdonald Critchley, *The Citadel of the Senses and other Essays,* New York 1986, S. 55.

9 Anton C. Zijderveld, *Humor und Gesellschaft. Eine Soziologie des Humors und des Lachens,* Graz, Wien, Köln 1971, S. 115.

ganz besonderen Hormons kommt; es ist dies das noch gar nicht so lange bekannte Endorphin, das in seiner Wirkung dem Morphium gleichkommt, also luststeigernd wirkt, Schwermut beseitigt und Schmerzen abbaut.«[10]

»Von US-amerikanischen Forschern, zum Beispiel von L. S. Berk, wurde festgestellt, daß sich durch herzhaftes Lachen das Streßhormon Adrenalin vermindert, was zu einer vorübergehenden Entlastung des Herz-Kreislaufsystems führe. Solche Befunde bestätigen das Sprichwort: ›Lachen ist gesund‹.«[11]

Die neuerdings medizinisch und psychotherapeutisch sich etablierende Lachtherapie »versteht den Lachvorgang als Atemtraining«, zunächst wegen des um das Drei- bis Vierfache gesteigerten Gasaustauschs in der Lunge gegenüber dem Normalzustand und der damit erzielten Sauerstoffdusche für den gesamten Organismus. Denn wie heißt es bei Henri Rubinstein:

»Viele Menschen wissen nicht, wie man richtig atmet, ihre Atmung ist zu kurz, zu flach. Diese Art der Atmung, mit offenem Mund und ohne Atempause, kann man bei ängstlichen Patienten beobachten. Es ist jedoch gerade diese Atmung, die Angst hervorruft beziehungsweise steigert, indem sie eine respiratorische Alkalose des Atemsystems hervorruft, die für die neuromuskuläre Übererregbarkeit verantwortlich ist. Die Atmung beim Lachen ist im Gegensatz dazu eine ›gute Atmung‹, die gerade durch ihre Merkmale die Alkalose bekämpft und die Angst vermindert.«[12]

Die Atemtechnik des Hatha-Yoga kann unter diesem Gesichtspunkt als verlangsamtes und unter bewußte Kontrolle genommenes Lachen gesehen werden.

2. Es ist anzunehmen, daß auf dieser physiologischen Ebene auch tierische Organismen die beschriebenen Verfahren der An- und Entspannung, Streßentladung, hormonellen Beruhigung in verschiedenen Kombinationen besitzen; so ist »Tief-Durchatmen« als eine der Komponenten des Lachvorgangs beim Menschen schon für

10 Michael Titze, *Heilkraft des Humors. Therapeutische Erfahrungen mit Lachen,* Freiburg 1985, S. 16 f.

11 Reinhart Lempp, »Das Lachen des Kindes«, in: Thomas Vogel, *Vom Lachen – einem Phänomen auf der Spur,* Tübingen 1992, S. 79-92, 83. Der Bezug ist Lee S. Berk, »Immune System Changes During Humor Associated Laughter«, in: *Clinical Research* 39 (1991), S. 124 A; und ders., »New Discoveries in Psychoneuroimmunology«, in: *Humor & Health Letter* III (Nov./Dez. 1994), S. 1.

12 Zitiert bei Michael Titze, *Die heilende Kraft des Lachens. Mit therapeutischem Humor frühe Beschämungen heilen,* München 1995, S. 243.

sich beobachtbar, ebenso aber bei Tieren. Ob deshalb Tiere lachen können, ist eine Frage der Betrachtungsebene. So hat Otto Rommel sicher recht, wenn er berichtet, »daß auch manche Tiere des Lachens fähig sind«,[13] etwa Schimpansen, wenn sie gekitzelt werden oder einander haschen; ebenso recht hat sicher Michael Titze, wenn er behauptet, daß »echtes Lachen bei Tieren nicht angetroffen wird«,[14] denn das für ihn interessante »echte« Lachen beruht auf einem komplexen psychischen Vorgang, der Befreiung von Schamangst, deren Existenz bei Tieren vielleicht nicht anzunehmen ist. Hängt also offensichtlich die Zustimmung zur Behauptung des Aristoteles, der Mensch sei das lachende Lebewesen, oder des Rabelais, »que rire est le propre de l'homme«,[15] von der mehr oder weniger komplexen Auffassung des Lachens ab, halte ich einen Versuch der Abgrenzung des Menschen von den Tieren aufgrund des Lachens für verfehlt.

Menschen lernen lachen und können es deshalb offenbar auch verlernen. Kleinstkinder lächeln, lachen aber noch nicht im Sinne der unter (1) beschriebenen Vorgänge. Renate Jurzik berichtet:

»Körperliche Vorgänge, die das Gleichgewicht durcheinander rütteln, erzeugen Lachen. Doch wenn die Erregung zu bedrohlich wird, schlägt das Lachen schnell um in Weinen. Kinder, die gelernt haben, ihren Körper zu beherrschen, lachen über andere, die das noch nicht können. Als Reaktion auf den Drill der Körperbeherrschung lebt Komik von der Darstellung all derjenigen Situationen, die sich der Beherrschung entziehen.«[16]

Das wird durch Beobachtungen an Kindern zwischen zwei Monaten und zwei Jahren bestätigt, die nach Elisabeth Jacobson durch drei Gruppen von Reizen zum Lachen gebracht werden: kurze, insbesondere rhythmisch wiederholte äußere Reize (Kitzeln, leuchtende Farben, laute Geräusche); herbeigeführte oder freiwillige schnelle Bewegungen des ganzen Körpers oder einzelner Körperteile;

13 Otto Rommel, »Die wissenschaftlichen Bemühungen um die Analyse des Komischen«, in: *Deutsche Vierteljahrsschrift für Literaturwissenschaft und Geistesgeschichte* 21 (1943), S. 162-195, 162.

14 Titze, *Heilkraft* (Anm. 10), S. 16.

15 Aristoteles' Auffassung nach Gert Ueding, »Rhetorik des Lächerlichen«, in: Fietz, *Semiotik* (Anm. 1), S. 21-36, 23. – François Rabelais, *Gargantua*, Vorspruch (herausgegeben von Ruth Calder u. a., Genf, Paris 1970, S. 7).

16 Renate Jurzik, »Die zweideutige Lust am Lachen. Eine Symptomanalyse«, in: Dietmar Kamper, Christoph Wulf (Hg.), *Lachen – Gelächter – Lächeln. Reflexionen in drei Spiegeln*, Frankfurt am Main 1986, S. 39-51, 45.

Beobachtung schneller Bewegungen an Personen oder Objekten, wobei von »ansteckender« Reizwirkung auf die Motorik des Kindes ausgegangen wird.[17] Da Kleinstkinder kaum zwischen Personen und Objekten differenzieren und auch die Unterscheidung zwischen herbeigeführter, freiwilliger oder extern wahrgenommener und mikromotorisch nachvollzogener »angesteckter« Bewegung nur langsam lernen, unterscheiden sich die Reizgruppen wohl nur für die beobachtenden Erwachsenen, nicht aber für die Kinder selbst: Was mit sensorischer Plötzlichkeit den ungeübten und noch nicht mit organisierten Reiz-Reaktions-Automatismen (Funktions-kreisen) ausgestatteten Körper trifft, erzeugt zunächst Informations-Streß, der sich bis zur organischen (Lebens-)Angst steigern kann.[18] Verschwindet der bedrohliche Eindruck wieder so schnell, wie er entstanden ist, kehrt er wieder und verschwindet ohne zusätzlichen Streß, etwa Schmerz, dann verwandelt sich die beängstigende Reizüberflutung von Mal zu Mal und gibt Raum zur Erprobung von Reaktionen, die immer sicherer werden, etwa das Greifen nach einem kleinen, rasch hüpfenden Hartgummiball. Dabei ist zu beobachten: Das Kind (im Beispiel: 17 Monate alt) drückt durch Körperbewegung das Hüpfen des Balls aus (es hüpft nicht rhythmisch, sondern »macht sich groß« und wieder klein, das heißt, es findet die bei seiner Körperbeherrschung nächste Ausdrucksbewegung, die der motorischen Ansteckung mitzuhüpfen entspricht), es sucht den Ball zu greifen, was wegen der Schnelligkeit erst gelingt, wenn er nur noch am Boden rollt, wirft ihn erneut und lacht, wenn das Hüpfen von neuem losgeht. Die Reaktionen werden immer sicherer: Was offensichtlich Spaß macht und Wiederholung fordert, ist das Lernen, das gekonntere Bewältigen und Beantworten eines zunächst und potentiell weiterhin beängstigenden Reizclusters durch eine Reaktion. Spaß macht die Wahrnehmung der körperlichen Kompetenz. Das Lachen setzt im Moment des stärksten, nicht zu bewältigenden Hüpfens ein und ist damit ambivalent: Wahrnehmung der momentanen Ohnmacht und Benutzung einer nicht bewältigenden Reaktion, die die Ohnmacht-in-der-Situation als solche beantwortet, also einer Meta-Reaktion mit zunächst negativem Vorzeichen; die physiologischen Erscheinungen in (1) zeigen je-

17 Elisabeth Jacobson, »Das Lachen des Kindes«, in: *Praxis der Kinderpsychologie und Kinderpsychiatrie* 10 (1961), Heft 2, S. 33-43, 34.
18 Vgl. Gaier, *System* (Anm. 6), S. 93-112.

doch, daß diese Reaktion dazu dient, die Streß-Folgen dieser Ohnmacht abzubauen oder gar nicht aufkommen zu lassen. Der lachende Körper nimmt damit Distanz vom bedrohlichen Reiz, schiebt zwischen Reiz und Beantwortung durch eine kompetente Reaktion die Beantwortung durch eine Meta-Reaktion, mittels deren Aufschub, Vorgriff auf die kompetente Reaktion oder überhaupt Entlastung gewonnen wird. An dieser Stelle setzen die psychologischen Interpretationen Bergsons von der »Anästhesie des Herzens« oder Sigmund Freuds vom ersparten Gefühlsaufwand ein.[19] Es sind dies jedoch Interpretationen, die schon das Zusammenspiel von Psyche beziehungsweise Intellekt und Körper im Blick haben, wovon hier noch nicht die Rede ist.

Ein weiterer Fall, der das Lachen als reflexive Meta-Reaktion erkennen läßt, ist das beliebte Guckguck-Dada-Spiel.[20] Wenn die Bezugsperson oder das begehrte Objekt aus dem Gesichtsfeld des Kindes verschwindet, entsteht eine Verunsicherung, die bei dauerhaftem Wegbleiben ängstliches Weinen auslösen kann. Das Kind ist nicht in der Lage, dem verschwundenen Gesicht oder Ding zu folgen: Das ergibt wieder die Situation der Ohnmacht, der Unfähigkeit zu kompetenter Reaktion. Taucht das Gesicht oder Ding wieder auf, strahlt oder lächelt das Kind. Wiederholen sich Auftauchen und Verschwinden, gegebenenfalls unterstützt durch die charakteristischen Lautsignale, dann wird der Wechsel von Angst und Lösung, die Anwesenheit der Absenz in der Präsenz und der Präsenz in der Absenz, die Gleichzeitigkeit oder der gleitende Übergang zweier Reize ineinander selbst zum Reiz, für den es nun keine kompetente Reaktion mehr gibt, denn da Verschwinden und Auftauchen miteinander ein Reizcluster bilden, werden auch Alarm- und Entwarnungsreaktion miteinander ausgelöst: Der eigene Zustand seiner Reaktionsambivalenz wird für den Körper ein Reiz, den er mit einer Meta-Reaktion beantwortet, die damit deutlich reflexiven Charakter hat (wobei »reflexiv« nur die Rückbezüglichkeit, nicht etwa Bewußtheit im Sinne des Nachdenkens bezeichnet). Ist die Gesamtlage des Körpers nicht gut, das Kind insgesamt nicht zufrieden, wird

19 Henri Bergson, *Das Lachen,* übersetzt von Julius Frankenberger und Walter Fränzel, Jena 1921, S. 8; Sigmund Freud, »Der Witz und seine Beziehung zum Unbewußten«, in: S. F., *Gesammelte Werke,* Bd. 4, Frankfurt am Main 1970, S. 140. – Rekonstruktion vgl. Gaier, *System* (Anm. 6), S. 105.
20 Analyse bei Lempp (Anm. 11), S. 79-92.

die Meta-Reaktion Weinen sein, umgekehrt Lachen, oder Lachen und Weinen gehen ineinander über. Weinen (nicht zu verwechseln mit dem reaktiven fordernden Schreien des Kindes in einer Mangelsituation) ist eine reflexive Meta-Reaktion wie das Lachen; beide gehen leicht ineinander über, stehen auch manchmal füreinander.

3. Angesichts der in (1) angesprochenen physiologischen Exzesse des Lachens war eine Beschreibung und Analyse auf der Körperebene notwendig, bevor die psychischen und die handlungstheoretischen Aspekte einbezogen werden. Mit gutem Grund macht die neuere Lach-Forschung auf die Tatsache aufmerksam, daß bisher meist zu einseitig und ausschließlich Lachen über Komisches in Betracht gezogen wurde. In vielen Situationen wird gelacht, ohne daß ein lächerlicher Anlaß gegeben ist. »Menschen lachen manchmal, wenn sie ärgerlich oder müde sind, und in einzelnen Fällen kann Lachen auch ein Ersatz für Weinen sein. Mit anderen Worten: Lachen ist relativ unabhängig vom Humor – sie können zusammen auftreten, aber notwendig ist das nicht.«[21] Plessner macht auf das Lachen des Verzweifelten im »Zustand der vollkommenen Auswegslosigkeit« aufmerksam,[22] hysterisches Lachen bei äußerster emotionaler Labilität, welches dann auch mit Weinkrämpfen wechselt, das Lachen bei geistiger, psychischer, physischer Ermüdung sind beschrieben worden;[23] noch nicht soll hier vom Lachen aus Verlegenheit und gesellschaftlicher Konvention die Rede sein. Hier geht es zunächst nur um den Körper, der in Lachen ausbricht – eruptiv, unfreiwillig,[24] so unbeherrscht, daß schon Plessner meint, im Lachen überlasse der Mensch den Körper sich selbst und werde ganz Körper.[25] Die »Katastrophentheorie« des Lachens, insbesondere vertreten von Klaus Heinrich, fragt, entgegen den versöhnlichen Auffassungen des Lachens bei Plessner und vor allem Ritter, nach der »konvulsivischen Form der Bewegung, noch dazu einer, die sich verselbständigen kann bis zum Kollaps des Lachenden. Dem Krampf, von dem wir gar nicht wissen, ob er die Zerrform, das Extrem, oder

21 Zijderveld (Anm. 9), S. 170.
22 Plessner, *Lachen und Weinen* (Anm. 4), S. 148 f.
23 Zusammengefaßt bei Zijderveld (Anm. 9), S. 182 f.
24 Rita Bischof, »Lachen und Sein. Einige Lachtheorien im Lichte von Georges Bataille«, in: Kamper/Wulf (Anm. 16), S. 52-67, 59.
25 Zitiert ebd., S. 70; Plessner, *Lachen und Weinen* (Anm. 4), S. 86.

aber die traumatische Fortsetzung jener Katastrophen ist, denen wir das Lachen in einem mühseligen gattungsgeschichtlichen Prozeß abgewonnen haben.«[26] Mögen die Ausdrücke der »Katastrophe«, das »Risiko letalen Ausgangs«, gepaart mit der lachenden Distanzierung »gegenüber der Katastrophe und ihrem letalen Ausgang«, mit dem breiten Pinsel moderner Betroffenheit gemalt sein,[27] so weisen die Exzesse unbeherrschten und unbeherrschbaren Lachens, vor allem auch des »nonhumorous laughter«,[28] auf eine zunächst unabhängige reflexive Meta-Reaktion des Körpers hin, die auf konträre Reize und damit konträre Reaktionsrichtungen reagiert. Die Reize mögen Bedrohung und ihre Überwindung, Präsenz und Absenz, Reizüberflutung und kompetente Bewältigung, Blockaden und konträre Emotionen sein – diese Fälle haben wir angedeutet. Im Lachen reagiert der Körper auf seinen eigenen Reaktionskonflikt gewissermaßen optimistisch, im Weinen pessimistisch. Wird der Körper über längere Zeit in diesem Zustand gehalten oder steigert er sich selbst hinein, wenn zum Beispiel durch einen äußeren Lachanlaß ein zuvor schon labiles emotionales Gleichgewicht gestört wird, kommt es zu den beschriebenen Exzessen. Auch das Lachen bei Verblüffung, Wut, Schock, Schreck läßt sich als Meta-Reaktion auf einen zugrundeliegenden Reaktionskonflikt verstehen.

Der reflexive Charakter dieser Meta-Reaktionen Lachen und Weinen setzt differenzierte reaktive Operationen aufgrund einer Selbstwahrnehmung des Körpers und seiner Reaktionsfähigkeit voraus;[29] deshalb werden Lachen und Weinen allenfalls bei hochorganisierten Primaten und beim Menschen angetroffen. Weniger hochorganisierte und in ihren Funktionskreisen (»Instinkten«, typisierten Reiz-Reaktions-Bezügen) weniger flexibel ausgestattete Lebewesen entziehen sich solchen konfligierenden Situationen durch panische Flucht oder durch Totstellen, also wilde Explosion oder Minimalisierung von lebenserhaltender Energie. Die mit Lachen arbeitende Psychotherapie[30] hat es mit Menschen zu tun, die unter einer Dau-

26 Klaus Heinrich, »Theorie des Lachens«, in: Kamper/Wulf (Anm. 16), S. 17-38, 30.
27 Vgl. auch Dietmar Kamper in seiner Einleitung, ebd., S. 7-11.
28 Antony J. Chapman, zitiert in: Paul Mc Ghee, Jeffrey H. Goldstein, *Handbook of Humor Research*, 2 Bde., New York 1983, S. 151 f.
29 Rekonstruktion als Operation 29 in: Gaier, *System* (Anm. 6), S. 105.
30 Vgl. die in Anm. 10 und 12 genannten Bücher von Titze und die dort benutzte Literatur.

erbelastung konfligierender Situationen verlernt haben, die reflexive Leistung des Lachens oder Weinens zu erbringen, und die sich reaktiv totstellen. Durch Lachen, das oft unter Überwindung beträchtlicher Hemmungen wieder erworben werden muß, lernen sie, sich in der reflexiven Meta-Reaktion von dem zugrundeliegenden Reaktionskonflikt zu distanzieren, sich über ihn zu erheben und zunächst einmal den Körper von der Fesselung und Hemmung der lebendigen Energie zu befreien. Sofern Lachen dieses leistet und symptomatisch anzeigt, kann man Lachen als Befreiungsakt oder spontanen Ausdruck von Vitalität, Lebenslust, Überlegenheitsgefühl sehen, das es eben schafft, über einen potentiell lähmenden Konflikt zugrundeliegender Reaktionen sich momentan hinwegzusetzen oder auch plötzlich zu entdecken, daß der Konflikt, die Bedrohung gar nicht mehr besteht. Dies scheint einer der Gründe des rituellen Lachens von der Antwort auf den einsetzenden Regen in agrarischen Kulturen bis zum *risus paschalis* anläßlich der Auferstehung des Herrn und der Natur zu sein.[31]

Der Mitnahme-Effekt, den eine Formulierung wie »Auferstehung des Herrn und der Natur«[32] im Zusammenhang mit dem rituellen Lachen der sich erneuernden Lebenslust andeutet, ist uns schon begegnet im versuchten Mithüpfen des Kindes mit dem springenden Ball. Der Mitnahme-Effekt gehört auch zum Lachen und Weinen und dem ihnen zugrundeliegenden Reaktionskonflikt, er gehört überhaupt zur Existenzweise des Körpers in der Umwelt mit ihren bedrohlichen und förderlichen vielgestaltigen Reizen. So kann Lachen und Weinen »ansteckend« sein, und zwar zwischenmenschlich wie auch intrasubjektiv, wo ein Lachanlaß ganze Konfliktpotentiale mobilisieren und zu den beschriebenen Exzessen führen kann. In den agrarischen Kulturen, wo der Körper besonders präzis auf die Umweltbedingungen und ihre Veränderung geeicht ist, vermag eine Klimaveränderung einen Mitnahme-Effekt zu erzeugen und spontane Eruptionen lachender Lebenslust zu bewirken. Da in diesen Reiz-Reaktions-Verhältnissen die Kausalität als umkehrbar erfahren wird, läßt sich durch rituelles Lachen, durch Fest, Opfer, Tanz der Eintritt des Frühlings oder der Beginn des Regens fördern. Die Lach-Therapie setzt ja auch darauf, daß durch künstlich induziertes Lachen ein spontanes Lachen erzeugt und die seelische Hemmung

31 Haug (Anm. 2), S. 50-52.
32 Vgl. den »Osterspaziergang« in Goethes *Faust*, V. 903-940.

überwunden werden kann. Der Mitnahme-Effekt, der natürlich nicht nur bei den Meta-Reaktionen des Lachens und Weinens, sondern überhaupt bei allen Beziehungen eine Rolle spielt, in denen der Körper steht, stiftet eine Disposition zum »Angestecktwerden«, die je nach Ausformung der psychischen und intellektuellen Gestalt stärker oder schwächer sich auswirken kann. Die Lächel-Beziehung zwischen Mutter und Kind baut darauf auf, aber auch die Wirksamkeit von Komödianten-Masken und die Bemühungen der Unterhaltungsliteratur und -industrie.

II. Verteidigung und Bestätigung des Menschlichen

1. Die Verhaltensforschung hat gezeigt, daß zusammenlebende Tiere wie Graugänse oder Affen einen ähnlich wie organische Funktionskreise festgefügten Kanon von Formen des gemeinsamen Lebens haben; darüber hinaus besitzen sie einen gewissen Gestaltungsraum, der in verschiedenen Gruppen verschieden geregelt ist und ihnen damit eine gewisse »kulturelle« Identität verleiht. So gibt es Katzenfamilien, die das Türöffnen durch Hochspringen zur Türklinke beherrschen, und in den siebziger Jahren machten Wacholderdrosseln von sich reden, die, ausgehend von einem Punkt in Oberschwaben, lernten, sich der Greifvögel durch gemeinsame gezielte Kotattacken zu erwehren.[33]

Menschliche Kulturen entstehen nicht anders, sind nur komplexer, weil der Gestaltungsraum der Menschen größer, ja aufgrund der Fähigkeit zur prinzipiell unbegrenzten Kompetenzerweiterung[34] unbestimmbar groß ist; ebenso prinzipiell ist das anthropologisch-hermeneutische Axiom, alles, was Menschen tun können und je getan haben (ich nenne es Anthropologon), verstehen und bei genügender Kompetenzerweiterung und Übung nachbilden zu können.

---

33 Einhard Bezzel, »Die Wirksamkeit der Kotattacken von Wacholderdrosseln (Turdus pilaris) auf Greifvögel«, in: *Journal für Ornithologie* 116 (1975), S. 488. Danach Vitus B. Dröscher, »Drosseln lernen Falken töten«, in: *Die Zeit*, 16. 1. 1976.

34 So jedenfalls die Hypothese, die durch die Rekursivität der Operationen nahegelegt wird, mittels deren die menschlichen Kompetenzen rekonstruiert werden können (Gaier, *System*, Anm. 6); belegt wird die Hypothese der prinzipiellen Offenheit des Anthropologischen durch die historische und kulturgeographische Realität.

Schon innerhalb von Familien, darüber hinaus in kleineren und größeren Gruppen, in Institutionen, Gesellschaften und Kulturen ist der Gestaltungsraum dessen, was als Anthropologon überhaupt menschenmöglich ist, durch ein jeweiliges System von Regeln und Normen in Gebotenes, Erlaubtes, Wählbares und Verbotenes sortiert; eine bestimmte Vorstellung vom Menschen (ich nenne sie Humanum) und seinem erwünschten Verhalten und Handeln soll sich jeweils verwirklichen. Innerhalb einer »Gruppe«,[35] in der jeder jeden kennt und alle durch das Bewußtsein der Zugehörigkeit getragen sind, gelten die Normen genetisch, entstehen und wachsen mit der Gruppe; das Individuum besitzt seine Zugehörigkeit nur unangetastet, solange es in Konformität mit diesen Normen lebt. Treffen Menschen aufeinander, die einander fremd sind, müssen sie, angefangen bei der Sprache, nach einer gemeinsamen Schnittmenge von Regeln und Normen tasten, auf der sich Verständnis und Kommunikation aufbauen lassen; diese Beziehung der »Öffentlichkeit« legt den beteiligten Individuen meist eine Verantwortung auf, die sie nicht meistern und die sie, etwa im Fall des Westeuropäers gegenüber dem Angehörigen einer ärmeren Gesellschaft der »Dritten Welt«, durch borniert Arroganz in ihr Gruppenbewußtsein zurücktransformieren. Eine »Programmgruppe« nenne ich eine Soziostruktur, in der Menschen sich aufgrund einer typisierten Bedürfnislage, aufgrund gemeinsamer Interessen oder Überzeugungen zusammentun und die Belange dieser Sekte, Partei, Lobby mit bewußter Strategie und Taktik nach außen vertreten. In unserer vielfältig geschichteten Gesellschaft weiß sich jedes Individuum mehreren Gruppen, Programmgruppen und der Öffentlichkeit zugehörig und wechselt – wie von einer Sprachvariante zur andern – von einem zum anderen Humanum mit seinen verschiedenen Lachanlässen.

Ich habe diese soziostrukturellen Varianten, zu denen spezifische Formen des gesellschaftlichen Wissens, der Kommunikation, Sinn- und Bedeutungskonstitution gehören, deshalb hier erwähnt, weil jede auch eine spezifische Form des Lachens erzeugt und das Lachen auf ihre Weise funktionalisiert. Zunächst jedoch zur Konstitution der Regeln und Normen eines Humanum und damit zugleich zur Konstitution von Lachanlässen.

---

35 Rekonstruktion der folgenden soziostrukturellen Varianten bei Gaier, *System* (Anm. 6), S. 389.

2. Renate Jurzik hat festgestellt, daß die Domestizierung des Körpers eine Menge von Lachanlässen bereitstellt. Leider hat sie versäumt, darauf hinzuweisen, daß, da die verschiedenen Kulturen den Körper verschieden domestizieren und die Tabus mehr oder weniger streng setzen, bereits hier deutliche kulturelle Differenzen sichtbar werden, die sich in den Lachkulturen und ihrem gegenseitigen »öffentlichen« Verständnis beziehungsweise Unverständnis auswirken.

Erstes Lachen, so Jurzik, entsteht bei Kindern, wenn sie Ansätze zur selbständigen Körperbeherrschung zeigen und diese durch spielerisches Schütteln, Schwingen, Umkippen etc. in Frage gestellt werden. »Kinder, die gelernt haben, ihren Körper zu beherrschen, lachen über andere, die das noch nicht können. Als Reaktion auf den Drill der Körperbeherrschung lebt Komik von der Darstellung all derjenigen Situationen, die sich der Beherrschung entziehen.«[36] Eine ähnlich unerschöpfliche Quelle des Gelächters wie die Fähigkeit, den Haltungs- und Bewegungsapparat zu beherrschen und geschmeidig unvorhergesehenen Situationen anzupassen, ist die Reinlichkeit und die sexuelle Scham. »Anale Lust ist Lust am Verpönten, am Dreck, an dem, was ausgestoßen werden soll. Komik lebt als Reaktion auf die Reinlichkeitserziehung von der Wiedereinbringung des Obszönen in die züchtigen Umgangsformen. [...] Die Triebkonflikte der phallischen Phase sind begleitet vom Lachen über die entblößten Genitalien.«[37] Jurzik zählt hierzu eine Reihe von Mythen auf; die mythische Figur der Baubo, die Demeter zum Lachen bringt und damit ihre in der Trauer außer Kraft gesetzte Fruchtbarkeit wiederbelebt, ist ein wichtiges Beispiel. Michael Titze weist auf die von Bornemann gesammelten Kinderreime und Rätsel als reichhaltigen Beleg für dieses Lachen hin.[38]

Ein bestimmtes Mittelmaß der Körpergröße war etwa in der Antike Norm, Zwerg- oder Riesenwuchs galten als lächerlich. Häßlich, deformiert durfte man nicht sein. Den Normen dessen, was sich für Frauen und für Männer gehörte, den Vorschriften für Bekleidung und Schmuck hatte man zu gehorchen; die parasprachliche Gestik und Mimik durften nicht aus dem Üblichen fallen. Zum äußeren

36 Jurzik (Anm. 16), S. 45.
37 Ebd., S. 45 f.
38 Titze (Anm. 12), S. 271. Ernest Bornemann, *Unsere Kinder im Spiegel ihrer Lieder, Reime, Verse und Rätsel*, Bd. 1, Berlin 1980.

Erscheinungsbild kommen die Erwartungen über das Verhalten in Affektsituationen, die Respektierung der Vorstellungen über den Wert des Lebens, die Würde des Menschen, die Handlungsweise gegenüber Familie, Freunden, Öffentlichkeit, Institutionen. Es gelten bestimmte Normen der Sinneswahrnehmung und des geäußerten Gefallens und Mißfallens daran, Normen der Äußerung von Phantasien und Tagträumen, Regeln des Argumentierens, der Logik, des Einbringens von Wissen in die Kommunikation, der Rhetorik usw. Jeder Verstoß gegen eine dieser Normen und Regeln ist ein Verstoß gegen das akzeptierte Humanum; die Individuen der kulturellen Sozialstruktur beziehen ihre Identität, ihre Werte, Selbsteinschätzung, Gewißheit der Einschätzung durch andere, das Sinn- und Bedeutungsprofil ihrer Welt aus diesen Vorstellungen, Regeln und Normen,[39] die sämtlich auch anders sein können, in Nuancen oder insgesamt, wie der Kulturvergleich zeigt und wie in der gegenwärtigen Auflösung allgemein verbindlicher Normen schon der Blick auf die Verhaltensweise der Menschen auf der Straße eröffnet. Alles das, was Menschsein impliziert, heißt und bedeutet, ist jeweils gelernt wie eine Sprache. Es wird in einer Gesellschaft verteidigt durch Strafen gegen wohldefinierte Verstöße, die das Rechtssystem einer Gesellschaft als solche festlegt, und durch Lachen, wo dieses Rechtssystem nicht greift. Stellt diese Lachkultur gewissermaßen die Verkehrssprache der Gesellschaft dar, so gibt es »unterhalb« davon Soziolekte, Dialekte, Jargons und Varianten des Lachens bis in Familien-Lachvarianten hinein. Jeder beherrscht unbestimmt viele solcher Varianten: Man muß wissen, worüber man in welcher Gesellschaft lacht und welche Witze man besser nicht erzählen sollte.

Das Lachen wird damit gesellschaftlich funktionalisiert; aus dem metareaktiven Lachen, das einer Selbstwahrnehmung des Körpers in konfliktuöser reaktiver Situation spontan entspringt, wird ein Lachen über ..., ein Auslachen, Verlachen, Belachen, das jeweils einen Gegenstand hat, nämlich einen Verstoß gegen das jeweilige Humanum. Und davon gibt es zwei Fälle: Wird das gesellschaftlich akzeptierte Humanum unterstützt, werden Verstöße dagegen verlachend angegriffen; wird das gesellschaftlich akzeptierte Humanum

---

39 Dazu Peter Berger und Thomas Luckmann, *Die gesellschaftliche Konstruktion der Wirklichkeit,* Frankfurt am Main 1969.

als inhuman erfahren, richtet sich der lachende Angriff gegen das Geltungssystem der Gesellschaft. Dürrenmatt hat auf der literarischen Ebene die Komödie *in der* Gesellschaft von der Komödie *der* Gesellschaft unterschieden.[40] Das Lachen über den Verstoß, die Abweichung und den Abweichler stabilisiert die Gesellschaft, das Lachen über die Gesellschaft destabilisiert sie, ist revolutionär, mindestens kreativ.

Jede Familie, Gruppe, Gesellschaft entwickelt Formen, in denen sie sich selbst, ihr Humanum, ihre Kommunikationsgattungen etc. spielt (man kann solche Spiele, da sie die Funktion der Selbstwahrnehmung in vielen Fällen erfüllen, als Formen gesellschaftlicher *aisthesis* verstehen, vgl. Kapitel III); auch hier ist das Lachen zur »Unterhaltung« der Gruppe und des Humanum noch funktionalisiert, obwohl diese Spiele das Körperlachen und das aggressive Lachen zur Verteidigung des Humanum in fiktiven, kommunikativ gerahmten Situationen aufheben und das Lachen dadurch »heiter«, »fröhlich«, »befreiend« wirkt: rituelles, institutionalisiertes Lachen über die Gesellschaft, wie es Saturnalien, Eselsmessen, Fastnacht, *ceremonial clowns* leisten,[41] unterhaltende heitere Kommunikation (zum Beispiel Witze erzählen), die Scherzkommunikation (Necken, Aufziehen) umspielen das Humanum und stellen es zusammen mit den Mitspielern fiktiv auf die Probe.

3. »Lachen«, so verkündet Bergson unter Vernachlässigung des unter (I) besprochenen »körpereigenen« metareaktiven Lachens, »ist stets das Lachen einer Gruppe. [...] Das Lachen wird nur verständlich, wenn man es in seinem eigentlichen Element, d. i. in der menschlichen Gesellschaft, beläßt und vor allem seine praktische Funktion, seine soziale Funktion, zu bestimmen sucht.«[42] In der Tat sind die Fälle selten, in denen ein Individuum allein lacht, und auch da wird es im Nacherleben, medial vermittelten Erleben oder Antizipieren kommunikativer Situationen lachen. Was eine Untersuchung des a-sozialen Lachens notwendig machte, sind die Exzesse des Lachens, das Unbeherrschte und Unbeherrschbare dabei, auch

40 Friedrich Dürrenmatt, »Anmerkung zur Komödie« (1952), in: F. D., *Theater. Essays, Gedichte und Reden,* Zürich 1980, S. 22.

41 Zu dieser gesellschaftsbezogenen Funktion des Lachens vgl. Zijderveld (Anm 9); zur Belebungsfunktion durch Institutionen wie *ceremonial clowns* insbes. S. 161-166.

42 Bergson (Anm. 19), S. 8 f.

das Herausplatzen im ungeeigneten Moment,[43] das *nonhumorous laughter* im Zusammenhang mit starken Affekten. Unter diesem Gesichtspunkt ist es wichtig festzuhalten, daß Lachen nicht eine originär soziale Erscheinung ist. »Alles läßt sich letztlich auf die zentrale Tatsache zurückführen, daß Humor *im* System der Gesellschaft vorkommt, ohne *von* diesem System zu sein«, so schließt Zijderveld seine *Soziologie des Humors und des Lachens* ab.[44] Auch soziologisch läßt sich das Lachen, das eine ganze Gesellschaft zu untergraben sucht (Komödie *der* Gesellschaft) nur so verstehen, daß im Lachen eine zunächst a-soziale, der unmittelbaren Erfahrung des körperlichen Es-Umwelt-Bezugs zugehörige Metareaktion für bestimmte pro oder contra Gesellschaft gerichtete Zwecke funktionalisiert wird. Endlich, nimmt man das Soziale nur als eine bestimmte »Sinnprovinz« (Alfred Schütz), ist es klar, daß das Lachen auch in anderen »Sinnprovinzen« funktionalisiert wird, etwa in religiös-mystischer Absicht in der Zen-buddhistischen Kôan-Meditation über unauflösbare Paradoxien, die systematisch die Formen und Forderungen der Rationalität auflösen soll; das befremdliche Lachen von Zen-Meistern bei durchaus unheiteren Gelegenheiten[45] geht auf diese nichtsoziale Funktionalisierung des Lachens zurück. Die drei schon in (II 1) erwähnten soziostrukturellen Varianten der Gruppe, der Öffentlichkeit, der Programmgruppe funktionalisieren zumindest in unserer Kultur das Lachen unterschiedlich.

Die Gruppe ist gekennzeichnet durch die Wir-Beziehung,[46] die durch das Bewußtsein konstituiert ist, daß »wir« zusammengehören, jeder einzelne dazugehört und jeder das vom andern weiß. Draußen sind »sie«, andere Gruppen und ihre Mitglieder, oft Konkurrenten, Gegner, Feinde, die als solche bekannt sind, oder Frem-

---

43 Gerhild Scholz Williams, »Das Fremde erkennen. Zur Erzählfunktion des Lachens im Mittelalter und in der frühen Neuzeit«, in: Fietz, *Semiotik* (Anm. 1), S. 82-96, 84, macht auf den Anstoß der gesamten *aventiure*-Handlung durch Cunnewares unpassendes Lachen bei Parzivals erstem Auftritt am Artushof aufmerksam.

44 Zijderveld (Anm. 9), S. 202.

45 Bericht bei Titze (Anm. 1), S. 256.

46 Vgl. den Begriff bei Alfred Schütz, »Das Problem der transzendentalen Intersubjektivität bei Husserl«, in: ders., *Gesammelte Aufsätze*, Bd. 3, Den Haag 1971, S. 116; ich sehe die drei soziostrukturellen Varianten, auf die sich im Gebrauch der Personalpronomina wir/sie, man und wir/man abzeichnenden Formen des Bewußtseins der Zugehörigkeit begründet, und betrachte sie vor allem in unserer mehrfach strukturierten Gesellschaft als idealtypische Begriffe.

de. Familienverband und Sippe, Jugendgruppen, ethnische Minderheiten bilden solche Formen des Bewußtseins aus, haben oft ihre bis ins Lexemische, Semantische und Grammatische gehende Sprachvariante und vor allem das, was ich in (II 2) als Humanum bezeichnet habe: Vorstellungen davon, wie der Zugehörige zu sein, sich zu kleiden, zu bewegen, zu handeln hat, wie er denken, imaginieren, urteilen und werten soll, welche Wert- und Relevanz-Indizes die Gegenstände der gemeinsamen Welt haben, wie »wir« sprechen und untereinander kommunizieren, wie »wir« mit Feinden und mit Freunden umgehen. Diese naive Anthropologie wird »mit der Muttermilch eingesogen«, mit der Muttersprache gelernt, durch den Gruppenhaß geschärft und zum Bewußtsein gebracht; sie verändert sich unter äußeren Einflüssen, wenn die Umweltbedingungen oder die Bedrohung durch Fremde es erzwingen, sie verändert sich von innen her durch Routine und Erstarrung. Die Individuen haben in der Gruppe ihre Identität, ihren Rang, ihre Organ-Funktion im Zusammenwirken zwischen Gruppe und Umwelt und sind damit nicht als individuelle Subjekte, sondern prinzipiell als Elemente des Gruppensubjekts an der differentiellen Anpassung des Humanums an die jeweiligen Veränderungen der Umwelt und an der inneren Struktur der Gruppe beteiligt.

Aggressives Lachen verteidigt hier die Wert-, Sinn- und Bedeutungswelt des Humanums der Gruppe; mit ihm werden »sie« bekämpft und innere Abweichler ausgetrieben. Ist die Bedrohung nicht eindeutig zu greifen, sondern lähmt als latente Krise des Zusammenhalts die Gruppe durch innere »Sünden«, schleichende Verdächtigungen oder unbestimmte Gefährdungen von außen, wird fiktiv ein Ersatzobjekt gebildet und mit aggressivem Angstlachen satirisch[47] verlacht: metaphorisch als Sündenbock (3 Mos 16, 5-22), synekdochisch als Narrenkönig,[48] der nach seinem Tag getötet wird; oder als bis zur inneren Erstarrung Gehänselter, der dann erst wieder zum Lachenkönnen geheilt werden

47 Vgl. Ulrich Gaier, *Satire. Studien zu Neidhart, Wittenwiler, Brant und zur satirischen Schreibart*, Tübingen 1967, S. 329-450, 344 f., ferner Gaier, *System* (Anm. 6), S. 444-461, 455. Den Überlegungen zum Satirischen in: Preisendanz/Warning (Anm.2), S. 411-416, liegen die Analysen zur satirischen Schreibart in meinem genannten Buch zugrunde.
48 Ein Brauch der Azteken, berichtet bei Zijderveld (Anm. 9), S. 96.

muß.[49] Ähnlich fiktiv – noch keineswegs poetisch – ist die Neckerei und Frotzelei der Scherzkommunikation, wie Helga Kotthoff sie untersucht.[50] Hier wird in strenger kommunikativer Rahmung mit dem Humanum der Gruppe gespielt und dieses mit seinen Grenzen bestätigt; ständige kleine Chaos-Angebote halten das Normbewußtsein wach und verhindern die Bildung von Krusten und Mechanisierungen. Gelingt es dabei, echtes Körperlachen zu induzieren und aufrechtzuerhalten, wird die Gruppe übermütig, verliert die Beherrschung, belacht noch ganz andere Konflikte als das Ausgangsproblem, gerät in einen Lachexzeß. Das gemeinsame Lachen der Körper führt zu Resonanz, Unisono, zur Einheit der Körper, die sich aneinander festhalten, zur Auflösung der Subjekt-Tendenzen[51] in den Individuen. Damit kann sich das Gruppensubjekt wieder konstituieren, aus der lachenden Befreiung von hemmenden Konflikten fließt Energie in die Gruppe ein. Zugleich wird durch die Delegation des sozialen Problems an den Körper das Problem aus dem Bereich der Verantwortung, Schuld, Reue, Empfindung auf den Status eines Reiz-Reaktions-Konflikts im organischen Es-Umwelt-Verhältnis heruntergestuft: Das Problem geht das Ich, die Seele und den Geist nichts mehr an. Dies hat Bergson mit der Anästhesie, der Gefühllosigkeit, des Herzens beim Lachen gemeint, oder Freud mit dem ersparten Gefühlsaufwand; beider Betrachtung geht allerdings vom Individualsubjekt aus und wird hier als auf das Gruppensubjekt übertragbar erkannt.

Das Gruppenproblem ist durch das induzierte satirische Lachen über ein erfundenes stellvertretendes Objekt nicht gelöst, denn es ist kein körperlicher Konflikt, sondern ein soziales Problem des Humanums der Gruppe. Aber die ambivalente Erschütterung des Gelächters, mit dem das Humanum in Frage gestellt und verteidigt wird, die neu einfließenden Energien, die Selbstfindung des Grup-

49 Titze (Anm. 1), S. 224, 239 u. ö.; Wolfgang Borcherts Erzählung »Schischyphusch« gibt ein Fallbeispiel.

50 Helga Kotthoff, *Das Gelächter der Geschlechter. Humor und Macht in Gesprächen von Frauen und Männern*, Frankfurt am Main 1988; dies. (Hg.), *Scherz-Kommunikation* (Anm. 7); dies., *Spaß verstehen. Zur Pragmatik von konversationellem Humor*, Tübingen 1998.

51 Dietmar Kamper (in: Kamper/Wulf, Anm. 16, S. 8): »Im Lachen lösen sich die Subjekte auf, verlieren ihre Fähigkeit, sich zu sich selbst zu verhalten, und damit ihre Exzentrizität.«

pensubjekts machen die notwendige Erneuerung des Humanums leichter. Dargestellt habe ich die Funktion des satirischen Lachens an einer Krisensituation der Gruppe; die Befunde und Rekonstruktionen gelten mit kleiner Amplitude auch für das Necken und Frotzeln in der Gruppe und legen nahe, daß diese Aktivitäten durch kleine induzierte Erschütterungen den Gruppenerhalt fördern. »Was sich liebt, neckt sich – was sich neckt, liebt sich.«

4. Die Öffentlichkeit ist die der Gruppe entgegengesetzte Sozialstruktur; statt des »Wir« und »Sie« der Gruppe bestimmt hier das »Man« das Bewußtsein; die Öffentlichkeit ist grenzenlos und hinsichtlich des Humanums strenggenommen leer, im Zustand der reinen Potentialität. Wir haben gesagt, daß dieses Menschenmögliche, das Anthropologon, endlos erweiterbar und differenzierbar ist; die Gruppe, in die jeder jeweils hineingeboren wird, aktuiert und verstärkt gemäß ihrem Humanum bestimmte Kompetenzbereiche und ermöglicht ihre Realisierung durch das Individuum. Am Beispiel der Sprache: Von der prinzipiell anzunehmenden Kompetenz des Säuglings, alle Sprachen zu erlernen, werden durch die Muttersprach-Gewöhnung bestimmte phonetische, semantische, syntaktische, pragmatische Kompetenzen aktuiert und vom sprachlernenden Kind der eigenen Realisierung (Performanz) zugeführt. Öffentlichkeit wird durch das Erlernen von Fremdsprachen in diesem Bereich des Humanums hergestellt. Dieses Erlernen erfordert die Aktuierung und Ausdifferenzierung anderer, bisher im Zustand bloßer Potentialität befindlicher Kompetenzen im Individuum. Idealtypisch treten einander in der Soziostruktur der Öffentlichkeit Individuen gegenüber, die bloß ihr Anthropologon, ihre potentielle menschliche Kompetenz haben, aber nichts von dem brauchen können, was sie gelernt haben. In der Tat muß man bei der Begegnung mit radikal fremden Menschen, Angehörigen fremder Kulturtypen »ganz von vorn anfangen«, die Differenzen des Humanums im Körperbereich, zwischen den Geschlechtern, im Dasein des Körpers in der Umwelt erspüren, um dann erst, nach Überwindung der Sprach- und Kommunikationsprobleme, in die komplexeren Bildungen des Humanums vorzudringen – das unlösbare Problem der Kulturanthropologie. Aber in der Öffentlichkeitsstruktur geht es gar nicht um Unterwerfung oder Anpassung oder um das analytische Erfassen der fremden Kultur, sondern um den Versuch beider einander treffender Individuen oder Kulturen, ein wenn auch noch

so rudimentäres Drittes, ein Humanum neuer Art, jenseits der beiden gruppenspezifischen Humana zu begründen. Es kann die beiden tendenziell aufheben, sich in Opposition zu ihnen setzen, sie teilweise einschließen und ausschließen, sie weiterentwickeln. Am Beispiel der Sprache: Volapük oder Latein, beiden gleichermaßen fremd. Auf die hier angeschnittenen Probleme der Multikulturalität, der Menschenrechte, der globalen Entwicklung eines Humanums kann und muß hier nicht eingegangen werden.

Wird in einem Zusammentreffen von Fremden nicht durch Imponiergehabe Unterwerfung intendiert, lächelt man. Das Lächeln enthält mimisch die Anfänge des Lachens, ist ebenso ambivalent und kann sich zum Grinsen und Zähnefletschen der Gorgo Medusa weiterentwickeln, welches den »zu Stein verwandelt«, einen Totstelleffekt bei dem hervorruft, der es erblickt; es kann sich zum befreiten und befreienden Lachen öffnen und Energie zur Gestaltung der kommunikativen Situation entbinden. Lächeln ist in die Mutter-Kind-Beziehung eingebaut, wird als die erste kommunikative Bezugnahme des Kleinkindes bezeichnet und ist das Symptom dafür, daß überhaupt oder wieder oder noch »alles stimmt«.[52]

Das Zusammentreffen Fremder, idealtypisch ohne Arroganz oder voreilendes Minderwertigkeitsgefühl, verlangt von beiden den Rückgang in diese allererste Beziehungsform, wo zwar das Urvertrauen der anthropologischen Hermeneutik herrscht, daß jedes Verhalten und Tun des andern irgendwie rekonstruktiv zu verstehen sein wird, wo aber das Grenzprofil des Belohnt- und Bestraftwerdens durch den andern, des Belohnens und Bestrafens des andern abgetastet, ausgehandelt, zum gegenseitigen Einverständnis gebracht werden muß und so, je nach Dauer und Tiefe der Beziehung, zu einem Humanum ausgebaut wird.

Das Lächeln fungiert dabei als »mimischer Stoßdämpfer«[53] oder »Aggressionspuffer«:[54] »Lächeln wirkt nämlich entwaffnend und löst die Spannung zwischen Fremden. Man lächelt höflich, wenn man sich entschuldigt oder jemandem eine Absage erteilt.«[55] Das

---

52 Vgl. Titze (Anm. 1), S. 51.
53 Volker Rittner, »Das Lächeln als mimischer Stoßdämpfer«, in: Kamper/Wulf (Anm. 16), S. 322-337.
54 So der Verhaltensforscher Irenäus Eibl-Eibesfeldt, zitiert bei Titze (Anm. 10), S. 18.
55 Ebd.

Lächeln des erwachsenen Menschen gegenüber einem Fremden drückt aus, daß man ein Stück weit auf Durchsetzung des eigenen Willens verzichtet, daß man dies vom andern auch erwartet, daß man bereit ist, ein wenn auch noch so rudimentäres Humanum mit ihm aufzubauen, daß man anbietet und vom andern das Gegenangebot erwartet, daß überhaupt oder wieder oder noch »alles stimmt«. Das Lachen hat hier dieselbe Funktion, verstärkt das Angebot des *subridere* zur Forderung des *ridere*. Gehört es zu dem schwer abzuwerfenden Humanum einer Gruppenkultur, dem Fremden grundsätzlich mit der Fiktion eigener Unterlegenheit zu begegnen, geschieht das kommunikativ funktionalisierte Lächeln und Lachen der Begegnung in der Öffentlichkeit sozusagen mit vorgehaltener Hand, niedergeschlagenen oder abgewandten Augen, es drückt Verlegenheit aus, dem andern durch Näherung, Anrede, Angebot eines bestimmten Humanums zu viel zuzumuten:

»Gorer machte zum Beispiel die Beobachtung, daß Lachen in Afrika oft ein Ausdruck der Verwunderung oder des peinlichen Betroffenseins ist. Lachen deutet dort oft Unbehagen anstatt Vergnügen. Klineberg hat darauf hingewiesen, daß im traditionellen Japan Lachen und Lächeln oft mehr mit dem Befolgen von Regeln der traditionellen Etikette als mit Entspannung und Vergnügen zu tun haben. Vor allem in Zeiten des Kummers lacht und lächelt der traditionelle Japaner, weil die Etikette vorschreibt, nie andere mit eigenem Schmerz und Gram und mit eigenen Schwierigkeiten und Problemen zu belasten.«[56]

Als vietnamesischen Frauen Fotos ihrer durch Napalm verwüsteten Dörfer und verstümmelten Bekannten gezeigt wurden, lachten sie, was die amerikanischen Journalisten, die ihnen die Bilder zeigten, als Gefühlskälte auslegten.[57]

In all diesen Fällen, im Lächel- und Lachangebot, im spontanen oder traditionellen Lächeln und Lachen der Verlegenheit und Peinlichkeit, im Lachen der Verblüffung und des Entsetzens richtet sich die aggressive Kraft dieser Aktivitäten gegen den Lachenden und Lächelnden selbst und läßt die befreiende, entspannende Tendenz auf den Partner übergehen. Lächeln und Lachen in der Begegnung mit Fremden belacht antizipatorisch die mögliche Unfähigkeit, vom eigenen festgelegten Humanum abzugehen, die Versuchung,

---

56 Zijderveld (Anm. 9), S. 143 f.
57 Bericht von Beatrix Pfleiderer, »Anlächeln und Auslachen. Zur Funktion des Lachens im kulturellen Vergleich«, in: Kamper/Wulf (Anm. 16), S. 338.

als Stoffel und Barbar zu erscheinen. Das Lächeln und Lachen in der Interaktion mit Fremden verlacht die eigenen Gewohnheiten, Meinungen, Werte und Prioritäten als (mit Bergson gesprochen) Kruste über dem Lebendigen, als mechanisch und automatisch gewordenen Gewohnheitspanzer der Gruppenerziehung. Wer in der Begegnung mit Fremden lächelt, drückt aus, daß er über sich lachen würde, wenn ihm im Umgang mit dem Fremden die Befangenheit in seinen angestammten Gruppen-Gepflogenheiten in die Quere käme, und das Lachen drückt dann Selbstbestrafung für einen solchen Ausrutscher, Entschuldigung gegenüber dem Partner aus und signalisiert ihm, daß der Lachende zum Neuaufbau eines Humanums bereit ist und keinen Zwang durch Aufoktroyierung seiner Gewohnheiten (mehr) ausüben wird. Gelingt dann irgendeine gemeinsame Leistung, sei sie geringfügig wie die Schritte eines beiden Partnern fremden Tanzes oder bei der spielerisch-höflichen Übernahme der Gastgewohnheiten etwa das Benutzen von Eßstäbchen, feiert das gemeinsame Lachen den bescheidenen Erfolg und weist bei beiden Partnern zurück auf die hemmenden Bedingungen bisher geübter Gewohnheiten.

Das Interaktionslächeln, angesichts der Dauerkontakte mit Fremden im Geschäftsleben oder etwa bei Stewardessen oft zur schmerzhaften Maske erstarrt, stellt »eine modernisierte Form der Reaktion auf Komplexität« dar; »Lächeln als eine Reaktion der klugen Beirrbarkeit, als eine flexible Taktik des Auspendelns der Reize und Impulse [...] demonstriert, daß man mit sich reden und handeln läßt, in flexibler, nicht allzu borniert-werttreuer, das heißt starrer Weise«.[58] Bei mangelnder Lächelfähigkeit und -bereitschaft soll sich sogar das Risiko des Herzinfarkts erhöhen; jedenfalls ist plausibel, daß die Bereitschaft zu diesem Kommunikationsakt, der die Disposition zum flexiblen Aufbau eines neuen Humanums anzeigt, eine Wirkung hat, mit der »ein Maximum an sozialen und psychischen Funktionen durch ein Minimum an Muskelarbeit – Gesichtsmuskelarbeit – geleistet werden kann«.[59]

Historische Varianten dieses Lächelns und Lachens der Öffentlichkeitsstruktur bieten auch die Phänomene, die man mit »Humor« bezeichnet hat, angefangen mit den individuellen Besonder-

58 Rittner in: Kamper/Wulf (Anm. 16), S. 323, 327.
59 Ebd., S. 329 f.

heiten, die der Humoraltheorie zufolge das Vorwalten eines bestimmten Körpersaftes erzeugt, die man also lächelnd hinzunehmen bittet – Entschuldigung und zugleich Behauptung eines kleinen Tics oder »spleens« im Benehmen (hier müßte die Sozialstruktur der Individualität ergänzend analysiert werden). In der Romantik und bei Jean Paul wird diese individuelle Besonderheit zur ontologischen Besonderung der Individuation verabsolutiert, zur Endlichkeit des Menschen angesichts der Forderungen des Unendlichen an das Humanum, einer Endlichkeit, die zugleich verächtlich über ihre Niedrigkeit und Beschränkung lacht und doch im Bewußtsein der Unabänderlichkeit und letztlich Liebenswürdigkeit lächelnd um Entschuldigung dafür bittet. Diese Haltung liegt dem Humor der Humoristen des 19. Jahrhunderts zugrunde.[60]

5. Die Soziostruktur der Programmgruppe, die aus den rasch aufgebauten und wieder zerfallenden Humanum-Beziehungen der Öffentlichkeit eine bestimmte herausgreift und festlegt, weil sich die Interessen und Bedürfnisse vieler Individuen von den Gründen oder vom angestrebten Resultat her darin wiederfinden, lacht auf jede der besprochenen Weisen, denn durch Gewöhnung der Mitglieder aneinander entsteht trotz des anfangs bewussten Eintritts in die Partei, den Verein, die Kirche ein Gruppengefühl der Zusammengehörigkeit, je nachdem, eine partielle Aufgabe der Identität an das Gruppensubjekt. Da die Programmgruppe für die Durchsetzung und Verbreitung ihrer Ideologie kämpft, dient das aggressive und das satirische Lachen, das ironische, sardonische, sadistische Lächeln als Kampfmittel. Auch das verbindliche, höfliche, entschuldigende Lächeln und Lachen der Öffentlichkeitskommunikation wird eingesetzt, wo man es mit Mächtigeren oder mit Fremden zu tun hat, die man für die Sache und Ideologie gewinnen möchte. Das *conciliare*, die für das Anliegen der Partei freundlich gewinnende Rede, ist seit jeher eine Aufgabe des Rhetors. Die Körperaktivitäten des Lächelns und Lachens werden bei Gruppe und Öffentlichkeit zu »illokutionären« Kommunikationsakten, bei dem taktisch-rhetorischen Verhalten der Programmgruppe zu »perlokutionären« Kommunikationsakten funktionalisiert.

Damit schließe ich das Kapitel des gesellschaftlich funktionalisierten Lachens ab; es hat sich gezeigt, daß Lächeln und Lachen hier

60 Wolfgang Preisendanz, *Humor als dichterische Einbildungskraft*, München ²1976.

verwendet werden, um Menschliches zu verteidigen oder seinen Triumph zu feiern. In der Gruppe wird das verteidigt, was man als Humanum gelernt hat; in der Öffentlichkeit wird lächelnd die eigene Borniertheit verachtet und der Weg für den Aufbau eines neuen Humanums freigemacht; in der Programmgruppe werden Lachen und Lächeln taktisch eingesetzt, um ein ernstes Ziel zu erreichen.

III. Das Lachen der Literatur

1. Bisher haben wir uns physiologisch mit dem Lachen des Körpers und soziologisch mit seiner Funktionalisierung für die Auflösung psychischer und sozialpsychologischer Probleme, Blockaden, Ambivalenzen, Ängste um das jeweilige Humanum befaßt. Noch nicht berührt haben wir das ästhetische Lachen. Wenn ein Clown auf seine überlange Schuhspitze tritt und nicht von der Stelle kommt, inszeniert er eine Blockade der Körperbeherrschung; wir lachen hier wie über ähnliche Fälle im Alltag, darüber hinaus lachen wir, weil uns vorgeführt wird, daß wir solchen Selbstblockaden, mechanischen Abläufen, Tücken der Objekte oft hilflos ausgeliefert sind und die Umstehenden dabei unwillkürlich das Lachen ankommt. Die Kunst des Clowns stellt ohne schmerzhafte und peinliche Begleitumstände Vorgänge und Sachverhalte aus, die für uns lächerlich sind; er bietet einen Anlaß zu befreiendem Gelächter und lehrt uns durch kunstvolle Stilisierung die Aufmerksamkeit auf das unser Lachen leitende Humanum (hier: Körperbeherrschung). Mit dieser Kunst kann er überall Lachen erregen, denn Körperbeherrschung ist eine statistische Universalie in den Kulturen der Welt und ihren Humana. Schon die Normen der Reinlichkeits- und Sexualerziehung driften historisch und kulturgeographisch weit auseinander und damit auch ihr Lächerliches. Die sozialen Lachanlässe sind vollends kulturspezifisch; das wird an der Schwierigkeit deutlich, ausländische Witze witzig zu finden. Nur statistisch häufigere Elemente der Humana und ihre Verletzung, Entgrenzung, Blockierung haben Chance auf transkulturelle Lächerlichkeit.

Die vielen Theorien des Komischen sind kulturhistorisch interessant, denn sie geben Hinweise auf die Lachkultur und das Humanum, das der Theoretiker bei seinen Zeitgenossen vor Augen hatte. Aber sie sind, soweit sie lächerliche Beschaffenheiten festlegen wollen, unzutreffend und, soweit sie bestimmte Fallklassen wie »das Ungereimte« oder »das Unpassende« definieren, zumindest unhistorisch. Angesichts der hochdifferenzierten unbewußten, psychischen und intellektuellen Vorgänge, die wir herauszuarbeiten suchten, sind psychologische Zustandsbeschreibungen wie die von Hobbes (»a sudden glory«) oder eine Formel wie »ersparter Gefühlsaufwand« (Freud) zu punktuell. Lachen, spontan, funktionalisiert, stellvertretend, und Lachen »aus dem Bauch«, im Wechselspiel zwischen Psyche und Körper oder zwischen Intellekt und Körper, das sind bedeutende Unterschiede, Lach- und Lächelprovinzen, die eine ganze Landkarte brauchen und nicht in einem Punkt abzubilden sind.

2. Insbesondere haben diese Theorien des Komischen die Poetologie des Komischen erschwert; sie verdeckten die Verhältnisse zwischen dem funktionalisierten Lachen und dem poetischen Lachen, indem sie nicht selten Beispiele aus dem einen in den andern Zusammenhang übertrugen. So sind die Theorien des Komischen im wesentlichen bezogen auf das Komische in der Alltagswelt, ebenso die Theorien der Satire und des Humors. Die Literaturwissenschaftler sind hier in vielen Fällen ebenfalls nicht trennscharf verfahren: Interpretationen von Komödien betrachten das Komische der Texte meist unter der Fragestellung, welche gesellschaftlichen Gruppen damit angegriffen werden – etwa durch Molières *Tartuffe* oder Hauptmanns *Biberpelz*. Aus Bachtins Rabelais-Interpretation wird nicht deutlich, warum *Gargantua* ein poetischer Text und nicht ein Zeugnis der Karnevalsgewohnheiten ist wie der Festzug des Kölner Karnevals. Die Satire hat wenig Aufmerksamkeit in der Literaturwissenschaft auf sich gezogen, weil viele satirische Texte offensichtlich mit dem satirischen Gelächter der Rezipienten auch gesellschaftlich wirken und eingreifen wollen. Damit aber passen diese Texte nicht in die übliche Vorstellung von Poetizität, die seit Aristoteles nicht von dem Mimesis-Gesichtspunkt losgekommen ist. Solange das Fiktive, gesehen in Relation zum Realen der natürlichen Einstellung, das Paradigma der literarischen Ästhetik ist, bringen die besprochenen Phänomene des Lächelns und Lachens, des Humors und der Satire samt ihren Anlässen und den Formen ihres kommunikativen Vorkommens den Literaturwissenschaftler in Verlegenheit.

Auf allen Ebenen unserer Untersuchung haben wir schon Fiktion beobachtet. Das Körperlachen als Metareaktion bricht bei einem Anlaß aus und scheint ihn zum Gegenstand zu haben; wenn unsere Analyse stimmt, wird über einen unlösbaren Reiz-Reaktions-Konflikt im unbewußten Es-Umwelt-Bezug des Körpers gelacht und dieser Konflikt in seiner beängstigenden Lebenshemmung überwunden. Der Durcheinanderwerfer (*diabolos*) des Lachens, das gefährliche Chaos-Angebot der Unbeherrschtheit, wird fiktiv eingesetzt, um eine beängstigende Blockade aufzulösen – die äußere Gelegenheit des Lachens ist Nebensache, sozusagen nur der Tropfen, der das Faß zum Überlaufen bringt. Beim sozial funktionalisierten Lachen haben wir im Zusammenhang der Gruppe nur das aggressive Lachen als direkt gegen eine Normabweichung gerichtet gefunden. Das satirische Lachen, das ohne eindeutig bestimmbare Normabweichung und eindeutig Schuldigen sich gegen bedrohliche Auflösungstendenzen in der Gruppe und Gesellschaft richtet, braucht ein Stellvertreterobjekt, Synekdoche, Metonymie, Metapher, einen damit deutlich fiktiven Sündenbock, der als realer Bock wahrhaftig die Sünden der Welt weder begangen haben noch in die Wüste tragen kann. Trotz dieser Fiktion funktioniert die gesellschaftliche Reinigung; Fluch und Gelächter über den imaginären Schuldigen reinigen die Gesellschaft. Die Satire auf die Gruppe, Gesellschaft, Kultur kann sich ebenfalls nicht das Gemeinte als Objekt nehmen, sondern muß ein erdichtetes Objekt, dessen Stellvertreterfunktion allerdings deutlich ist, in die Luft sprengen. Das Lächeln und Lachen in der Öffentlichkeit antizipiert entschuldigend eigene Mängel, Ungezogenheiten, Zunahetreten, Zurlastfallen, hat also lauter im Moment des Lächelns oder Lachens imaginäre Gegenstände und Anlässe. Das Lächeln und Lachen der Mitglieder von Programmgruppen ist taktisch, konstruiert Anlässe des gewinnenden Lächelns, erfindet unter Umständen Normabweichungen der Gegenpartei, um sie entrüstet verlachen zu können.

Diese Fiktionen sind nicht etwa Kunst, sondern fungieren wie gezeigt stellvertretend für Sachverhalte, denen kein realer Lachanlaß zuzuordnen ist. Das Komische und Satirische, die schon im Alltag mit Stellvertretern arbeiten, erzwingen eine Theorie der ästhetischen Erfahrung, die sich vom mimetischen Paradigma und seiner impliziten Folgerung einer »Autonomie« des Kunstwerks ablöst. Der Clown verschafft dem Rezipienten eine inszenierte Wahrnehmung seines alltäglichen Handelns und seines Humanums; er erhebt gewissermaßen den normalen Gang zum Tanz. Wenn sich der Befund verallgemeinern läßt,[61] kann man Kunst und damit auch Dichtung als *aisthesis* des Anthropologon, des Menschenmöglichen, verstehen und darauf eine Theorie der ästhetischen Erfahrung aufbauen, die auch das Komische und Satirische einschließt. Nicht nur das jeweilige Humanum, sondern prinzipiell das Menschenmögliche überhaupt wird ausgestellt; Kunst und Literatur beziehen sich nicht nur bestätigend auf das jeweils Bestehende, sondern stellen Alternativen vor, hinterfragen kritisch das Humanum und erneuern es damit tendenziell aus dem unabsehbaren Fundus des Anthropologon. Auch transkulturell kann eine solche kritische Inszenierung von Alternativen wirken, denn die verschiedenen Humana bedienen sich verschieden aus demselben Fundus.

3. Literatur erregt Lachen durch die Inszenierung der alltäglichen Lach- und Lächelanlässe. Die Normverletzungen, Mißverständnisse, (Selbst-)Blockaden, Überkorrektheiten, die in der Alltagskommunikation Lachen erregen, werden in der Literatur vorgezeigt und wecken wie im Alltag Lachen; die Inszenierung, deren Künstlichkeit durch groteske Übertreibung (wie bei den überlangen Schuhen des Clowns) oder durch spezifische Rahmung (Theaterbühne, Gedichtband) ins Bewußtsein gehoben wird, leitet das Lachen um von den beteiligten Personen auf den Sachverhalt und seine Modellhaftigkeit. Wie beim Clown lacht man nicht über diesen Menschen, sondern über die Figur. Das heißt, man lacht auf der Ebene des Anthropologon und justiert das Verhältnis zwischen den Normen des Humanums und ihrer Verletzung gegebenenfalls neu. Oder: In der poetischen *aisthesis* lacht man als Mensch über sich selbst und andere als Angehörige einer bestimmten Kultur mit ihrem spezifischen Humanum.

Dieses Lachen der Literatur wird auf allen Ebenen der Sprache

---

61 Rekonstruktion bei Gaier, *System* (Anm. 6), S. 219-225, zur Theorie der ästhetisch relevanten Zeichen S. 461-479; Anwendung auf Hölderlins Poetik in Ulrich Gaier, *Hölderlin. Eine Einführung*, Tübingen, Basel 1993, S. 221-286. Nach Karlheinz Stierle (»Komik der Handlung, Komik der Sprachhandlung, Komik der Komödie«, in: Preisendanz/Warning, Anm. 2, S. 237-268, 237) nutzt Fiktion nur die »extremen Möglichkeiten der Kommunikation« aus, übersteigt in ihrer Vielfalt »alle pragmatische Begrenzung«. Auch damit kann jedoch nicht klarwerden, wie zum Beispiel eine Satire Satire bleiben und auch poetisch sein kann. Dies wird meines Erachtens nur dadurch erreicht, daß das sprachliche und kommunikative Handeln zugleich einen Gegenstand *und sich selbst* meint.

und Kommunikation möglich. Es beginnt mit der Sprache und ihren phonetischen Entstellungen durch Versprecher oder Sprachfehler, über die ja oft auch schon im Alltag gelacht wird: Morgenstern und Jandl sind hier Meister. Der Wechsel von betonten und nicht betonten Silben im Deutschen wird in der Metrik, der Gleichklang von Silben im Reim ausgestellt; Lächerliches entsteht hier durch groteske Verwendung (Wilhelm Busch: »Ein jeder weiß, was so ein Mai- / Käfer für ein Vogel sei«), durch schockartige Unterbrechung oder demonstrative Übertreibung »um des Reimes willen« (Morgenstern). Semantische und syntaktische Vertracktheiten liefert Karl Valentin; seine Hyperkorrektheiten wie »Semmelnknödeln« oder die Betonung, er wohne zwar in, aber doch nicht *in* der Sendlinger Straße, weil da die Straßenbahn fahre, sind Clownerien in der Sprache, die den Hyperkorrektheiten der Bewegung bei manchem Clown entsprechen. All diese Spiele bringen Sprache und die Normen ihrer Verwendung ins Bewußtsein, richten sie gegen sich selbst und erzeugen spielerisch kommunikative Blockaden, die lachend gelöst werden können. Dasselbe gilt für groteske Vorstellungen wie etwa Dürrenmatts aus Prothesen zusammengesetzte Alte Dame und für das Absurde, in dem das Denken sich lähmend entgegengesetzt wird und sich blockiert wie bei Kafkas Mann vom Lande, der das Abstraktum des Gesetzes und das Konkrete des davorstehenden Türhüters gleichzeitig denken will und sich fürs Leben unbeweglich macht – Kafka hat mit den Freunden über seine Geschichten herzlich gelacht.

Alle Lachanlässe, von denen in der soziologischen Betrachtung der Gruppe (II 3) und ihres Humanums die Rede war, werden literarisch verwertbar; sie dienen nun modellhaft dazu, die Normen einer bestimmten Gesellschaft durch Verlachen der grotesk übertriebenen Abweichung zu bestätigen (zum Beispiel in Gottscheds Verlachkomödie) oder das gesellschaftliche Verlachen und damit die geltenden Normen als Vorurteile dadurch zu kritisieren, daß man den Abweichler sympathisch und den Verlacher als verständnislos und ungerecht zeichnet (wie in mehreren Komödien Lessings). Literarische Satire stellt nicht nur metaphorisch, synekdochisch und metonymisch einen Sündenbock oder Watschenmann auf,[62] son-

---

62 Hitler hat in der programmatischen Rede im Bürgerbräukeller vom 27. 2. 1925 die fiktive Funktion »des Juden« als synekdochische Konkretisierung einer unbestimmten Lebensbedrohung exakt reflektiert: »Nein, glauben Sie mir, aus psycho-

dern führt dieses Aufstellen selbst wie etwa Brecht in *Der aufhaltsame Aufstieg des Arturo Ui* vor Augen und übt in die verbale Vernichtung am Modell ein. Juvenal etwa empört, entrüstet, ereifert sich über längst Verstorbene – natürlich läßt sich da noch heute vieles auf unmittelbare Zeitgenossen übertragen, von der Aussage her aber wird das Wählen eines fiktiven Objekts und der Angriff darauf grotesk und makaber inszeniert. Ähnliches gilt für die Bestätigung oder Kritik des haßvollen Gelächters der Programmgruppe (II 5). Das Lächeln in den Situationen der Öffentlichkeit (II 4), in denen zwischen Fremden Normen des Umgangs erarbeitet werden müssen, wird im Gelingen oder Scheitern modellhaft ausgestellt in Büchners *Leonce und Lena* oder in Frischs *Biedermann und die Brandstifter.* Wie endlich über mißlingende Versuche, mit den Kommunikationsmustern traditioneller Komödientypen eine Lebenssituation zu interpretieren und lachend zu lösen, selbst wieder gelacht werden kann, führt Lessing in *Minna von Barnhelm* vor. Dieses satirische Lachen über die dem Leben nicht mehr gewachsene und es blockierende traditionelle Satire und ihr Lachen nennt Lessing »mit dem Verstande lachen«.[63]

Die physiologische Fähigkeit, durch Lachen lähmende Blockaden des Körpers aufzulösen, wird also soziologisch und poetologisch funktionalisiert, oder: lachend ist der Mensch ganz, lachend bestätigt, erweitert, kritisiert er gesellschaftlich das, was er für seine Kultur für menschlich und menschenwürdig hält; lachend erhebt er sich künstlerisch und poetisch auf die Ebene des Menschenmöglichen überhaupt und kann von da aus auch seine gesellschaftliche Existenz und ihr Humanum im Licht der Veränderbarkeit erkennen: Kunst ist ästhetische Anthropologie.

logischen Gründen ist es besonders bei einem Volk wie dem deutschen unbedingt notwendig, *einen* Feind zu zeigen und gegen einen Feind zu marschieren. Man kann auch mit einem Feinde, wenn nötig, mehrere meinen. Abgesehen von diesen beiden Gründen, die dafür sprechen, daß ein Ziel allein aufgestellt wird, gibt es noch weitere. Der wichtigste davon ist der, daß dieses Ziel tatsächlich die Lebensfrage der deutschen Nation in sich schließt« (München 1925, S. 10). Die Gruppe arbeitet mit demselben Typus von Fiktion, nur nicht mit der rhetorisch bewußten Taktik wie hier die Programmgruppe.

63 Analyse in Ulrich Gaier, »Das Lachen des Aufklärers. Über Lessings *Minna von Barnhelm*«, in: *Der Deutschunterricht* 43, 1991, Heft 6, S. 42-56.

Aleida Assmann
Neuerfindungen des Menschen

Literarische Anthropologien
im 20. Jahrhundert[1]

1. Die Undefinierbarkeit des Menschen

Der Mensch ist ein Tier, das sich selbst definiert – so könnte eine mögliche Definition des Menschen lauten. Er hat einen ständigen Bedarf an Selbstvergewisserungen und Selbstdefinitionen, weil die Konturen dessen, was sein ›Wesen‹ ausmacht, auf keinen festen Grund treffen. In anthropologischen Diskursen ist der Mensch seit der Antike immer wieder neu definiert, entworfen, erfunden worden. Unter diesen Definitionen gibt es solche, die extrem reduktionistisch und minimalistisch sind, wie die Formel vom ›zweifüßigen Landtier‹ in der Topik des Aristoteles oder die vom ›federlosen Zweibeiner‹ in der Ethik des Spinoza; andere klingen etwas ehrenvoller, weil sie spezifische Fähigkeiten hervorheben, wie die vom ›zoon politicon‹, vom ›animal rationale‹, vom ›homo faber‹ oder vom ›homo sapiens sapiens‹. Die manifeste Vielfalt der Definitionsvorschläge, so kann man wohl sagen, ist ein paradoxer Ausdruck der Undefinierbarkeit des Menschen. In der Tat ist die Unbestimmbarkeit zu einem zentralen Definitionsmerkmal der neueren (philosophischen) Anthropologie erhoben worden. Sartre und andere Existenzphilosophen vertraten nach dem Zweiten Weltkrieg die These, daß der Mensch dazu verurteilt sei, sich jenseits von festen Koordinaten selbst zu entwerfen, eine These, die dann von Helmuth Plessner mit seinem Konzept von der ›Extrapositionalität des Menschen‹ auf den Begriff gebracht wurde (Plessner 1970) und in Karlheinz Stierles Konzept einer ›negativen Anthropologie‹ wiederaufgenommen wird (vgl. seinen Beitrag in diesem Band). Der Mensch, so heißt es bei Cornelius Castoriadis, »überschreitet seine Definitio-

---

1 Der Beitrag ist die von der Verfasserin übersetzte und erweiterte Fassung eines Textes, der unter dem Titel »Redefining the Human. A Survey of Approaches to Literary Anthropology« in: Neil Roughley (Hg.), *Being Humans. Anthropological Universality and Particularity in Transdisciplinary Perspectives*, Berlin, New York 2000, S. 199-215, erschienen ist.

nen stets wieder, weil er sie selbst *schafft*, indem er etwas schafft und damit auch *sich selbst* erschafft; weil keine rationale, natürliche oder geschichtliche Definition beanspruchen könnte, die endgültige zu sein. Der Mensch ist, was er nicht ist und was nicht er ist.«[2] Wir sollten jedoch nicht vergessen, daß die Definition vom Menschen als nicht definierbarem Wesen eine viel längere Geschichte hat, die tief in alteuropäischen Mythen und kulturellen Traditionen verankert ist. In einem Beitrag über literarische Anthropologie ist es naheliegend, mit dem Erzählen von Schöpfungsmythen zu beginnen. In diesem Sinne folgen hier zur Einstimmung in unser Thema drei wenig bekannte Beispiele aus der griechischen, der arabischen und der christlichen Tradition.

In Platons Dialog *Protagoras* erzählt Sokrates die Geschichte der Schöpfung von Menschen und Tieren, die die Götter aus Erde und Feuer formen und die sie, bevor sie das Licht der Welt erblicken, von Prometheus und Epimetheus mit den Gaben ausstatten lassen, die ihnen zukommen. Epimetheus widmet sich dieser Aufgabe sehr gewissenhaft; jedes Tier wird mit einer Fähigkeit ausgestattet, die sicherstellt, daß es von anderen nicht ausgerottet wird und auch harten klimatischen Bedingungen gewachsen ist. »Weil nun aber Epimetheus nicht eben sehr gescheit war, hatte er, ohne es zu merken, alle Fähigkeiten für die vernunftlosen Wesen aufgebraucht; so blieb ihm als einziges das Menschengeschlecht, das noch nicht ausgestattet war, und er wußte keinen Rat, was er damit anfangen sollte.«[3] Prometheus, der die Leistung seines Bruder prüfen soll, stellt fest, »daß die übrigen Lebewesen mit allem angemessen ausgestattet sind, daß aber der Mensch nackt, ohne Schuhe, ohne Decken und ohne Waffen geblieben ist«. Da für den Menschen nichts mehr übrig ist, stiehlt Prometheus in der Not »dem Hephaistos und der Athena ihr kunstreiches Handwerk samt dem Feuer und schenkt beides dem Menschen«.

Die Gabe, die der Mensch schließlich erhält, ist eine den Göttern entwendete Fähigkeit, die ihn in die Lage versetzt, seinem Mangel selbst abzuhelfen. Die Kultur, zu der er mit den Gaben des Prometheus ermächtigt wird, hat den Sinn, seinen defizitären Status zu überwinden. Die Aufgabe, den Mangel seiner eigenen Natur zu

---

2 Castoriadis 1984, S. 233. Als Zitat finden sich diese Sätze auch bei Iser (1991, S. 144).

3 Platon, »Protagoras« 321 a–322 d, in: *Frühe Dialoge*, Zürich 1974, S. 202–204.

überwinden, muß der Mensch fortan selbst lösen; die göttlichen Mittel, die er dafür in letzter Minute erhält, lassen ihn weit über die Tierwelt hinauswachsen. Was zunächst Mangel war, zeigt sich anschließend als ein Überschuß an Produktivität und Entwicklungspotential. Der nicht ganz fertiggestellte Mensch wird in die Selbst-Schöpfung entlassen. Als einzig unfertiges und »nicht festgestelltes Tier« wird er in die Lage versetzt, sich in einem unabschließbaren Prozeß ewig weiter- beziehungsweise umzuschaffen.[4] Diese Deutung des von Sokrates erzählten Mythos nimmt die Weltoffenheit des Menschen vorweg, die von deutschen Philosophen und Soziologen des 20. Jahrhunderts eindringlich betont worden ist. Nach Plessner ist der Mensch ein Wesen ohne feste Mitte, das durch natürliche Künstlichkeit gekennzeichnet ist.[5] Gehlen sieht den Menschen als ein Mängelwesen, das von Natur ein Kulturwesen ist.[6]

In der Tradition der islamischen Mystik gibt es eine Geschichte von der Erschaffung des Menschen mit einer interessanten Umkehrung des Motivs (Chittick 1989). Diesmal sind dem Schöpfer seine Gaben nicht ausgegangen, im Gegenteil, er hat nach Vollendung seines Werks sogar noch etwas übrig. Es ist ein restlicher Klumpen Lehm, aus dem er den Menschen geformt hat. Was sollte er mit diesem kleinen Rest seines kreativen Materials anfangen? Er entschloß sich, diesen kleinen Überschuß dem Menschen als eine zusätzliche Gabe anzuvertrauen. In diesem Geschenk erkannten die islamischen Mystiker die Gabe der Imagination. Während gleichzeitig die scholastischen Philosophen die Imagination unter Verdacht stellten als Quelle der Trugbilder und Korruption der Vernunft, pries sie der islamische Mystiker als die letzte und köstlichste Gabe des Schöpfers an sein Geschöpf, dem er damit etwas von seiner ureigensten Schaffenskraft weitergab. Diese mittelalterliche Geschichte stellt die Kraft der Imagination in ein gänzlich neues Licht; sie ist nicht mehr ein Fluch des Menschen und Hemmnis auf dem Weg seiner Er-

---

4 Friedrich Nietzsche, »Jenseits von Gut und Böse« (1886), in: *Werke. Kritische Gesamtausgabe VI ,2*, herausgegeben von G. Colli und M. Montinari, Berlin 1986, S. 79.

5 Helmuth Plessner, *Die Stufen des Organischen und der Mensch. Einleitung in die philosophische Anthropologie*, Berlin, Leipzig 1928, S. 309-346.

6 Arnold Gehlen, *Anthropologische Forschung. Zur Selbstbegegnung und Selbstentdeckung des Menschen*, Reinbek 1961, S. 78.

leuchtung, sie ist ein Medium dieser Erleuchtung und Teilhabe an göttlicher Kreativität.

Das dritte Beispiel stammt aus der Mitte des 17. Jahrhunderts. Es ist ein Gedicht des anglikanischen Dichters George Herbert, das ebenfalls um das Thema ›Rest‹ kreist (George Herbert, 1633). Es trägt den technisch klingenden Titel ›The Pulley‹ (›Der Flaschenzug‹) und beschreibt den Prozeß der Schöpfung des Menschen, den Gott mit allen verfügbaren Gaben ausstattet:

THE PULLEY

When God at first made man,
Having a glasse of blessings standing by,
Let us (said he) poure on him all we can.
Let the world's riches, which dispersed lie,
Contract into a span.

So strength first made a way,
Then beautie flow'd, then wisdome, honour, pleasure.
When almost all was out, God made a stay,
Perceiving that alone of all his treasure
Rest in the bottome lay.

For if I should (said he)
Bestow this jewell also on my creature,
He would adore my gifts instead of me,
And rest in Nature, not the God of Nature.
So both should losers be.

Yet let him keep the rest,
But keep them with repining restlessnesse.
Let him be rich and wearie, that at least,
If goodness leade him not, yet wearinesse
May tosse him to my breast.

Nachdem Gott dem Menschen Schönheit, Weisheit, Ehre und Glück mit auf seinen Weg gegeben hat, ist nur noch eine letzte Gabe in seinem Vorrat übrig: die Ruhe. Das Wort Ruhe heißt auf englisch ›rest‹, was zugleich auch noch ›Rest‹ bedeutet und im Text Anlaß gibt zu einer Serie von Wortspielen, wie sie für den ›metaphysischen‹ Barock-Dichter mit seinen concettistischen Vorlieben so charakteristisch sind. Gott beschließt, das, was er als ›Rest‹ im Korb zurückbehalten hat, dem Menschen *nicht* zu überlassen. Er enthält ihm mit dem Rest somit die Ruhe vor, die in Selbstgenügsamkeit ausarten und damit sein Schöpfungswerk wieder zunichte machen würde: He »would adore my gifts instead of me / And rest in Nature, not the God of Nature / So both should losers be«. Die ›restlichen‹ Gaben darf der Mensch behalten, allerdings nur im Verbund mit der entzogenen letzten Gabe, was ihn in eine dauerhafte Unruhe versetzt und ihm nicht erlaubt, sein Zentrum in sich selbst zu finden. Den eigenartigen Titel des Gedichts müssen wir wohl als eine Anspielung sowohl auf das Perpetuum mobile der andauernden Bewegung als auch – in die Sprache der modernen Mechanik übersetzt – auf die heilsgeschichtliche Orientierung des Menschen zu Gott hin interpretieren. Auch hier erweist sich die entscheidende Gabe Gottes an den Menschen als Entzug und eine Nicht-Gabe, wobei diese Lücke ihn zur Zukunft hin öffnet und in eine permanente Unruhe versetzt, die ihm schließlich den Weg in die Transzendenz und zu Gott weist. In diesem Sinne unterschied ein Zeitgenosse von George Herbert, der Arzt und Metaphysiker Sir Thomas Browne, den Menschen von den Tieren, die ohne Weltoffenheit und Zeithorizont leben, »who in tranquility possesse their Constitutions«.[7]

In all diesen Geschichten und Texten ist dem Menschen ein klares Maß und eine eindeutige Definition nicht *vor*gegeben, sondern der Impuls zur eigenen Entwicklung *auf*gegeben. Neuere Versionen einer solchen *Anthropologie der Unbestimmtheit* (für die in diesem Band vor allem die Beiträge von Karlheinz Stierle und Wolfgang Iser stehen) haben ihren Ort in dieser langen anthropologischen Tradition, die den Menschen von seiner Unter- beziehungsweise Überbestimmtheit her denkt. In der Tat macht es für die ›Nicht-Festgestelltheit‹ des Menschen, die Nietzsche und nach ihm Arnold Gehlen betont haben, keinen Unterschied, ob dieses exklusive hu-

---

7 Thomas Browne, »Hydriotaphia or Urne Buriall«, in: *The Prose*, herausgegeben von Norman Endicott, New York, London 1968, S. 278. Brownes Beschreibung klingt wie eine elaboriertere Paraphrase der von Herbert hervorgehobenen Unruhe. Dem Menschen, so heißt es bei Browne, ist der Status der Zufriedenheit nicht gegeben, denn »the superiour ingredient and obscured part of our selves, whereto all present felicities afford no resting contentment, will be able at last to tell us we are more then our present selves; and evacuate such hopes in the fruition of their own accomplishments« (S. 279).

mane Merkmal auf einen Mangel oder einen Überschuß zurückgeht. Entscheidend ist allein das Fehlen einer in sich geschlossenen Form, das allererst die Möglichkeit des Verfehlens enthält und den Anstoß zur andauernden Unruhe, zur plastischen Kraft der Selbstschöpfung gibt.

Der folgende Beitrag stellt Beispiele literarischer Anthropologie des 20. Jahrhunderts vor, die (mit Ausnahme des Iserschen Modells) außerhalb des theoretischen Referenzrahmens des Konstanzer Projekts verblieben sind. Damit erfüllt er eine vorwiegend historische beziehungsweise erinnernde Funktion, die darin besteht, über den Horizont des jeweils Aktuellen hinauszugreifen auf inzwischen zu Recht oder zu Unrecht vergessene Positionen. Erst in der Wiederbegegnung mit dem Vergessenen wird man (für sich) entscheiden können, ob das, was durch den sich stets verlagernden Lichtkegel der Forschung ins Abseits geriet, in neue Denk-Horizonte eingegliedert werden kann und eine Aktualisierung verdient oder nicht. Der folgende Überblick skizziert die beiden wichtigsten Ansätze aus dem englischen Sprachraum, auf den ich mich konzentrieren werde: diejenigen von Northrop Frye und Kenneth Burke. Da beide grundsätzlich verschiedene methodische Zugänge zur literarischen Anthropologie eröffnen, sollen ihre wichtigsten Thesen hier innerhalb ihres theoretischen Kontextes rekonstruiert und vorgestellt werden.

2. Archetypische Anthropologie

Zu den gewiß einflußreichsten Formen literarischer Anthropologie gehört das Werk Northrop Fryes, das in den fünfziger Jahren des 20. Jahrhunderts entstanden ist. Seine Theorie baut auf dem Konzept der Archetypen auf, die er von C. G. Jung übernommen, aber für seine Bedürfnisse grundlegend neu konzipiert hat. Begriff und Theorie psychologischer Archetypen lassen sich bis zum Anfang des 19. Jahrhunderts zurückverfolgen und haben eine lange Geschichte, die bis in die Antike reicht (Assmann 1999, S. 224-228). Bevor ich auf Fryes Ansatz zu sprechen komme, möchte ich kurz einige Stationen der Geschichte der Archetypen skizzieren.

Die Vorstellung, daß kulturelle Überlieferung sich nicht nur über bewußte Traditionsbildung kontinuierlich fortsetzt, sondern daß sie auch in tiefere Zonen der Seele absinkt, wo sie sich labyrinthisch verzweigt und unzugängliche Hohlräume bildet, hat die Romantiker nachhaltig fasziniert. Solche Gedankengänge bieten sich an, wenn man vom *Text* als zentralem kulturellem Speichermedium und Überlieferungsträger zum *Bild* übergeht. Bilder entwickeln – und das ist der Grund, warum sich ›Archäologen des kulturellen Gedächtnisses‹ wie der Basler Rechtshistoriker Johann Jakob Bachofen oder der Kunsthistoriker Aby Warburg auf das Symbol konzentrierten – eine ganz andere Übertragungsdynamik als Texte. Sie stehen der Einprägungskraft der Einbildung näher und der Interpretationskraft des Verstandes ferner. Ihre unmittelbare Wirkungskraft ist schwer zu kanalisieren, die Macht der Bilder sucht sich ihre eigenen Vermittlungswege. Dieser imaginative Überschuß des Bildes gegenüber dem Text soll hier an einem kleinen Beispiel illustriert werden.

Charles Lamb, Essayist aus dem Freundeskreis der englischen Romantiker, hat anhand einer illustrierten Kinder-Bibel zu diesem Punkt einschlägige Erfahrungen gesammelt. Die zweibändige Ausgabe von Thomas Stackhouse, die sich im Bücherschrank seines Vaters befand, enthielt im Anschluß an die biblischen Geschichten neben katechetischen Argumentationsmustern auch Bilder, die sich der kindlichen Phantasie nachhaltiger einprägten, als je ein Text es vermag.[8] Ein Bild, das den Knaben besonders tief beeindruckt hat, zeigte Samuel, wie er von einer Hexe aus der Tiefe heraufbeschworen wird. Die Wirkung dieses Bildes hat Lamb später mit folgenden Worten beschrieben:

»Diesem Bild von der Hexe, die Samuel aus der Tiefe erhob, schulde ich – nicht direkt meine mitternächtlichen Schrecken, die Hölle meiner Kindheit – aber doch die Form und Gestalt ihrer Heimsuchungen. Den ganzen Tag lang, solange mir das Buch überlassen war, träumte ich wachend über seinen Figuren, und in der Nacht, wenn ich so sagen darf, erwachte ich in den Schlaf und fand meine Vision verwirklicht. Es sind nicht die Bücher, Bilder oder die Geschichten des dummen Gesindes, die diese Schrecken der

---

8 Thomas Stackhouse, *The History of the Bible*, 2 Bände, 1737. Die Geschichte von der Hexe von Endor steht im Buch der Könige, 1. Samuel 28, 7-21.

kindlichen Phantasie erschaffen. Sie können ihnen allenfalls ihre Richtung geben« (Lamb 1823, S. 93).

Bilder passen sich anders als Texte der Landschaft des Unbewußten an; wie Lamb zeigt, gibt es eine flüssige Grenze zwischen Bild und Traum, wobei das Bild zur Vision gesteigert und mit einem Eigenleben ausgestattet wird. Mit Überschreitung dieser Grenze verändert sich der Status des Bildes; vom Objekt der Betrachtung verwandelt es sich in ein Subjekt der Heimsuchung. Lamb betont allerdings, daß die unvordenklichen Schrecken der Seele nicht von bestimmten Bildern oder Geschichten geschaffen werden, sondern präexistieren und von ihnen nur ihre spezifische Einkleidung empfangen. Die Kraft, die im Traum die Bilder ›animiert‹, nennt Lamb »Archetypen«. Die ontologische Priorität der Archetypen vor kulturellen Prägungen macht er in dem zitierten Aufsatz explizit: »Gorgonen, Hydren und gräßliche Chimären – Geschichten von Celaeno und den Harpien – können sich in einem für Aberglauben empfänglichen Gehirn leicht vermehren – aber sie waren schon vorher da. Sie sind nur Transkripte, *Typen* – die *Archetypen* liegen in uns und sind ewig« (S. 94).

Die wirkmächtigsten Bilder der Phantasie entstammen nach Lamb weder den eigenen Erfahrungen noch gehörten Geschichten und gesehenen Bildern. Sie reichen weiter zurück als unser Körper und wurzeln – als Teil der Ausstattung unserer Seele – in der Welt unkörperlicher Präexistenz (S. 95). Für Lamb sind die Archetypen transsubjektiv vorgeprägte Bilder, die zur anthropologischen Erbausstattung des Menschen gehören. Die Archetypen erklären die Wirkungsmacht bestimmter Bilder und die Persistenz bestimmter Vorstellungen. Diese Macht kommt nach Lamb durch die Wechselwirkung von konkreten Bildern beziehungsweise Erzählungen mit gewissen anthropologischen Grunddispositionen zustande, die auf seelische Vor-Prägungen zurückgehen.

Literarische Anthropologie in der Nachfolge C. G. Jungs

Als einschlägiges Beispiel kann dafür ein Buch dienen, das im Jahre 1934 erschien und viele weitere Auflagen erlebt hat. Der Titel lautete: *Archetypal Patterns in Poetry*, Verfasserin war eine Psychologin namens Maud Bodkin. Wie zu erwarten ist, wird der Name Dr. C. G. Jung bereits im ersten Satz des Buches aufgerufen und als Urheber eines neuen Diskurses zitiert, der das Verhältnis zwischen analytischer Psychologie und Dichtung untersucht. Das verbindende Glied zwischen beiden Bereichen wird in den starken emotionalen Schwingungen ausgemacht, mit denen Leser auf bestimmte poetische Bilder beziehungsweise auf literarische Stoffe und Motive antworten. Zu solchen Motiven gehören Vorstellungen von Himmel und Hölle, Unterweltsreisen, die Konstellation zwischen einem Helden und seinem Widersacher, die Thematik von Schuld und Sühne oder Frauenbilder wie die große Mutter oder die gefährliche Verführerin. Die These ist, daß das Arsenal solcher Bilder mit psychischer Tiefenresonanz relativ beschränkt ist und sich mit einem gewissen Wiederholungszwang immer wieder zur Geltung bringt. Diese nachhaltige Wirkung wird von Jung in sogenannten »unbewußten Kräften« gesehen, die er auch »ursprüngliche Bilder« oder »Archetypen« nennt. Archetypen werden von ihm definiert als »psychische Restbestände von unzähligen Erfahrungen desselben Typs«, die phylogenetische Veränderungen hervorgebracht und einen dauernden Eindruck in der Organisation der menschlichen Psyche hinterlassen haben. Bodkin stand nicht nur unter dem Einfluß Jungs, sondern auch unter dem des französischen Soziologen Emile Durkheim, der mit Begriffen wie ›kollektiver Geist‹ und ›mechanischer Solidarität‹ arbeitete.

Nach ihrer Verbeugung vor dem Meister der Zunft ruft Bodkin einen weiteren Zeugen für die in den zwanziger Jahren des letzten Jahrhunderts verbreitete Theorie literarischer Archetypen auf. Es ist der Cambridger Altphilologe Gilbert Murray, der in seinem Buch über *Die klassische Tradition in der Dichtung* ebenfalls den Begriff der Archetypen verwendet, um unterschwellige Ähnlichkeiten zwischen literarischen Figuren wie zum Beispiel Orest und Hamlet zu erklären. Auch Murray ging es darum, die anhaltende emotionale Wirkung und überzeitliche Geltung beider Dramen zu erklären. Er vermutete, daß bestimmte Bilder und narrative Muster »tief im Rassengedächtnis verankert und tief in unseren physischen Organismus eingedrückt sind«. Er analysiert »seltsame, unerklärliche Vibrationen unter der Oberfläche, einen Grundstrom der Wünsche, Ängste und Leidenschaften, der, lange schlummernd und doch ewig vertraut, sich über Jahrtausende mit den Wurzeln unserer intimsten Emotionen verbunden hat und eingewoben ist in den Stoff unserer magischsten Träume« (Murray 1927, S. 239 ff.).

Aus unserer Perspektive gesehen, ist ein Wort wie ›Rassengedächtnis‹ durch die mörderischen Phantasmata der NS-Ideologie gründlich kompromittiert. Diese Sicht verkennt allerdings, daß um 1900 der Begriff des Rassengedächtnisses nicht von Chefideologen des Faschismus, sondern gerade auch von jüdischen Vordenkern des kulturellen Gedächtnisses wie Warburg und Freud verwendet wurde (vgl. dazu den Beitrag von Gerhart von Graevenitz in diesem Band). Murrays Buch erschien zwei Jahre vor Warburgs Tod. Die oben zitierten Sätze aus diesem Buch stehen in unverkennbarer Nähe zur Theorie des Kulturwissenschaftlers Aby Warburg und fassen dessen lebenslanges Forschungsprojekt konzise zusammen. Warburg, dessen Werk seit den 1980er Jahren eine begeisterte Renaissance erfuhr, ging es ebenfalls um den verborgenen Zusammenhang zwischen Werken der Kunst und dem europäischen Kulturgedächtnis. Er selbst sprach allerdings nicht von Archetypen, sondern von ›Pathosformeln‹, worunter er energetische Einschreibungen (Engramme) ins unbewußte Kollektivgedächtnis verstand. Beide bedienten sich einer ganz ähnlichen Sprache; der eine sprach von Mustern, die in unseren physischen Organismus eingeprägt sind, der andere von Engrammen, die in die kollektive Psyche eingegraben sind. Beide untersuchten die okkulten Verbindungen zwischen Kunst und Psyche, ein Verhältnis, das auf unterschiedliche Weise konzipiert werden kann. Mal liegt der Akzent auf der psychischen Struktur, die wiederkehrende künstlerische Grundmotive reproduziert (das wäre die Position Jungs), mal liegt der Akzent auf den künstlerischen Artefakten, von denen angenommen wird, daß sie mit besonderen Affekten aufgeladen sind (das wäre die Position Warburgs).

Die Archetypen werden also vorgestellt als ein Band, das das Individuum mit der Kultur als einer weitgehend unbewußten Geschichte des Kollektivs verbindet. Über dieses Band überträgt sich die akkumulierte Erfahrung der Menschheit ins individuelle Unbewußte. Der Künstler gilt als ein hervorragender Seismograph, der besonders disponiert ist, diesen unterirdischen Schwingungen in seinem Werk immer wieder neuen Ausdruck und neue Form zu geben. Mit der Betonung dieser Dimension des Unbewußten als kollektivem Faktor in der Produktion und Rezeption von künstlerischen Werken wurde eine anthropologische Perspektive in die Analyse von Kunst eingeführt. Diese Perspektive richtet sich insbesondere auf solche Bilder und Motive, die als Niederschlag von Urprägungen gedeutet werden können und in die Struktur des kollektiven menschlichen Gedächtnisses eingegangen sind. Warburg interessierte sich für solche Bildformeln in Werken der bildenden Kunst; Bodkin studierte sie in Werken der Dichtung. Der eine sprach von Kunstwerken als »Energiekonserven«, die andere von Dichtung als »gespeichertem symbolischem Inhalt, der immer wieder virulent werden kann durch Aktivierung entsprechender Muster im Geist von Menschen, die Gruppen angehören, welche Produzenten und Rezipienten solcher Symbole sind«. Die Archetypen bilden eine Brücke zwischen manifesten künstlerischen Strukturen und psychischen Strukturen, die jenseits eines empirischen Zugriffs verbleiben und rein spekulativ sind. Durch die Archetypen wird das Sichtbare mit dem Unsichtbaren in eine Beziehung der gegenseitigen Verstärkung gebracht. In dieser anthropologischen Perspektive ist Kunst einerseits vorgängig affiziert durch primordiale psychische Impulse und andererseits die Kraft, die diese Impulse beständig reaktiviert und erneuert.

Die auf Archetypen gegründete literarische Anthropologie konzentriert sich auf dauerhafte Muster, sei es in Werken der Kunst, sei es im menschlichen Geist. Der Nexus zwischen künstlerischen Formen und seelischen Strukturen ist schwer nachweisbar und beruht letztlich auf einer transempirischen Prämisse. Was allerdings empirisch nachweisbar ist, ist die Intensität und andauernde Wirkung bestimmter Gefühle. Es handelt sich deshalb bei der archetypischen Anthropologie um eine Rezeptionstheorie besonderer Art, die von den soziokulturellen Umständen des Geschmackswandels absieht und auf die tiefenpsychologische Resonanz von Texten fokussiert. Diese ›Resonanz-Theorie‹ der Literatur, wie wir sie in Absetzung von der Rezeptionstheorie nennen dürfen, richtet sich auf den anthropologischen Gehalt von Literatur und beansprucht zu erklären, warum bestimmte Bilder und poetische Strukturen den Betrachter oder die Leserin über die Zeiten und unter Umständen auch über Kulturen hinweg mit einer unfehlbaren Wucht treffen und nachhaltig beeindrucken. Anders als bei der Rezeptionstheorie geht es bei der Resonanztheorie nicht um die Interaktion zwischen Text und Leser oder Text und historischen Leseweisen, sondern um die Interaktion zwischen bestimmten Bildern und Motiven, die durch Werke der Kunst vermittelt werden, und der menschlichen Psyche als

Teilhaberin am kollektiven Gedächtnis der Menschheit. Literatur erscheint in dieser anthropologischen Perspektive nicht als ein ausdifferenziertes System mit hohem Reflexionsgehalt, sondern als ein Fundus von Grundmustern, die an das psychisch Unbewußte appellieren. In der Resonanztheorie der Literatur ist der Leser weitgehend Objekt und erscheint als Teil eines »weiteren umgebenden gemeinschaftlichen Lebens, das sich von der Vergangenheit in die Gegenwart erstreckt und im Erbe der Literatur mit abgespeichert ist« (Bodkin 1935, S. 330). Bodkins Studien lassen nicht klar erkennen, wie weit der Resonanzraum der kollektiven Psyche reicht. In der anthropologischen Perspektive der Jungianischen Psychologie läßt sich dieser Radius leicht bis zum Universalen dehnen, während er in der kulturwissenschaftlichen Perspektive Warburgs eher auf Europa eingegrenzt ist.

Northrop Frye

Vor diesem Hintergrund lassen sich nun die besonderen Fragen und Leistungen der Theorie Northrop Fryes besser bestimmen. Der kanadische Literaturkritiker und ehemalige Theologe arbeitete seit den 1950er Jahren an einem ambitionierten Projekt, das er 1957 unter dem Titel *Anatomie der Kritik* publizierte (Frye 1957). Dieses Projekt war von dem Ehrgeiz beseelt, Literaturkritik in eine harte Wissenschaft wie Chemie oder Physik umzuformen. Frye ging dabei von einer einfachen Analogie aus: Während die Naturwissenschaften die Ordnung der Natur erforschten, sollte die Literaturwissenschaft die Ordnung der Worte erforschen. Sein erster Schritt in Richtung Systematisierung bestand in der Ziehung einer klaren Trennungslinie zwischen Literatur und Sekundärliteratur beziehungsweise ›Criticism‹, wie es auf Englisch heißt.[9] Fryes Ideal eines wissenschaftlich systematischen Zugangs zur Literatur gehört in den Kontext des Strukturalismus, ohne dessen Prämissen seine Theorie nicht zu denken ist. Sein erklärtes Ziel war es, eine weitgehend subjektive und geschmacksorientierte Analyse individueller

9 Diese deutliche Scheidelinie zwischen Gegenstand und methodisch kontrolliertem Zugang, die auch den Strukturalismus auszeichnet, ist seit den 1970er Jahren mit dem Siegeszug der Diskurstheorie, der Dekonstruktion und verschiedenen Formen politisch engagierter Analyse wieder abgebaut worden.

Werke und Dichter durch eine ›reine kritische Theorie‹ zu ersetzen, die die Grundlagen und -strukturen des Systems Literatur selbst bloßlegen sollte. Frye konnte sich mit seiner Neuorientierung an Modernisten wie Joyce und Eliot, Freud, Jung, Frazer und Cassirer anschließen, als er die Chronologie aus dem Feld seiner Analyse verbannte (vgl. Assmann 1991). Seine Arbeitshypothese lautete: »eine Gesamtüberschau über die Literaturgeschichte erlaubt uns, literarische Werke als Komplikationen einer Reihe beschränkter und einfacher Formeln zu verstehen, die an primitiven Kulturen abgelesen werden können« (Frye 1957, S. 16 f.). Damit erneuerte Frye in den fünfziger Jahren des 20. Jahrhunderts ein Programm, das T. S. Eliot bereits 1919 in einem einflußreichen Essay über Tradition aufgestellt hatte: Literatur sollte nicht im Wechsel und Wandel der Epochen, sondern als ein integraler und systemischer Gesamtzusammenhang studiert werden. Wie Newton die Gesetze der Schwerkraft entdeckt hatte, so wollte Frye zum Entdecker literarischer Gesetzmäßigkeiten und ihres Zusammenhangs in die Geschichte eingehen.

Mit diesem Ziel hat Frye den Begriff der Archetypen noch einmal aufgenommen, jedoch nicht, ohne ihn zuvor gründlich ›abgespeckt‹ zu haben. Die kollektivistischen und psychohistorischen Assoziationen waren getilgt, als er den tiefenpsychologischen Begriff in den strukturalistischen Diskurs verpflanzte. Was er beibehielt, war der Bezug zur Anthropologie. Bei Frye verweisen die Archetypen nicht mehr auf die Tiefenstruktur der menschlichen Seele, sondern nur noch auf die der Literatur. Die Literatur hat bei ihm höchste anthropologische Relevanz; denn sie ist ein Archiv, das in komplexen und späten Formen nach wie vor die Ursprünge und Basis-Artikulationen sogenannter ›primitiver Kulturen‹ festhält. In seiner postevolutiven und ahistorischen Perspektive erscheinen diese Elemente nicht als Spuren und Überreste einer vergangenen Welt, sondern als dauerhafte Grundstrukturen einer generativen Matrix. Das synchronistische Zusammenspiel zwischen komplexen modernen Formen und archaischen Grundmustern hatte Eliot bereits in seinem radikal montierten Gedicht »The Waste Land« von 1922 vorgeführt und mit einem neuen poetologischen Programm verbunden (vgl. Assmann 1989). Unter dem Einfluß dieses künstlerischen Programms war Literatur selbst zu einem Zweig von Kultur-Anthropologie mutiert. Drei Jahrzehnte später übersetzte Frye diesen kreativen Impuls in Literaturtheorie.

Bodkins an Jung angelehnte Archetypen beanspruchten eine uneingeschränkte Universalität; sie untersuchte bestimmte Bilder und Motivkreise wie Wiedergeburt, Himmel und Hölle, Bilder der Frau, des Teufels, des Helden. Fryes Archetypen dagegen sind sehr viel enger definiert. Sie umfassen Symbole, Mythen und Gattungsmuster, die im *westlichen Kulturkreis* zirkulieren. Fryes Interesse gilt der kulturellen Spezifik der Archetypen. In seiner Studie arbeitet er die distinktiven Konturen der westlichen Tradition heraus, wie sie über die Epochen hinweg durch Werke der Literatur geschaffen und durch Lehre und Lektüre vertieft worden sind. Sein literaturanthropologisches Projekt umfaßt deshalb auch ein pädagogisches Programm: Er rekonstruiert und lehrt die Archetypen als obligatorische Elemente eines westlichen, auf Bibel sowie griechische und römische Überlieferung gegründeten kulturellen Gedächtnisses. Sein Ziel ist die Reaktivierung einer im Schwinden begriffenen kulturellen Bildung und Kompetenz. Seine Archetypen können nicht nur entziffert und analysiert, sie sollen vor allem auch unterrichtet und gelernt werden. Mit der Etablierung seiner ›archetypischen‹ Kritik an Schulen und Hochschulen stärkte er die Geisteswissenschaften als Hüter des normativen Kerns westlicher Kultur. Fryes Verwissenschaftlichung der Literturanalyse verbindet sich mit einer humanistischen Erziehung, die zur Bestätigung und Stärkung dessen beitragen sollte, was Harold Bloom ›den westlichen Kanon‹ und George Steiner ›die Grammatiken der Schöpfung‹ nennt.

Um das Ergebnis des ersten Teil unseres Überblicks zusammenzufassen: Archetypische Kritik ist eine Form literarischer Anthropologie, die nach überzeitlichen Formen und Wiederholungsmustern in der Kunst sucht, welche stets im Unbewußten erneuert werden. Während sich diese in der Kunst manifestieren, ist ihr latenter Ort die universale menschliche Psyche beziehungsweise die generative Tiefenstruktur der westlichen Kulturgrammatik. In beiden Fällen gewinnt Literatur Bedeutung in einer anthropologischen Perspektive, die sie von individuellen, sozialen und historischen Belangen ablöst, um sie mit dem Gedächtnis der Menschheit beziehungsweise dem westlichen Kulturgedächtnis zu verkoppeln.

3. Deduktive Anthropologie

Nicht alle anthropologischen Diskurse produzieren ›Konstanten‹ oder anderweitig universale Definitionen des Menschen. Eine ethnologisch inspirierte ›Kulturanthropologie‹ zum Beispiel abstrahiert keineswegs von kulturellen Besonderheiten, die einen bestimmenden Einfluß auf das Leben konkreter Individuen nehmen, wie Körper und Geschlecht, Ethnie und Klasse, Nation und Geschichte, Zeit und Raum. Diese Perspektive beginnt mit Texten, Artefakten, symbolischen Kodes, Handlungsformen und anderen Daten, die als Medien und Niederschlag spezifischer kultureller Praktiken gedeutet werden können. All diese Besonderheiten haben keinen Ort in der zweiten Form literarischer Anthropologie, die ich hier vorstellen möchte. Sie zielt auf den Menschen an sich. An ihrem Anfang steht nicht eine universale Mitgift des Menschen wie die Archetypen, sondern eine abstrakte Definition. Dieser Diskurs, in dem die Definition der Evidenz vorangeht, kann deshalb ›deduktiv‹ genannt werden. Da die Definitionen jeweils universalistisch gemeint sind, sind sie so umfassend wie abstrakt. In diese Perspektive gehen nur die denkbar allgemeinsten Züge des Menschen ein; was immer historisch, soziologisch oder kulturell spezifisch ist, wird aus diesem Diskurs ausgefiltert. Wer auf das universal Anthropologische fokussiert, kann nicht gleichzeitig auch das historisch Spezifische und kulturell Besondernde mit im Auge behalten; diese Sichtweisen schließen einander aus, was nicht heißt, daß sie nicht aufeinander angewiesen sind. Die Universalität der anthropologischen Perspektive wird durch die Ausblendung von Besonderheiten erkauft; diese Spezifizität ist der Preis dessen, was wir als grundlegend, fundamental und universal ansprechen. Die Perspektive, die in solcher Engführung gewonnen wird, ist meist mit theologischen, philosophischen, politischen und zuweilen auch literarischen Fragestellungen verbunden. Zwei Beispiele dieser deduktiven Anthropologie, die im Umkreis von Literatur entstanden sind, sollen hier angeführt werden: die literarische Anthropologie von Kenneth Burke und im Vergleich dazu die von Wolfgang Iser.

Kenneth Burke

Kenneth Burke ist nicht leicht in der Topographie US-amerikanischer Wissenschaftsgeschichte zu verorten. Als Alleingänger und Querdenker läßt er sich keiner bestimmten Denkrichtung zuordnen. Seine eigene originelle Form von Anthropologie im Spannungsfeld von Philosophie, Soziologie, Religionsgeschichte, Psychoanalyse und Literatur entwickelte er in randständiger Position. In der intellektuellen Welt erreichten seine Bücher zwar einen hohen Grad an Popularität, doch er blieb ein Einzelgänger und gründete keine Schule. Obwohl ihm dafür noch kaum Tribut gezollt wird, gehört er zweifellos zu den Begründern einer multidisziplinären Kulturwissenschaft.

Burke war ein Zeitgenosse von Frye, doch unterscheidet er sich von dem Kanadier darin, daß er in den fünfziger und sechziger Jahren gegen den alles beherrschenden Strom des Strukturalismus schwamm. Sein Schlüsselbegriff war nicht der Text, dessen immer komplexere, aber doch letztlich statische Strukturen es aufzudecken galt, sondern die Dynamik der ›Handlung‹. Ein Text war für ihn lediglich ein Programm und eine Grundlage für beziehungsweise ein Modus von Handlung. Burke, der Handlungsstrukturen über Sprachstrukturen stellte, nannte seine eigene Zugangsweise ›dramatistisch‹ (von drama = Handlung). Wir könnten ihn auch einen (psychoanalytisch inspirierten) Rhetoriker nennen. Die dramatistische Struktur hat bei ihm nichts mit der gleichnamigen Gattung zu tun, sondern unterliegt unterschiedlichen Gattungen als eine emotive und motivationale Tiefenstruktur. Burkes Ziel war es, eine ›Grammatik menschlicher Motivationen‹ zu entwickeln, die die fundamentalen und unveränderlichen Beweggründe menschlichen Handelns bloßlegen sollte. Dichtung, Sprache und symbolische Systeme im allgemeinen werden von Burke auf die für ihn zentrale Kategorie der Handlung hin untersucht. Als Dramatist fragt er nicht: Was ist ein Text oder was bedeutet er, sondern: Was tut er? Während der Rezeptionstheoretiker fragt: Welche Wirkung hat ein Text auf den Leser?, fragt der Dramatist: Was leistet ein Text für seinen Autor? Was agiert er aus? Welche therapeutische Ersatzhandlung stellt er dar? Wie wirkt er auf den Leser? Wie wird mit Worten agiert? Burke dehnte seine Untersuchungen von literarischen Texten auf Gebrauchstexte aus (ich denke hier an die Untersuchung über die Rhetorik in Hitlers *Mein Kampf*, vgl. Burke 1967). Mit seinem Interesse für ideologische, psychologische und kulturelle Kontexte unterschied sich Burke markant von den sogenannten New Critics, die enge Grenzen um den literarischen Text zogen und ihn auf Ambiguitäten, Ironien, Paradoxien und andere Formen des internen Widerspruchs hin absuchten. Burke war demgegenüber den psychischen Fundamentalien menschlichen Handelns auf der Spur, darunter insbesondere der Dynamik von Schuld und Sühne. Frye und Burke stimmen bei allen Unterschieden darin überein, daß sie die zentralen Themen und Probleme der Literatur im Feld der Anthropologie verorteten. Während der eine wiederkehrende Muster und Motive als Elemente einer generativen Grammatik der Literatur untersuchte, befaßte sich der andere mit den Beweggründen menschlichen Handelns, wie sie von Kulturen geformt und literarischen Texten artikuliert und transformiert werden.

Burkes Gesamtwerk als Beitrag zur literarischen Anthropologie verdient eine eigene Darstellung, die ich hier nicht einmal in Ansätzen leisten kann. In diesem Zusammenhang beschränke ich mich auf einen Aufsatz, in dem er seinen explizitesten Beitrag zur deduktiven Anthropologie geleistet hat. Dieser Essay trägt den Titel »Die Definition des Menschen« und listet fünf anthropologische Merkmale auf, die Burke in der Reihenfolge ihrer Wichtigkeit erläutert (Burke 1966, S. 2-24). Im folgenden sollen diese Definitionen samt einigen Erläuterungen kurz wiedergegeben werden.

1. Der Mensch ist für Burke ein Tier, das Symbole benutzt. Burke ist sich bewußt, daß Symbolgebrauch kein menschliches Privileg ist, sondern auch bei verschiedenen Arten im Tierreich vorkommt. Elaborierter Symbolgebrauch entfaltet sich für ihn in vier verschiedenen Dimensionen: im Kodieren, in der Kommunikation, der Speicherung und der Übertragung. Während Tiere in der Lage sind, durch Laute, Körperbewegung und andere interaktive Signale Zeichen zu erfinden, um mit ihren Artgenossen zu kommunizieren, ist es ihnen verwehrt, diese Symbole extern zu speichern, um sie zu einem späteren Zeitpunkt wieder abzurufen. Das bedeutet, daß Tiere durch Lernleistungen wohl in der Lage sind, ein individuelles Gedächtnis zu entwickeln, es aber nicht vermögen, durch Zeichengebrauch ein gemeinsam geteiltes Gedächtnis aufzubauen und es in Raum und Zeit wesentlich zu erweitern. Tiere sind deshalb, wie Nietzsche es prägnant ausgedrückt hat, »kurz angebunden (…) an den Pflock des Augenblicks« (Nietzsche 1962, Band 1, S. 211). Mit dem Symbolgebrauch sind neben der Möglichkeit einer Informationsübermittlung über Raum und Zeit hinweg weitere spezifisch menschliche Möglichkeiten verbunden wie der reflexive Umgang mit Zeichen, der die Operationen der Rationalisierung und Abstraktion ebenso einschließt wie die Ästhetisierung von Symbolen. Symbolgebrauch setzt ein höheres Differenzierungsvermögen voraus, weil Symbole mit dem, was sie darstellen und worauf sie referieren, nie identisch sind. Daraus folgt eine ganze Reihe weiterer Differenzierungsleistungen, die neben der Abstraktion auch andere mentale Operationen wie Abkürzung, Verallgemeinerung, Ersetzung, Verschiebung und Verdichtung einschließen. Burke ist jedoch kein reiner Semiotiker, sondern folgt Freud in der Annahme, daß das Band zwischen Bezeichnendem und Bezeichnetem nicht neutral oder konventionell sein muß, sondern auch unter emotionaler Spannung stehen kann. Für Burke gibt es einen Urgestus in allem Zeichengebrauch, den er ›transcendence‹ nennt, was wir mit ›Überschreitung‹ übersetzen dürfen. Jedes Symbol ist in diesem Sinne ein Kraftimpuls, mit dem Menschen ihren durch körperliche Reichweite definierten Handlungskreis überschreiten können. Das Symbol führt den, der sich seiner bedient, vom Ich zum Du, vom Hier zum Dort, vom Jetzt zum Dann, von der wörtlichen zur übertragenen Bedeutung, von der Materie zum Geist. Es ist diese konsequente Nutzung der im Symbol angelegten Kräfte, die den Menschen aus den engen Grenzen seiner Lebensbezüge befreit und aus einem geschlossenen Milieu in eine offene und expandierende Umwelt herausführt.

2. *Der Mensch ist ein Tier, das die Verneinung erfunden hat.* Die zweite Definition folgt aus der ersten, da es sich bei der Verneinung um einen speziellen Gebrauch von Symbolen handelt. Mit dieser zweiten Bestimmung macht Burke noch einmal klar, daß er an einer handlungsorientierten und nicht an einer rein philosophischen Anthropologie interessiert ist. Negation ist für ihn zuallererst im moralischen Verbot »Du sollst nicht!« verankert, lange bevor der rein beschreibende Satz des »Es ist nicht« aussprechbar wird. Mit der Negation hört die Welt für den Menschen auf, eindeutig zu sein; Negationen ziehen Grenzen zwischen der faktischen und der virtuellen Welt, zwischen dem Wahren und dem Falschen, zwischen Realem und Idealem, zwischen dem Moralischen und dem Unmorali-

schen. Die Fähigkeit zur Negation hat ihre Wurzel in der Sprache. Durch die Grenzen, die die Negation zieht, werden freilich nicht nur analytische, sondern auch gewaltsame und zerstörerische Potentiale freigesetzt; Negation ist nicht zuletzt im Spiel, wo tödliche Grenzen zwischen Nationen oder Bevölkerungsgruppen aufgerichtet werden, sie ist aber auch der Schlüssel für freie Kreativität und Kunst, für Innovation, Täuschung, Ironie und Lachen.

3. Der Mensch ist ein Tier, das getrennt ist von seinen natürlichen Bedingungen durch selbst geschaffene Instrumente. Nach zwei Definitionen, die sich auf Symbolgebrauch beziehen, führt Burke erst die Werkzeuge ein, die ebenso wie die Symbole das Fundament zu einer zweiten Natur und damit zur technischen und wissenschaftlichen Welterschließung legen. Man könnte einwenden, daß dem Menschen als Werkzeuge schaffendes Wesen, dem Homo faber oder Homo oeconomicus, der Vorrang gebührt vor dem Menschen als Symbole schaffendes Wesen, dem Homo fictor oder Homo significans. Für Burke jedoch ist der Gebrauch von Werkzeugen bereits im Gebrauch der Symbole angelegt. Während diese ersten drei Definitionen in ihrer umfassenden Universalität mehr oder weniger erwartbar waren, geben die beiden verbleibenden, durchaus idiosynkratischen Merkmale auch Aufschluß über Burkes moralische und politische Einstellung.

4. Der Mensch ist ein Tier, das verkommen ist durch Vollkommenheit. In dieser paradoxen Wendung wird auf eine innere Disposition des Menschen angespielt, der einen Hang zur Perfektion, zur Vollständigkeit, zur Vollkommenheit hat und dieses Ziel mit einer unerbittlichen Logik verfolgt. Perfektion ist in diesem Zusammenhang ein höchst ambivalenter Begriff, der sowohl eindrucksvolle Leistungen als auch tödliche Obsessionen einschließen kann. Der Wunsch nach ›Perfektion‹ stimuliert nicht nur künstlerische Leistungen und jedwedes Virtuosentum, sondern kann auch hinter mörderischen Projekten stehen wie hinter der von den Nationalsozialisten erfundenen, geplanten und durchgeführten sogenannten ›Endlösung‹. In der ironisch paradoxen Formel ›verkommen durch Vollkommenheit‹ (»rotten with perfection«) hat Burke seine skeptische Haltung gegenüber Fortschrittsoptimismus und evolutionären Errungenschaften zum Ausdruck gebracht. Was die Entelechie für den Organismus oder die Evolution für die Natur ist, das ist der Perfektionismus für den menschlichen Geist. Diese vierte Definition unterstellt unter anderem, daß der Mensch das, was immer er zu tun imstande ist, auch ausführen wird. Wie andere fürchtete Burke in den fünfziger und sechziger Jahren, daß die Route der wissenschaftlichen Entdeckungen die Menschen nicht nur zu mehr Freiheit, Optionen und Beglückung führt, sondern auch eine gnadenlose Einbahnstraße ist, die auf die nukleare Selbstvernichtung der menschlichen Spezies zulaufen kann.

5. Der Mensch ist ein Tier, das angestachelt ist vom Geist der Hierarchie. Auf seiner Suche nach den Grundstrukturen menschlicher Motivation stieß Burke auf die Bedeutung von Rang und Stand, von Status und Distinktion als unersetzlichen Impulsen des Handelns. Im Herzen einer Demokratie und in einem Land, das sich den Werten der Freiheit und gleichen Chancen verschrieben hat, analysiert der unzeitgemäße Denker Burke die Struktur der Ungleichheit als fundamentalen Motor menschlichen Handelns. Anstatt sich aber auf die jeweiligen sozialen Ungerechtigkeiten und Ungleichheiten der ökonomischen Verteilung zu konzentrieren, untersucht Burke die tieferen Wurzeln dieser Ungleichheit, die er in einem Bedürfnis nach Hierarchie entdeckt, ein Wort, das für ihn fast gleichbedeutend ist mit ›Ordnung‹. In seiner psychoanalytisch grundierten Kulturanalyse sind Hierarchie und Ordnung religiöse Begriffe, die von einer Semantik der Schuld und des Geheimnisses imprägniert sind.

Zwischen Fryes und Burkes Versionen einer literarischen Anthropologie bestehen interessante Parallelen. Beide arbeiteten an einer Art Grundlagenforschung menschlicher Ausdrucks- und Verhaltensformen; der eine, indem er anhand archetypischer Muster eine generative Grammatik des Literatursystems rekonstruierte; der andere, indem er Motivationsstrukturen freilegte und auf eine Grammatik menschlichen Handelns zielte, innerhalb deren der Literatur als Archiv und Medium eine wichtige Rolle zukam. Frye deutete die Archetypen um, indem er sie nicht mehr als unbewußtes Band zwischen der individuellen und der kollektiven Psyche verstand, sondern als bewußte Brücke zwischen individuellem und kulturellem Gedächtnis. Indem er diese Archetypen in die Schicht des Bewußtsein hob, reaktivierte und stärkte er zugleich das Gedächtnis-Band zwischen Individuum und westlicher Kultur. Deshalb ist Fryes Zugang zur literarischen Anthropologie auch im Grunde seines Wesens normativ; mit seinem pädagogischen Appell gehört er ins restaurative kulturelle Klima nach dem Zweiten Weltkrieg. Burke dagegen ist weniger Pädagoge als Skeptiker. Sein kritischer Geist reagiert auf die politischen Tendenzen seiner Zeit wie die Verfolgungswelle der McCarthy-Ära oder die sich ausbreitende Angst vor einem Atomkrieg. Seine Anthropologie ist pessimistisch grundiert, weshalb sie durchschossen ist mit Kritik und Warnsignalen. Sowohl Frye als auch Burke unterscheiden sich von anderen Literaturwissenschaftlern ihrer Zeit darin, daß sie sich für Religion interessieren; aber während Frye darunter die biblische Überlieferung in säkularer Perspektive (der Dichter William Blake nannte die Bibel noch »den großen Kode der Kunst«) verstand, beschäftigte sich Burke mit Religion als einem anthropologischen Archiv und insbesondere einem elementaren Fundus ursprünglicher Motivationen. Verneinung zum Beispiel erkannte er als eine Urgeste menschlichen Handelns, die in Märchen und Mythen, darunter der biblische Schöpfungsbericht, in den narrativen Komplex von Verbot und Übertretung auseinanderfällt und in diesem Zwischenraum die Grundlagen moralischen Handelns eröffnet.

Wolfgang Iser

Als zweites Beispiel für eine deduktive Anthropologie soll hier die Position von Wolfgang Iser angeführt werden. Der Untertitel seines 1991 erschienenen Buches über *Das Fiktive und das Imaginäre* signalisierte gegenüber seinen früheren Arbeiten einen wichtigen Orientierungswandel. Er lautete: »Ansätze zu einer literarischen Anthropologie«. In diesem Buch werden Literatur und Anthropologie durch einen neuen Begriff, den des Imaginären, zusammengeführt. Das Imaginäre wird als die grundlegende Ressource menschlicher Phantasie verstanden, die nicht nur die Träume und das Unbewußte speist, sondern auch die Literatur und kulturelle Institutionen. Anders als die mehr oder weniger fest umrissenen Archetypen ist das Imaginäre eine eher amorphe und schwer zu bändigende Energie, die die Literatur in objektive Gestalten überführt und damit die Möglichkeit ihrer Selbstbeobachtung und Reflexivität eröffnet. Das Band zwischen fiktionaler Literatur und Anthropologie ist indes noch enger; beiden liegt ein und derselbe Impuls zugrunde, welcher darin besteht, Gegebenes zu übersteigen. Der Imperativ, sich zu wandeln, ist für Iser die Grundnorm menschlichen Handelns, die in literarischen Fiktionen eine paradigmatische Anwendung und Ausformung erfährt.

Auf der Ebene der Alltagsrealität lebt der Mensch in existentiellen Beschränkungen, als endliches Wesen ist er bestimmt durch Geschichte, Erbanlagen, Geschlecht, Klasse, Nation, Kultur, Raum, Zeit und weitere physische Bedingungen; auf der Ebene der literarischen Fiktion dagegen können alle diese Beschränkungen überwunden oder doch zumindest zeitweilig aufgehoben werden. Es geht Iser ausschließlich um diese zweite Ebene, in der der Mensch dem anthropologischen Imperativ des Übersteigens, der in der Realität immer an enge Grenzen stößt, gerecht zu werden vermag. Nur im Medium fiktionaler Literatur ist der Mensch in der Lage, den Status quo seiner Lebensverhältnisse zu übersteigen, das Wirkliche zu ›vermöglichen‹ und damit seine anthropologische Bestimmung zu erfüllen. Aus diesem Grunde wird Literatur für Iser zum privilegierten Medium der Anthropologie.

Die zentrale Opposition, die Isers Definition des Menschen zugrunde liegt, ist die zwischen Zwang und Freiheit. Als ein endliches und begrenztes Wesen ist es die menschliche Bestimmung, frei zu sein, und die literarische Fiktion ist die bevorzugte Form, in der diese Freiheit erprobt, erfahren und durchgespielt werden kann, was Iser an den von ihm neu bestimmten Begriffen der ›Ek-stase‹ und des ›Doppelgängers‹ erläutert: »In zwei einander ausschließenden Zuständen gleichzeitig zu sein, gewährt nur die literarische Fiktionalität, die so die Doppelung als basale Zweiteilung des Menschen erfahrbar macht.« Durch sie »präsentiert sich die Zweiteilung des Menschen als Quell möglicher Welten inmitten der Welt« (Iser 1991, S. 151 f.). Die Ekstase als ›Außerhalb-Befindlichkeit‹ und die Doppelheit als ›ständiges Über-sich-Hinaussein‹ ist für Iser »kein bloßes Durchgangsstadium, sondern Signatur des Menschen« (Iser 1991, S. 154). Für ihn ist die Fiktion eine Erweiterung des Menschen, die es ihm erlaubt, sich in einer Welt zu bewegen, die nicht durch Grenzen eingeschränkt ist. In diesem Zusammenhang führt Iser die Kategorie des Spiels ein. Das Spiel definiert er als »die Koexistenz von Fiktivem und Imaginärem« (Iser 1991, S. 408; vgl. Assmann 1997). Literatur wird als eine Form von referenzfreiem Spiel verstanden, in dem das Gegebene überschritten, äußere Notwendigkeiten suspendiert und das Wirkliche ins Mögliche gekippt wird. Auf der

Ebene von Spiel-als-Literatur und Literatur-als-Spiel können Beschränkungen überschritten und durch Verwandlungen und Kombinationen neue Möglichkeiten eröffnet werden. Während das Imaginäre als eine basale Energie den kulturellen Institutionen unterliegt, ist es das Privileg der Literatur, diese Energie in die reflexive Form des Spiels zu verwandeln und den Menschen als ›Differential seiner selbst‹ erfahrbar zu machen (Iser 1991, S. 156). »Literarisches Fingieren wird zur Signatur eines Zustands, der in den Vollzügen der Lebenswelt weitgehend unmöglich ist« (vgl. Iser in diesem Band, S. 31).

Isers literarische Anthropologie steht in der Tradition der eingangs beschriebenen *Via negativa*, sie ergänzt allerdings die philosophische und theologische Tradition durch eine spezifisch literarische Variante. Viele anthropologische Definitionen erkennen das spezifisch Menschliche im Gebrauch von Symbolen, der Fähigkeit zur Verneinung, zum Lachen oder zum Trauern. Iser vermeidet diese Ebene der anthropologischen Charakterisierung durch spezifische Merkmale. In seiner Definition des Menschen spielen die üblichen anthropologischen Merkmale keine Rolle mehr; er nimmt vielmehr die Grundschicht einer Essenz in den Blick, die er dann aber umgehend entessentialisiert. Seine Definition enthält einen normativen Kern. Sie sagt uns weniger, was Menschen sind oder wie sie handeln, sondern vielmehr, wie sie sein und wie sie handeln sollen. Sie konvergiert in einem Imperativ, welcher lautet: Verdopple, überschreite, verwandle dich in einen anderen! Diese Definition beschreibt nicht ein Wesensmerkmal, das vorausgesetzt wird, sondern einen Anspruch, dem man sich mehr oder weniger stellen kann. Isers anthropologische Norm lautet: Der Mensch muß »aus sich heraustreten, um seine Begrenzungen zu hintergehen« (vgl. Iser in diesem Band, S. 35). Angesichts des Anspruchs auf kontinuierlich neue Selbstentwürfe, Virtualisierung und Transformation des Selbst im Medium literarischer Fiktionen wird Anthropologie zu einer virtuosen Selbst-Technik.

Während Burke fünf Merkmale aufzählte, kommt Iser mit einem einzigen aus: dem anthropologischen Imperativ zur Selbst-Transformation. Der eine konstatiert einen Zustand, der andere entwirft ein Ziel. Beide machen von der metaphysischen Kategorie der Transzendenz Gebrauch, die sie für ihre Zwecke säkularisieren. Für Burke ist bereits in jedem Symbolgebrauch ein Moment von Transzendenz enthalten, bei Iser geht es um einen Imperativ zur Transzendierung des Selbst. Während für Burke sich die Literatur als ein Archiv darstellt, das die fundamentalen anthropologischen Funktionen aufzeichnet, lobt Iser die literarische Fiktion als ein besonderes Mittel, mit dem der Mensch seiner anthropologischen Bestimmung gerecht werden kann.

Schluß

Die theoretischen Wurzeln des Konstanzer Forschungsverbunds gehen nicht vor die achtziger Jahre des 20. Jahrhunderts zurück. Das bedeutet, daß die hier vorgestellten Formen einer literarischen Anthropologie zu diesem Zeitpunkt bereits von anderen Ansätzen verstellt waren. Als besonders wegweisend und schulbildend erwies sich eine neue Form von literarischer Anthropologie, die von der Ethnologie ausging und sich auf die Literatur zubewegte. Was so disparate Disziplinen wie Ethnologie und Literatur plötzlich gemeinsam hatten, war ein Interesse am Textbegriff. In dem Moment, in dem die Literaturwissenschaft sich vom (literarischen) Text als ihrem einzigen und zentralen Gegenstand freizumachen suchte, entdeckte die Ethnologie den Text in einer selbstreflexiven Wende dieses Fachs. Probleme der Darstellung, der Repräsentation wurden immer wichtiger, als Ethnologen selbstkritisch erkannten, daß sie keine transparenten Medien und objektiven Chronisten der Kulturen waren, die sie erforschten, sondern ihren eigenen Anteil an der Beschreibung zur Geltung brachten und ihre Bücher als fiktionale Konstruktionen verstanden. Der ›Text‹ avancierte zum Zentralbegriff dieser Richtung der Kulturanthropologie. Was sich hier ereignete, hat seine genaue Entsprechung in der reflexiven Wende der Geschichtswissenschaft, wie sie Hayden White verkörpert. Diesen selbstreflexiven Ethnologen und Historikern wurde bewußt, daß sie mit ihren Beschreibungen und Erzählungen nicht so ohne weiteres eine geschichtliche Epoche oder eine fremde Kultur präsentierten, sondern zunächst einmal nichts anderes als Texte produzierten. Ihre Texte waren aus Worten gemacht, folgten bestimmten grammatischen und diskursiven Regeln und unterlagen bestimmten stilistischen und rhetorischen Zwängen; kurz: Sie waren in ihrer Struktur ebenso fiktional wie andere literarische Texte auch. Indem die Kategorie des Textes ins Zentrum der Forschung rückte, boten sich ganz neue Verbindungen zwischen Geschichtswissenschaft, Ethnologie und Literaturwissenschaft an, die sich sämtlich als Diskurswissenschaften verstanden. Disziplinengrenzen wurden auf einmal überschreitbar: In dem Maße, wie die Ethnologie auf Grundlagen der Literaturwissenschaft, wie etwa die Rhetorik und Stilistik, zurückgriff, entdeckte die Literaturwissenschaft die Ethnologie und mit ihr die Bedeutung kultureller Differenz sowie die Strategien kollektiver Identitätskonstruktion. Vor allem aber eröffnete die Ethnologie der Literaturwissenschaft einen verfremdenden Blick auf die eigene Kultur. Literarische Anthropologie als eine Diskurswissenschaft neuen Typs entstand in produktiver Wechselwirkung zwischen verschiedenen Disziplinen, die sich immer stärker als ›Kulturwissenschaften‹ begriffen. Hier entstand ein fruchtbares und innovatives transdisziplinäres Milieu für eine neue Variante literarischer Anthropologie, das der Konstanzer Sonderforschungsbereich mit Gewinn genutzt hat.

Diese neuen kulturwissenschaftlichen Perspektiven ließen ältere Modelle von literarischer Anthropologie nicht nur in den Hintergrund treten, sondern auch vollends in die Vergessenheit absinken. Wenn ich sie hier noch einmal in Erinnerung gebracht habe, so geschah das vor allem aus zwei Gründen. Zum einen erscheint es mir wichtig, den historischen Horizont in den methodischen Zugängen immer wieder zu erweitern, um sich die eigene Abhängigkeit von Konjunkturen und historisch veränderlichen Einstellungsweisen bewußt zu machen. Zum anderen verweist uns die Besichtigung des Vergessenen auf Aspekte, die in unserem Gegenwartsbewußtsein zu kurz kommen und es produktiv ergänzen können.

Fassen wir die wichtigsten Apekte der hier vorgestellten literarischen Positionen noch einmal zusammen. Im Rahmen der archetypischen Theorie geht es um den individuellen Menschen als Mitglied der großen Familie der Menschheit, deren Geschichte sich grenzenlos über Raum und Zeit erstreckt. Dieser Zugang, der den Menschen als Mitglied eines Kollektivs und Träger eines »Rassengedächtnisses« beziehungsweise eines kulturellen Unbewußten konzipiert, kann, wie wir gesehen haben, eine universalistische und eine kulturalistische Wendung nehmen. Jungianer wie Bodkin setzten die Grundstruktur einer gemeinsamen menschlichen Psyche voraus, in der bestimmte Urbilder für alle Zeiten unwandelbar eingeprägt sind. Gelehrte wie Frye, Warburg oder E. R. Curtius untersuchten demgegenüber die innerhalb bestimmter Kulturgrenzen hervorgebrachten und überlieferten zentralen Bilder und Topoi, die durch immer neue Gestalten hindurch wiedererkennbar bleiben. In diesen Zusammenhang einer Erforschung der unbewußten Tradierungsformen im kulturellen Gedächtnis gehören auch die in diesem Band von Gerhart von Graevenitz vorgestellten Studien zur ›Verdichtung‹, einem Schlüsselbegriff der kulturwissenschaftlichen Forschung im Rahmen der *Zeitschrift für Völkerpsychologie*.

Als zweite Richtung einer literarischen Anthropologie wurden solche Diskurse vorgestellt, die sich dem Menschen über den Weg abstrakter, deduktiver Definitionen nähern. Gegenstand dieser Richtung ist der universale Mensch, der von allen konkreten Bedingungen losgelöst ist. Auch hier gab es zwei Wege, den eher deskriptiven Weg Burkes und den eher präskriptiven Weg Isers. In beiden Fällen ist die Suche nach fundamentalen Merkmalen des Menschen von einem eher philosophischen Interesse angestoßen. Die Grundfragen, die hier gestellt werden, lassen sich mit keiner noch so dichten Beschreibung beantworten. Wenn wir davon überzeugt sind, daß der Mensch das Tier ist, das sich selbst definiert, sind diese Grundfragen jedoch keineswegs müßig, sondern erfordern immer wieder neue Antworten.

Literarische Anthropologie, das ist ein letztes Fazit unseres Überblicks, ist kein einheitliches oder zu vereinheitlichendes Forschungsfeld. In der Vielfalt der Zugänge und der radikalen Unterschiedlichkeit der Methodologien und Prämissen schlägt sich noch einmal das vielfach gebrochene und konjekturale Projekt der Konstruktionen und Erfindungen des ›Menschen‹ nieder. Jeder einzelne Zugang ist mit einer spezifischen Blindheit geschlagen, die erst von den anderen Positionen aus sichtbar wird. Diese Situation unterstreicht noch einmal die Notwendigkeit produktiver interdisziplinärer Forschung. Denn was steht hinter ihr anderes als die Aufgabe, sich gegenseitig beständig an das zu erinnern, was man gerade im Begriff ist zu vergessen?

Literatur

Assmann, Aleida, *Erinnerungsräume*, München: Beck, 1999.

–, »Das Gedächtnis der Moderne am Beispiel von T. S. Eliots ›The Waste Land‹«, in: Hans G. Kippenberg und Brigitte Luchesi (Hg.), *Religionswissenschaft und Kulturkritik. Beiträge zur Konferenz ›The History of Religions and Critique of Culture in the Days of Gerardus van der Leeuw (1890-1950)‹*; Marburg: Diagonal-Verlag, S. 373-392.

–, »No Importance of Being Earnest? Literary Theory as Play Theory«, in: Herbert Grabes (Hg.), *Literature and Philosophy* (REAL 13), Tübingen: Narr, 1997, S. 175-184.

Bloom, Harold, *The Western Canon: the Books and School of the Ages*, New York: Harcourt Brace, 1994.

Bodkin, Maud, *Archetypal Patterns in Poetry. Psychological Studies of Imagination*, Oxford: Oxford University Press, 1968.

Burke, Kenneth, »Definition of Man«, in: *Language as Symbolic Action. Essays on Life, Literature, and Method*, Berkeley, Los Angeles: University of California Press, 1966.

–, *Die Rhetorik in Hitlers »Mein Kampf« und andere Essays zur Strategie der Überredung*, Frankfurt am Main: Suhrkamp, 1967.

–, Dramatism, in: *Encyclopaedia of the Social Sciences*, New York 1968, S. 445-452.

–, *The Rhetoric of Religion: Studies in Logology*, Berkeley: University of California Press 1960.

Campe, Rüdiger, *Affekt und Ausdruck. Zur Umwandlung der literarischen Rede im 17. und 18. Jahrhundert*, Tübingen: Niemeyer, 1990.

Castoriadis, Cornelius, *Gesellschaft als imaginäre Institution. Entwurf einer politischen Philosophie*, übersetzt von Horst Brühmann, Frankfurt am Main: Suhrkamp, 1984.

Chittick, William C., *The Sufi Path of Knowledge. Ibn al-Arabi's Metaphysics of Imagination*, Albany: State University of New York Press, 1989.

Clifford, James, *The Predicament of Culture. Twentieth-Century Ethnography, Literature and Art*, Cambridge, MA: Harvard University Press, 1988.

Foucault, Michel, *Les mots et les choses. Une archéologie des sciences humaines*, Paris: Gallimard, 1966; deutsch: *Die Ordnung der Dinge. Eine Archäologie der Humanwissenschaften*, Frankfurt am Main: Suhrkamp, 1971.

Frye, Northrop, *Anatomy of Criticism. Four Essays*, Princeton: Princeton University Press, 1957.

Geertz, Clifford, »The Uses of Diversity«, in: Robert Borofsky (Hg.), *Assessing Cultural Anthropology*, New York: McGraw-Hill, 1994, S. 454-465.

Herbert, George, »The Pulley«, in: *The Oxford Book of Seventeenth Century*

Verse, ausgewählt von H. J. C. Grierson und G. Bullough, Oxford 1958, S. 379.

Iser, Wolfgang, *Das Fiktive und das Imaginäre. Perspektiven literarischer Anthropologie,* Frankfurt am Main: Suhrkamp, 1991.

Lamb, Charles, »Witches and other Night Fears«, in: *Essays of Elia,* herausgegeben von N. L. Hallward, S. C. Hill, London und New York 1967.

Murray, Gilbert, *The Classical Tradition in Poetry,* Oxford: Oxford University Press, 1927.

Nietzsche, Friedrich, *Zur Genealogie der Moral,* in: *Werke,* Band 2, herausgegeben von Karl Schlechta, München: Hanser 1955, S. 761-900.

Plato, *Protagoras,* übersetzt von C. C. W. Taylor, Oxford: Clarendon Press, 1991.

Plessner, Helmuth, *Philosophische Anthropologie,* Frankfurt am Main: Suhrkamp, 1970.

Steiner, George, *Grammars of Creation,* London: Faber and Faber, 2001.

Stierle, Karlheinz, »Die Modernität der französischen Klassik. Negative Anthropologie und funktionaler Stil«, in: Fritz Nies und Karlheinz Stierle (Hg.), *Französische Klassik. Theorie, Literatur, Malerei,* München: Fink, 1985, S. 81-133.

II. Anthropologische Diskurse

Thomas Hauschild
Kultureller Relativismus und anthropologische Nationen

Der Fall der deutschen Völkerkunde

Am Beginn der Debatte zur Kontextualisierung anthropologischer Praktiken und Theorien, die wir heute als postkoloniale Theorie, »Writing Culture« und Ethnographie der Moderne zusammenfassen können, stehen neben den Schriften von Gregory Bateson, Georges Devereux, Thomas S. Kuhn, Laura Bohannan, Stanley Diamond und anderen die Arbeiten des Historikers George Stocking über die Entwicklung der Zunft der Kulturanthropologen. In einer frühen Studie über die Geschichte der amerikanischen Anthropologie gelang Stocking eine Einsicht, die er in seinen zahlreichen weiteren Werken zur Kontextualisierung ethnographischer Arbeit und anthropologischer Theorie leider nicht vertieft hat. Bereits 1974 schrieb Stocking in einem Aufsatz über die Gründung der Disziplin durch Franz Boas: »Obwohl aus Deutschland gebürtig und tief in den intellektuellen Traditionen seiner Heimat verwurzelt, hat Franz Boas doch mehr als jeder andere den ›Nationalcharakter‹ des Faches Anthropologie in den Vereinigten Staaten geprägt.«[1]

Ab der Mitte des 19. Jahrhunderts hatte das bis dahin in den Industrienationen grenzüberschreitend diskutierte neue Fach lokale Richtungen und Schulen ausgebildet. Doch zunehmend wandelte sich die Anthropologie im Prozeß ihrer formalen Regionalisierung und Disziplinierung von der Universalienforschung am Menschen zu einer partikularen Ethnologie, die kulturelle Fremd- und Einzelphänomene studiert, ordnet und theoretisiert. Es liegt auf der Hand, daß diese Differenzierung einherging mit der Verstärkung und ethnischen Zentrierung der europäischen Nationalstaaten und der USA. Diese neuen nationalen Strömungen anthropologischen Wissens kann man ihrerseits auch wie Nationalstaaten betrachten,

---

1 George W. Stocking Jr., *The Shaping of American Anthropology 1883-1911. A Franz Boas-Reader*, New York: Basic Books, 1974, S. 1. Dieses und die folgenden Zitate aus englischsprachigen Texten wurden vom Autor des Beitrags ins Deutsche übertragen.

die eine eigene Außenpolitik entwickeln, mit der sie ihre klassifikatorischen Praktiken verteidigen und der Gastgebernation aufzuzwingen oder anzudienen versuchen. Was auf manche Leser wie ein Wortspiel um Begriffe wie Nation und Interessengruppe wirken wird, enthüllt auf den zweiten Blick Chancen der Einschätzung intellektueller Selbstgestaltung und gesellschaftlicher Verstrickung des Denkens. Die Gruppe der Anthropologen installiert sich im gesellschaftlichen Kontext, indem sie der Gesamtgesellschaft geistige Handwerkszeuge zu Praktiken der nationalen Einteilung in Wir und Sie anbieten. So hat nach John Bornemans[2] Analyse die amerikanische Kulturanthropologie zunächst ein indianisches Anderes geschaffen, das – als Vorläufer der modernen amerikanischen Zivilisation ebenso wie als ihr gefährlicher innerer Gegner – zur Herausbildung nordamerikanischer weißer Identitäten beitragen konnte.

Auch die deutsche Anthropologie bediente sich – auf einer Spur fahrend, in der Franz Boas die so viel erfolgreichere amerikanische Schwesterdiziplin gründen sollte – einiger Strategien der Ver-Anderung, um ihren Platz als anthropologische Nation im Konzert der internationalen wissenschaftlichen Debatte und in der sich herausbildenden Gesellschaft des Deutschen Reiches zu bestimmen. George Stocking erinnert uns mit dem oben zitierten Satz daran, daß sich anthropologische Theorien in einem komplexen Wechselverhältnis zu der zugrundeliegenden historischen und kulturellen Matrix entwickeln. Seine Begrifflichkeit der »anthropologischen Nation« ermöglicht uns, diese Kontextualisierung ohne vorgefaßte Modelle der Abhängigkeiten zwischen Ideen, Politiken und materiellen Faktoren zu verfolgen. Dabei bilden gerade die Unterschiede der Strategien, welche sich in Praktiken der Stereotypisierung des Anderen und der Auflösung dieser Stereotypisierungen entwickeln, ein gut zugängliches Feld des Vergleichs und der ernüchterten Analyse der Reichweite menschlicher Ideen und Taten beziehungsweise der von ihrer materiell geographischen und ökonomischen Grundlage ausgehenden Zwänge. Kurz, die Ethnologie wird hier wie eines ihrer Studienobjekte betrachtet, wie ein beliebiges anderes Feld der sozialen Gestaltung. Allerdings, so wird im Verlauf dieses Aufsatzes deutlich werden, schleppt man mit dieser »Ethnisierung« der Eth-

2 John Borneman, »American Anthropology as Foreign Policy«, in: *American Anthropologist* 97, 1995, S. 663-672.

nologen und mit dem Begriff der »Nation« auch die Vorstellung ihrer Fundierung im Unbegründeten und das damit verbundene idealistische Denken mit. Stocking faßt dies bereits in den Begriff des »Nationalcharakters«.

Divergenzen zwischen deutschen und amerikanischen Anthropologen hat der deutschstämmige jüdisch-amerikanische Anthropologe Paul Radin,[3] Schüler Boas' und einer der Stichwortgeber des postmodernen Kulturrelativismus, im Jahre 1933 ausführlich beschrieben. In *The Method and Theory of Ethnology* kritisiert er an seinen deutschen Kollegen, daß sie von einer simplen Dichotomie besessen seien, von der Idee der psychischen Einheit des Menschengeschlechts einerseits und auf der anderen Seite von der Suche nach partikularen Ursprüngen kultureller Erfindungen.[4] Zur Debatte stand damit die Tatsache, daß viele deutsche Völkerkundler nicht dem Modell der objekt- und textorientierten Feldforschung anhingen, das in der Boasianischen Kulturanthropologie der USA gepflegt und später mit Malinowskis Modell der sozialanthropologischen stationären Feldforschung verbunden worden war. Radin hielt die stark historisch orientierte Arbeit der deutschen Völkerkundler für überkommen und leitete diese Schwäche der deutschen anthropologischen Nation aus der Tradition der deutschen Romantik ab. Kultursoziologische und feldforscherische Traditionen der Deutschen hat Radin dabei nicht diskutiert, beziehungsweise er hat sie pauschal und sicher auch nicht ganz zu Unrecht ebenfalls der verstehenden romantischen, philologischen und historistischen Schule zugeordnet. Ein Exzeß an Empathie, hier als projektives Mißverständnis ethnographischer Tatsachen verstanden, kennzeichnet demnach die deutsche Ethnologie des späten 19. und frühen 20. Jahrhunderts. Radin führt diesen Irrweg auf Adolf Bastian zurück, der in der zweiten Hälfte des 19. Jahrhunderts lange Zeit den ersten deutschen Lehrstuhl für Ethnologie in Berlin bekleidete, und bezeichnet ihn als »in höchstem Maße überschätzten wirrköpfigen Denker«.[5]

---

3 Paul Radin, *The Method and Theory of Ethnology. An essay in criticism*, New York und London: McGraw-Hill, 1933, S. 72.
4 Vgl. Fritz Kramer, »Empathy – Reflections on the History of Ethnology in prefascist Germany: Herder, Creuzer, Bastian, Bachofen, and Frobenius«, in: *Dialectical Anthropology* 9, 1985, S. 337-347.
5 Radin, *The Method and Theory of Anthropology* (Anm. 3), S. 72.

Doch derselbe Gedankengang, der Bastian auszeichnete, stand in Wahrheit am Beginn auch jener neuen und sehr erfolgreichen Schule des wissenschaftlichen Denkens, der Paul Radin angehörte und die Franz Boas, aus Deutschland kommend, um die Jahrhundertwende in den USA gegründet hatte: ein (in den USA freilich zum literaturwissenschaftlichen Positivismus gewendeter) »verstehender« Zugang zum Anderen, verbunden mit der (freilich in das Materialismusproblem gewendeten) Frage nach dem Konkurrenzverhältnis partikularer Kulturstile und ihrer historischen Ausbreitung über bestimmte Territorien. »Historischer Partikularismus« wurde dieser Ansatz genannt.

Damit folgte der 1886 in Berlin mit Bastians Hilfe habilitierte und in altdeutschen Dingen noch recht erfahrene Boas nicht nur der Humboldtschen und Herderschen Tradition der Exaltation von Einzelkulturen, sondern auch dem deutschen Sprachgebrauch in Sachen Kleinstaaterei und Altes Reich: »Partikularisten« waren jene Sezessionisten und Nostalgiker, die sich nach der Gründung des Deutschen Reiches für die Interessen ihrer alten territorialen Traditionen einsetzten. Erst spät, in den dreißiger Jahren, kam es zur offenen Rebellion einiger Boas-Schüler gegen den Kulturalismus der amerikanischen Anthropologie. Das Konzept hallte bis in die sechziger Jahre noch im kulturalistischen Essentialismus der »Culture-and-Personality«-Schule nach. Bis heute kann man Boas' Einfluß – im Guten wie im Bösen – in der Vorstellung von »Kultur als Text« aufspüren und in der Suche nach kulturtypischen Einzelstimmen, in der Unterstützung von Minderheitenrechten sowie in der Konstruktion des amerikanischen Multikulturalismus und der »politischen Korrektheit« gegenüber sexuell oder in vielen anderen Richtungen definierter Minderheiten.

Die vielleicht spektakulärste Etappe in diesem Prozeß der Wandlung partikularistischer Berliner Spezialitäten in eine Variante und zugleich eine Häresie der Ideologie der »neuen Weltordnung« amerikanischer Prägung war vielleicht die Auseinandersetzung um die Formulierung der Charta der Menschenrechte in den vierziger Jahren und die Neugründung der UNO. Die amerikanischen Kulturanthropologen zogen sich unter Führung des Boas-Schülers Herskovits spektakulär von dieser internationalen Bewegung zurück, nachdem sie verstanden hatten, daß Menschenrechte hier universal und individuell verstanden werden mußten, nicht aber kulturspezifisch.[6] Radins Kritik an den deutschen Ethnologen liest sich im Lichte dieser Zusammenhänge wie der Versuch einer fundamentalen Kritik am deutschen Idealismus, die aber in die grundidealistische Feststellung mündet, der Idealismus sei typisch deutsch.

Wenn Radin die deutsche anthropologische Nation im Jahre 1933 anklagt, empathisch und historisch-partikular zu denken, dann wendet er nur den universalistischen Aspekt der Bastian-Boas-Schule gegen deren partikularistischen Aspekt. Wir können darin heute den blassen Vorschein von heftigen Auseinandersetzungen sehen, die schließlich alle Varianten deutscher Ethnologie zum Wissen des Dritten Reiches beitragen ließen, universalistische und jüdische Denker aus Deutschland entfernten und die deutsche anthropologische Nation dauerhaft vom internationalen Kontext des Faches isolierten. Das hatte aber eben nicht zur Folge, daß die US-amerikanische anthropologische Nation von ihrem Partikularismus, Kulturalismus und letztlich Idealismus losließ, und dies wiederum bindet die Schicksale dieser beiden scheinbar so himmelweit voneinander geschiedenen ethnologischen Nationen bis heute in paradoxer, gerade in der »Writing-Culture«-Debatte wieder überdeutlich gewordenen Weise aneinander.

Gewiß hatte Paul Radin mit einigen seiner Beobachtungen recht. Die Assoziation von Faschismus und Idealismus zu erkennen ist im Jahre 1933 für einen Beobachter aus der Ferne eine Leistung. Doch Radin übersah, daß auch sein Lehrer Boas die Grundlinien des historischen Partikularismus und Anti-Evolutionismus, der die amerikanische Kulturanthropologie bis heute immer wieder bewegt, aus Bastians Berliner Lehren abgeleitet hatte. Wie konnten die Ideen eines »höchst überschätzten wirrköpfigen Denkers« – bei kleinen methodologischen Variationen und in einem anderen kulturellen und sozialen Kontext – indirekt zur Stiftungsurkunde der heute größten »anthropologischen Nation«, der amerikanischen »Cultural Anthropology«, gedeihen, während die deutsche Völkerkunde seit den zwanziger Jahren zunehmend eine Außenseiterexistenz in der Ökumene der Anthropologen führen sollte?

6 Vgl. American Anthropological Association, »Statement on Human Rights. Submitted to the Commission on Human Rights, United Nations«, in: *American Anthropologist* 49, 1947, S. 539-543. Für einen Versuch, die Spanne zwischen individueller Menschenrechts-Ethik und kulturellen Partikularismen zu überbrücken, vgl. Thomas Hauschild, »Globale Zivilgesellschaft und Rituale der Vernunft«, in:

Geschichte der deutschen Kulturanthropologie
Version 1

In groben Zügen und auf den Gestaltwandel der wissenschaftlichen
Ideen allein orientiert, kann man die Geschichte der deutschen Völkerkunde und der mit ihr zusammenhängenden Traditionen des
anthropologischen Denkens in Deutschland folgendermaßen erzählen: Im Erbe der Völker-, Reise- und Erdwissenschaft des späten
18. und frühen 19. Jahrhunderts verbanden sich Ideen des Rationalismus und der Romantik miteinander.[7] Im Zeichen der Entfaltung,
Disziplinierung und Bildung des Geistes – so das Humboldtsche
Ideal – trafen sich Friedrich Ratzels einflußreiche »Historische Geo-
graphie« wie auch Adolf Bastians »Ethnologie«. Bastian, in dem wir
Radins »wirrköpfigen Denker« wiedererkennen müssen, entwickelte seine anthropologische Theorie vom Konzept des Elementar-
gedankens her. Damit meinte er universale, von allen Menschen
geteilte Konzepte, die sich in immer neuen *bricolages* zu Völkerge-
danken kristallisieren, zu partikularen und historisch gewachsenen
Gebilden. Diese auf älteren theologischen Subtilitäten rund um den
einen Gott und seine vielfachen Ausformungen basierenden Lehren
haben ein Echo in der Geschichte der Anthropologie[8] auch außerhalb Deutschlands gehabt, in den Werken von Edward Tylor, James
Frazer, Claude Lévi-Strauss und Gregory Bateson etwa, in der sogenannten kognitiven Anthropologie, in der linguistischen Universalienforschung und auch im monographisch-partikularen Stil des
Feldberichts, wie er heute noch, wenn auch mit einigen Abstrichen
und Hinzufügungen, weiter im Mainstream der amerikanischen

Wolf-Dietrich Bukow und Markus Otterbach (Hg.), *Die Zivilgesellschaft in der
Zerreißprobe,* Opladen: Leske und Budrich, 1999, S. 218-230.

7 So etwa in der Differenz zwischen Vater und Sohn Forster einerseits und anderer-
seits Adalbert v. Chamisso beziehungsweise der Weiterbearbeitung von Chamissos
Denken bei E. T. A. Hoffmann oder in der Differenz zwischen Goethes Farben-
lehre und dem *West-Östlichen Divan* einerseits, andererseits den Reiseberichten der
Gebrüder von Humboldt. Vgl. dazu Fritz Kramer, »The Influence of the Classical
Tradition on Anthropology and Exoticism«, in: Michael Harbsmeier, Mogens
Trolle Larsen (Hg.), *The Humanities between Art and Science. Intellectual Develop-
ments 1880-1914*, Kopenhagen: Akademisk Forlag, 1989, S. 203-224.

8 Klaus-Peter Koepping, *Adolf Bastian and the Psychic Unity of Mankind. The Foun-
dations of Anthropology in Nineteenth Century Germany*, St. Lucia: University of
Queensland Press, 1983.

Kulturanthropologie praktiziert wird. Kleine anthropologische Nationen bildeten sich allenthalben in Europa zur Zeit der Bastianschen Lehren, in der zweiten Hälfte des 19. Jahrhunderts, und die Deutschen hatten in diesem Konzert einen Namen, wenn es darum ging, die Völkerkunde und Volkskunde aus dem Gesamt des theologischen, psychologischen und historischen Denkens herauszulösen. Adolf Bastians (1826-1905) klassifikatorische Söhne, etwa Leo Frobenius (1873-1938), Richard Thurnwald (1869-1954) sowie Pater Wilhelm Schmidt (1868-1954), machten aus dem einen Berliner Lehrstuhl eine wirkliche akademische Disziplin mit Vernetzungen in unterschiedlichsten Lagern des akademischen Diskurses und wuchsen selbst zu internationalen Größen des Faches heran. In derselben Generation deutscher Ethnologen finden wir eine Reihe weiterer bedeutender Forscher wie Diedrich Westermann oder Karl von den Steinen,[9] doch nur Thurnwald, Schmidt und Frobenius gelang es, funktionierende und nachhaltig weiterwirkende Denkschulen, Einrichtungen und Topoi des anthropologischen Diskurses zu etablieren.[10]

Thurnwald gilt wohl zu Recht als der Gründer strukturaler und

9 Vgl. Kramer, »Empathy – Reflections on the History of Ethnology in pre-fascist Germany« (Anm. 4), und Radin, *The Method and Theory of Ethnology* (Anm. 3), S. 76.

10 So wirken Thurnwalds Überlegungen bis heute deutlich nach in einer kleinen Fraktion deutscher Ethnosoziologie und der Zeitschrift *Sociologus* sowie in einer sozialanthropologischen Arbeitsgruppe der Deutschen Gesellschaft für Soziologie. Über Thurnwalds Schüler Mühlmann bildete sich die Gruppe um Fritz Kramer, die – obwohl ihre Zentralfigur selbst von ethnologischen Instituten ausgeschlossen blieb – einen bedeutenden Teil der deutschen Lehrstühle für Ethnologie besetzt. Frobenius zu Ehren wird an dem nach ihm benannten Institut in Frankfurt am Main die einzige weltweit beachtete deutsche ethnologische Vorlesungs-Serie mit internationalen Einladungen durchgeführt, außerdem erscheint hier eine nachhaltig vom Denken des Ethnologen geprägte Zeitschrift, *Paideuma*. Die von Pater Wilhelm Schmidt gegründete Zeitschrift *Anthropos* ist bis heute innovativ und zugleich doch auch repräsentativ für das Fach Ethnologie in Deutschland. Sie wird im Rahmen des kirchlich-katholisch finanzierten Anthropos-Forschungsinstitutes und des mit ihm verbundenen katholischen Intellektuellenordens SVD publiziert, ohne weiter Reklame für eine katholische Ethnologie oder ähnliches zu machen. Die von Bastian gegründete *Zeitschrift für Ethnologie* ist nicht mehr dicht an das Denken ihres ersten Redakteurs geknüpft und spiegelt seit etwa hundert Jahren den jeweils herrschenden Mainstream deutschen ethnologischen Denkens einigermaßen wider.

funktionaler Denkmodelle in der deutschen Ethnologie und ging darin deutlich Radcliffe-Brown und Lévi-Strauss voraus.[11] Der Generationengenosse Durkheims und Grenzgänger der frühen internationalen Soziologie entwickelte allerdings im Gegensatz zu seinen Konkurrenten aus Frankreich, England und den USA eine Strukturlehre mit deutlich historischem Akzent. Anders als Thurnwald sind Frobenius und Schmidt heute unter deutschen Ethnologen vielleicht etwas weniger aktuell, aber ihr Erbe lebt fort. Leo Frobenius, mit Kaiser Wilhelm II. Gründer des im holländischen Exil des Kaisers tagenden kulturmorphologischen »Doorner Arbeitskreises für Anthropologie«, beschrieb die völkerkundliche Aktivität als Kulturhistorie mit konservativen bis expressionistischen Akzenten und verlieh der deutschen Spezialität auf diesem Gebiet starke Geltung. Er führte hermeneutisches und historisches Denken in die deutsche Ethnologie ein und bildete damit eine Brücke zur internationalen Ethnohistorie der Zeit nach dem Zweiten Weltkrieg sowie zur Herausbildung von Übergängen zwischen Völkerkunde, historischem Denken, kritischer Theorie und allgemeiner kulturwissenschaftlicher Debatte seit den siebziger Jahren des 20. Jahrhunderts.[12] Der katholische Ordensgründer, Orientalist und Ethnologe Pater Wilhelm Schmidt, Beichtvater des letzten österreichischen Kaisers, gilt heute als Urheber eines reichlich obsoleten Konzeptes von primärem Monotheismus, der sich bei den »Primitiven« nachweisen ließe. Doch im Rahmen einer auf Traditionspflege erpichten Schilderung der deutschen Ethnologie darf Schmidt nicht fehlen, weil er im Gegensatz zu Thurnwald und Frobenius mit dem Dritten Reich in offenen Konflikt kam.[13] Unmittelbar nach dem Zweiten Weltkrieg konnte der katholisch-konservative Denker darum der kleinen und durch vielerlei Verstrickungen in das nationalsozialistische Projekt verunsicherten Disziplin neue Integrität verleihen. Vielleicht ist darum bis heute der von Schmidt gegründete und in eine pluralistische ethnologische Zeitschrift mit starken historischen Ak-

---

11 Richard Thurnwald, *Social Systems of Africa*, Bd. II, S. 353-380; »The Social Function of Personality«, in: *Sociology and Social Research* 17, 1933, S. 203-218; »Pigs and Currency in Buin. Observations about Primitive Standards of Value and Economics«, in: *Oceania* 5, 1934, S. 119-141.

12 Adolf E. Jensen, *Myth and Cult among Primitive Peoples*, Chicago: Chicago University Press, 1963.

13 Wilhelm Schmidt, »Vorwort«, in: *Zeitschrift für Ethnologie*, Bd. 75, 1950, S. 1.

zenten gewendete *Anthropos* bisweilen deutlich stärker repräsentativ für innovative Strömungen des Faches als die offizielle, von der Deutschen Gesellschaft für Völkerkunde herausgegebene *Zeitschrift für Ethnologie*.

Der internationale Bezug der drei Schulen um Schmidt, Frobenius und Thurnwald liegt darin, daß sie mehr und mehr dem internationalen Paradigma der Feldforschung nachgaben, zugleich aber eine historisch-idealistische und philologische Orientierung beibehielten. Es handelte sich um moderne Ethnologen. Aus sich heraus produzierten diese drei Schulen keine Rassentheorie als notwendiges Postulat ihrer Theoriebildung. Es ist nicht verwunderlich, daß der akademisch stets erfolglose Thurnwald, der dem Rassismus gegenüber nicht verschlossen, aber vordringlich doch kein Rassentheoretiker war, in den dreißiger Jahren in den USA mehr akademische Gefolgschaft gehabt zu haben scheint als in Deutschland.[14] Frobenius, der der Lehre des Nationalsozialismus recht fern stand, wird heute noch in Zusammenhängen der »négritude« als Inspiration schwarzafrikanischen Selbstbewußtseins hochgehalten,[15] und Schmidt vermittelte ein halbes Jahrhundert lang zwischen dem anthropologischen Wissen und der internationalen katholischen Bewegung.[16] Schmidt, Frobenius und Thurnwald können bis heute eine gewisse Aktualität für sich beanspruchen, weil sie einem historischen Paradigma anhingen, in dem Diffusionismus gegen Evolutionismus und Funktionalismus steht und menschliche Selbstgestaltung sowie Historie sich gegen Notwendigkeiten und materielle Faktoren stemmen. Deuten wir etwa die Bewegung der »Writing Culture« als letztlich historistische Bewegung, stellen wir daneben den post-postmodernen neuen evolutionären und kulturvergleichenden Empirismus vieler amerikanischer Anthropologen, so waren diese deutschen Anthropologen im Verhältnis zu ihren amerikanischen und englischen Zeitgenossen, die noch essentialistischen Konzepten wie der »Kultur-und-Persönlichkeits«-Forschung oder

14 Marion Melk-Koch, *Auf der Suche nach der menschlichen Gesellschaft: Richard Thurnwald,* Berlin: Staatliche Museen Preußischer Kulturbesitz, 1989, S. 286 ff.

15 Léopold Sedar Senghor, *Liberté,* 3 Bde., Bd. III: *Négritude et civilisation de l'universel,* Paris: Gallimard, 1977.

16 Ernest Brandewie, *When Giants walked the Earth. The Life and Times of Wilhelm Schmidt,* Freiburg, Schweiz: Universitätsverlag (Studia Instituti Anthropos, Bd. 44), 1990.

dem sozialanthropologischen Strukturalismus huldigten, als historisch denkende und zugleich feldforschende Ethnologen ihrer Zeit voraus. Erst gegen 1938 konnte es geschehen, daß im Zusammenhang mit dem Protest gegen den herannahenden Krieg und in der internationalen kulturrelativistischen Bewegung auch ihre Namen mehr und mehr mit überkommenen Modellen eines ethnischen und rassischen Diskurses in Verbindung gebracht wurden.[17] Ihre Schulen vermochten den Krieg und die *re-education* gleichwohl schadlos zu überstehen, auch wenn die Anthropologie der Sieger diesen historistischen Einspruch gegen das universalistische Paradigma der strukturfunktionalen Ethnologie immer mehr in Vergessenheit geraten ließ.

Man darf über all dem nicht vergessen, daß die deutsche Ethnologie seit den zwanziger Jahren einen Sonderweg zu gehen gezwungen war – Deutschland hatte damals schon seine Kolonien verloren, was den Anteil der Ethnologie am Volumen der Forschungsförderung und universitären Finanzierung in Deutschland viel kleiner geraten ließ als in England, den USA oder sogar Frankreich. Das Fach ist klein geblieben in Deutschland, in kleinen Schulen hat es das Dritte Reich überlebt, und man muß auch bedenken, daß in den Schriften der drei Schulgründer Passagen zu finden sind, die nationalsozialistischen Zensoren nicht immer gefallen konnten, weil sie den Herderschen Gedanken der Gleichwertigkeit der Kulturen in ihren historischen Gestalten hervorheben. Nach dem Zweiten Weltkrieg haben die deutschen Völkerkundler ganz klein weitergemacht, aber mit einem gewissen Standard von Feldforschung und historischen Ansätzen, stets in einem ungleichzeitigen Verhältnis zum internationalen Mainstream und doch mehr und mehr in Konvergenz mit ihm – bis 1998 die europäische Anthropologenvereinigung zur ersten internationalen ethnologischen Tagung auf deutschem Boden seit Menschengedenken einladen konnte. Kurz, das geringe politische Interesse der deutschen Institutionen des Dritten Reichs an der marginalen Disziplin war in einem gewissen Sinne ein »Glück«, wie Hans Fischer 1990 in seiner autoritativen Studie über die Hamburger Ethnologie im Dritten Reich schreiben sollte.[18] Gemessen an

17 Niels Bohr, »Natural philosophy and human cultures«, in: Anonymus: *Congrès International des sciences anthropologiques et ethnologiques*, Kopenhagen: ohne Verlagsangabe, S. 86-90.

18 Hans Fischer, *Völkerkunde im Nationalsozialismus. Aspekte der Anpassung, Affini-*

dieser Aussage wirkt Radins Distanzierung aus dem Jahre 1933 wie eine übertriebene Warnung, die uns lediglich dem »Double bind« einer Parteinahme gegen den Nazismus und für die kleine, geplagte und doch einigermaßen würdevoll gebliebene idealistische deutsche Völkerkunde aussetzt.

Geschichte der deutschen Kulturanthropologie
Version 2

Es existiert leider bis heute keine umfassende Geschichte der kleinen Fächer Volkskunde und Völkerkunde in Deutschland. Das ermöglichte in der deutschen Ethnologie – im Gegensatz zu vielen Versuchen der Aufarbeitung bei den Spezialisten für Deutsche Volkskunde (Europäische Ethnologie) – die Entstehung einer auf Traditionspflege zielenden Genealogie dieser Disziplin, wie ich sie im vorhergehenden Abschnitt erzählt habe. Die orale Tradition in dieser Sache zur Zeit meiner Ausbildung in den siebziger Jahren folgte dieser Version und verband sie mit düsteren »Off-records«-Andeutungen über die NS-Zeit, das Paarungsverhalten mancher Ethnologen und ihre persönlichen Ticks, die jedoch meist nur das Andenken der Häupter der jeweils anderen Schulen treffen sollten, nicht das der eigenen. Sicherlich ist meine Darstellung dieser Version hier sehr verkürzt und läßt eine Reihe wichtiger Namen aus; und es ist ebenso gewiß, daß schon die Anspielung auf rassistische Verwicklungen, die ich bis hierher gemacht habe, vielen deutschen Ethnologen der siebziger bis neunziger Jahre zu weit gegangen wäre. Doch wichtiger als dieses Zuviel und Zuwenig im einzelnen erschienen mir die Lücken, welche diese Erzählung auf der strukturellen Ebene aufweist. Version 1 läßt Mitgründer des Faches in Bastians Generation einfach aus und hat einige als »Missing link« zwischen den genannten offiziellen Schulen und diesen vergessenen Vorvätern tätige Forscher ebenso vergessen. Diese Ausschlüsse auf der Ebene einer korrekten Herleitung ethnologischer Denkschulen scheinen mir aussagekräftiger zu sein als die Denunziation der konkreten politischen Sünden unserer ethnologischen Großväter, um

tät und Behauptung einer wissenschaftlichen Disziplin, Berlin: Reimer, 1990, S. 231 f.

die es mir im Verlauf meiner 1985 begonnenen Studien über die Ethnologie des Dritten Reichs immer weniger gehen sollte.

Unter deutschen Ethnologen sind Moritz Lazarus (1824-1903) und Heymann Steinthal (1823-1899) sehr viel weniger bekannt als Adolf Bastian, doch auch unter universalistisch denkenden Kulturwissenschaftlern, die beiden viel zu verdanken haben, waren sie lange vergessen und sind immer wieder vergessen worden.[19] Ihre parallel zu Bastians Lehre von den Elementargedanken entwickelte, weitaus systematischere und lesbarer formulierte »Völkerpsychologie und Sprachwissenschaft« betont nicht die Umwandlung des Universal-Menschlichen in regionale und ethnische Folklore, sondern sucht den Anschluß an anthropologische Entwicklungslehren. Im Jahre 1860 gründeten sie die erste deutsche anthropologische Zeitschrift, die *Zeitschrift für Völkerpsychologie*, um sie in zwanzig viel gelesenen und wenig zitierten Bänden bis 1890 herauszugeben. Erst 1869 gründete Bastian die theorieferner und im Datenspektrum enger angelegte *Zeitschrift für Ethnologie*. Als Lazarus und Steinthal sich 1891 aus der akademischen Diskussion zurückzogen, wurde ihr interdisziplinär-kulturanthropologisches, auf menschliche Universalien zielendes Journal in die bis heute als Organ der »Deutschen Gesellschaft für Volkskunde« existierende *Zeitschrift der Vereine für Volkskunde*, später *Zeitschrift für Volkskunde* umgewidmet. Dieses nationalfolkloristische wissenschaftliche Blatt sowie ein rein der außereuropäischen Völkerkunde gewidmetes Organ, Bastians *Zeitschrift für Ethnologie*, traten also an die Stelle der kulturanthropologischen *Zeitschrift für Völkerpsychologie und Sprachwissenschaft*.

Die Völkerpsychologie sollte nur im Werk Wilhelm Wundts (1832-1920) weiterleben, der heute nur noch als einer der Begründer der experimentellen und kulturvergleichenden psychologischen

19 Vgl. Ingrid Belke, »Einleitung«, in: dies. (Hg.), *Moritz Lazarus und Heymann Steinthal. Die Begründer der Völkerpsychologie in ihren Briefen*, Tübingen: Mohr, 1971; James Whitman, »From Philology to Anthropology in Mid-Nineteenth-Century Germany«, in: George W. Stocking Jr. (Hg.), *History of Anthropology*, Bd. II: *Functionalism Historicised*, Madison: University of Wisconsin Press, 1984, S. 214-230; eine gleich wieder vergessene Wiederentdeckung von Lazarus und Steinthal finde ich zum Beispiel im Nachwort von Ulrich Raulff zu Aby Warburg, *Schlangenritual. Ein Reisebericht*, Berlin: Wagenbach, 1988, S. 59-95, dort bes. S. 74 f. (wiederum basierend auf: Ivan Kalmar, »The Völkerpsychologie of Lazarus and Steinthal and the Modern Concept of Culture«, in: *Journal of the History of Ideas* 48, 1987, S. 671-690).

Forschung gilt. Im Jahre 1908 sollte der junge polnische Anthropologe Bronislaw Malinowski unter dem greisen Wundt in Leipzig seine Karriere starten.[20] Wundts zunehmend auf positivistischen Modellen der Forschung begründetes Erklärungsmodell für Kultur blieb dem universal-liberalistischen Modell verpflichtet. Demnach bringt das Zusammenspiel von Mentalität, Sprache, körperlicher und sozialer Organisation nicht immer gleich fixierte Nationalcharaktere hervor, sondern eine leicht wieder rückgängig gemachte »Heterogonie der Zwecke«,[21] unberechenbare und widerstreitende Effekte, die auf der Basis transkultureller Forschung differenziert untersucht werden müssen.

In den 1890er Jahren, nach dem Rückzug des streitbaren jüdischen Aktivisten und Stadtanthropologen Lazarus und seines Sozius Steinthal, dem de Saussure Grundideen seiner einflußreichen Linguistik verdankte, mußten die intelligentesten und einflußreichsten Berliner Schüler von Bastian, Lazarus und Steinthal begreifen, daß sie ihren Ehrgeiz nicht allzusehr an eine Karriere in der deutschen akademischen Welt hängen sollten. Es sind die klassifikatorischen älteren Brüder von Thurnwald, Frobenius und Schmidt, und es handelt sich um niemand Geringeren als um Franz Boas (1858-1942) und um Georg Simmel (1858-1918). Beide stammten im Gegensatz zu Thurnwald, Frobenius und Schmidt aus jüdischen Familien und machten kein Geheimnis daraus. Simmel konvertierte zur Soziologie, einem ebenfalls in der Gründungsphase befindlichen und mehr systematisch-theoretisch angelegten Fach, das er um den ethnologischen Topos des Fremden[22] bereicherte, den »marginal man«, der später zum Schlüsselkonzept beim Verständnis der modernen Massenkultur aufsteigen sollte. Simmels bis heute virulente Vorstellung einer Ethnographie der Moderne verweigert sich primitivistischen und naturalistischen Allegorien des sozialen Lebens, ohne jedoch ganz die Vorstellung eines universalen Grundes aufzugeben, von dem in aller menschentypischen Widersprüchlichkeit das Leben, die Kultur und die Gesellschaft ihren Ausgang nehmen. Die Soziologie zeigte sich nicht besonders dankbar, denn den größten Teil seines Lebens hat Simmel seine sehr erfolgreiche Arbeit als akademi-

20 Adam Kuper, *Anthropologists and Anthropology. The British School 1922-72*, Harmondsworth: Penguin, S. 24 f.
21 Wilhelm Wundt, *Ethik*, Stuttgart: Kohlhammer, 1903, S. 274.
22 Georg Simmel, *Soziologie*, Frankfurt am Main: Suhrkamp, 1992.

scher Lehrer und Forscher unbezahlt verrichten müssen. 1918 verstarb er als spät berufener Professor für Soziologie in Straßburg, weit entfernt von Berlin, dem damaligen Zentrum deutschen anthropologischen Denkens. In seinen letzten Briefen vermittelt Simmel bittere Einsichten in den Verlauf seiner Karriere.[23] Boas hingegen zog es vor, nach seiner Habilitation im Jahre 1887 in die USA auszuwandern, wo er sein kulturrelativistisches Konzept von Kultur als Ensemble historisch-partikularer Formen ganzen Generationen von Anthropologen vermitteln konnte. Noch als alter Mensch bereiste der Mitgründer der Notgemeinschaft der Deutschen Wissenschaft, Vorläuferin der DFG, seine deutsche Heimat und hielt Vorlesungen über sein liberales und relativistisches Konzept der Kultur – bis die Nationalsozialisten das unterbanden.[24]

Das neue, dem »Partikularen« so entgegengesetzte Reich von 1871 stellte Juden partiell den Christen gleich, wurde aber in der Zeit der Ersetzung der *Zeitschrift für Völkerpsychologie und Sprachwissenschaft* durch die *Zeitschrift für Volkskunde* zunehmend von rüden Wellen eines popularen, weit bis in die Universitäten hinein virulenten Antisemitismus erschüttert. Das traf dieselbe jüdische Intelligenz, die nach ihrer preußischen Befreiung 1812 und 1813 dem provinziellen Berlin einen kosmopolitischen Akzent gegeben hatte. Die Anthropologie als eine in der ganzen westlichen Welt von marginalen gesellschaftlichen Gruppen und besonders von Juden immer wieder gesuchte Disziplin[25] weist in Deutschland eine lange Genealogie von Abgängen und Ausschlüssen jüdischer Forscher auf. Meines Wissens hat bis heute kein bekennender Jude jemals einen deutschen Lehrstuhl für Ethnologie innegehabt.

Die wiederholte Vertreibung und Isolierung von Juden in deutschen universitären Traditionen ist historisch mittlerweile gut untersucht – leider hat man sich dabei häufig noch nicht allzu viele Gedanken darüber gemacht, daß hier nicht nur Personen, sondern auch Ideen vertrieben wurden.[26] Relativismus und das Nachdenken

23 Almut Loyke, *Der Gast, der bleibt. Dimensionen von Georg Simmels Analyse des Fremdseins*, Frankfurt (Campus, Edition Pandora) 1992, S. 116; Otthein Rammstedt, »Editorischer Bericht«, in: Simmel, Georg: *Soziologie* (Anm. 22), S. 877 ff.
24 Franz Boas, »Rasse und seelische Veranlagung«, in: *Forschungen und Fortschritte*, Bd. 5, S. 295 ff.
25 Justin Stagl, *Kulturanthropologie und Gesellschaft*, München: Paul List, 1974.
26 Vgl. Thomas Hauschild, »›Dem lebendigen Geist‹. Warum die Geschichte der

über die Existenz des Fremden in der Gesellschaft, die Erkenntnis kultureller Heterogenität und Heterogonie und die feinteilige Überprüfung ethnischer Stereotypen – all das fand in der dritten und vierten anthropologischen Generation seit Bastian, Lazarus und Steinthal nur noch wenig Gehör.[27] Damit fiel auch der multidisziplinäre Entwurf einer Verbindung zwischen Ethnologie, Folkloreforschung, Philologie, Linguistik, Historie und Biologie, der noch Lazarus' und Steinthals Völkerpsychologie gekennzeichnet hatte, zunehmend der Spezialisierung und Disziplinierung zum Opfer. Erst die pseudointegrative Rassenanthropologie der Nazis hat dann die auseinandergefallenen Enden noch einmal in die Hand genommen, allerdings nun in der verstörten und wahnhaften Suche nach einer Rasse von Übermenschen in Vergangenheit, Gegenwart und Zukunft.

Doch in den 1890er Jahren setzte sich zunächst vor allem die Methode des Ausschlusses durch, wie Bernd Jürgen Warneken im Dialog mit meinen Studien für die deutsche Volkskunde eindrucksvoll nachgewiesen hat.[28] Ihren Gipfel fand diese Entwicklung im Jahre 1898 in Hamburg mit der Gründung einer »Gesellschaft für Jüdische Volkskunde«, einem »Ghetto des Geistes«,[29] wie es der damals europaweit bekannte österreichisch-jüdisch-serbische Folklorist Friedrich Salomon Krauß treffend kritisierte: Weder die Volkskundler noch die Völkerkundler hatten das Studium jüdischer Kultur und popularer Traditionen als ihr Eigenes betrachten können, und bis heute ist in Deutschland der Einfluß zum Beispiel prote-

Völkerkunde im ›Dritten Reich‹ auch für Nichtethnologen von Interesse sein kann«, in: ders. (Hg.), *Lebenslust und Fremdenfurcht. Ethnologie im Dritten Reich*, Frankfurt am Main: Suhrkamp, 1995, S. 1-56.

27 Édouard Conte/Cornelia Essner, »Völkerkunde et Nazisme or: l'ethnologie sous l'empire des raciologues«, in: *L'Homme* 34,1, 1994, S. 147 ff. Vgl. Thomas Hauschild, »›Dem lebendigen Geist‹« (Anm. 26).

28 Bernd Jürgen Warneken, »›Völkisch nicht beschränkte Volkskunde‹. Eine Erinnerung an die Gründungsphase des Fachs vor 100 Jahren«, in: *Zeitschrift für Volkskunde* 95, Heft II, 1999, S. 169-196.

29 Christoph Daxelmüller, »Die deutschsprachige Volkskunde und die Juden. Zur Geschichte und den Folgen einer kulturellen Ausklammerung«, in: *Zeitschrift für Volkskunde* 83, 1987, S. 1-20; ders., »Nationalsozialistisches Kulturverständnis und das Ende der jüdischen Volkskunde«, in: Helge Gerndt (Hg.), *Volkskunde und Nationalsozialismus*, München: Münchener Vereinigung für Volkskunde, S. 149-168.

stantischer und katholischer Traditionen auf die allgemeindeutsche Folklore mit äußerster rationaler Gründlichkeit bewiesen, nicht aber die Sprengsel jüdischen Wissens und Verhaltens, die man in den deutschen populären Traditionen sehr wohl finden kann. Das Ordnungsdenken in Sachen Ethnos und Nation sollte auch den Studien deutscher Wissenschaftler über europäische und mediterrane populäre Traditionen Probleme bereiten – die Völkerkunde konnte das nur zum Teil übernehmen, weil es sich meist nicht um außereuropäische Nationen handelt, und die Volkskunde sah sich, als »deutsche Volkskunde«, für nicht zuständig an. Bis heute geistern ethnologische Studien über Juden, die populare Kultur nichtdeutscher europäischer Nationen und über europäischen Universalismus durch eine akademische Landschaft, in der die zur »Europäischen Ethnologie« mutierte Volkskunde immer noch selten genug über Deutschland hinausgehende Forschungen ansetzt, die allgemeine Ethnologie aber als »Wissenschaft vom kulturelle Fremden«[30] eher im Sinne eines außereuropäischen Fokus verstanden werden will. So leben die Hülsen einer partikularistischen Forschung am Menschen weiter, auch wenn das nationale, romantische und rassische Credo, welches eines Tages dazu beigetragen hat, sie hervorzubringen, längst nicht mehr wirksam ist.

Die Ausgeschlossenen

Weithin anerkannte führende deutsche Völkerkundler wie Paul Leser und Leonhard Adam bekleideten keine Lehrstühle des Faches und mußten im Laufe der dreißiger Jahre aus Deutschland fliehen, um der rassistischen Verfolgung zu entgehen. Adam empfahl sich zur Ausreise, nachdem er in einer hysterischen Kampagne um seine Herausgeberschaft beim deutschen Lehrbuch der Völkerkunde und um weitere jüdische Affiliationen deutscher Ethnologen im Jahre 1936 als Jude geoutet worden war.[31] Leonhard Adam[32] setzte seine

30 Karl Heinz Kohl, *Ethnologie, die Wissenschaft vom kulturell Fremden. Eine Einführung*, München: Beck, 2000 (2. Auflage).

31 Thomas Hauschild, »Völkerkunde im ›Dritten Reich‹«, in: Helge Gerndt (Hg.), *Volkskunde im Nationalsozialismus*, München: Münchner Vereinigung für Volkskunde, 1987, S. 245-260.

32 Leonhard Adam, »Criminal Law and Procedure in Nepal a Century ago«, in: *Far*

Karriere als Rechtsethnologe in Australien, Paul Leser[33] seine Arbeit als Kulturhistoriker der Wirtschaftsformen und Technologien in den USA fort. Beide verstanden sich als rationale, entzauberte Wissenschaftler und versuchten darum so gut wie möglich freundliche Beziehungen zu ihren deutschen Kollegen aufrechtzuerhalten, aber sie waren ausgeschlossen und sollten niemals wiederkehren. Eine Reihe weiterer Schicksale dieser Art lassen sich anfügen.[34] Ihnen ist oftmals gemeinsam, daß ihre Protagonisten das in »Version 2« behauptete Ineinander von physischer Ausgrenzung und der Ausgrenzung universalistischer Ideen nicht wahrnahmen oder eine ganz eigene Version dieser Dinge anboten. Sie bemühten sich um eine objektive, anerkennende Haltung ihren in Deutschland verbliebenen Zunftgenossen gegenüber – ein jüdisch-österreichischer Anthropologe, Robert von Heine-Geldern, sollte sich auf diese Weise noch 1966 zum letzten Sachwalter und internationalen Sprecher der deutschsprachigen kulturhistorischen und kulturmorphologischen Tradition machen. In den siebziger Jahren war dann der Tiefpunkt der Geltung deutschsprachiger Wissenschaftler im internationalen anthropologischen Nationenspektrum erreicht, dokumentierbar durch ernüchternde Feststellungen über den Stand der gegenseitigen Beziehungen seitens einer Riege internationaler Anthropologen, die man zur Tagung der Deutschen Gesellschaft für Völkerkunde 1977 in Bad Homburg vor der Höhe eingeladen hatte – begleitet vom tiefen Schweigen der dort versammelten deutschen Fachvertreter.

Der Verlust, welcher der deutschen anthropologischen Nation entstanden war, zeigt sich vielleicht erst wirklich mit Deutlichkeit, wenn man Namen der durch die Nazizeit von Europa ins Ausland getriebenen nichtdeutschen jüdischen professionellen Anthropologen Revue passieren läßt, darunter Claude Lévi-Strauss, Georges Dévereux, Eric Wolf. »Es hätte Deutschlands Jahrhundert sein können«,[35] in einem friedlichen Europa der Wissenschaften, aber die

Eastern Quarterly 9, 1950, S. 146-168; E. Schultz-Ewerth, Leonhard Adam, *Das Eingeborenenrecht*, 2 Bde., Stuttgart: Kohlhammer, 1929/30.

33 Paul Leser, *Entstehung und Verbreitung des Pfluges*, Münster: Aschendorffsche Verlagsbuchhandlung, 1931.

34 Berthold Riese, »Während des Dritten Reiches (1933-1945) in Deutschland und Österreich verfolgte und von dort ausgewanderte Ethnologen«, in: Thomas Hauschild, *Lebenslust und Fremdenfurcht. Ethnologie im Dritten Reich* (Anm. 26), S. 210-219.

35 Fritz Stern, *Verspielte Größe. Essays zur deutschen Geschichte des 20. Jahrhunderts*,

Anthropologisierung und Internationalisierung deutschen Denkens gelang erst nach der Niederlage des Dritten Reiches. Denkt man experimentell die bereits 50 Jahre zuvor einsetzenden Prozesse der Exklusion hinzu, dann machen die Namen potentieller Anthropologen jüdischer Herkunft den Verlust, die Schwäche der deutschen Anthropologie deutlich:[36] Aby Warburg, dessen Lebenswerk großräumig auch immer wieder um das Problem einer Anthropologie im Zeitalter eines partikularistischen Antisemitismus zu kreisen scheint,[37] Walter Benjamin, der Ethnograph der Berliner Kultur im Stile Moritz Lazarus'; Michael Landmann, der letzte Schüler Simmels und Mitschöpfer des Begriffes »Kulturwissenschaften«; Paul Ludwig Landsberg, der als poetischer Anthropologe die moderne Welt aus sokratischer Sicht kritisierte, und Theodor Lessing, der mit Hilfe einer brahmanischen Weltsicht seiner Gesellschaft den Spiegel vorhielt und dafür sterben mußte. Sie alle waren anthropologische Denker, die man nicht nur in die deutsche Nation, sondern auch in die Nation der Anthropologen hätte integrieren können – doch dem stand die Tatsache entgegen, daß hier nicht unbedingt freie Geister den Ton angaben und das deutsche Universitäten sich gegen »die Juden« sträubten, auch schon als der Antisemitismus noch nicht zur Staatsideologie geworden war. Anthropologische Feldforschung hätte vielleicht die Methode abgeben können, nach der Adorno und Horkheimer immer wieder suchten, um ihre Kulturkritik empirisch zu fundieren, und wären alle diese Köpfe integriert gewesen in eine deutsche anthropologische Nation, bräuchten wir heute wohl nicht die manchmal erschreckende ethnologische Unbildung gerade geistiger Eliten der Bundesrepublik Deutschland und der deutschen Öffentlichkeit zu beklagen.

Viele der genannten potentiellen Anthropologen waren dazu gezwungen, spekulativ und mit dem zu arbeiten, was die Bibliotheken hergaben. Oft waren sie von vornherein Außenseiter des akademischen Geschäfts und vernetzten sich mit französischen Surrealisten.

München: Beck, S. 11. – Stern erinnert dies als mündliche Äußerung von Raymond Aron aus dem Jahre 1979.

36 Zu Benjamin vgl. Rolf Wiggershaus, *Die Frankfurter Schule*, München: Deutscher Taschenbuchverlag, 1991, S. 71, 292; Michael Landmann, *Der Mensch als Schöpfer und Geschöpf der Kultur*, München/Basel: E. Reinhardt, 1961.

37 Vgl. Charlotte Schoell-Glass, *Aby Warburg und der Antisemitismus. Kulturwissenschaft als Geistespolitik*, Frankfurt am Main: Fischer, 1998.

Landsberg und Landmann sollten nach Frankreich flüchten – die deutsche Völkerkunde konnte mit Frobenius eine Art Expressionismus entwickeln, jedoch die Wende zur surrealen Selbstironie à la Leiris und Métraux nicht vollziehen. Aber auch die deutschen Surrealisten und kritischen Anthropologen konnten noch nicht ganz das realisieren, was im postkolonialen Diskurs der neunziger Jahre des 20. Jahrhunderts schließlich zum leicht zugänglichen Allgemeingut werden sollte. Sie hatten keine empirischen Daten, und manchmal wirkt der von ihnen konstruierte Angelpunkt des »Anderen«, aus dem heraus sie die eigene Gesellschaft betrachten wollten, fast ebenso künstlich wie das Zerrbild »des Juden«. Auch nach dem Kriege lassen sich versteckt oder manchmal offen ausgetragene soziale Dramen zwischen einer partikularen und exklusionären deutschen Völkerkunde und anthropologischen Freigeistern beobachten, etwa Hubert Fichtes Versuche, im Frobenius-Institut oder in anderen Einrichtungen der Völkerkunde Platz zu nehmen, und die damit einhergehende Selbstzerstörung der anthropologischen und dialogischen Potentiale seines Schreibens.[38] Tief gespalten und besessen vom Konzept des Nicht-Auffallens, machte die deutsche Ethnologie erst Anfang der siebziger und in den achtziger Jahren eine Wende zu den Nachbarwissenschaften und zur internationalen Ethnologie durch. Fritz Kramer und Hans Peter Duerr knüpften wohl als erste kreativ, mit eigenen Beiträgen an die surreale und kulturrelativistische Wende des internationalen Faches an und nahmen dabei wie nebenbei die gesamte »Writing-Culture«-Debatte vorweg.[39] Andere Vertreter dieser neuen Generation zogen es weiterhin vor, das Land zu verlassen und woanders zu internationalen Größen des Faches heranzuwachsen: zum Beispiel Johannes Fabian, Barbara Watson-Francke, Verena Stolcke, Gerd Baumann.

38 Thomas Hauschild, »Kat-holos: Hubert Fichtes Ethnologie und die allumfassende Religion«, in: Peter Braun und Manfred Weinberg (Hg.), *Ethno/Graphie. Reiseformen des Wissens*, Tübingen: Gunter Narr, 2002, S. 275-307.
39 Fritz Kramer, *Verkehrte Welten. Zur imaginären Ethnographie des 19. Jahrhunderts*, Frankfurt am Main: Syndikat, 1977; Hans Peter Duerr, *Traumzeit. Über die Grenze zwischen Wildnis und Zivilisation*, Frankfurt am Main: Syndikat, 1985.

Das hier vorgetragene Argument beruht auf den Studien, die ich bereits 1995 in einem Sammelband über *Ethnologie im Dritten Reich* und 1996 im *American Anthropologist* unter dem Titel »Germans, Jews, and the Other« vorgetragen habe.[40] Mir ging es dabei um den Zusammenhang zwischen dem Ausschluß von Wissenschaftlern aus Fachkommunitäten mit dem Ausschluß von Ideen, zwischen physischer Verdrängung und dem Vergessen bestimmter Ansätze der Forschung. Dabei wurde mir aber anhand des Lebens und Werks von Franz Boas zunehmend deutlich, wie schwierig es ist, dem Problem der Tradition in der Wissenschaft beziehungsweise auch dem Problem der Traditionen der amerikanischen Kulturanthropologie gerecht zu werden. Ich habe mich letztlich auf der Grundlage meines Materials immer deutlicher dazu entschieden, hier nicht nach dem Wirken böser oder guter Personen und Ideen zu fragen, sondern nach dem Durchschlag ökonomischer und politischer Verhältnisse auf die Welt der Ideen und die damit verknüpften Haltungen. Ich folgte damit Bourdieus Begriff des Habitus,[41] ohne jedoch einem materiellen Fatalismus zu verfallen, denn es bleibt dabei, daß Ideen von Akteuren in ihre Umwelt zurückgemeldet werden und daß dieser Akt auch auf Entschlüssen beruht sowie Verantwortung nach sich zieht. Damit schließe ich auch an die späten Werke des bekanntesten Genealogen der wissenschaftlichen Ideen im späten 20. Jahrhundert an, Michel Foucault:

»Mein Ausgangspunkt ist nicht, daß alles böse ist, sondern daß alles gefährlich ist, was nicht dasselbe ist wie böse. Wenn alles gefährlich ist, dann haben wir immer etwas zu tun. Deshalb führt meine Position nicht zur Apathie, sondern zu einem Hyper- und pessimistischen Aktivismus. Ich denke, daß die ethisch-politische Wahl, die wir jeden Tag zu treffen haben, darin besteht, zu bestimmen, was die Hauptgefahr ist.«[42]

40 Thomas Hauschild (Hg.), *Lebenslust und Fremdenfurcht* (Anm. 26); Thomas Hauschild, »Christians, Jews, and the Other in German Anthropology«, in: *American Anthropologist*, Bd. 99, 1997, S. 746-753 – der vorliegende Aufsatz ist eine stark bearbeitete und aktualisierte Neufassung der deutschen Übersetzung des letztgenannten Artikels.

41 Pierre Bourdieu, *Homo Academicus*, Frankfurt am Main: Suhrkamp, 1988, vgl. Thomas Hauschild, »›Dem lebendigen Geist‹« (Anm. 26), S. 46 ff.

42 Michel Foucault, »Interview«, in: H. L. Dreyfus, P. Rabinow und M. Foucault

Der Anschluß an Foucaults unparteiischen Hyperaktivismus, der ihn durchaus dunkle Folgen seines eigenen Habitus wahrnehmen ließ, war sicherlich in meinem Falle nicht immer so geradlinig und schlüssig,[43] wie er mir heute gerne erscheinen möchte.

So erfuhr das Bild der Kombination von sozialer und geistiger Selbstisolation, daß ich mit »Version 2« seit 1987 gezeichnet habe,[44] zunächst in mancher Hinsicht Bestätigung durch Kulturwissenschaftler, die auf dem Gebiet einer Geschichte der Anthropologie arbeiten. Bernd Jürgen Warneken[45] hat die Parallelität von zunehmendem Antisemitismus in der deutschen Akademie, Spaltungsprozessen unter den anthropologischen Fächern Volks- und Völkerkunde und dem Verlust eines humanistischen Universalismus in der Deutschen Volkskunde nachgezeichnet. Meine Wieder-Wiederentdeckung der Werke von Lazarus und Steinthal hat Gerhart von Graevenitz[46] im Streit um neue deutsche Kulturwissenschaft ins Spiel gebracht. Selbst wenn man den Fortgang der aktuellen Aus-

(Hg.): *Michel Foucault: Jenseits von Strukturalismus und Hermeneutik*, Frankfurt am Main: Syndikat, 1987, S. 265-70.

43 So bedauere ich heute, in einer Rezension zu Christian Giordanos Klassiker einer Anthropologie des Mittelmeerraumes übereilt – und angesichts des eigentlichen Themas unangebracht – den Autor auf einen »Habitus« der konservativen und zugleich sozial gestimmten, also »nationalsozialistischen« Kulturkritik festgenagelt zu haben. Ich glaubte, das »einfach« aus der Traditionslinie der Mühlmann-Schule nachweisen zu können, der Giordano während seiner akademischen Sozialisation ausgesetzt gewesen ist. Ich muß entschuldigend hinzufügen, daß diese Konstruktion auch auf der Felderfahrung einer erhitzten nächtlichen Diskussion mit Christian Giordano und Ina-Maria Greverus beruhte, die sich durch meine »Version 2« immer mehr zur Polarisierung pro Mühlmann bewegt sahen. Durch »Empathie« und die Über-Bewertung von Traditionslinien – also ganz im Stile der deutschen kulturmorphologischen Tradition – bei der Bewertung einer wissenschaftlichen Subkultur war ich von meinem Versuch einer nüchternen Beurteilung des Zusammenhanges zwischen Habitus und anthropologischer Nation abgekommen. Vgl. Christian Giordano, *Die Betrogenen der Geschichte. Überlagerungsmentalität und Überlagerungsrationalität in mediterranen Gesellschaften*, Frankfurt am Main: Campus, 1992, und Thomas Hauschild, »Unter der Last der Vergangenheit«, in: *Anthropos*, Bd. 89, 1994, S. 567-571.

44 Thomas Hauschild (Hg.) *Lebenslust und Fremdenfurcht* (Anm. 26); ders., »Christians, Jews, and the Other« (Anm. 40).

45 Bernd Jürgen Warneken (Anm. 28).

46 Gerhart von Graevenitz, »Literaturwissenschaft und Kulturwissenschaft. Eine Erwiderung«, in: *Deutsche Vierteljahresschrift für Literaturwissenschaft und Geistesgeschichte*, Bd. 73, 1999, S. 94-115.

einandersetzungen um »Kulturwissenschaften« und um die Justie-
rung von Einzelwissenschaften im Betrieb von Lehre und Forschung von der Frage nach der Verarmung der deutschen kulturanthropologischen Diskussion im Dritten Reich wieder zu trennen
versuchte, bliebe an der Grundthese von »Version 2« weiter festzuhalten, daß Ausschluß und übertriebene Disziplinierung letztlich zu
einem Mangel an Vernetzung auch in der anthropologischen Argumentation führt.[47]

Weitaus schwieriger gestaltet sich die Integration einiger von mir
selbst angeregter oder durchgeführter Forschungen über die Isolation von Lazarus, Steinthal und schließlich auch Boas sowie um dessen »Export« in die USA. Meine Recherchen zur Integration und
Nichtintegration von Lazarus und Steinthal in die Berliner Gesellschaft für Anthropologie, Ethnologie und Urgeschichte etwa führten zu einem differenzierteren Bild,[48] als es »Version 2« umstandslos
vermittelt: Es ist erstaunlich, wie selten sich die Herausgeber der
Zeitschrift für Völkerpsychologie in den Verhandlungen der Berliner
Gesellschaft für Anthropologie, Ethnologie und Urgeschichte, die
sie mit gegründet hatten, zu Wort meldeten. Diese Treffen sind in
den gedruckten wie in den handschriftlich protokollierten Sit-
zungsberichten recht gut überliefert. Größere Beiträge Lazarus' und
Steinthals sind nur je einmal überliefert. 1871 referierte Lazarus über
das Passah-Fest, um es in ein Kontinuum von zivilisierten Ritualen
zu stellen, welche das Blutopfer durch deutlich im Bereich harmlo-
serer Symbole angesiedelte Akte ersetzen: Es geht einen »Gott der
milden Sitten«.[49] Neun Jahre später verweist – wie in einem langen

47 Vgl. weitere Bestätigungen durch die Untersuchungen, die Erhard Schüttpelz in
    seiner im Jahre 2003 vorgelegten unpublizierten Konstanzer Habilitationsschrift
    über *Die Moderne im Spiegel der Primitiven. Ethnologie und Weltliteratur (1870-
    1960)* vor allem zu ethnologischen Außenseitern oder Laien wie Wilhelm Bleek,
    Franz Baermann Steiner und Aby Warburg angestellt hat.

48 Ich habe diese Recherchen 1998/99 mit auf der Grundlage von finanziellen Mit-
    teln des Sonderforschungsbereiches 511 »Anthropologie und Literatur« der Uni-
    versität Konstanz durchführen können und muß mich in diesem Zusammenhang
    sehr bei Gerhart von Graevenitz und Manfred Weinberg für vielerlei Unterstüt-
    zung bedanken.

49 Moritz Lazarus, »Über einen alten Opferbrauch« (mit Kommentaren von Vir-
    chow und Bastian), in: *Zeitschrift für Ethnologie*, dort in den Verhandlungen der
    Berliner Gesellschaft für Anthropologie, Ethnologie und Urgeschichte, Bd. III,
    1871, S. 56-60, dort S. 60.

Dialog, in dem die beiden jüdischen Mitgründer der Gesellschaft sich zu deren Informanten in Sachen Judentum machen – Heymann Steinthal auf Lazarus' Vortrag und schildert die materielle Kultur des Judentums als ein Stück lebender Prähistorie und frühester Kultivierung des Barbarischen. Es geht um ein von Consul Wetzstein als Sammlungsstück gezeigtes und kommentiertes Schofar-Horn:

»So sehen wir, wie sich bis in die höchst kultivierten Verhältnisse hinein die ältesten, primitiven Dinge erhalten und dadurch eine Bedeutung für die Symbolik gewinnen, worüber in unseren Versammlungen auch Hr. Prof. Lazarus schon einmal gesprochen hat. Sonst muß ich sagen, daß Hr. Wetzstein eine so gründliche Belehrung geboten hat, wie kein Israelit sie besser hätte geben können.«[50]

Die Frage nach dem Judentum als einem »Anderen« des Christentums bewegt die miteinander korrespondierenden Äußerungen, denen ansonsten nur noch einige sehr fachspezifisch linguistische Kurzbeiträge Steinthals zur Seite stehen. Will man aber die kargen Sitzungsberichte oder auch die schwachen Abstimmungsergebnisse für Steinthal bei den Vorstandswahlen als Zeugnisse von Polemiken unter den Mitgliedern deuten, so muß man auch beachten, daß im Zusammenhang mit den beiden prominenten Juden immer auch von Virchow, der Gründer und Patron der Gesellschaft, die Völkerpsychologen lobend zu Wort kommt und daß Steinthal bei der Gründung 1869 sowie noch einmal 1880 dem Vorstand der Gesellschaft angehörte. Es gab Kräfte, die gegen die Isolation von Steinthal und Lazarus wirkten, und – wie im Falle des »Kaiserjuden« Aby Warburg – sie wirkten gerade auch von oben her in die Gesellschaft hinein. Noch hätte die Tendenz zum Ausschluß der Juden und ihrer Ideen umschlagen können in einen neuen liberaleren Universalismus des universitären Lebens.

Ähnlich verhält es sich mit den Ergebnissen der Untersuchungen von Markus Verne, der, gefördert aus Mitteln des Konstanzer Sonderforschungsbereiches »Literatur und Anthropologie«, die Umstände der Emigration von Franz Boas in die USA weiter aufgeklärt hat.[51] Es gab Widerstände gegen eine Karriere des jüdischen Forschers, deren Hintergrund aber eher im Fachlichen liegen könnten.

50 Berliner Gesellschaft für Anthropologie, Ethnologie und Urgeschichte, »Sitzung am 20. März 1880«, in: *Zeitschrift für Ethnologie*, Band 12, 1880, 2. Lieferung, S. 57-82, dort S. 63-74, bes. S. 73.
51 Markus Verne, »Promotion, Expedition, Habilitation, Emigration. Franz Boas

Die Hinweise auf antisemitische Tendenzen bei der Beurteilung Boas' durch deutsche Akademiker sind karg und den Ausschlag für seine Entscheidung zur Emigration scheint die Verlobung mit einer in Amerika lebenden jüdisch-deutschen Emigrantin gewesen zu sein. Der Geograph Fischer ermutigte Boas, beim Warten auf die ersehnte Professur durchzuhalten, und riet ihm gleichzeitig ab, in diesem Zusammenhang zum Christentum zu konvertieren: »Wenn Israeliten darüber klagen, … [als] solche nicht vorwärts zu kommen, so liegt das an ihrer Person, nicht an ihrer Confession …«[52] Allerdings ist aus dem biographischen Material auch ersichtlich, daß Boas später nicht gerade zur Rückkehr aufgeforderts wurde, obwohl er zum Beispiel zu den Mitgründern und Sponsoren der Notgemeinschaft der Deutschen Wissenschaft in den zwanziger Jahren zählte. Später gab es dort Probleme im Zusammenhang mit seinen Stiftungen; man fragte sich, ob es erlaubt sei, im Dritten Reich finanzielle Unterstützung seitens eines Juden anzunehmen. In den Unterlagen der Berliner Gesellschaft findet sich das vom 17. 11. 1938 überlieferte Anschreiben eines Mitglieds, in dem die Frage gestellt wird, ob man einen solchen »giftigen Gegner Deutschlands« in der Gesellschaft dulden könne. Es war die Zeit des Ausschlusses »unarischer Mitglieder« per Dekret des Vorstands vom 14. 11. 1938. Doch wir neigen heute dazu, die Ereignisse vor 1933 im Lichte solcher späterer Entwicklungen zu beurteilen. Boas' amerikanischer Onkel, der 1853 geflohene 1848er Demokrat und Kinderarzt Franz Jacobi, warnte den Neffen:

»… wenn ich Franz Boas wäre, und hätte die Aussicht auf eine Deutsche Professur, so würde ich für die arbeiten. Der Umstand, daß die deutschen politischen Verhältnisse mir nicht zusagten, wäre kein genügender Grund, am Dulden und Verbessern nicht teilnehmen zu wollen. Hier gefällt mir auch nicht alles, man arbeitet an der gemeinschaftlichen Aufgabe.«[53]

Wer sich immer nur auf die demonstrative Neutralität der Diskursanalyse und der genealogischen Rekonstruktion von Wissen verlassen will, landet unter Umständen auch einmal bei der Rhetorik des

und der schwierige Weg, ein wissenschaftliches Leben zu planen (1881-1887)«, in: *Paideuma*, Bd. 50, S. 81-99.

52 Verne (Anm. 51), S. 93

53 Brief vom 17. Januar 1885, recherchiert von Markus Verne in den Mikrofilm-Aufzeichnungen des amerikanischen Briefwechsels von Franz Boas.

Verdachts. Wer aber ernsthaft nach Schicksalen von Verfolgung und Denunziation im Dritten Reich sucht, gerät leicht wieder in das Dickicht der Unwägbarkeiten des gelebten Lebens, der »Heterogonie der Zwecke«.

Schluß

Offensichtlich gibt es keinen Schutz gegen rassistische Rückfälle in der Anthropologie, keine Gedankenformationen, die sich in jeder historischen Situation immer als gut und richtig erweisen müssen. Man könnte den Zusammenhang zwischen Selbsthaß und Verunsicherung, Stolz und Dialog sogar so weit steigern, daß man eine grundsätzliche Möglichkeit der Nähe zwischen anthropologischem Partikularismus, »Ethno«-Logie, anthropologischem Fundamentalismus und sogar noch dem Universalismus des Allgemeinmenschlichen mit rassistischen, faschistischen und fundamentalistischen Ideen konstatiert. Doch es gibt als Heilmittel dagegen nicht nur die Enthaltsamkeit der totalen Dekonstruktion, sondern auch die Möglichkeit einer immerwährenden Bastelei nach dem Vorbild der ungebildeten, aber kulturschaffenden Objekte anthropologischer Forschung. Es gibt die Möglichkeit, sich in einen offeneren Zusammenhang von Ideen und Zeitumständen hochzuarbeiten, die Diskurse in ihrem Realitätsgehalt ernüchtert zu ordnen und zu einem Kompromiß zwischen Empathie und kühler Beobachtung, Kulturvergleich und Kritik, evolutionärem Denken und partikularer Dialogik zu gelangen. Die Ethnologie der politischen Korrektheit, zumal in Deutschland, neigt dazu, bei der Kritik der Kompensationsfunktionen des Faches stehenzubleiben – zu den Aufgaben der Ethnologie gehören aber auch der Kulturvergleich, das evolutionäre Ordnen, der materialistische Blick auf Kultur. Das Verhältnis zwischen Ideen und Praktiken sollte von keiner der beiden Seiten her naiv als Ursache-Wirkung-Relation verstanden werden. Das ist nicht zufällig ganz im Sinne von Wundts Begriff einer »Heterogonie der Zwecke«. Was in der deutschen Tradition als wirre Empathie erscheint und später als rassenstolzer Chauvinismus und Exklusion der Juden, kann sich im amerikanischen Kontext zu einer Lehre steigern, welche die Integration vieler Kulturen zunächst erleichtert – allerdings ist dabei ein Patchwork von Minderheiten entstanden, das im Rahmen zukünftiger fundamentaler Politiken als Erbe des historischen Partikularismus auch große Gefahren birgt. Selbst Strukturfunktionalismus und soziale Anthropologie in kulturhistorischer Verfeinerung konnten im deutschen Kontext zu einer Rassenlehre verkommen. Jüdische Universalisten konnten noch im Deutschland der 1880er Jahre eine zwar später vergessene, doch seinerzeit unumstrittene Existenz führen. Und die akademischen Schüler von Nazi-Anthropologen nahmen in Deustschland in den siebziger Jahren des 20. Jahrhunderts die »Writing-Culture«-Debatte um zehn Jahre vorweg.

Überspitzte Dekonstruktion, Partikularismus, politische Korrektheit haben ihre je eigenen Potentiale an Gefährlichkeit, die sie wenig von den positiven, naiven und unkritischen Wissensformen unterscheiden, welche sie so sehr bekämpfen. Franz Boas kann uns so als ein Professor Ambrosius erscheinen, der den »Tanz der Vampire« im Schloß der partikularistischen und feudalen Blutsauger beendet hat, aber auf seiner Flucht durch die schneebedeckten Wälder der Karpaten, des letzten bis heute nicht voll erschlossenen Gebiets Europas, selbst jenen Vampirismus, den er einzudämmen hoffte, über die ganze Welt verbreitete. Habitus kann über rationale Gedankenformation in einem Maße triumphieren, das uns an den Möglichkeiten der Aufklärung verzweifeln läßt; und doch müssen wir uns immer wieder in das paradoxe Experiment wagen und versuchen, Idealisten von der materiellen Gebundenheit ihrer Ideen zu überzeugen.

Der weltweite kontinuierliche Boom anthropologischer Studien über den Fremden als Gast und als Freund macht uns auch gelegentlich unfähig, gefährliche Eigenschaften »des Fremden« zu erkennen, doch schon sind die weiteren Wellen im Hin und Her von Relativismus und evolutionärem Denken, Kulturvergleich und kritischer Theorie klar zu erkennen. Sie führen im Zeitalter der Mittelverknappung auch in Deutschland schnell, aber nicht unumkehrbar auf ein breites Feld der kulturwissenschaftlichen und kulturanthropologischen Debatte, welches Ansätze der Literaturwissenschaft, der Volks- und Völkerkunde, der übrigen Geistes- und Sozialwissenschaften und sogar einen neuen biologischen und geographischen Materialismus einbeziehen kann. Gerade darum ist es heute an der Zeit, eine gründliche Sichtung aller Ansätze anthropologischen Denkens im historischen Querschnitt einzuleiten –

vielleicht wird das eine ernüchterte und breit dem Ideal der Bildung verpflichtete Innen- und Außenpolitik jener kulturwissenschaftlich vergrößerten anthropologischen Nation ermöglichen, an der uns heute so gelegen ist in Deutschland.

Gerhart von Graevenitz
› Verdichtung ‹

Das Kulturmodell der »Zeitschrift für Völkerpsychologie und Sprachwissenschaft «[1]

> »… so gibt es doch weder in Wirklich-
> keit, noch im Bewußtsein irgend jeman-
> des den absoluten Menschen, sondern
> nur verschiedene Menschen und ver-
> schiedene Begriffe Mensch.«
> (H. Steinthal, ZVps, I, 325)

Die Wissenschaft einer Zeitschrift

Die *Zeitschrift für Völkerpsychologie und Sprachwissenschaft* – im folgenden als *ZVps* abgekürzt – ist eine wissenschaftliche Zeitschrift
wie jede andere und doch mehr als dies.[2] Sie ist nicht nur Forum wie
andere Zeitschriften auch, sondern zugleich das institutionelle Zen-
trum einer neuen Wissenschaft. Andere etablierte Fächer haben
Lehrstühle, Institute, Fakultäten und Zeitschriften. Andere neue
Fächer fangen in Zeitschriften an und erlangen dann die überkom-
menen Formen der akademischen Anerkennung. Die jüdischen
Vertreter der Völkerpsychologie sind in Deutschland nicht auf
Lehrstühle berufen worden, die Völkerpsychologie gibt es nicht als
Fach, sie ist in der Soziologie, in der Ethnologie und in bestimmten
Spielarten der Anthropologie verschwunden. Die Völkerpsycholo-
gie von Lazarus und Steinthal blieb weitgehend identisch mit ihrer
Zeitschrift, und dieser Umstand ist auch strukturell von Bedeutung.
Mehr als die akademischen prägen die publizistischen Strukturen
das Aussehen und das Selbstverständnis dieser neuen Wissenschaft.
    Die *ZVps* wandte sich 1860 an eine wissenschaftliche Öffentlich-

---

1 Der Beitrag ist die gekürzte Fassung eines Aufsatzes, der erschienen ist in *kea* 12
   (1999), S. 19-57.
2 Für die Anregung zur Beschäftigung mit der *Zeitschrift für Völkerpsychologie und
   Sprachwissenschaft* und viele hilfreiche Hinweise danke ich Thomas Hauschild.

keit, die zugleich den Kern bildete für die Öffentlichkeit des nach-1848er Liberalismus, sie wandte sich an das professionell akademische oder akademisch geschulte Bildungsbürgertum. Diese Öffentlichkeit war nach 1850 in einer Medienexpansion ganz neuen Ausmaßes gewachsen. Neue Drucktechniken und neue Druckmengen hatten die sogenannte »Bildungspresse«[3] erzeugt, ein nach Inhalten, politisch-ideologischen Ausrichtungen und Darbietungsformen stark diversifiziertes Medium, im kleineren Maßstab eine Vorform der heutigen Situation des Zeitschriftenmarktes.

Die Bandbreiten der Abweichungen waren schmaler in dem vom diffusen und schwankenden Konsens des Nicht-Zulässigen zusammengeschalteten Konglomerat der »bürgerlichen Presse«. Im 19. Jahrhundert ließ sich dieser Konsens noch leichter positiv formulieren entlang bürgerlicher Werte und elementarer Ideologien des Liberalismus. Die bürgerlichen »Freiheiten«, denen auch die *ZVps* großen Raum gab, begannen noch stets mit der Freiheit von den alten religiösen Fesseln. Religionskritik, die aus Glauben und Aberglauben aufgeklärte »Weltanschauung« machte, die in der Tradition der David Friedrich Straußschen Theologie oder der Ludwig Feuerbachschen Anthropologie Glaubenslehren und Glaubensbilder auf philosophische Grundsätze zurückführte, dieser Art der Religionskritik verschrieb sich auch die *ZVps*. Im achten Jahrgang veröffentlicht Heymann Steinthal einen Aufsatz »Zur Religionsphilosophie«, in dem er alle Topoi der liberalen Religionskritik abarbeitet, weil es Aufgabe der Völkerpsychologie sei,

»auch zur Gestaltung der Gegenwart beizutragen [...], zur Bildung unserer Weltanschauung und der ihr entsprechenden öffentlichen Einrichtungen. Eine Disciplin, wie sie, welche sich zum Object den Gesamtgeist gewählt, kann sich zum Beispiel nicht damit begnügen, das Leben der religiösen Gemeinde in seinem geschichtlichen Schicksal zu erforschen« (VIII, 257).

Darum ist »Völkerpsychologie« nicht mit »Culturgeschichte« zu verwechseln, »sondern sie muß positiv durch bestimmte Aufstellungen die Religion unserer Tage bestimmen«.

---

3 Zum folgenden vgl. Verf., »Memoria und Realismus – Erzählende Literatur in der deutschen ›Bildungspresse‹ des 19. Jahrhunderts«, in: Anselm Haverkamp, Renate Lachmann (Hg.), *Memoria. Vergessen und Erinnern*, Poetik und Hermeneutik 15, München 1993, S. 283-304; Rudolf Helmstetter, *Die Geburt des Realismus aus dem Dunst des Familienblattes. Fontane und die öffentlichkeitsgeschichtlichen Rahmenbedingungen des Poetischen Realismus*, München 1997.

Für die Juden Lazarus und Steinthal sind religiöse Freiheiten eng mit bürgerlichen Freiheiten verbunden. Man muß dabei zwei Richtungen im Auge behalten. Lazarus und Steinthal[4] sind Exponenten des Reform- und Assimilationsjudentums »nach innen« und damit auch Exponenten der Emanzipation »von außen« oder, im Kaiserreich, exponierte Adressaten und Objekte eines sich verschärfenden Antisemitismus. Weniges dokumentiert anschaulicher die wissenschaftliche Praxis der liberalen Aufhebung alter Schranken als Steinthals Vergleich von jüdischer Simson- und griechischer Heraklessage. Mit Mythenkritik und Mythenvergleich hat David Friedrich Strauß die liberale Religionskritik eingeläutet. Steinthal benützt den Mythenvergleich zur Kritik unhaltbarer religiöser und kultureller Trennungen. »Der Kern dieser mannichfachen Übereinstimmungen [zwischen Simson- und Heraklessage] dürfte in der That auf eine ursprüngliche Identität der mythischen Anschauung der erst später von einander getrennten Semiten und Indogermanen zurückzuführen sein« (II, 164). Der völkerpsychologische Mythenvergleich macht Sätze wie den folgenden möglich: »Nicht anders als bei den Deutschen kann es bei den Hebräern gewesen sein« (II, 166).

Zur Freiheit des 1848er Liberalismus gehörte die Einheit, das für die Modernisierungsgeschichte des 19. Jahrhunderts charakteristische Handeln und Denken im Rahmen von Nationalstaaten. Die »Völker« der Völkerpsychologie sind Nationen. Im programmatischen Einleitungsartikel der *ZVps* entwerfen Lazarus und Steinthal ihre eigene Version dieser Modernisierungsgeschichte. Das kosmopolitische Zwischenspiel des Mittelalters, »wo politische und religiöse Ideen die Bestimmtheit der Volksgeister zu überspringen und ihre Bedeutung zu verwischen scheinen«, wird beendet durch die von der »ursprünglichen Bestimmtheit des germanischen Volksgeistes« erzeugte Reformation. Diese Reformation bedeutet »einen so ungeheuren, wesentlichen und günstigen Rückschlag [...], daß man bekanntlich lange genug das ganze Mittelalter für eine bloße Nacht chaotischer Gährung ansehen konnte, aus welcher die moderne Welt des national gesonderten Geisteslebens wie ein junger Tag sich leuchtend emporhebt« (I, 6).

---

4 Vgl. zum folgenden Ingrid Belke, »Einleitung« zu Moritz Lazarus und Heymann Steinthal, *Briefe.*

Die Engstirnigkeit des nationalen Liberalismus, der die Einheit zunehmend als Ersatz für die Freiheit akzeptierte, teilten auch die Völkerpsychologen. An der Pflege nationaler Stereotypen haben sie kräftig mitgewirkt. Die »Behendigkeit der Franzosen, die Steifheit der Engländer, die Grandezza der Spanier und Würde der Türken, die Schwerfälligkeit der Holländer, Festigkeit der Deutschen« (III, 52) waren keineswegs marginale Themen der Zeitschrift und nahmen nicht selten die Gestalt schlichter Chauvinismen an: »So betrachten Sie einmal den egoistischen Krämergeist, der sich wie ein rother Faden durch das Englische Wesen und die englische Politik und Gesetzgebung hindurchzieht« (II, 500). Ingrid Belke hat darauf hingewiesen, daß Lazarus bis ins Pathos hinein mit Heinrich von Treitschke, einem seiner schärfsten antisemitischen Widersacher, gemeinsame nationale Sache machte. »Beide treten für eine sehr nationalistische Politik ein, für eine Politik der Stärke, beide argumentieren mit einem drohenden Krieg.«[5] Daß ihre »Völker« national gedacht waren, ist ein Grund dafür, daß die Völkerpsychologie in ihrer ursprünglichen Form keinen Bestand haben konnte.

Zum vagen ideologisch-politischen Konsens der liberalen bürgerlichen Öffentlichkeit kommt ein etwas deutlicherer Konsens im Selbstverständnis und in der Wirkungsabsicht der »Bildungspresse«. Ganz abstrakt formuliert lautet dieser Konsens: Einheit ist eine Funktion der Differenz. Dem Ideal der einen Vernunft und der einen, von den Bürgern vertretenen Humanität stand das Schicksal der Teilungen gegenüber. Einerseits gab es die Einheitsfiktion des »öffentlichen Bewußtseins«, andererseits gab es dessen Wirklichkeit, die Zersplitterung des Publikums in ganz heterogene Grade der Aufgeklärtheit und der Öffentlichkeit, die erst in einer großen Erziehungsanstrengung zur Einheit des Bewußtseins zusammengeführt werden können. Für beides steht die Terminologie *Völker*psychologie ein: »Volk« heißt das öffentliche Bewußtsein und in »Volksschriften«, von der Bibel bis zur Presse, bildet es seinen Zusammenhalt.

›Einheit‹ ist rein formal die in einen bestimmten Systemrahmen geordnete Beziehungsvielfalt des einzelnen. Einheit ist die systemische Funktion der Differenz, ist ein Raum, der sich aus der Stellung der Örter ergibt und auf den bezogen die Örter eine bestimmte

---

5 Ingrid Belke, ebd., S. LXXI.

Stellung haben. Wie die Herbartianer die Frage der Substanz in die »Seele« evakuiert haben, um deren Tätigkeit, den »Geist«, desto ungestörter als formales, mathematisierbares Relationssystem von Qualitäten entwerfen zu können, so nimmt Steinthal aus der Sprachanthropologie den Substantialismus der Menschennatur heraus, reformuliert diese nicht mehr qualitative Einheit als einen systemisch gerahmten oder perspektivierten Beziehungspluralismus. »Völker« sind also wie die ›einzelnen bestimmten Sprachen‹ nicht das Material für die von Gerland geforderte Einheitsanthropologie, die auf den von Steinthal perhorreszierten Begriff vom »absoluten Menschen« zielt. »Völker« sind Merkmalsplurale, die als Beziehungsplural die formale Systemeinheit des Menschlichen bilden, oder einfacher gesagt: »Die Form des Zusammenlebens der Menschheit ist eben ihre Trennung in Völker« (I, 5).

Aber verschwindet der systemische Relationismus, der perspektivierte Pluralismus der »Völker« nicht im Singular »Volk«, der seiner ganzen semantischen Tradition nach ein Brennpunkt für anthropologischen Naturalismus und Substantialismus war, und folgt die *ZVps* nicht den substantialistischen Suggestionen, wenn sie glaubt, daß der »Volksgeist in der gesellschaftlichen Verfassung und in allem, was den Staat ausmacht, wie eine Seele in ihrem Leibe wohnt« (I, 20)? Gewiß, in ihren schwachen Stunden, und deren sind nicht wenige, erliegt die Völkerpsychologie den Einflüsterungen ihrer eigenen, an die idealistische Bildungstradition angepaßten Terminologie von »Volk«, »Seele«, »Geist« und »Bewußtsein«. Doch wenn es um die Hauptsache geht, um die Konzeptualisierung eines völkerpsychologischen und darum gerade nicht traditionellen Begriffs von »Volk«, dann setzt sich wieder das aus der Herbartschen Psychologie stammende, entsubstantialisierte Beziehungsdenken durch. Das Beziehungssystem der Völker ist kein System von natürlichen Substanzen, sondern ein System kultureller Konstrukte. »Kein Volksgeist ist Erzeugnis der Natur«, stellt der Einleitungsaufsatz der *ZVps* wieder in aller wünschenswerten Klarheit fest, »und keiner ist so, wie er ist, ohne Mitwirkung der Natur« (I, 39).

Cultura culturans und cultura culturata –
»objektiver Geist«

»Weil der Irländer den irischen Volksgeist hat, ist er durch solche Schicksale gegangen, und aus beiden Gründen lebt er von Kartoffeln. Jetzt ist, in Folge der Rückwirkung, der irische Volksgeist durch die Kartoffel mitbestimmt« (I, 39).

Ganz freiwillig ist diese Komik nicht, die sagen will, daß die »Natur« im Volksgeist eine zirkuläre Konstruktionsbeziehung ist. Gut idealistisch sagt der Völkerpsychologe, »es gibt nur Gedachtes« (I, 313), und schaltet »humboldtisch« die Sprache als Werkzeug und Mittel ein, um aus dem Gedachten »Welt-Anschauung«, »Weltschöpfung« entstehen zu lassen. »Die Sprachen also sind Weltschöpfungen, wodurch sowohl die einzelnen Objecte für den Volksgeist werden, als auch zur Einheit einer Welt sich zusammenschließen« (I, 313 f.). Die Welt ist sprachlich konstruiert, aber das konstruierende Volk selber? »Was ist ein Volk?« (I, 32) In geduldiger ›negativer Arbeit‹ zeigen Steinthal und Lazarus, daß Abstammung, Gleichheit der Sprache oder Rasse keine Grundlagen für den Volk-Begriff sind, daß also alles, was seine ideologische Gefährlichkeit begründet, vom wissenschaftlichen Volk-Begriff der Völkerpsychologie ausgeschlossen bleibt. »Nicht irgendeine Substanz«, schreibt Steinthal in einer Besprechung, »und Kraft also, Judenthum genannt, macht aus gewissen Menschen Juden; sondern gewisse Menschen erzeugen das Judenthum, und sie erzeugen es unter sich in sehr verschiedener Weise […]« (I, 509). »Volk«, so definiert der Einleitungsartikel, »ist eine Menge von Menschen, welche sich für ein Volk ansehen, zu einem Volk rechnen« (I, 35). »Volk ist ein geistiges Erzeugnis der Einzelnen, welche zu ihm gehören; sie sind nicht ein Volk, sie schaffen es nur unaufhörlich« (I, 36). Die Erkenntnis schafft ihren eigenen Gegenstand, ist mit ihm gleich ursprünglich, »daß [einer] Ungar ist, das weiß er unmittelbar als solcher und unfehlbar, weil er sich unaufhörlich dazu macht« (I, 37). Aber nicht nur für den einzelnen, auch für den Volksgeist als ganzen gilt diese zirkuläre Selbstbegründung der Konstruktion »Volk«: »Volk ist das erste Erzeugniß des Volksgeistes«, ist nach idealistischem Vorbild das vom Bewußtsein »selbst erzeugte Selbstbewußtsein«.[6] Ein bißchen ist das Volk viel-

6 ZVps I, S. 36; vgl. Moritz Lazarus, *Das Leben der Seele*, I, S. 372.

leicht doch noch das sich selbst setzende Ich Fichtes oder dessen Hegelscher Nachfolger »Geist«, der ja auch aus sich eine Welt heraussetzen mußte. Der »Volksgeist« ist Schaffender und als »Volk« das Geschaffene zugleich, *cultura culturans* und *cultura culturata* in einem, denn die Völkerpsychologen beeilen sich, den schaffenden und den geschaffenen Geist schnell von den Hegelianismen weg auf die Seite der materiellen Kultur zu bringen.

Mit einem hegelschen Begriff in ausdrücklich unhegelianischer Bedeutung,[7] und damit belastet mit einer changierenden semantischen Zwischenstellung, als »objektiven Geist« bezeichnet Lazarus das kulturell konstruierte, das »folgerichtige *System* von Anschauungen, Vorstellungen, Begriffen und Ideen«, die »Summe alles geistigen Geschehens in einem Volke ohne Rücksicht auf die Subjecte«, »das Product seiner allseitigen Thätigkeiten« (III, 43 f.). Dreierlei macht den »objektiven Geist« als Kulturbegriff der Völkerpsychologen interessant: daß er die kulturelle Konstruktion des Geistigen gerade auch im Materiellen ansiedelt, daß er die kulturellen Konstrukte als *System* auffaßt und daß er dieses System in *Metaphoriken* beschreibt, die bis heute gebräuchlich sind. »Die Culturgeschichte *aller* Nationen« (I, 24) ist Material der Völkerpsychologie, kein Volk, kein Gebiet und keine Zeit seiner »Cultur« sind ausgeschlossen. Nicht in der intellektuellen Kultur der Wissenschaften und Künste oder, wie später in Wilhelm Wundts frühgeschichtlich verengtem Begriff der Völkerpsychologie, in »Sprache«, »Mythos« und »Sitte« allein, sondern »in der Herstellung von allen körperlichen Dingen zum realen oder symbolischen Gebrauch findet der objektive Geist eines Volkes seinen bleibenden Ausdruck« (III, 45). In »Maschinen und Werkzeugen« ist der objektive Geist ebenso manifest wie in »Büchern und Schriften aller Art«.

»Die Handhabung der Nähmaschine erfordert und erzeugt eben so viel Intelligenz als die Hantirung mit der bloßen Nadel; die Leitung eines Baggerdampfers ist ein edleres Geschäft als die Arbeit am Baggerer mit eigener Leibeskraft. Und wie viel höher steht der Locomotivführer als ein Frachtkutscher? Um davon nicht zu reden, daß es heute in jedem Culturlande Europas, und zwar nur in Folge der Ausbreitung des Maschinenwesens, so viele wissenschaftlich gebildete Techniker für Herstellung und Leitung von Maschinen gibt, als es ehemals Schlosser gegeben hat« (III, 49).

7 Vgl. Moritz Lazarus, *ZVps* III (1865), S, 41; Ingrid Belke, S. XLIX ff.; Hans-Ulrich Lessing, »Bemerkungen zum Begriff des ›objektiven Geistes‹ bei Hegel, Lazarus

Keine Technikphobie ist zu erkennen beim Zeitgenossen der Industrialisierung. Zwar gibt Lazarus ein »Totalbild des objectiven Geistes«, in dem die alte Hierarchie von Materiellem und Geistigem aufrechterhalten ist. Auch Völkerpsychologie bleibt eine Wissenschaft vom *Geist* und vom objektivierten *Gedanken.* Und doch sind es die »Verkörperungen«, der »psycho-physische Organismus«, die »materiellen Verhältnisse« (III, 49), die schon rein mengenmäßig ihr Hauptinteresse beanspruchen. Erst ganz zuletzt wird das »geistige Leben (der Einzelnen wie der Gesamtheit)« genannt, hierarchische Spitze, aber eben nicht losgelöst von der materiellen Kultur. Wo die »Geisteswissenschaft« Diltheyschen Typs zu einer anthropologisch motivierten Systematik philosophischer Weltbilder tendieren wird, da entwirft die Völkerpsychologie Geisteswissenschaft als Wissenschaft vom System materiell und medial gebundener kultureller Konstruktion. Sie stellt das dar, was, zur Abgrenzung von der Diltheyschen Bedeutung von »Geisteswissenschaft«, heute »Kulturwissenschaft« genannt wird, und läßt sich daher auch nicht auf die Diltheysche Zwei-Reiche-Lehre ein: Mit der Herbartschen Psychologie stellt sie sich »als eine dritte Wissenschaft zwischen die Naturwissenschaft und Geschichte« (I, 16).

Den *System*-Begriff des »objektiven Geistes« beschreibt Lazarus in Analogie zur Sprache eines Volkes, die in ihrem »Lexikon« und in ihrer »Grammatik (beziehungsweise in der Mehrheit [der] dialektischen und provinziellen Grammatiken) durchaus vollständig niedergelegt ist«. ›Sprache als System‹ – es gibt ja begründete Annahmen, daß Saussure bei Steinthal gelernt hat – ist wieder gegen den organologischen Substantialismus gerichtet. »Die Sprache ist weder Pflanze noch Thier, sondern innerlich ein Vor- und Darstellungs-System und äußerlich ein lautliches Zeichen-System parallel zum innerlichen und in Wechselwirkung mit ihm. Ferner aber ist sie weniger ein System, als viel mehr ein systematisches Verfahren« (II, 480). Das heißt, das »System«, das, was Herbart die »Statik« nennt, ist »das Seiende und Bleibende neben den vorübergehenden Acten des wirklichen Sprechens«. Die »Acte«, die »individuelle Thätigkeit des Einzelnen« sind das »System« im Zustand des »systematischen Verfahrens«, sind *langue* und *parole,* wie Saussure später das

und Dilthey«, in: *Reports on Philosophy* 9 (1985), S. 45-62; Klaus Christian Köhnke, *Der junge Simmel,* S. 202 f., 343 f., 348 ff., 392 f.

bei Steinthal Gelernte formulieren wird. Sprache und Sprechen, System und Akt, objektiver Geist und individuelles Produkt sind wieder regulär verbunden. Was sich aus dem System herleitet, kehrt, es verändernd, in das System zurück: »Aus der Thätigkeit aller Einzelnen ursprünglich geboren, erhebt sich der geistige Inhalt, als fertige That, sofort über die Einzelnen, welche ihm nun unterworfen sind, sich ihm zeigen müssen« (III, 41).

Der Herbartschen Psychologie entnimmt Lazarus die Vorstellung, daß der »objektive Geist« als »Beziehung, Durchdringung und Bewegung« zu denken sei, wie der im objektiven Geist manifeste Volksgeist sich teilen läßt in »Gruppen von Gedankensystemen«, die wiederum zusammenfinden als »Geflecht« und »Gewebe«. »Das geistige Leben der Gesamtheit, wie das der Einzelnen stellt sich so als ein mannichfaltig verschlungenes Gewebe dar, dessen durchsichtige Erkenntniß zu den wichtigsten und schwierigsten Aufgaben der Psychologie, wie der Geschichte gehört« (III, 21). Denkt Lazarus sich dieses Relationsgeflecht in Bewegung, spricht er von der »Circulation der Ideen« oder, in chemischer Analogie, von der »Endosmose der Ideen« (Wanderung fester oder flüssiger, in einer Flüssigkeit suspendierter Teile). »Kultur als Gewebe« ist über eine deutsche Rückübersetzung eines Max-Weber-Zitats in Clifford Geertz' kulturwissenschaftlicher Programmschrift ebenso zur Standardmetapher heutiger Diskussion geworden wie Stephen Greenblatts »Zirkulation sozialer Energien«. Auch der Ökonomismus der Greenblattschen Zirkulations-Metapher stand Lazarus zur Verfügung: Oft genug zieht er die »Nationalökonomie« (vgl. I, 24) zur Beschreibung des tätigen, des zirkulierenden Volksgeistes heran. »Gewebe« und »Zirkulation« sind, wenn man Steinthals Hörer Saussure als Wasserscheide benutzt, im einen Fall *vor*-strukturalistische, im anderen Falle nach-strukturalistische Umschreibungen für eine materielle und medial gebundene Kultur, die zum komplexen Relationssystem geordnet ist, die nach den Regeln des Systems in produktiver Tätigkeit ist und in individuellen Akten das System zugleich aktualisiert und verändert. Die Zirkulation ist »zirkulär«: das kulturelle System produziert in seinen Produkten sich selbst, die Kultur ist ihr erstes Konstrukt, »Volk ist das erste Erzeugniß des Volksgeistes«. Aber wenn man die Kreisbewegung nachzeichnet, zeigt man den Systemplan des »Gewebes«.

Kulturelle Konstruktion (phantasia – Apperzeption)

»Volksgeist«, »objektiver Geist«, die in Einzelvölker geteilte Menschheit sind für die herbartianischen Völkerpsychologen Beziehungssysteme. Gemessen an den ausgereiften Systemtechnologien Luhmannscher Observanz handelt es sich zweifellos um vorindustrielle Systembasteleien. Gleichwohl heißen die Kategorien des neuen Paradigmas einer antisubstantialistischen Kulturwissenschaft Differenz, Pluralität, Relation und System. Aber stärker als der Saussuresche »System«-Begriff, der ja erst später zur »Struktur« des Strukturalismus umgemünzt wurde, ist das herbartisch-völkerpsychologische System eines von Bewegungen. Der Geist ist Tätigkeit der Seele, die ›Statik‹ der Struktur nur Voraussetzung für die »Mechanik« seiner Produktivität. Kulturelle Arbeit ist ein Prozeß, der Wandel und Entwicklung ermöglicht. Die Völkerpsychologen entziffern nicht das Gewebe kultureller Texte, interpretieren nicht die Wegekarten kultureller Zirkulation. Völkerpsychologen versuchen zu erklären, durch welche Prozesse im kollektiven Bewußtsein solche Gewebe und Zirkulationen entstanden sind, wie sie sich verändern im veränderlichen Gefüge der kulturellen Entwicklung: »so hat die Geschichte, das heißt die Biographie der Menschheit, in der Völkerpsychologie ihre rationale Begründung« (I, 19).

Kernbegriffe des völkerpsychologischen Denkens in Prozessen, für die Betrachtung des »Systems« der Kulturgeschichte als »systematisches Verfahren« sind der Herbart/Steinthalsche Begriff der *Apperzeption* und der Lazarussche Begriff der *Verdichtung*. »Vereinigungen«, »Complexionen«, »Complicationen«, »Verschmelzungen«, »Verwebungen«, »Involution«, »Reproduktion« sind Herbartsche Termini, mit deren Hilfe die Dynamik des psychischen Systems in Relationstypen zerlegt werden soll. Das sind »Grundprocesse« (XII, 444), aus denen durch »complicirte Combinationen«, so Misteli, »Apperception« entsteht. Apperception, in dem sehr erweiterten Begriff von Steinthal, ist die »durch die Grundprocesse ausgeführte Aufnahme und Assimilation der Wa[h]rnehmungen in den Organismus der übrigen Vorstellungen« (XII, 445). Herbart unterschied zwischen »Perzeption«, in der »die Vorstellungen aufgrund der momentanen Auffassung der Sinne hervorgerufen« werden, und »Apperzeption«, in der »das neue Bild integrierend mit den bereits im Bewußtsein vorhandenen Vorstellungsgruppen und mit jenen, die noch älter sind und von ihm wieder aktiviert werden, verschmilzt«.[8] »Apperzeption« ist ein Gedächtnis und Wahrnehmung integrierender Vorstellungsprozeß, der das traditionelle Verhältnis von Subjekt und Objekt verschiebt. Charakteristisch für Herbarts Ich-Theorie, die das Ich als Effekt von Beziehungssystemen auffaßt, setzt er an die Stelle des Kantschen »Actus der Apperzeption: Ich denke« einen rein formalen Beziehungsbegriff: »Eine Vorstellung, oder Vorstellungsmasse, wird beobachtet; eine andere Vorstellung, oder Vorstellungsmasse, ist die beobachtende.«[9] Apperzeption ist »für Herbart und die Herbartianer kein Verhältnis mehr zwischen dem Ich und seinen ›Vorstellungen‹, sondern überhaupt zwischen gemeinsam in einem Bewußtsein auftretenden ›Vorstellungen‹«.[10] ›Ich‹ ist nur die letzte der Vorstellungen, die selbst nicht mehr vorgestellt wird. Alles »Denken« geschieht, so Steinthal, in »Apperzeptionen«. Die »Schöpfung neuer Gedanken« geschieht dadurch, daß zu einer vorhandenen »mächtigeren Vorstellungsmasse« eine »Vorstellung oder Vorstellungsreihe« neu hinzutritt.[11] Im Herbartschen Konfliktmodell der »Selbsterhaltungsreaktionen« ist es nur konsequent, daß das stärkere Vorhandene sich das Neue einverleibt. Solche »Aufnahme und Assimilation der Wahrnehmungen in den Organismus der übrigen Vorstellungen« (XII, 445) wendet Lazarus zur kulturellen Konstruktion der natürlichen Sinne:

»Als rein individuelle, einzelne Vorstellung bilden Newton und Göthe die von der Farbe nicht anders, durch kein anderes Mittel und auf keinem andern Wege, als der gewöhnlichste Bauernjunge, nämlich kurzweg durch Sehen; aber dieselbe Vorstellung empfängt einen ganz andern Inhalt, wenn sie mit andern Vorstellungsmassen in Verbindung kommt, wenn Vorstellungen von Naturgesetzen, vom Licht, vom Prisma, von Schwingung ihr zur Seite gehen und sie in ihren Complex aufnehmen. So tief greift dies ein, daß wir gar nicht weit genug zurückgehen können, um auf das einfache, ganz individuelle, das ist ganz natürliche, von vorhandenen Vorstellungen unabhängige Sehen zu kommen« (III, 16).

8 Dario F. Romano, »Der Beitrag Herbarts zur Entwicklung der modernen Psychologie«, S. 96.
9 Johann Friedrich Herbart, *Psychologie als Wissenschaft*, II, S. 211.
10 Manfred Ringmacher, *Organismus der Sprachidee*, S. 119 f.
11 Heymann Steinthal, »Zur Sprachphilosophie« (1857), in: ders., *Kleine sprachtheoretische Schriften*, neu zusammengestellt und mit einer Einleitung versehen von Waltraud Bumann, Hildesheim, New York 1970, S. 248-306; S. 266, 258.

Wichtigstes Werkzeug, »Medium« der Apperzeption und der kulturellen Konstruktion von Welt ist für die Humboldtianer die Sprache. Das gilt auf mehreren Ebenen. Das sprachliche Zeichen erklärt Steinthal als ein Laut und Anschauung, Laut und Bedeutung assimilierendes Apperzeptionsgeschehen[12] und erklärt damit ein Steckenpferd der Sprachhistoriker, den Lautwandel, psychologisch. Auf der Ebene der *Grammatik* kann er das von Jakob Grimm beobachtete Rätsel der »Attraktionen« auflösen und psychologisch als »Verschränkung« oder »Kreuzung zweier Reihen« (I, 107, 147) erklären, wobei »ein Wort die Form eines anderen, ihm dem Sinne und Raume nach nahestehenden Wortes annimmt gegen die Gesetze der Wortverbildung« (I, 440). Auf dem Felde der *Semantik* sind es die »Bilder, Vergleiche, Metapher[n]«, die sich der Apperzeptionstheorie anbieten. Sie »beruhen auf einem *tertium comparationis*, welches Erzeugniß einer Apperception ist«.[13] Nicht anders die Mythologie, die ein Denken in Bildern und Vergleichen ist, eine »Apperzeptionsform der Natur und des Menschen« (I, 44), und die zum Beispiel in der Prometheus-Sage irdisches und himmlisches Feuer einander »analog« setzt, wozu sie zwei Apperzeptionen leisten muß, »einmal von Seiten des in beiden Gleichen, und dann von Seiten des Verschiedenen« (II, 19), die Verähnlichung also des Unähnlichen. Wenn man von allen denkbaren Komplexitäten und Komplikationen einmal absieht, ist folglich Apperzeption auch zu definieren als »Setzung einer Identität Verschiedener«. Das sind natürlich, wenn man den Herbartschen Begriffsapparat einmal beiseite schiebt, die uralten Vorstellungen der Inventionslehre und der Metaphern-Theorie aus der rhetorischen Tradition. Die Metapher, die über einen ›natürlichen‹ oder ›künstlichen‹ *medius terminus* verlaufende »Setzung einer Identität Verschiedener«,[14] ist Grundbaustein einer ›ingeniösen‹, ›scharfsinnigen‹, ›witzigen‹ Erfindung neuer Zusammenhänge, und im Falle ihrer Verfremdung und Radikalisierung zum *concetto* ist sie auch Grundelement einer buchstäblich weltschöpfenden, Wirklichkeiten konstruierenden *phantasia*. In einem der Herbartschen Mathematisierung der Vorstellungsphantasie in gar keiner Weise entsprechenden, ganz rudimentären Gebrauch von

---

12 Vgl. ebd., S. 212 ff., und *ZVps* I (1860), S. 326, 420.
13 Heymann Steinthal, »Zur Sprachphilosophie«, S. 270.
14 Ebd., S. 267.

Geometrie hat die rhetorische Theorie der *phantasia* den Grundvorgang des Erfindens beschrieben als *concursus duarum linearum*.[15] Das ist, der Metaphorik nach, nichts anderes als die Herbart/Steinthalsche Kreuzung zweier »Reihen«, die sich in jeder »Apperzeption« ereignet. Auch die auf »Volksgeist«, den *sensus communis*, gerichtete *kulturwissenschaftliche* Perspektive der Steinthalschen Apperzeptionslehre kennt die rhetorische Tradition. Der von den Völkerpsychologen rezipierte Giambattista Vico hat in seiner Neuen Wissenschaft die metaphorischen Operationen der *phantasia*, den »phantastischen Gattungsbegriff‹, zum Strukturmerkmal für das ganze Denken der Alten und seine »poetische Logik« gemacht. Hier also ist die Völkerpsychologie im ganz wörtlichen Sinne »witzig«: sie reformuliert die alten rhetorischen Theorien der *inventio*, der *phantasia*, der »witzigen« Weltkonstruktion in Begriffen der Herbartschen Psychologie. Konsequent ist das vor allem im Hinblick auf den *System*charakter der Rhetorik. Rhetorisch bedeutet ja nicht nur ein System von Texterfindungsregeln, in dem auch die Eigenleistung des Textproduzenten ihren theoretischen Ort hat. Rhetorisch, näherhin topisch, ist auch das System der kulturellen Überlieferung, aus der die rhetorische *inventio* überhaupt ihre Gegenstände bezieht. Die emphatische Ent-rhetorisierung der systemgebundenen *inventio* hieß »Genie«, und mit der Herbartschen Zurückholung des »Ich« ins *System* des Vorstellens und Denkens holt auch Lazarus das »Genie« zurück ins kulturelle System des »objektiven Geistes«.

»Wenn aber die Werke des Geistes in Wahrheit *für* die Gesammtheit geschaffen sind, so geschieht es auch durch die Gesammtheit. Nicht blos, daß die materiellen Bedingungen solcher Schöpfungen mannigfaltige Kräfte in Anspruch nehmen, welche unmittelbar mitwirken oder mittelbar beisteuern müssen, sondern (wie dies bei rein geistigen, poetischen oder wissenschaftlichen Erzeugnissen der Fall ist, welche solcher materiellen Beihülfe nicht bedürfen) die geistige That selbst entspringt zwar an einem einzelnen Punkt, aber doch gleichsam aus der Kraftquelle der Gesammtheit. Der Gedanke, den ein monumentales Kunstwerk ausdrückt, ist niemals als der eines individuellen Beliebens, sondern ein im weitesten Sinne historischer, allgemein verbreiteter geistiger Inhalt; und man mag füglich den wahren Werth eines solchen danach messen, wie viel oder wenig es geeignet ist, dem

---

15 Vgl. Renate Lachmann, *Die Zerstörung der schönen Rede. Rhetorische Tradition und Konzepte des Poetischen*, München 1994, S. 114.

öffentlichen Bewußtsein von dem dargestellten Inhalt einen entsprechenden Ausdruck zu geben.«[16]

Das ist gerade nicht die lebensphilosophisch begründete Exemplarik des Diltheyschen Individuellen, sondern die Modernisierung der rhetorischen Weltkonstruktion, der systemgeleiteten *phantasia*, zur Annahme einer die Kultur und ihre Individuen gleichermaßen erzeugenden Beziehung beobachteter und beobachtender Beziehungssysteme. »Witzig«, wenn man bedenkt, daß die rhetorische *inventio* neue Beziehungen herstellt unter den nach räumlichen Beziehungen geordneten Gegenständen der kulturellen *memoria*. Es liegt in der Systemlogik der Systemtraditionen, daß die Kehrseite der Apperzeption wie die der *phantasia* die *memoria* ist: »Verdichtung« lautet ihr Leitbegriff bei den Völkerpsychologen.

Kulturelles Gedächtnis (memoria – Verdichtung)

Die »Enge des Bewußtseins« – Herbart zitiert John Lockes »narrowness of the human mind«[17] – erzeugt Überdruck und zwingt die Vorstellungsmassen zur Kondensation.

»Bei gleichem Maße der Enge seines Bewußtseins wird also dasselbe Individuum in derselben Zeit und mit dem gleichen Kraftaufwand einen größeren, reicheren Inhalt denken können, wenn der Inhalt nur flüchtig und schwebend gedacht wird. In derselben Zeit können wir also entweder wenige Vorstellungen klar und energisch, oder viele unbestimmt und flüchtig im Bewußtsein haben. [...] Die fortschreitende Entwicklung des Geistes, die Verdichtung des Denkens besteht also darin, daß Zeit und Kraftverbrauch für den gleichen Inhalt immer geringer, oder Umfang und Energie des Inhalts immer größer werden.«[18]

Sigmund Freud spricht von der »Kompression«, von der »Verdichtungsarbeit«, die im »Traumgedanken« stattgefunden hat und dessen kurzer Aufzeichnung gegenüber die Analyse das »Sechs-, Acht-, Zwölffache an Schriftraum« beansprucht. »Strenggenommen« bleibt die »Verdichtungsquote«[19] allerdings »unbestimmbar«.

16 Moritz Lazarus, *Das Leben der Seele*, I, S. 385 f.
17 Johann Friedrich Herbart, *Psychologie als Wissenschaft*, I, S. 155.
18 Moritz Lazarus, *Das Leben der Seele*, I, S. 240. Vgl. Heymann Steinthal, »Zur Sprachphilosophie«, S. 299.
19 Sigmund Freud, *Die Traumdeutung*, Frankfurt am Main 1961, S. 235.

Solange Freud so quantifizierend über die »Kompression« nachdenkt, ist er nahe an Lazarus' Proportionalgleichungen für »Umfang oder Energie des Inhalts« des Denkens. Steinthal, der mit Hilfe seiner Apperzeptionstheorie genauer, wie er sagt,[20] als Lazarus den psychischen Mechanismus der »Verdichtung« beschreiben kann, nennt sie »Abkürzung« oder »Auszug«. Abkürzungen oder Auszüge entstehen durch »Auslassung«, die Methode der Verdichtung im Freudschen Traum. Das Gegenstück von Verdichtung und Auslassung bilden bekanntlich Verschiebung und Übertragung. »Traumverschiebung und Traumverdichtung sind die beiden Werkmeister, deren Tätigkeit wir die Gestaltung des Traumes hauptsächlich zuschreiben dürfen«.[21] Auch die Lazarussche Verdichtung hat einen Seitenbegriff, die »Repräsentation« oder »Vertretung«, eine Art ›indexikalischen‹ Zeichens, das »eine bloße Hindeutung auf den mannigfaltigen Inhalt« darstellt. Die Verdichtung ist auf eine ›symbolisch‹ zu nennende Weise »gesättigt von dem ganzen Inhalt«, in der »Repräsentation« dagegen »erscheint der Denkact von dem wirklichen Inhalt vollkommen entleert«.[22] Wo Lazarus mit zwei auf der Skala ›ikonisch/symbolisch/indexikalisch‹ zu lokalisierenden Zeichenklassen argumentiert, bezieht Freud Verdichtung und Verschiebung auf die rhetorischen Figuren Metapher und Metonymie. Vielleicht sind beide Zeichentypen aufeinander beziehbar, wichtiger ist, daß bei den Völkerpsychologen wie bei Freud die beiden Zeichenklassen zu Symptomklassen werden für das Vorhandensein eines Unbewußten. Lazarus[23] und Steinthal kritisieren die Herbartsche Psychologie unter anderem dafür, daß sie nur das Bewußte kenne. Aber gerade die These von der »Enge des Bewußtseins« mache es unumgänglich, auch das zu analysieren, was jenseits des engen Bewußtseinszimmers in den tieferen Stockwerken vor sich gehe. Verstehen wir »den Geist als das thätige Subject, so müssen wir sagen, seine bewußte Thätigkeit ist allezeit zugleich von einer unbewußten begleitet, erfüllt und ergänzt«.[24] Verdichtung und Vertretung zeigen die »Verhältnisse der Vorstellungen im unbewußten Zustande« (I, 110).

20 Heymann Steinthal, »Zur Sprachphilosophie«, S. 300.
21 Sigmund Freud, *Die Traumdeutung*, S. 258.
22 Moritz Lazarus, *Das Leben der Seele*, I, S. 244 f.
23 Vgl. Moritz Lazarus, *Das Leben der Seele*, I, S. 81.
24 Ebd., S. 228.

Bezeichnenderweise fand Herbarts Bewußtseinspsychologie ihre anschaulichste Metaphorik in der »Wölbung« und ihrer »Zuspitzung«. Steinthals Sprachpsychologie tritt den Weg in die Tiefe des Unbewußten an: Das »ganze Wesen der Sprache« nötigt uns,

»außer dem Bewußten ein unbewußtes Reich seelischen Lebens anzuerkennen, wo nicht nur aller Reichthum der Seele ruht, sondern wo auch die bedeutungsvollsten schöpferischen Processe vollzogen werden, wo der Quell aller Dichtung, Religion und Philosophie entspringt. In diesen dunklen *Schacht* vorsichtig zu steigen, darf sich der Psycholog nicht untersagen« (I, 109).

Keine Frage, daß das völkerpsychologische und das psychoanalytische »Unbewußte« verschieden aussehen. Aber die genealogische Beziehung ist nicht zu übersehen. Zwischen der Freudschen Übernahme von Herbartschen Begriffen und Theoremen wie »Bewußtseinsschwelle« oder »Latenz«[25] und ihrer Umwandlung in Begriffe des Freudschen Systems liegt die völkerpsychologische Ergänzung der Herbartschen Psychologie um ein Unbewußtes. Freud wird einen scharfen Trennstrich ziehen zwischen Bewußtsein und Gedächtnis – »Bewußtsein und Gedächtnis schließen sich nämlich aus« –, und Walter Benjamin wird in der Choc-Theorie seiner Baudelaire-Studien diese Trennung umformulieren zum Dualismus von Erinnerung und Gedächtnis, Erlebnis und Erfahrung, Bewußtsein und Spur. In der völkerpsychologischen Apperzeptionstheorie kann durch die Assimilation der neuen und der vorhandenen Vorstellungsmassen diese Trennung leicht überwunden werden. Die kulturellen ›Latenzen‹ sind durch aktives Wissen, durch ›Bildung‹ aufschließbar. Eine andere Trennung, die zwischen individueller und allgemeiner, subjektiver und objektiver Verdichtung, stellt ein größeres Problem dar. Der »psychische Prozeß« verläuft nicht nur zwischen den »Elementen«, »welche sich im Bewußtsein befinden, sondern zugleich [zwischen] jenen, welche *außerhalb* derselben vorhanden oder mitschwingend mit jenen zu einem Denkact verbunden sind«.[26] Auch der »objektive Geist« kennt seine Verdichtungen, das kulturelle Gedächtnis im engeren Sinne, ein Motor des kulturellen Fortschritts und ein Grund für den historischen Wandel.

25 Vgl. Dario F. Romano, »Der Beitrag Herbarts zur Entwicklung der modernen Psychologie«.
26 Moritz Lazarus, *Das Leben der Seele*, I, S. 243, Hervorhebungen von mir – G. v. G.

»Dieselbe Verdichtung des Denkens – und Handelns sogar – vollzieht sich in der Geschichte für einzelne Völker und selbst für die gesammte Menschheit; sie geschieht, indem Begriffe und Begriffsreihen, welche in früheren Zeiten von den begabtesten Geistern entdeckt, von wenigen kaum erfaßt und verstanden, doch allmählich zum ganz gewöhnlichen Gemeingut ganzer Classen, ja der gesammten Masse des Volkes werden können« (II, 54).

In fast naiver Freude stellt der Einleitungsartikel fest, »daß wir schneller denken, als die Alten, daß wir vieles verschweigen, was wir darum doch nicht ungedacht lassen […]« (I, 64). Wilhelm Windelband[27] wird die Gesetze der philosophischen Logik als Ergebnis einer kulturellen »Vererbung« darstellen, »was in diesen Blättern ›Verdichtung des Denkens in der Geschichte‹ genannt worden ist« (VIII, 176), und Heymann Steinthal verstärkt sogleich die prinzipielle Stoßrichtung dieses Arguments: Verdichtung ist eine Form der »geistige[n] Vererbung«, die gerade nicht die in der »Darwin-Literatur« vertretene »leibliche Vererbung« der »angebornen Ideen« und »apriorischen Kategorien« »in einer sich bildenden Gestalt gewisser Gehirn-Theile« sein kann (VIII, 178). Wenn Maurice Halbwachs und Aby Warburg sich in den zwanziger Jahren des vergangenen Jahrhunderts mit ihren ganz verschiedenen Theorien des »kollektiven« oder »sozialen« Gedächtnisses gegen biologistische Versuche gewandt haben, »das kollektive Gedächtnis als ein vererbbares, zum Beispiel ›Rassengedächtnis‹ o. ä. zu konzipieren«,[28] dann hat die Verdichtungstheorie der Völkerpsychologie ihnen dabei zumindest vorgearbeitet.

Der geistig »vererbten« »öffentlichen Cultur des Zeitalters« tritt die »Cultur des Individuums« gegenüber. Was das 19. Jahrhundert »Bildung« nennt, ist die Leistung, »daß die objectiven Verdichtungen der Cultur durch die Kenntniß ihrer Geschichte in subjective verwandelt werden« (II, 61).

Wichtiger noch, als die völkerpsychologische Verdichtungstheorie in systematische oder genealogische Beziehungen zu den sprunghaft zunehmenden modernen Gedächtnistheorien zu setzen, ist der Hinweis darauf, daß die Völkerpsychologen ihre Gedächtnistheorie

---

27 Wilhelm Windelband, »Die Erkenntnislehre unter dem völkerpsychologischen Gesichtspunkte«, in: *ZVps* VIII (1875), S. 166-178.

28 Jan Assmann, »Kollektives Gedächtnis und kulturelle Identität«, in: Jan Assmann, Tonio Hölscher (Hg.), *Kultur und Gedächtnis*, Frankfurt am Main 1988, S. 9-19; S. 9.

zugleich als Grundlage für eine Theorie der Moderne formulieren. Modernes Denken ist hochgradig verdichtetes Denken, und in dieser Tatsache liegen Segen und Tragik der Moderne zugleich.

Lazarus führt in der *ZVps* als Veranschaulichung seines Verdichtungstheorems einen Aufsatz von Aaron Bernstein aus Auerbachs *Volkskalender* an,[29] der das »Wunder der Alltäglichkeit« analysiert und »die Summe von vorausgesetzten Menschengedanken« in den »Culturergebnissen« des »gewöhnlichste[n] Lebens« aufzeigt.[30] Ob wir die Ergebnisse einer zweitausendjährigen Wissenschaftsgeschichte der Mathematik in zwei bis fünf Jahren lernen, ob wir »gedankenlos« die »Gedankenreichthümer« von Astronomie und Philosophie in Gestalt einer Uhr »in den Westentaschen« mit uns herumtragen, immer ist unser Alltagsleben ein automatisiertes Umgehen mit »Culturerlebnissen«, mit »vorgearbeiteten Menschengedanken«. Der Wochenmarkt, die in seiner Zirkulation von Leistungen und Geld sich manifestierende »Ordnung der Alltäglichkeit«, die »sittliche Höhe unseres Culturlebens«, die sich im modernen Postwesen zeigt, dem wir ohne zu zögern unsere privatesten Geheimnisse anvertrauen können, sie beide sind Beispiele für das »Culturgesetz«, »daß wir zu keinem neuen Gedanken Zeit hätten, wenn wir nicht die alten, ohne wiederholende Gedankenoperationen hinnehmen wollten«.

»Guten Morgen, Papa, wie spät ist es schon? / Drei Viertel auf Acht, Kind. / Da will ich auf den Markt. / Warte, Kind, du kannst mir den Brief mitnehmen. / Zur Post? / Nein, wirf ihn nur in den Kasten! / Adieu Papa. / Adieu Kind!«[31]

Dieser kleine Wortwechsel, ein Stück Alltagskommunikation, ist Anlaß für Bernstein, in Gedanken-»Ausflügen«, »Sprüngen« und »Reihen«, das heißt für ihn in einer von der mathematischen »Denkmethode«[32] abgesetzten essayistischen Manier, über die Kulturgeschichte eben der Mathematik, der Uhr und der Post zu schreiben. Der Kontrast zwischen »verdichteter« Alltagsbanalität und Kulturgeschichte wird gerade nicht aufgebaut, um die »Alltags-

---

29 Moritz Lazarus, »Verdichtung des Denkens in der Geschichte. Ein Fragment«, in: *ZVps* II (1862), S. 54-62; S. 58. Vgl. Klaus Chr. Köhnke, *Der junge Simmel*, S. 352.

30 Aaron Bernstein, »Ein alltägliches Gespräch«, in: *Berthold Auerbach's Deutscher Volkskalender auf das Jahr 1861*, S. 135-150; S. 143, 148.

31 Ebd., S. 148 f.

32 Ebd., S. 135, 137, 139.

kommunikation« von der »objektivierten Kultur« zu trennen, um das »kulturelle Gedächtnis« in »Alltagsferne (Alltagstranszendenz)« zu rücken.[33] Die Verdichtungen des »objektiven Geists« nehmen die kulturellen Objektivierungen aus dem Zeitfluß heraus, machen sie frei verfügbar für den aktuellen Gebrauch. Zunächst einmal, und da halte ich die Lazarus/Bernsteinsche Theorie des kulturellen Gedächtnisses für die realistischere, ist die Alltagsnähe des kommunikativen Gedächtnisses der einzige Zeithorizont auch für das kulturelle Gedächtnis. Dessen eigener, »transzendenter« Zeithorizont ist Konstruktion durch die Expertenkultur, ist »Culturaufgabe«,[34] nämlich retrospektiv durch »Bildung« »die objectiven Verdichtungen der Cultur durch die Kenntniß ihrer Geschichte in subjective« zu verwandeln (II, 61) und prospektiv das Objektivierte in den kollektiven Alltag einzufügen:

»Alles, was wir selber etwa auf dem schweren Wege der Gedanken ersinnen, erfinden oder schaffen, so ins Leben hineinzutragen, daß es so bald als möglich *alltäglich* und von allen, die nach uns kommen, ebenso ohne selbstschöpferische Gedanken-Operationen benutzt, genossen und aufgenommen werde, wie wir es mit der Uhr in der Westentasche, mit dem Wochenmarkt und der Briefpost und nicht minder und in gleicher Berechtigung mit dem Lehrsatz des Pythagoras machen.«[35]

»Verdichtung« ist eine Theorie des kulturellen Gedächtnisses in der modernen Alltagskommunikation und der modernen Lebenswelt. Bernstein stellt den Wochenmarkt als die größere kulturelle Leistung dem Bau der Pyramiden gegenüber, das moderne institutionalisierte Postwesen der archaischen Schillerschen Botenfrau. Die Uhr ist dem Feuerzeug, der Eisenbahn, der Fotografie und der Telegraphie zu vergleichen, die als technologische Errungenschaften im Alten eine »Gedanken-Rebellion« erzeugen, dem sich alle Modernisierung, aller Fortschritt verdanken. Ein erfrischender Optimismus, der Moderne versteht als das bessere, weil schnellere Denken in verdichteten und automatisierten Inhalten und Formen.

Bernstein hat seinem Lob der Modernisierung durch Verdichtung ein Lob der Modernisierung durch Verlust zur Seite gestellt. Im Herbartschen System, in dem nichts verlorengeht, bedeutet Verdichtung ja eine Methode, durch »Auslassung« den Überdruck

33 Vgl. Jan Assmann, »Kollektives Gedächtnis und kulturelle Identität«, S. 11 f.
34 Aaron Bernstein, »Ein alltägliches Gespräch«, S. 149.
35 Ebd.

der Vorstellungsmassen zu mindern. ›Masse‹ und ›Auslassung‹ als das Doppelprinzip von Massenhaftigkeit und Verschwendung der Industrieproduktion erläutert Bernstein als ökonomische Grundlage des Kulturfortschritts. Wieder in essayistischer, ganz buchstäblicher »Zuspitzung« zeigt Bernstein, daß gerade die »verlorene Stecknadel« Symbol ist für »die Verallgemeinerung der Lebensgenüsse, die Demokratisierung derselben«,[36] die Verschwendung und Verlust einschließt, »denn dieser unausgesetzte Untergang der alten Dinge ist die Grundquelle der Arbeit aller neuen Dinge und all die Arbeit der neuen Dinge ist die Grundsäule unseres Culturlebens«.[37] Mit einem für die sechziger Jahre des 19. Jahrhunderts recht seltenen Lob der Fotografie demonstriert Bernstein, daß die Furcht der Eliten vor der »Verflachung unserer Zeit« durch »Demokratisierung« der Künste unangebracht sei. »Durch die Lichtbilder ist der Kunstsinn und das Kunstbedürfniß so tief ins Volk hineingewachsen, daß wir gar nicht mehr im Stande sind, uns in die Zeit zurückzuversetzen, wo sie aus Mangel an Befriedigung nicht existierten.«[38] Was der Kunst die Fotografie, das sind der Literatur die »Zeitungsblätter«. Die *Gartenlaube*, der Auerbachsche *Volkskalender*, für den Bernstein schreibt, ließen sich anschließen, ebenso die *Zeitschrift für Völkerpsychologie und Sprachwissenschaft*, die zu dieser Selbstbeschreibung einer zur Demokratisierung und Massenhaftigkeit ansetzenden Kultur der Moderne das Modell ihres kulturellen Gedächtnisses liefert.

Anders als der Bernsteinsche Optimismus beschreibt Lazarus auch die Risiken dieses kulturellen Verdichtungssystems, in dem das »Ausgelassene« nicht wirklich verlorengeht. Einerseits ist die Verdichtung das Mittel, um zu verhindern, »daß der Culturmensch nicht allmählich durch den von allen Seiten massenhaft anwachsenden Stoff der Erkenntniß völlig erdrückt wird« (II, 60). Andererseits können die »verdichteten Elemente« des objektiven Geistes als »formale Bedingungen des geistigen Lebens« auch »Fesseln« des kulturellen Fortschritts sein (II, 80). Dann zeigt sich die »lebensvernichtende Gewalt der Form«: »auch in viel späteren Zeiten und auf viel höheren Stufen der Cultur erleben wir in historischer Zeit densel-

36 Aaron Bernstein, »Verlorene Dinge«, in: *Berthold Auerbachs Deutscher Volkskalender auf das Jahr 1862*, S, 121-136; S. 129.

37 Ebd., S. 122.

38 Ebd., S. 134.

ben wahrhaft tragischen Erfolg der Form [des objektiven Geistes], indem die Gestaltung zur Verhärtung, die Bildung zur Versteinerung wird« (III, 81).

Diesen Seitengedanken zu Bernsteins Moderne-Optimismus, den Lazarus grundsätzlich teilt, wird Simmel vergrößern zur »Tragödie der Kultur«, die zugleich die Tragödie der modernen Kultur ist. »Zusammendrängung«[39] heißt die Lazarussche »Verdichtung« bei Simmel, die »Form der Kultur«, »die der Festigkeit, des Geronnenseins, der beharrenden Existenz, mit der der Geist, so zum Objekt geworden, sich der strömenden Lebendigkeit, der inneren Selbstverantwortung, den wechselnden Spannungen der subjektiven Seele entgegenstellt«.[40] Es ist die »verhängnisvolle Selbständigkeit, mit der das Reich der Kulturprodukte wächst und wächst«, der »Fetisch-Charakter«, den Marx den wirtschaftlichen Objekten in der Epoche der Warenproduktion zuspricht, der das individuelle Schicksal der griechischen Philosophen bei Steinthal, einem »verdichteten Allgemeinen« gegenüber, »abgesondert von allen Anderen« (II, 333) zu stehen. Bernsteins essayistische Kalenderglosse, Steinthals »Geschichtspsychologischer Versuch« (II, 279) und Simmels kulturphilosophische Essays beschreiben und umschreiben den »Riß« zwischen dem Subjektiven und Objektiven und benutzen das Schreiben, das Essayistische, um Kultur doch wieder als »Synthese«[41] zu rekonstruieren, was Lazarus glaubte, seiner neuen Wissenschaft überhaupt auftragen zu können, »die objective Verdichtung des Wissens durch die Geschichte zu einer subjectiven Verdichtung durch den eigenen Denkprozeß zu erheben und jener damit ihre wahre Fruchtbarkeit zu verleihen« (II, 61).

In Lazarus' Begriff der ›Verdichtung‹ verdichten oder kreuzen sich die wichtigsten Aspekte des völkerpsychologischen Kulturmodells. Über sein Beispiel, den Bernsteinschen Artikel aus Auerbachs *Volkskalender*, verknüpft Lazarus das Programm der *ZVps* mit dem Selbstverständnis einer Presse, die im zunehmenden Druck der Wissensmassen Verdichtungen leisten, Platz für neue Gedanken

39 Georg Simmel, »Der Begriff und die Tragödie der Kultur«, in: Georg Simmel, *Philosophische Kultur. Über das Abenteuer, die Geschlechter und die Krise der Moderne. Gesammelte Essais*, mit einem Vorwort von Jürgen Habermas, Berlin 1983, 1986, S. 195 ff.
40 Ebd., S. 195.
41 Ebd., S. 205.

schaffen und umgekehrt, Alltägliches und Gewohntes wieder verflüssigen, Abgekürztes wieder gewußt und bewußt machen will, letzteres vor allem, um die unterschiedlichen Grade der Verdichtung, die unterschiedlichen Geschwindigkeiten und Energiequanten des Denkens im »öffentlichen Bewußtsein« oder im »Volksgeist« einander anzugleichen. Denn das Konzept der »Verdichtung« vermag zweierlei. Es kann alle materiellen Ebenen des »objektiven Geistes«, der objektivierten Kultur in einem Prozeß fassen: Wörter, Begriffe, Ideen, Maschinen, Kunstwerke sind in ganz gleicher Weise Produkte der kulturellen Arbeit, genannt »Verdichtung«. Und sie vermag Grade im Ergebnis der Verdichtung zu unterscheiden. Manche Kulturprodukte sind höher verdichtet als andere, auch für die Völkerpsychologen steht »Dichtung« ganz oben. Es gibt in einem Volk unterschiedliche Grade der Verdichtung, in der Bildungsschichtung seiner Gegenwart und in der Abfolge seiner Entwicklungsgeschichte. Zuletzt lassen sich unterschiedliche »Volksgeister« nach den Graden ihrer Verdichtungen unterscheiden: Die Möglichkeit, langsamer oder schneller zu denken, begründet historische, innerkulturelle und interkulturelle Unterschiede. Der Maßstab ist unzweideutig: Am fortgeschrittensten in der Entwicklung der Menschheit ist der verdichtetste Volksgeist der europäischen Moderne. Zwar besteht die Gefahr der Versteinerung und damit des kulturellen Untergangs. Aber das sind nur Risiken eines grundsätzlich ungebrochenen Fortschrittsoptimismus. Keine Frage, das völkerpsychologische Substrat von Kultur, die *Nation*, und die vom *Modernisierungsoptimismus* gelenkte Auffassung von der Kulturentwicklung machen zusammen die historische Standortgebundenheit der Völkerpsychologie aus, relativieren ihr Kulturmodell als eines, das eine bestimmte Selbstbezüglichkeit der Moderne um 1860 zum Bezugspunkt einer allgemeinen Kulturtheorie macht. Wie alle Kulturtheorien der Zeit ist auch die *ZVps* eurozentrisch und Modernebesessen, sie positiv, andere negativ, und wie alle Kulturtheorien ist sie räumlich und zeitlich perspektiviert.

Dabei ist aber eine Besonderheit der Völkerpsychologie, daß ihr auf Moderne bezogenes und von ihr begrenztes Kulturmodell Strukturen freisetzt, die eine neue Fremdwahrnehmung des Kulturellen erst ermöglichen. Um die »Verdichtung« alle kulturellen Objektivationen umgreifen zu lassen und »Verdichtung« zu einem Gradmesser der kulturellen Entwicklung machen zu können, ist ein *formales* und *quantifizierendes* Denken nötig, wie es Simmel und andere nachträglich als Ergebnis der Modernisierung beschrieben haben. Nicht Inhalt, Qualität, Substanz, sondern Form, Quantität, Beziehung und Wert bestimmen ein Denken, das jenseits der alten Substanz-, Organismus- und Reflexionsmodelle neue Zusammenhangsformen mit ganz neuen Komplexitätsgraden beschreibbar macht. Der Nachbarbegriff zur »Verdichtung« ist der »Apperzeptions«-Begriff, der Kernprozeß eines in Tätigkeit gezeigten Systems, das es erlaubt, Handlungen, Prozesse und Produkte auf den Ebenen des Individuellen, Sozialen und des Kulturellen als bruchlosen Zusammenhang von Differenzrelationen zu konstruieren. Eine pluralistische Anthropologie der Differenz ist damit ebenso begründet, ohne in Atomismus zu zerfallen, wie eine nicht kontra-, sondern intra-soziale Definition des Individuellen. Die konkrete Gestalt dieses Systems, der Synkretismus aus Herbart und Humboldt, ist historisch und obsolet, nicht aber seine strukturbildende Wirkung. In ihrer spezifischen Nähe zum publizistischen Pluralisierungsgeschehen und zur publizistischen Pluralisierungsreflexion hat die *ZVps* ein Differenzierungstheorem auf den Weg gebracht oder verstärkt, das seitdem, offenbar unumkehrbar, Grundlage von Moderne- und Kulturtheorien geworden ist. Moderne kann wie in der *ZVps* nicht anders, als sich zum Ergebnis differenzierender Pluralisierungen im Kontext vielfältiger kultureller Differenzen zu bestimmen. Auch die theoretischen Einsprüche dagegen, die nicht wenige sind, bleiben als Einsprüche auf dieses Denken bezogen. Zwei Wissenschaften haben sich nach der Völkerpsychologie deren Beschreibungsversuche untereinander aufgeteilt: Die Soziologie hat die Modernisierung, in ihrem geographischen Zentrum sitzend, beschrieben und reflektiert, die Ethnologie hat, diese Modernisierung in ihrer Expansion begleitend, die Kulturen zu Wissenskontexten dieser Moderne gemacht. Heute sind beide, Soziologie und Ethnologie, Wissenschaften auf der Innenseite der Modernisierung, analysieren unterschiedliche Relationen und Grade auf verschiedenen Ebenen des Regionalen oder des Globalen, und sie bewirken ein auf Differenz, Pluralität und Relations-»Geweben« begründetes Denken von Interkulturalität, das ihnen die Anti-Relativisten streitig machen. Oder ist das alles ein Bild, das das Ergebnis moderner kulturwissenschaftlicher Entwicklungen zu stark an einem ihrer Ausgangspunkte, der *Zeitschrift für Völkerpsychologie und Sprachwissenschaft*, orientiert? Vor allem ist das Bild zu global, denn von ganz unverbrauchter Aktualität ist der Satz aus dem ersten Jahrgang der *ZVps*:

»Die Gleichheit der Dinge unter irgend einem abstracten Schema zu erkennen ist wahrlich nicht schwer; ihre Verschiedenheit aber und besondere Eigenthümlichkeit zu entdecken ist die Aufgabe wissenschaftlicher Arbeit« (I, 463).

Ulrich Bröckling
Um Leib und Leben

Zeitgenössische Positionen
Philosophischer Anthropologie[1]

I.

Antworten auf die Frage, was der Mensch ist, sind gefährlich, aber man entkommt ihnen nicht. Die Vorwürfe sind bekannt: Anthropologische Aussagen homogenisieren die Vielfalt menschlicher Phänomene zu Wesensbestimmungen, oder sie reihen additiv Heterogenes aneinander und verdoppeln so nur die Pluralität der Lebensäußerungen. Entweder fixieren sie historisch wie kulturell Kontingentes zur *condition humaine* und sabotieren damit die uneingelösten menschlichen Möglichkeiten, oder sie proklamieren ein Ideal, auf das hin die Individuen dann zugerichtet werden oder sich selbst zurichten. Und nicht zuletzt ziehen sie Grenzen und produzieren mit »dem Menschen« zugleich die Unmenschen, die aus der Gattungsgemeinschaft ausgeschlossen bleiben.

Nicht minder vertraut sind allerdings auch die Gründe für die Unvermeidlichkeit anthropologischer Setzungen: Gegen Menschenbilder hilft kein säkularisiertes Bilderverbot. Was nicht explizit gemacht wird, wird als implizite Vorannahme mitgeschleppt. Die Verweigerung positiver Bestimmungen führt nicht aus dem Sistierungszwang heraus, auch die Rede vom nicht festgestellten Wesen bleibt eine Wesensaussage. Ähnliches gilt in praktischer Hinsicht: Die Frage nach der moralischen Natur des Menschen mag unentscheidbar sein, sie spielt doch in alles Handeln hinein und wird in jeder Interaktion beantwortet. Ohne das grundsätzliche Vertrauen etwa, daß Menschen verläßlich sind und ihre Versprechen einhalten, käme kein Kaufvertrag zustande; ohne das grundsätzliche Mißtrauen in ihre Aufrichtigkeit und Zuverlässigkeit brauchte es kein Vertragsrecht.

Noch die Diagnosen der »Antiquiertheit des Menschen« (Gün-

---

1 Eine frühere Fassung dieses Aufsatzes ist erschienen in: *Philosophische Rundschau* 48 (2001), H. 2, S. 136-152; für die vorliegende Veröffentlichung wurde er überarbeitet und ergänzt.

ther Anders), welche die Dezentrierungserfahrungen der Gegenwart zum Pathos des Abschieds radikalisieren, speisen sich aus einem anthropologischen Impuls – dem der Trauer über die verfehlte Möglichkeit, menschlich zu leben. Ebenso ist Niklas Luhmanns Entscheidung, die Soziologie radikal vom Menschen freizuhalten und statt dessen Kommunikation als ihren Gegenstand zu bestimmen, anthropologisch grundiert: Daß es soziale Systeme gibt, ist schwerlich ohne die Vorstellung von Wesen denkbar, die ihr Weltverhältnis als nicht determiniert erfahren und deshalb auf Entlastung durch Komplexitätsreduktion angewiesen sind. Und auch in Michel Foucaults nietzscheanischem Gelächter über »die Leere des verschwundenen Menschen« steckt ein Stück negativer Anthropologie – die Weigerung, die epistemologische Figur des Menschen, dieses Konstrukt der modernen Humanwissenschaften, für diesen selbst zu nehmen.

Philosophische Anthropologie ist die Reflexionsform dieser Aporien. Weil die Frage nach dem Menschen nicht zurückgewiesen werden kann, aber keine Antwort dauerhaft trägt oder zu ertragen wäre, prozessiert sie als immer neues Ansetzen und Verwerfen. Das legt es nahe, die anthropologischen Entwürfe zeitdiagnostisch zu lesen und ihre Bestimmungen als Symptome dafür zu nehmen, welche Dimensionen des Menschlichen problematisch geworden sind und welche als selbstverständlich vorausgesetzt werden. In diesem Sinne reaktiv waren schon die Grundlegungen Helmuth Plessners, Max Schelers und Arnold Gehlens, die es in der ersten Hälfte des vergangenen Jahrhunderts unternahmen, das zeitgenössische biologische, medizinische, psychologische und soziologische Wissen philosophisch einzuholen. So unterschiedlich ihre Anthropologien im übrigen auch ausfielen, die Ausgangslage war identisch: Sie trafen sich in der Intention, die Erkenntnisse der ausdifferenzierten Humanwissenschaften aufzunehmen, zugleich aber deren Zersplitterung in Teilanthropologien eine Integration der disparaten Perspektivierungen entgegenzusetzen. Gemeinsam war ihnen auch die Erfahrung tiefgreifender Krise. Der Erste Weltkrieg hatte in bis dahin unvorstellbarem Maße die Menschen zum bloßen Material einer Destruktionsmaschinerie gemacht und das Vertrauen in die menschliche Natur wie in die Geschichte als Prozeß der Menschwerdung fundamental erschüttert. »Seinsunsicherheit« (Paul Landsberg) war die Signatur der Epoche, und die Philosophischen Anthropologen der Zwischenkriegszeit lieferten gegensätzliche Angebote, um die bedrohliche Kontingenz noch einmal metaphysisch zu überwölben (Scheler), sie durch disziplinierende »Zucht« zu bändigen und in Institutionen zu binden (Gehlen) oder sie in souveräner »Selbstentsicherung« auszubalancieren (Plessner).

Es fällt nicht schwer, auch das seit einigen Jahren wiedererwachte Interesse an Philosophischer Anthropologie als ein Symptom der Verunsicherung zu identifizieren: Zweifellos leben wir in einer Epoche beschleunigten historischen Wandels, in der kulturelle Einbettungen, soziale Bindungen und biographische Gewißheiten verdampfen und die Menschen dazu aufgerufen werden, sich selbst fortwährend neu zu erfinden.[2] Die Biowissenschaften und die darauf aufbauenden Selektions- und Manipulationspraktiken (und -phantasmen) haben ebenso wie die Informationstechnologien bis dahin eindeutige Grenzen – zwischen Mensch und Tier, Mensch und technischem Artefakt, Lebenden und Toten, Mann und Frau – aufgeweicht. Was ein Mensch ist und vor allem wer ein Mensch ist, das steht angesichts von Klonen, Cyborgs und vermeintlich intelligenten Computern auf neue Weise zur Disposition.[3] Die nicht abreißende Folge ökologischer Katastrophen wiederum führt in dramatischer Weise die Begrenztheit und akute Gefährdung der natürlichen Lebensgrundlagen vor Augen. Ungeheure Mengen atomarer, chemischer und biologischer Massenvernichtungsmittel lagern in den Depots oder lassen sich kurzfristig herstellen und machen die Selbstausrottung der Gattung zu einem technisch realisierbaren Projekt. Nicht nur wie Menschen ihr Leben führen sollen, sondern wie lange überhaupt noch Menschen leben können, ist fraglich geworden.

Vor diesem Problemhorizont sind die im Folgenden zu diskutierenden Studien zu verorten. Welche Aspekte des Menschlichen sie in den Blick nehmen, welche sie ausblenden; auf welche Wissensbestände sie zurückgreifen, welche sie ignorieren; welche Integrationsangebote sie machen, welchen sie sich verweigern; schließlich auf welche Sicherungs- beziehungsweise Entsicherungsstrategien sie setzen – das verweist auf aktuelle Herausforderungen anthropologischer Reflexion, auch wenn Gegenwartsfragen nur am Rande explizit verhandelt werden.

2 Vgl. dazu Richard Sennett, *Der flexible Mensch. Die Kultur des neuen Kapitalismus*, Berlin 1998.

3 Vgl. Gesa Lindemann, »Doppelte Kontingenz und reflexive Anthropologie«, in:

II.

Thomas Fuchs unternimmt in seiner Studie *Leib, Raum, Person*[4] den anspruchsvollen Versuch, »wesentliche Ansätze leibphänomenologischer Forschung unseres Jahrhunderts zu sichten und zu einem eigenen Entwurf einer leibräumlichen Anthropologie zu integrieren« (S. 21). Einmal mehr bildet die Opposition gegen den Cartesianismus und die damit assoziierte »Herrschaft des mechanistischen Paradigmas eines aus reparierbaren Teilen zusammengesetzten Körpers« (S. 15) den Ausgangspunkt. Bei Fuchs erhält diese Frontstellung allerdings die kulturkritische Färbung einer Entfremdungsgeschichte, in der »das ursprüngliche Leibsein immer mehr verdeckt« (ebd.) wurde. Seit Beginn der Neuzeit habe das Ausmaß, in dem die naturwissenschaftlich-objektivierende Betrachtung des eigenen Leibes das Selbstbewußtsein der Menschen prägt, stetig zugenommen, und in der Gegenwart erreiche dieser mit dem Preis der Selbstblindheit erkaufte Reduktionismus noch einmal eine neue Stufe. Fuchs diagnostiziert Verlust an Ursprung allerorten: Neue medizinische Techniken und Verfahren rücken »unwillkürliche, im ›Unvordenklichen‹ gründende Lebensvollzüge wie Empfängnis, Schwangerschaft und Sterben in den Bereich der Manipulierbarkeit« (S. 17); »Kommunikation geschieht zeichenvermittelt über Tastaturen, Bildschirme, Faxgeräte; der Andere verliert dabei seine leibliche Präsenz und wird zur anonymen Schnittstelle sachbezogener Informationen«; am Ende »droht eine schleichende Entleerung der Welt« (S. 18); die Wirklichkeit wird »in der ›virtual reality‹ ebenso technologisch ersetzbar, wie es bereits die Organe des Körpers sind« (S. 19).

Abgesehen vom performativen Widerspruch einer in Buchform gedruckten Klage über leibabwesende, zeichenvermittelte Kommunikation und der Schwierigkeit, den unterstellten nicht-entfremdeten Urzustand anderswo dingfest zu machen als in einem trüben »Unvordenklichen«, zeitigt die Verlustdiagnose zwei Effekte: Sie läßt die phänomenologische Restitution der Leiblichkeit als gleichermaßen heroische wie verzweifelte Anstrengung erscheinen, sich

---

Zeitschrift für Soziologie 28 (1999), S. 165-181; dies., »Die reflexive Anthropologie des Zivilisationsprozesses«, in: *Soziale Welt* 52 (2001), S. 181-198.

4 Thomas Fuchs, *Leib, Raum, Person. Entwurf einer phänomenologischen Anthropologie*, Stuttgart 2000.

der perhorreszierten Moderne entgegenzustemmen, und sie postuliert zugleich den Ursprung als Ziel: Wer Entfremdung und Selbstentfremdung beklagt, will zurück in ein imaginäres Zuhause. Anthropologische Reflexion wird so zum Therapeutikum, der Philosoph zum Arzt der Kultur. Fuchs, der selbst als Psychiater arbeitet und eine parallel veröffentlichte medizinische Habilitationsschrift der *Psychopathologie von Leib und Raum*[5] gewidmet hat, legt in der vorliegenden Studie die Grundlagen seiner anticartesianischen Kur. »Zum einen geht es darum«, bestimmt er die selbstgestellte Aufgabe,

»die ›Inkarniertheit‹ der Person, ihre Einbettung in die Strukturen und Erfahrungen des Leibes, wieder ins gegenwärtige Bewußtsein zu bringen, um so diesem Bewußtsein gewissermaßen eine Heimat im Raum und zugleich dem Erscheinen des Anderen in seinem Leib seine ursprüngliche Evidenz wiederzugeben. Zum anderen vermag eine Phänomenologie des leiblich erfahrenen Raumes die grundlegende Verankerung des Leibes in der Welt zur Sprache zu bringen, seine innere Verwandtschaft mit allem Wahrgenommenen, durch die dem Menschen die Welt ursprünglich erschlossen ist« (S. 19).

»Heimat im Raum« gegen »Entleerung der Welt« – mit diesem Programm schreitet Fuchs dann im Hauptteil seines Buchs gewissermaßen von innen nach außen die Sphären leibzentrierter Räumlichkeit ab, vom gespürten »Leibraum« über den »Richtungsraum« der Wahrnehmung und Motorik, den »Stimmungsraum« und den »personalen Raum« bis hin zum »Lebensraum« – einen Begriff, den Fuchs im Rückgriff auf Kurt Lewins topologische Psychologie gegen seinen sozialdarwinistischen und faschistischen Gebrauch zu retten versucht. Vorangestellt sind ein philosophie- und medizinhistorischer Rückblick auf dualistische Anthropologiekonzepte sowie eine Skizze zur Entwicklung der Leibphänomenologie im 20. Jahrhundert, in der Fuchs insbesondere die Arbeiten von Max Scheler, Erwin Straus, Maurice Merleau-Ponty und Hermann Schmitz nachzeichnet. Von Schmitz übernimmt er die räumliche Strukturierung der Leiberfahrung, kritisiert jedoch dessen »nahezu ausschließliche Orientierung am introspektiv erfaßbaren Erleben«, die das Verhältnis von phänomenalem Leib und materialem Körper nur

5 *Psychopathologie von Leib und Raum. Phänomenologisch-empirische Untersuchungen zu depressiven und paranoiden Erkrankungen*, Darmstadt 2000 (Monographien aus dem Gesamtgebiet der Psychiatrie Bd. 102).

unzureichend erfassen und »die metaphysische Konsequenz eines Erscheinungsmonismus« nicht vermeiden könne (S. 82). Problematisch sei ferner Schmitz' Deutung der Gefühle als überpersönlicher Atmosphären. Dieser sehe im personalen Bewußtsein nur das Resultat eines historischen Introjektionsprozesses, bei dem die ursprünglich objektiv ergreifenden Gefühlsmächte in den subjektiven Pseudoraum der Seele verbannt wurden, wo sie dann von der emanzipierten Vernunft bewacht werden. Fuchs will dagegen das neuzeitliche Ich, das sich seine Gefühle selbst zurechnet, nicht ganz verabschieden. Schmitz' lebensphilosophisch raunende Forderung, der Mensch solle sich in »vitalem Stolz« wieder bewußt machen, daß er »zum Gefäß für ein Geschehen, das ihn ergreift und erfüllt und über ihn hinausgeht, bestimmt ist«,[6] weist er schon wegen ihrer destabilisierenden Konsequenzen für das Sozialleben zurück (S. 84 f., 225 ff.).

Bei seinem Durchgang durch die Räume leiblichen Existierens bleibt für Fuchs dennoch Schmitz zunächst der wichtigste Gewährsmann. Wie dieser setzt er ein mit dem inneren Spüren leiblicher Empfindungen, sei es in voneinander abgegrenzten »Leibinseln«, sei es in ganzheitlichen Befindlichkeiten wie Müdigkeit oder Behagen. Wie dieser muß er dazu nicht nur ein von Irritationen durch die Außenwelt vollkommen abgeschirmtes, zu reiner Introspektion fähiges Selbst konstruieren (»Wenn wir die Sinne einmal vom Äußeren abschließen und unseren sichtbaren Körper vorübergehend ins Dunkel tauchen lassen ...«, S. 89), sondern auch unterstellen, man könne das auf diese Weise Erspürte unmittelbar in Worte fassen, ohne dabei das auch im Alltagsbewußtsein präsente »naturalistische« Wissen etwa der Physiologie oder Medizin einfließen zu lassen. Die leibliche Erfahrung überschreitet allerdings, wie Fuchs betont, immer schon den gespürten Eigenraum und vollzieht sich als Prozeß der Vermittlung zwischen den Polen Leib und Umwelt. Weil der Leib sein eigenes Zentrum bildet, ist diese polare Beziehung indes nicht symmetrisch, sondern oszilliert zwischen zentrifugalen und zentripetalen Richtungen. In seiner Eigenschaft als Orientierungs- und Bewegungszentrum, Ausdrucksmedium und Resonanzkörper konstituiert der Leib eine primäre und zugleich

---

6 Hermann Schmitz, *Leib und Gefühl. Materialien zu einer philosophischen Therapeutik*, Paderborn 1989, S. 100.

absolut gegebene Räumlichkeit, »durch die wir handelnd und erlebend in der Welt sind und von ihr affiziert werden« (S. 90).

Agierend und rezipierend ist das leibliche Erleben konfrontiert mit der Körperlichkeit des Leibes. Sie macht sich bemerkbar, wenn die unwillkürlichen leiblichen Vollzüge auf äußere wie innere Widerstände stoßen, wenn Störungen der leiblichen Funktionen auftreten, aber auch wenn der Leib als Werkzeug eingesetzt und willentlich gesteuert wird; schließlich wird der Leib zum Körper für andere im Modus des Erblicktwerdens und Sich-Darstellens. Wie schon Leib und Umwelt stehen auch »Leib-Sein« und »Körper-Haben« in einer polaren Beziehung zueinander. Der Korporifizierung des Leibes von einem präreflexiv gelebtem Medium zum bewußten Gegenstand korrespondiert die Verleiblichung des Körpers, wie sie sich etwa in der Integration und Automatisierung von Bewegungsabläufen zeigt. Die wechselseitige Verschränkung läßt sich zu keiner Seite hin auflösen. Weder kann der Leib ganz zum Körper werden – ohne leibliches Erleben wäre er toter Leichnam, noch ist eine totale Verfügung über den Leib möglich –, ohne Widerlager des Körpers verlöre er jede Begrenzung. Fuchs beläßt es jedoch nicht bei der Analyse dieser »Dialektik«, sondern gibt ihr eine normative Wendung. Ein »ausgewogenes Verhältnis von Leiblichkeit und Körperlichkeit« soll Freiheit garantieren, Abweichungen von diesem »leiblichen Maß« erscheinen dagegen als Pathologien der »anthropologischen Proportion«, wie er am Beispiel von Manie und Depression erläutert (S. 127).

In der Polarität von Leib und Körper wird ein reflexives Moment sichtbar, das die Perspektivität des Leibes als »Quell- oder Zielpunkt aller Wahrnehmungs- und Bewegungsrichtungen« (S. 258) transzendiert. Bevor Fuchs dieser Überschreitung systematisch nachgeht, legt er die leibliche Vermitteltheit der Wahrnehmung, der gerichteten Motorik und des Handelns, der Triebe und des Begehren sowie der emotional erlebten Atmosphären, Stimmungen und Gefühle frei. Dabei bewegt er sich in den Spuren vor allem von Merleau-Ponty, Straus und wiederum Schmitz, dessen pastorale Bilderwelt nachhaltig abfärbt. Da verlockt »der sonnige Weg [...] zum Spazierengehen, das klare Quellwasser zum Trinken« (S. 194); »die Heiterkeit einer Blumenwiese wirkt auch auf den Traurigen« (S. 236), während für das kleine Kind »der dunkle Wald den Ausdruck des Unheimlichen [hat], weil es sich tatsächlich in ihm verlaufen und seine Eltern verlieren kann« (S. 237). Den beschaulichen Exempeln haftet etwas von ohnmächtiger Beschwörung jener Ursprünglichkeit an, deren Verlust Fuchs eingangs beklagt. – Seine Anthropologie atmet die Luft Arkadiens.

Die präreflexive Leiblichkeit mit ihrer Zentralperspektive teilt der Mensch mit dem Tier; erst mit der phänomenologischen Rekonstruktion der Fähigkeit zur Reflexion, Perspektivübernahme, symbolischen Repräsentation, Objektivierung und Intentionalität erreicht Fuchs die Sphäre des spezifisch Menschlichen. Erst hier kommt auch die Sozialität ins Spiel, auf der Ebene des personalen Raums jedoch zunächst nur in Gestalt der Elementarbeziehung von Ego und Alter ego. Fuchs greift dabei auf Plessners Begriff der exzentrischen Positionalität zurück, doch während dieser seine Anthropologie ausgehend vom Pol des Objekts, vom lebendigen Körper in seiner Umweltbeziehung, entfaltet und so die unhintergehbare Gebrochenheit aller menschlichen Phänomene herausarbeiten kann, bewegt sich Fuchs von innen nach außen. Exzentrizität figuriert dabei als etwas Hinzutretendes, das die primär geschlossene Welt des Leibes überschreitet. Differenz wird zur Sekundärbestimmung, zur Entfremdung von leiblicher Unmittelbarkeit.

Der Preis für diese in aller Dialektik von Leib und Umwelt subjektzentrierte (und damit doch letztlich wieder cartesianische) Perspektive ist hoch: Was als Remedium gegen die neuzeitliche Subjekt-Objekt-Spaltung in Anschlag gebracht wird, reicht an die Gegenwart nicht heran. In welchem Maße etwa jede Erfahrung von und jede Auseinandersetzung mit Umwelt heute technisch-medial präformiert ist, gerät erst gar nicht in den Blick. Es wäre aufschlußreich zu untersuchen, wie die leiblichen Ausdrucks- und Resonanzphänomene, die Fuchs beschreibt, sich angesichts der gegenwärtigen Beschleunigungs- und Virtualisierungsschübe neu modellieren, aber dazu kommt es nicht, weil das Urteil – »Entleerung von Welt« – von Beginn an feststeht. Fatal ist auch die Fokussierung der anthropologischen Reflexion auf den einzelnen Menschen und sein unmittelbares Umfeld. Eine phänomenologische Analyse von *Face-to-face*-Kommunikation ergibt noch keine Sozialanthropologie. Selbst wenn man Fuchs' eigenen Anspruch herunterschraubt und seine Arbeit als Entwurf einer *medizinischen* Anthropologie liest, der man die individualisierende Engführung eher nachsehen würde, fallen die Lücken ins Auge: So sucht man vergebens nach systematischen Reflexionen zur Geschlechtlichkeit des Leib-Körpers oder zu Sterben und Tod, und zur Frage der Generativität menschlichen Lebens findet sich wenig mehr als eine Zusammenfassung entwicklungspsychologischer Erkenntnisse über die Interaktion zwischen Mutter und Säugling.

Die lebensweltliche und geschichtliche Verortung des leiblichen Selbst, die Fuchs in den letzten beiden Kapiteln mehr andeutet als ausführt, geht über kursorische Anmerkungen zu kultureller Überformung und kollektiven Stilen der Leiblichkeit nicht hinaus. Zugleich tritt hier der konservativ-xenophobe Grundzug des Buchs am deutlichsten hervor: keine Spur von der »seligen Fremde«, wie sie Plessner am Ende seiner *Stufen des Organischen* aufruft, statt dessen ein Plädoyer für »Einhausung« in den »Lebensraum« (S. 311), eine semantische Verirrung, die nicht weniger schrecklich wird, wenn sie vornehm griechisch als »Oikeiosis« daherkommt: »Die ›Heimat‹ ist ursprünglich das konzentrisch um die Mutter gestaffelte vertraute Feld, das im Prozeß der Aneignung und Oikeiosis zunehmend erweitert wird, aber bei dieser Ausdehnung doch sein Zentrum behält; ja gerade die Entfernung bringt, wie im Heimweh, dieses Zentrum erst recht zur Geltung« (S. 313). Die »grundlegende Bedeutung des Lebensraums, der ›ökologischen Nische‹ für die persönliche Orientierung und Identität« findet Fuchs darin bestätigt, daß ein »Verlassen der vertrauten Umgebung zum Erlebnis der Entfremdung oder Entwurzelung bis hin zum ›Kulturschock‹« führen könne (S. 314). Auf eine Formel gebracht: Zu Hause ist es doch am schönsten. – Man kann froh sein, daß er es unterläßt, daraus auch noch politische Folgerungen abzuleiten.

III.

Im Rahmen der gegenwärtigen Neubelebung Philosophischer Anthropologie erfährt insbesondere das Werk Helmuth Plessners eine verspätete, aber um so intensivere Rezeption.[7] In diesem Zusammenhang steht auch *Hans-Peter Krügers* auf zwei Bände angelegte

7 Vgl. aus der Fülle der Veröffentlichungen: Wolfgang Eßbach, »Der Mittelpunkt außerhalb. Helmuth Plessners philosophische Anthropologie«, in: Günter Dux,

Studie *Zwischen Lachen und Weinen*.[8] Krüger verbindet eine systematische Rekonstruktion des Plessnerschen Œuvres mit einer Aktualisierung in praktischer Absicht. Philosophische Anthropologie ist für ihn Anwältin des Common sense. Ihre Aufgabe sieht er darin, »im Anschluß an das Anschauungsbedürfnis des Gemeinsinnes die Spezifik menschlicher Phänomene zu entdecken« (Bd. I, S. 15) und zugleich die Urteilskraft zu stärken, um in der konkreten Situation angemessen handeln zu können. Herausgefordert wird der Common sense durch Grenzprobleme. Für die Gegenwart nennt Krüger exemplarisch die Krisen individueller Lebensführung, die Frage der Ersetzbarkeit des menschlichen Organismus, wie sie die neuen biomedizinischen Technologien aufwerfen, die Expansion der Industriegesellschaften mit den daraus resultierenden ökologischen Problemen, die Relativierung der Tier-Mensch-Differenz durch die Verhaltenswissenschaften, die Infragestellung der Einzigartigkeit menschlicher Kognition und Kommunikation durch Technologien der künstlichen Intelligenz sowie durch die neuen Medien, schließlich die Erfahrung der Relativität und Pluralität menschlicher Kul-

Ulrich Wenzel (Hg.), *Der Prozeß der Geistesgeschichte*, Frankfurt am Main 1994, S. 15-44; Joachim Fischer, »Philosophische Anthropologie. Zur Rekonstruktion ihrer diagnostischen Kraft«, in: Jürgen Friedrich, Bernd Westermann (Hg.), *Unter offenem Horizont. Anthropologie nach Helmuth Plessner*, Frankfurt am Main 1995, S. 249-280; Gerhard Arlt, *Anthropolgie und Politik. Ein Schlüssel zum Werk Helmuth Plessners*, München 1996; Hans-Peter Krüger, »Angst vor der Selbstentsicherung. Zum gegenwärtigen Streit um Helmuth Plessners philosophische Anthropologie«, in: *Deutsche Zeitschrift für Philosophie* 44 (1996), S. 271-300; Wolfgang Eßbach, Joachim Fischer, Helmut Lethen (Hg.), *Plessners »Grenzen der Gemeinschaft«. Eine Debatte*, Frankfurt am Main 2002; Matthias Schöning, »Selbstentsicherung des historischen Subjekts. Zur Geschichtsphilosophie Helmuth Plessners«, in: Wolfram Hogrebe (Hg.), *Grenzen und Grenzüberschreitung, XIX. Deutscher Kongreß für Philosophie*, Bonn 2002, S. 839-850; Gesa Lindemann, »Reflexive Anthropologie und die Analyse des Grenzregimes. Zur Aktualität Helmuth Plessners«, in: Ulrich Bröckling u. a. (Hg.), *Disziplinen des Lebens*, Tübingen 2004 (Literatur und Anthropologie, Bd. 20), S. 23-34; Joachim Fischer, »Leben – das ›grenzrealisierende Ding‹. Philosophische Anthropologie als Doppelkorrektiv von Genombiologie und Biomachtdiskurs«, ebd., S. 61-72; sowie die Beiträge im Schwerpunkt »Das Schauspiel der Kultur im Spiegel der Natur. Helmuth Plessners Philosophische Anthropologie«, in: *Deutsche Zeitschrift für Philosophie* 48 (2000), S. 208-317.

8 Hans-Peter Krüger, *Zwischen Lachen und Weinen*, Bd. I: *Das Spektrum menschlicher Phänomene*, Berlin 1999; Bd. II: *Der dritte Weg Philosophischer Anthropologie und die Geschlechterfrage*, Berlin 2001.

turen und Gesellschaften, die sich mit der Globalisierung der Märkte radikalisiert und in einer Gegenbewegung vielfältige Versuche der Refundamentalisierung provoziert.

Wie Fuchs konstatiert auch Krüger eine Hegemonie des Körper-Geist-Dualismus im westlichen Selbstverständnis, doch während jener die Spaltung im Rückgang auf die eigenleibliche Erfahrung glaubt unterlaufen zu können, scheitert für Krüger der Dualismus »an seinem Erfolg, dem keine romantische Einheit von Leib und Seele Paroli bieten kann« (Bd. I, S. 21), und in der Folge schlägt er um in Nihilismus. Aus dieser Diagnose leitet Krüger sein Plädoyer für eine Philosophie des Common sense ab:

»Statt alte Werte zu beschwören, über den Werteverfall zu klagen oder seiner nihilistischen Schadenfreude über das Schicksal des Dualismus Ausdruck zu verleihen, ist es sinnvoller, sich das Geltungsproblem im menschlichen Leben zu vergegenwärtigen, für das es immer etwas Besseres oder Schlechteres schon gibt oder gefunden werden muß« (Bd. I, S. 22).

Hier kommt Plessner ins Spiel, dem Krüger das Verdienst zuspricht, »die Philosophische Anthropologie in ihrer ganzen Anlage als die produktive Kritik am Dualismus und gleichzeitig am Nihilismus konzipiert zu haben« (S. 25). Indem er die Spezifik des Lebendigen über die (auf den Stufen von Pflanze, Tier und Mensch je unterschiedlichen) Formen der Grenzrealisierung zur Umwelt herauspräpariert habe, zeige er die konstitutive Ambivalenz menschlicher Phänomene in ihrer Verschränkung zwischen Körperlichem und Geistigem.

Das menschliche Leben stehe im Zeichen dessen, was Plessner den »kategorischen Konjunktiv« nennt: »Die aktuale Vollzugsform des Lebendigen ist kategorisch und hat als unbedingte zu gelten. Wie dies aber zu realisieren geht, hängt von den Strukturpotentialen im Konjunktiv und den geschichtlich kontingenten Rahmenbedingungen ab« (Bd. I, S. 27). Die Menschen sind gezwungen, ihr Leben zu führen, aber auf welche Weise sie es führen, ist kontingent. Immer gilt: Wir können auch anders. In dieser Lage bedürfe es, so Krüger, »zur Orientierung eine[r] Art *minima moralia* des Menschseins«, »eine[r] souveräne[n] Prävention unserer geschichtlichen Selbstermächtigung davor, in die Rolle Gottes oder eines Wurmes zurückzufallen« (Bd. I, S. 22). Das menschliche Maß, nach dem er mit Plessner sucht, erschließt sich im Spiel.

»Spielen bedeutet, diejenige Ambivalenz ausleben zu können, sich einerseits von einer bestimmten Bindung ins Unbestimmte zu befreien und doch gleichzeitig aus dieser abstrakten Negation in eine neue Bindung zurückzukehren. [...] Das spezifisch Menschliche entpuppt sich nicht darin, das ganze Spektrum durch eines seiner Phänomene monopolisieren zu können, was in unmenschliche Fixierungen führen kann, sowohl im Namen der Identität wie im Namen der Differenz. Das spezifisch Menschliche entpuppt sich erst darin, das ganze Spektrum geschichtlich durchlaufen zu können« (Bd. I, S. 32).

Krügers eigener Durchgang durch »das Spektrum menschlicher Phänomene« (und durch Plessners Schriften) setzt ein bei der Körper-Leib-Differenz. Körperliche, nach außen gerichtete, und leibliche, nach innen gerichtete, Sinne müssen sich fortwährend aufeinander abstimmen. Dabei kommt es unweigerlich zu »Unstimmigkeiten«, welche die individuelle Urteilskraft herausfordern und sie auf soziokulturelle, mithin sprachlich verfaßte Deutungsmuster und Pragmatiken verweisen. Der einzelne fühlt sich beispielsweise schlaff und fiebrig, diagnostiziert diese Dissonanz nach einiger Zeit als Grippe und geht dann möglicherweise zum Arzt, um sich ein Antibiotikum verschreiben zu lassen. In der Notwendigkeit, solche (und gravierendere) Unstimmigkeiten praktisch beantworten zu müssen, ohne auf eine bestimmte Antwort festgelegt zu sein, zeigt sich die unhintergehbare Verschränkung von Körperlich-Leiblichem und Geistigem. Nur »die Kooperation der körperlichen und geistigen Sinne ermöglicht das, was man *menschliches Verhalten* nennt« (Bd, I, S. 51).

Ausgehend von Plessners Sinnesanthropologie deutet Krüger auch die modernen Künste: Freigestellt von sakralen und alltagspraktischen Aufgaben, leisten sie eine »spielerisch-öffentliche Aufdeckung des kategorischen Konjunktivs der menschlichen Lebensführung« (Bd. I, S. 55). Impressionismus und Expressionismus (nicht als kunsthistorisch fixierbare Strömungen, sondern als gegenläufige Richtungen künstlerischer Gestaltung) bilden den allgemeinen Rahmen, in dem sich die Ästhetisierung der Sinne in der Moderne vollzieht: Impressionistischen *Erlebens*bewegungen, »die man sich als von außen nach innen verlaufend vorstellen kann und in denen mehr ein leibliches Zusammenstimmen mit der zum Leuchten gebrachten äußeren Natur von Verkörperungen zustandekommt«, stehen expressionistische *Ausdrucks*bewegungen gegenüber, welche

»die leibliche Bewegtheit eher gegen eingespielte Verkörperungen symbolisch herauskehren« (Bd. I, S. 63). Die Verpflichtung der Künste auf die Subjektivität des Bewußtseins hat nicht nur eine Vielzahl von Experimenten in Gang gesetzt, in denen die einzelnen Sinnesmodalitäten gegeneinander ausgespielt, aber auch intermodale Rekombinationen versucht wurden, sondern sie hat gerade dadurch auch das Bewußtsein »als sich selbst unmittelbare Vermittlung von Sensorik und Motorik« (Bd. I, S. 77) bis zur Auflösung dekonstruiert.

Die Philosophische Anthropologie geht weder auf eine Restitution dieses für die Moderne zentralen Konstrukts, noch kultiviert sie den Gestus seiner Verwerfung. Plessner situiert vielmehr, wie Krüger in einer Relektüre der *Stufen des Organischen* zeigt, das bewußte Erleben in der Gleichzeitigkeit von zentrischer Organisations- und exzentrischer Positionalitätsform des Menschen und läßt es aus dem »Doppelaspekt einer gegenstandsorientierten und einer latent selbstorientierten Aktivitätsrichtung« (Bd. I, S. 87) hervorgehen. »Unser Bewußtsein ist der Übergang vom organismisch zentrischen Verhalten, das Umwelt gewohnheitsmäßig von sich her und auf sich hin versteht, zum implizit welterschließenden Verhalten, das in der sprachlichen Kommunikation exzentrisch expliziert wird« (Bd. I, S. 107). Ermöglicht wird die Eingespieltheit der zentrischen Organisations- auf die exzentrische Positionalitätsform durch jene Struktur, die Plessner »Mitwelt« nennt und als »die vom Menschen als Sphäre anderer Menschen erfaßte Form der eigenen Position«[9] bestimmt. Die Mitwelt entwertet die raumzeitliche Verschiedenheit der Standorte der Menschen und konstituiert das Soziale.

Als gelebte »Einheit von erster und dritter Person«[10] besitzt das Ich die Fähigkeit zur Perspektivübernahme und damit zum Rollenspiel. Krüger faltet, wiederum unmittelbar an Plessner anschließend,[11] dieses Spielpotential noch einmal auf in der Verdoppelung der *persona* in Rollenträger und Maskenspieler. Neben das Spielen *in* der Rolle tritt das Spielen *mit* der Rolle. Verbunden damit ist die Aus-

9 Helmuth Plessner, *Die Stufen des Organischen und der Mensch* (1928), 3. Aufl., Berlin 1975, S. 302.

10 Ebd., S. 48.

11 Vgl. Plessners Aufsatz »Zur Anthropologie des Schauspielers«, in: *Gesammelte Schriften*, Bd. VII, hg. von Günter Dux, Odo Marquard und Elisabeth Ströker, Frankfurt am Main 1982, S. 399-418.

differenzierung von privater und öffentlicher Existenz, von Alltäglichem und Außeralltäglichem. Das Schauspielen einer Rolle besteht im »Wechsel zwischen Identifikation mit ihr und Distanznahme von ihr« (Bd. I, S. 137) und lebt davon, daß sich die beteiligten Partner wechselseitig zubilligen, zwischen gespielter und »wirklicher« Welt hin- und herzuspringen, »die Ambivalenzen also, obgleich nicht berechenbar, doch allen entdeckbar halten« (Bd. I, S. 151). An seine Grenzen stößt das Ich in Situationen, die es weder ernsthaft durch Beherrschung der Elementarrolle noch im Spiel mit den Masken beantworten kann. Überwältigt von nicht zu integrierender Mehrsinnigkeit oder dem Zusammenbruch von Sinn, verliert die Person ihre Souveränität, und der Körperleib übernimmt die Antwort in den Eruptionen ungespielten Lachens und Weinens. Nicht der Souveränitätsverlust als solcher, sondern erst die Verfestigung und Verstetigung jener »Negation der Freiheit im Verhältnis zur eigenen Unbestimmtheit« (Bd. I, S. 173) markieren das Jenseits menschlichen Verhaltens, dessen Spielraum im Wortsinne sich »zwischen Lachen und Weinen« erstreckt.

Spätestens hier wird Krügers Vergegenwärtigung programmatisch, läßt er Anthropologie in Moral- beziehungsweise politische Philosophie übergehen. Indem er mit Plessner die konstitutive Rollenhaftigkeit des *Homo absconditus* zentral stellt und damit eine Wesensbestimmung *ex negativo* trifft, gibt er zugleich an, wo der Bereich des Humanen bedroht ist oder verlassen wird. Gefährdet sieht Krüger die Würde des Menschen immer dann, wenn die *persona* ihrer Souveränität über die temporären Einbrüche ungespielten Lachens und Weinens hinaus verlustig geht, sei es im Verhältnis des einzelnen zu sich selbst, sei es im Verhältnis zu anderen, denen er in der »Vertrautheitssphäre« der Gemeinschaft oder im öffentlichen Raum der Gesellschaft begegnet. »Souverän ist, wer seine Unbestimmtheit aushält« (Bd. I, S. 255), und das heißt auch: wer weder Individualisierung noch Vergemeinschaftung noch Vergesellschaftung verabsolutiert, sondern jeder dieser Sphären ihr Eigenrecht läßt und sein Rollenspiel gerade im Wechsel zwischen ihnen entfaltet. Den »Grenzen der Gemeinschaft«, die Plessner bereits 1924 gegen völkische wie kommunistische Radikalismen eingeklagt hatte, stellt Krüger deshalb die Grenzen des Individuums und der Gesellschaft zur Seite. Individualisierung werde maßlos, wenn die Offenheit des Selbstverhältnisses in den Automatismen unbedingter

Süchte oder Leidenschaften verschwinde. Die Übertragung des Marktmodells auf alle sozialen Beziehungen dagegen, wie sie heute im Zeichen des Neoliberalismus proklamiert wird, verallgemeinere die Sphäre der Gesellschaft als Ubiquität von Tausch- und Konkurrenzverhältnissen.

Plessner hatte in den zwanziger und frühen dreißiger Jahren des 20. Jahrhunderts gegen die Identitätswut der Gemeinschaftsideologen von rechts wie links eine Selbstermächtigung des Bürgertums gefordert, hatte einer Kultur der Verhaltenheit, aufbauend auf Zeremoniell und Prestige, Takt und Diplomatie, das Wort geredet.[12] Krüger sieht darin die Verteidigung einer »Art von kommunitärem Liberalismus« (Bd. I, S. 212) und versucht, dieses Programm für die Gegenwart fruchtbar zu machen. Die Fronten haben sich allerdings inzwischen verschoben: Statt einer Totalisierung des Politischen drohe jetzt seine Abdankung zugunsten einer »Marktgesellschaft, deren Homogenisierungsform nicht minder total werden könnte, als es die Freund-Feind-Verhältnisse radikaler Gemeinschaftsprojekte waren« (Bd. I, S. 243 f.). Damals wie heute gehe es um die Balance zwischen Vergemeinschaftung und Vergesellschaftung, sei die »Pluralität der Wertsphären« (Bd. I, S. 244) gegen Monopolisierungsansprüche – damals des Politischen, heute des Ökonomischen – zu behaupten.

Krüger will den »Respekt vor der Unergründlichkeit des Menschen« als moralischen Mindeststandard für »die der pluralen Gesellschaft angemessenen Zivilreligionen« (Bd. I, S. 267) verankern und inseriert Plessners Denken als eine zeitgemäße Philosophie des dritten Wegs. So aktuell dessen Bejahung der Entfremdung, sein Mißtrauen gegen alle Ursprungs- und Unmittelbarkeitspropheten auch erscheinen, so fraglich ist es doch, ob sich seine politische Anthropologie in der skizzierten Weise gegenwartstauglich machen läßt: Gegenüber den antiliberalen Radikalismen der Zwischenkriegszeit mochte es eine realistische (wenngleich nicht geschichtsmächtig gewordene) Alternative darstellen, das republikanisch-liberale Erbe zu verteidigen und politische Entscheidungen an öffentliche Diskussion und rechtliche Verfahren zu binden. Dem radikalisierten Liberalismus der Gegenwart ist von dieser Position aus

---

12 Vgl. vor allem seine Schrift »Grenzen der Gemeinschaft. Eine Kritik des sozialen Radikalismus« (1924), in: *Gesammelte Schriften*, Bd. V, hg. von Günter Dux, Odo Marquard und Elisabeth Ströker, Frankfurt am Main 1981, S. 7-133.

allerdings kaum beizukommen, fordert und fördert die Transformation der Gesellschaft zum Marktplatz doch gerade jene Eigenschaften, die Plessner für seinen antitotalitären Kampf zu mobilisieren versucht hatte: Um sich unter den Bedingungen verallgemeinerter Konkurrenz zu behaupten, braucht es Durchsetzungswillen und -kraft (»Pflicht zur Macht«), die Beherrschung des Spiels mit Drohung und List (»Logik der Diplomatie«), Anpassung an die Verhaltenscodes und Rituale etwa von Unternehmenskulturen bei gleichzeitiger Virtuosität individueller Selbstpräsentation (»Zeremoniell und Prestige«), um nur einige Kapitelüberschriften aus den »Grenzen der Gemeinschaft« zu zitieren. Distinktionszwang hat den Furor der Homogenisierung abgelöst. Gegen Nazis wie Bolschewisten war es vielleicht sinnvoll, die Gestalt des Citoyens stark zu machen; im Bourgeois, der im neoliberalen Leitbild des *entrepreneurial self* zur hegemonialen anthropologischen Figur avanciert,[13] trifft dieser dagegen nur auf die andere Seite seiner selbst. Wenn schon *Minima moralia* bestimmt werden sollen, dann wären sie nicht in der Balance, sondern jenseits von Staatsbürger und Marktsubjekt zu suchen.

In Plessners Werk selbst bleibt der Bereich des Ökonomischen unterbelichtet. Arbeit, Tausch und Konsum wurden ihm nicht zum Gegenstand systematischer anthropologischer Reflexion. Das ist aufgrund der historischen Frontstellung zumindest seiner Schriften vor 1933 verständlich. Eine Aktualisierung seines Werks in politischer Absicht jedoch hätte jene Leerstelle zu schließen, und das hieße zugleich: Sie hätte über Plessner hinauszugehen. Diesen Schritt vermißt man in Krügers sorgfältiger und kenntnisreicher Studie.

IV.

Während Fuchs und Krüger im Anschluß an die leibphänomenologische Tradition beziehungsweise an Plessner eigene anthropologische Entwürfe vorlegen, sichtet *Andreas Steffens* noch einmal die Philosophien des 20. Jahrhunderts und liest sie als affirmative oder kritische, in jedem Fall aber symptomatische Antworten auf die Programme und Praktiken der Menschenformung wie -vernich-

---

13 Vgl. Ulrich Bröckling, »Diktat des Komparativs. Zur Anthropologie des ›unternehmerischen Selbst‹«, in: Ulrich Bröckling, Eva Horn (Hg.), *Anthropologie der Arbeit*, Tübingen 2002 (Literatur und Anthropologie, Bd. 15), S. 157-173.

tung, die dieser Epoche ihr Signum aufdrückten.[14] »Anthropolitik«
ist die Kategorie, in der sich für ihn die Geschichte des vergangenen
Jahrhunderts verdichtet, und diese Politik nicht *für*, sondern *am*
Menschen bestimmt auch die Perspektive seines bilanzierenden
Rückblicks. Die Anthropolitik konstituiert eine Anthropologie im
Gerundivum. »Der Mensch« figuriert als ein durch Zucht oder
Züchtung zu generierendes und zu optimierendes Wesen, als »Menschenmaterial«, dessen Fungibilität für welche Zwecke auch immer
sicherzustellen und *ad infinitum* zu steigern ist, wozu auch gehört,
unbrauchbare Exemplare auszusortieren. Das »nackte Leben« bezeichnet nicht mehr den unzugänglichen Unterbau politischer Interventionen, sondern markiert das privilegierte Terrain, auf dem
Kontroll- und Steuerungsmaßnahmen operieren. Michel Foucault
hatte das Biopolitik genannt und die Genealogie dieses Dispositivs
bis zur Policeywissenschaft des 18. Jahrhunderts zurückverfolgt.
Steffens baut darauf auf, doch anders als Foucault analysiert er nicht
die Machtmechanismen selbst, sondern deren Niederschlag im philosophischen Denken, das – als Apologie, Einspruch oder wortreiches Beschweigen – stets seine Zeit kommentiert.

Die Grundtendenz des 20. Jahrhunderts war Radikalisierung, in
ihm kulminierten »Erinnerungen an Verheißungen des 18., die sich
das 19. nicht mehr erlaubt hatte, weshalb das Drängen auf ihre Einlösung zu extremsten Formen neigte« (S. 36). In der Retrospektive
erscheint es als »ein Jahrhundert der Abschiede« (S. 23) und zunehmender Verfinsterung: »Von den Schlachtfeldern des Ersten
Weltkriegs bis in die Forschungslabors der Mikrobiologie unserer
Tage erstreckt sich eine Geschichte des Unwahrscheinlichwerdens
der menschlichen Dinge« (S. 22). Ausgangspunkt jeder Reflexion
auf den Menschen ist daher die elementare Erfahrung der anthropologischen Differenz: »zu erleben, daß die Art, in der man
Mensch ist, nicht dem entspricht, was es heißt, ein Mensch zu sein«
(S. 41). Steffens versteht darunter nicht nur eine Art unglücklichen
Bewußtseins, das am akuten Zustand der Welt leidet. Als exzentrische Lebewesen – der Verweis auf Plessner fehlt auch hier nicht –
sind Menschen vielmehr unüberschreitbar durch Differenz bestimmt:

14 Andreas Steffens, *Philosophie des 20. Jahrhunderts oder Die Wiederkehr des Menschen*, Leipzig 1999.

»Differenzlosigkeit ist ein anderes Wort für Tod. Erst der Tod stellt die Momente und Widersprüche des Lebens in einer Identität still, die von keiner Ungewißheit mehr beunruhigt werden kann. Identität ist weder Bedingung noch Leistung eines Lebens, und erst möglich, sobald sich nichts mehr in ihm bewegt. Das mit sich selbst identische Ich ist das erinnerte oder das unbewegte Ich, dessen Lebensfunktionen zum Stillstand gekommen sind. Das Menschsein *ist* die Differenz, deren Erfahrung es bis zur Unerträglichkeit belastet« (S. 82).

Um jene Differenz ein für allemal aus der Welt zu schaffen, errichtete man Lager und stellte Exekutionskommandos auf. Der kollektive Taumel der ersehnten Entdifferenzierung mündete in »die Zerstörung all dessen, was von einer absolut gesetzten Definition des Menschseins abweicht« (S. 84).

Begonnen hatte das Jahrhundert der Anthropolitik mit einer literarischen Idee: der des Neuen Menschen. Was die Expressionisten mit künstlerischen Mitteln zu erschaffen hofften, mutierte allerdings bald zu einem politischen Projekt mit totalitärem Anspruch. Sein wichtigstes Merkmal war Entgrenzung. »Der Mensch soll nicht werden, was er ist; werden soll ein Mensch, der noch nicht war« (S. 99), lautete die Vorgabe, welche die Nationalsozialisten buchstäblich mit aller Gewalt umsetzten. Steffens läßt einige philosophische Adepten des NS-Regimes noch einmal zu Wort kommen und zeigt, wie ihre Mobilmachungsprosa der anthropolitischen Praxis vorauseilte oder sie begleitete. Arnold Gehlen etwa feierte den Nationalsozialismus als Einlösung des idealistischen Erbes und pries ihn für den unbedingten Willen, seine Idee »vom Dasein und seinen Ordnungen« in die »Wirklichkeit zu ›verflössen‹ (wie Fichte sagte) und sie umzuschaffen, wenn sie den vorgegebenen Ansprüchen der Idee nicht genügt«[15] (S. 130). Steffens zitiert solche Passagen nicht im Ton der Anklage, sondern nimmt sie als Symptom eines Denkens, das dem totalen Staat überantwortet, was es selbst proklamiert, aber nicht zu bewerkstelligen vermag:

»Die Anthropolitik besetzt die Leerstelle der Anthropologie, *den* Menschen, durch Handlungen, die einen Menschen hervorbringen sollen, der den Begriff, den sie nicht hat, weil es ihn nicht geben kann, erfüllt. Anders gewendet: da die Anthropologie den Menschen als den einen nicht bestimmen kann, muß sie sich, soll sie zu Politik werden, an den existierenden Men-

---

15 Arnold Gehlen, »Der Idealismus und die Gegenwart« (1935), in: *Gesamtausgabe*, Bd. 2: *Philosophische Schriften II (1933-1938)*, Frankfurt am Main 1980, S. 357 f.

schen vergreifen und sie so zuzurichten suchen, daß sie einem Begriff entsprechen können« (S. 129 f.).

Steffens greift an dieser Stelle einen Gedanken Hannah Arendts auf, die in ihrem Totalitarismus-Buch darauf hingewiesen hatte, daß totalitäre Systeme wie der Nationalsozialismus sich von anderen politischen Formationen nicht durch spezifische Ideologien, wohl aber durch die Konsequenz unterscheiden, in der ideologische Aussagen buchstäblich ernst genommen und zu einem »in sich stimmigen Netz von abstrakt logischen Deduktionen, Folgerungen und Schlüssen« verknüpft werden.[16] Bei den Totalitätslehren der ersten Hälfte des 20. Jahrhunderts handelt es sich folglich um weit mehr als um aufgeblasene Ganzheits- und Mobilisierungsphantasmen von Rechtsintellektuellen. Die Doktrin des Totalen läßt sich vielmehr *ex post* als implizite Regieanweisung für die Funktionsweise und innere Dynamik des totalen Staates entziffern – nicht im Sinne einer Drahtziehertheorie, sondern als kollektives Skript, das der Installation des totalitären Herrschaftsapparats weit vorauseilte, ihr aber in einem allgemeinen Sinne die Richtung vorgab.

Konkret werden konnte allein die negative Seite des Programms; planmäßig organisieren ließ sich nur die Ausmerzung menschlicher Möglichkeiten, nicht aber deren Erweiterung. Während die Fabrikation von Herrenmenschen phantasmatisch blieb (und bleiben mußte), machten sich die nationalsozialistischen Anthropolitiker um so rücksichtsloser an die Auslöschung all jener, die der rassischen Selbstbehauptung vermeintlich entgegenstanden. Der Radikalismus der Verwirklichung drängte zu »Endlösungen«, und dazu brauchte er absolute, das heißt zugleich als Nichtmenschen und Menschheitsgegner dämonisierte Feinde. Weil Steffens die innere Logik des nationalsozialistischen Programms so eindrücklich wie präzise nachzeichnet, befremdet es um so mehr, auf einen Satz zu stoßen, der auf eine verquere Weise die Deformation der Täter gegen die Qualen ihrer Opfer aufwiegt. Wie anders soll man die Aussage verstehen, »unerträglicher als das Erleiden [sei] auf Dauer das Zufügen von Terror, weil jede Antastung der Menschlichkeit anderer die eigene vermindert« (S. 152)? Man mag Steffens ja zustimmen,

16 Hannah Arendt, *Elemente und Ursprünge totaler Herrschaft*, Bd. 3: *Totale Herrschaft*, Frankfurt am Main 1975, S. 254-258.

wenn er schreibt, »[w]er tötet, weil er anderen ihr Menschsein abspricht, verliert den Grund seines eigenen« (ebd.). Aber was sagt das, hinderte dieser Verlust die Schergen doch keineswegs daran, ihr Leben als erfolgreiche Geschäftsleute, liebevolle Familienväter oder freundliche Nachbarn fortzusetzen, während jene, die ihnen entkamen, am Gefühl abgrundtiefer Weltlosigkeit verzweifeln und sich nicht verzeihen können, überlebt zu haben? Der Impuls, den Tätern menschliche Eigenschaften abzusprechen, ist nur allzu verständlich, doch auch das Verdikt der Unmenschlichkeit sistiert *den* Menschen – als seine Negation. Um Steffens' eigenen Grundgedanken aufzugreifen: Die anthropologische Differenz offenzuhalten hieße, auch das systematische Morden als spezifisch menschliche Möglichkeit zu begreifen.

Fragen wirft auch Steffens' These auf, daß »[d]er Terror, der ausgeübt wird, […] auf einen Terror, der erlitten wird«, reagiert: War es wirklich die »Einsamkeit des Weltlosen, unter der die nationalsozialistischen Protagonisten wie wenige gelitten haben«? War die »Herstellung tatsächlicher Weltlosigkeit für Millionen von Menschen«, die sie ins Werk setzten, wirklich eine panisch-gewalttätige Verkehrung ihres eigenen »metaphysische[n] Erleben[s] der Weltlosigkeit« (S. 170 f.)? Sicher legitimierten die Nationalsozialisten ihre Taten als vorbeugende Selbstverteidigung, sicher »glaubten« sie ihren eigenen Ideologemen, aber es greift wohl zu kurz, das Movens der anthropolitischen Verbrechen auf die Psycho-Logik eines Projektionsmechanismus zurückzuführen.

Der NS-Staat war das extremste, aber nicht das einzige anthropolitische Regime und sein Ende nicht das Ende der Anthropolitik. Von ihrer revolutionären Gründung an hatte man auch in der Sowjetunion die Schaffung eines Neuen Menschen propagiert, hatte man »die lebenden Menschen als Rohmaterial für die Erzeugung einer anderen Weise des Menschseins« behandelt (S. 185). Zwischen dem nationalsozialistischen und dem sowjetischen totalen Staat bestand dabei jedoch eine fundamentale Differenz: Während das nationalsozialistische Deutschland die Gewalt gleichermaßen nach innen wie außen entgrenzte, seine Vernichtungsdynamik die Bereitschaft zur Selbstvernichtung einschloß und deshalb auch nur gewaltsam von außen aufzuhalten war, radikalisierte die Sowjetunion den Terror gegen die vermeintlichen Feinde im Innern, verfolgte nach außen hin aber eine Strategie der Machtsicherung, was imperialistische Expansion nicht ausschloß, diese jedoch nicht zur *Raison d'être* der eigenen Existenz erhob.

Unter der Überschrift »Wiederkehr der Züchtung?« geht Steffens, leider nur äußerst knapp, auf die anthropolitischen Implikationen der zeitgenössischen Biotechnologien ein (S. 194 ff.). Die Lesbarkeit des genetischen Codes weckt den Wunsch, auch die Autorschaft des Textes zu übernehmen, und sie eröffnet neue Möglichkeiten, »das Menschsein der Zufälligkeit seiner Bedingungen zu entwinden« (S. 187). Steffens ist pessimistisch hinsichtlich der Chancen, die praktische Umsetzung des technisch Machbaren durch politische Entscheidungen oder rechtliche Reglementierungen aufzuhalten. »Das möglich Gewordene wird jeweils in technologischem Selbstläufertum gemäß den Regeln der Kapitalverwertung seine Verwirklichung und Nutzung finden« (S. 201). Gerade in dieser weitgehenden Entpolitisierung sieht er jedoch einen Sicherungsmechanismus gegen neue Exzesse der Menschenformung:

»Blieben die technischen Möglichkeiten der Biologie zur Zeit der Anthropolitik hinter den politischen Vorgaben zurück, so gibt es heute biotechnische Instrumente, die jene Vorgaben weit übertreffen, aber keinen politischen Willen zu ihrem gezielten anthropolitischen Einsatz. Diese Konstellationswandlung fort von einer niedrigen Effektivität bei hoher Politisierung hin zu einer hohen Effektivität bei niedriger Politisierung stellt einen Schutz gegen die schlummernden Möglichkeiten der Biotechnologie dar, den man nicht geringschätzen sollte« (S. 202).

Nicht auszuschließen ist freilich, daß – zumal in einer Krise des globalen Kapitalismus – das biologische Wissen repolitisiert und abermals von anthropolitischen Regimes in Dienst genommen wird.

Unabhängig von solchen Szenarien hat sich die Anthropolitik längst veralltäglicht. An die Stelle staatsterroristischer »Endlösungen« sind unscheinbare und zerstreute Mikropolitiken getreten, in denen unterschiedlichste Akteure ihre Lebensführung oder ihre biologische Reproduktion technologischen Kontroll- und Optimierungsstrategien unterwerfen. Der Imperativ der Gesundheit und das Postulat der Selbstverantwortung haben die Mythologien rassischer Reinheit und heroischer Aufopferung abgelöst. Jeder maximiert als Humankapitalist in eigener Sache den individuellen Nutzen und exekutiert zugleich als Souverän seiner selbst das Recht über Leben und Tod am eigenen Leib. So erweist sich die Pränataldiagnostik längst als Instrument einer Privateugenik, bei der jene

Embryonen ausgesondert werden, die den gesellschaftlichen beziehungsweise elterlichen Qualitätsstandards nicht genügen – und sei es nur, weil sie das falsche Geschlecht haben. Ähnliches gilt für die Regulierung des Sterbens: Die Tötung Schwerstkranker oder -behinderter wird heute nicht mehr von Staats wegen exekutiert, um die »Volksgemeinschaft« von »unnützen Essern« zu befreien; »Euthanasie« legitimiert sich vielmehr als selbstgewählte oder von den Angehörigen veranlaßte Beendigung eines Lebens, das den Betroffenen selbst oder ihren Verwandten nicht mehr lebenswert erscheint.

Diese Transformationen nimmt Steffens bedauerlicherweise nicht mehr in den Blick. Am Ende seines Essays steht ein Plädoyer für ein Philosophieren, das die Fiktion *des* Menschen aufgibt:

»Die Phänomenologen der ersten Jahrhunderthälfte bestanden nachdrücklich darauf, ihre Denkform von aller Anthropologie, von Historismus und Psychologismus freizuhalten; am Ende der zweiten hat sich herausgestellt, daß Anthropologie als philosophische Denkform selbst nur noch phänomenologisch möglich ist: als Beschreibung dessen, was man zu sehen bekommt, wenn man die Geschichte dieses Jahrhunderts ›anschaut‹. An die Stelle der Bestimmung tritt die Beschreibung des Menschseins« (S. 309).

Eine solche »Archäologie der Humanität« löst die Aporien anthropologischen Denkens nicht auf, aber sie verstärkt vielleicht die Skepsis gegen alle Versuche, sie unbedingt auflösen zu *wollen*.

V.

Für eine Anthropologie, die darauf verzichtet, die Grenzen des Menschlichen abzustecken, bliebe genug zu tun. Zu »retten« ist das anthropologische Projekt als Kritik jener medizinisch-biologischen, technischen, politischen, juristischen, ökonomischen usw. Grenzregime, die den Bereich des Humanum festlegen und den Menschen beibringen, was sie vermeintlich immer schon sind. Grenzregime definieren Einschluß- und Ausschlußkriterien, sie ermöglichen oder unterbinden Übergänge und schaffen *Trading-Zones*, in denen Zugehörigkeiten ausgehandelt werden und vielfältige Hybridgestalten sich tummeln. Daß Grenzen gezogen werden, ist unvermeidlich; wie sie aussehen, ist offen – aber alles andere als gleichgültig.

Eine Anthropologie, die sich als reflexive »Grenzwissenschaft« begreift, weiß nicht, was die Natur »des Menschen« ausmacht, aber sie zeigt, daß *jede* Antwort auf diese Frage das Ergebnis kultureller (Aus-)Handlungen und insofern prinzipiell verschiebbar ist. Und sie macht sichtbar, was diese oder jene Antwort den Menschen (wie auch jenen, denen dieser Status abgesprochen wird) zumutet. Eine solche Anthropologie überschreitet sich selbst und wird zur Kultur- und Vergesellschaftungstheorie.

»Es gilt nicht mehr: Anthropologische Annahmen fundieren explizit oder implizit Vergesellschaftungsprozesse. Sondern es gilt umgekehrt: Jede Vergesellschaftung enthält eine Grenzregulierung, durch die entschieden wird, wer in den Kreis der personalen Akteure gehört, die den Prozeß der Vergesellschaftung tragen, und was aus diesem Kreis ausgeschlossen wird.«[17]

»Der Mensch« figuriert nicht länger als Ursprung und Essential, sondern als Fluchtpunkt und Effekt ebenso unhintergehbarer wie unabschließbarer Definitions- und (Selbst-)Formungsanstrengungen.

Dieser Wechsel der Blickrichtung erlaubt es auch, aus dem Spiegelspiel des anthropologischen Universalienstreits auszusteigen und den – ungedeckten – Realismus der Wesensbestimmer ebenso hinter sich zu lassen wie den – wohlfeilen – Konstruktivismus ihrer nominalistischen Widersacher. Statt immer neue Bausteine der *Condition humaine* aufzurichten oder sich im Nachweis ihrer Kontingenz zu erschöpfen, »liest« eine reflexive Anthropologie Aussagen über »den Menschen« als Antworten in praktischer Absicht – und erschließt aus ihnen die Fragen, auf die sie antworten.

Ein solches Programm setzt sich dem Vorwurf aus, jenen in die Hände zu spielen, die den konstitutiven Konjunktiv menschlicher Existenz als Freibrief verstehen, die Menschen nach ihren Vorstellungen zu modeln. Bedarf das Humanum nicht doch gesicherter Grenzbestimmungen, um dem entgrenzten Zugriff auf Leib und Leben eine Sphäre der Unverfügbarkeit abzutrotzen? – Mag sein, daß es gut wäre, wenn es sie gäbe. Aber es gibt sie nicht. Jeder Versuch, unverrückbare Fundamente zu legen, mündet in ebenjenen heillosen Dezisionismus, dem er ein Ende setzen will. Eine Anthro-

---

17 Lindemann, »Reflexive Anthropologie und die Analyse des Grenzregimes« (Anm. 7), S. 26 f.

pologie, die Standpunkte verteidigt, statt sie zu erschüttern, hat schon verloren. Nicht Positionierung, sondern Ex-Position zeichnet eine kritische Menschenwissenschaft aus. Ihr Einsatz: sich dem auszusetzen, was Menschen tun und einander antun.

Matthias Schöning und Manfred Weinberg
Ironie der Grenzen – Horizonte der
Interkulturalität

1. Horizont und Grenze

Der Begriff der »Horizontverschmelzung«[1] gehört zu den zentralen Begriffen der Hermeneutik Hans-Georg Gadamers. Die Metapher ist freilich auf den ersten Blick schief. Denn Horizonte[2] sind als Wahrnehmungsphänomen allein deshalb nicht fusionier*bar*, weil sie es – unter der Voraussetzung richtungsgleicher Blicke – immer schon sind. Zwar sind Horizonte, insofern sie die weitere Sicht begrenzen, an den Punkt gebunden, von dem aus sich das Sehen entfaltet, solche Positionalität aber macht sich vordringlich im enger umgrenzten Raum – in Anbetracht verschiedener Perspektiven auf eine Sache – bemerkbar.[3] Angesichts eines Horizonts schrumpft die Differenz der ›Sehepunkte‹ bis zur Unmerklichkeit.

Gadamers Horizonte sind *Zeit*horizonte; es geht um die Historizität des Verstehens, den Einschluß in den – wie er suggestiv formuliert – »geschlossenen Stromkreis des geschichtlichen Lebens«.[4] Gleichwohl ankert der semantische Überschuß der Horizont-Metapher nicht nur alltagssprachlich, sondern auch philosophiegeschichtlich in der Raumdimension. Der Horizont gehört ins semantische Feld der platonischen *Chora*,[5] die Seiendem Raum gibt, ohne selbst (bloßer) Raum oder Seiendes zu sein. Dieses philosophische Milieu von Zwischenräumen ist es, die der ins Zeitliche gewen-

---

1 Hans-Georg Gadamer, *Wahrheit und Methode. Grundzüge einer philosophischen Hermeneutik, Gesammelte Werke I, Hermeneutik I,* Tübingen, 6. Auflage 1990, S. 311 ff.

2 Zur Herausbildung des Horizontbegriffs vgl. Albrecht Koschorke, *Die Geschichte des Horizonts. Grenze und Grenzüberschreitungen in literarischen Landschaftsbildern,* Frankfurt am Main 1990, S. 11 ff.

3 Vgl. Maurice Merleau-Ponty, *Phänomenologie der Wahrnehmung,* übersetzt von Rudolf Boehm, Berlin 1966, S. 91: »Immer sehen wir nur von irgendwoher, ohne daß aber das Sehen in seine Perspektive sich einschlösse.«

4 Gadamer (Anm. 1), S. 281.

5 Platon, *Timaios,* 48e-52, übersetzt von O. Apelt, Hamburg 1988 (Nachdruck der 2. Auflage 1922), S. 73 ff.

dete Gebrauch des Horizont-Begriffs aktualisiert.[6] Er schließt die
Individualität der Perspektive, die einen Dialog fordert, ebenso ein
wie die alle(s) umfassende Wirkungsgeschichte. Auch deren Unverfügbarkeit, der Entzug des Ursprungs, der konstruktivistische Eu-
phorien bremst, ist in dieser Metapher klar ausgesprochen:

»Das historische Bewußtsein ist sich seiner eigenen Andersheit bewußt und
hebt daher den Horizont der Überlieferung von dem eigenen Horizont ab.
Andererseits aber ist es selbst nur [...] eine Überlagerung über einer fortwir-
kenden Tradition, und daher nimmt es das voneinander Abgehobene sogleich wieder zusammen, um in der Einheit des geschichtlichen Horizon-
tes, den es sich so erwirbt, sich mit sich selbst zu vermitteln.«[7]

Das geschichtliche Bewußtsein hat demnach zwei gleichermaßen
unvermeidliche Seiten: Einerseits *behauptet* es – im doppelten Sinn
von Postulat und Standhaftigkeit – die Unterschiedenheit des eigenen Standpunkts von jedem anderen, andererseits aber stellt es die
Differenzqualität zurück, um den konstitutiven Zusammenhang
mit der Geschichte hervortreten zu lassen. Die Kunst der Hermeneutik – und eben das macht sie für Kulturphilosophie und Inter-
kulturalitätsdebatten weiterhin wichtig – ist es, das Zusammenspiel
der beiden Seiten auszubalancieren. Da aber die Balance im Zug der
Zeit immer wieder irritiert wird, gehen die Auseinandersetzungen
um Geschichte so wenig zu Ende wie die Geschichte selbst.[8] Nicht
nur werden die Zusammenhänge, die die Zeit zerreißt, vom in historischem Bewußtsein geführten Gespräch immer wieder hergestellt; es ist vielmehr einzusehen, daß die Horizontalität nicht erst
diskursiv gestiftet wird, sondern als immer schon gegeben gelten
muß:

»Der Vergangenheitshorizont, aus dem alles menschliche Leben lebt [...],
[ist] immer schon in Bewegung. Es ist nicht erst das historische Bewußtsein, das den umschließenden Horizont in Bewegung bringt. In ihm ist sich
diese Bewegung nur ihrer selbst bewußt geworden.«[9]

6 Vgl. Jacques Derrida, *Chora*, übersetzt von H.-D. Gondek, Wien 1990.
7 Gadamer (Anm. 1), S. 311 f.
8 Daß beim Gadamer von *Wahrheit und Methode* (1960) Figuren der Schließung und
   Unterwerfung den dialogischen Eros irritieren, soll nicht verschwiegen werden.
   Vgl. auch Matthias Schöning, »»Intensivierung der Verwandlungen‹. Gesten der
   Interpretation, Gadamer, Derrida«, in: Margreth Egidi u. a. (Hg.), *Gestik. Figuren
   des Körpers in Text und Bild*, Tübingen 2000, S. 315-330.
9 Gadamer (Anm. 1), S. 309.

Zurückübertragen in räumliche Verhältnisse gilt das gleiche: In seiner Unüberschreitbarkeit markiert der Horizont keine Grenze; er ist vielmehr Anzeichen des phänomenalen Raums und damit der Bedingung der Möglichkeit von (prinzipiell künstlichen) Grenzziehungen.[10] Anders gesagt: »Er gliedert sich dem Feld der Wahrnehmung nicht ein, sondern organisiert es«,[11] bleibt als Existenzgrund dabei aber auf das Widerspiel von Raum und subjektiver Wahrnehmungsaktivität angewiesen.

Ein so verstandener Begriff schließt die alltagssprachliche Rede vom Horizont als einem beschränkenden Tellerrand, über den hinaus es zu sehen gelte, aus. Die »Grenzen des Verstehens«,[12] die gleichwohl zu thematisieren sind, liegen nicht auf der Horizontlinie, sondern innerhalb des zwischen Horizont und Position eröffneten Feldes. Diese Lage nivelliert sie nicht und nimmt ihnen nichts von ihrer Dramatik; noch weniger allerdings gibt sie Anlaß zur Verabsolutierung des Nichtverstehens.[13] Grenzen müssen passierbar sein, überwindbar, verschiebbar, abschaffbar. Auch wenn sie faktisch nicht zu überwinden sind, müssen sie es doch prinzipiell sein, sonst wäre das sprichwörtliche Anrennen gegen sie nicht möglich. Ein Befund, der im übrigen mit einer anderen Verwendung übereinstimmt: Während sich (etwa mit Luhmann) metaphorisch vom ›Letzthorizont‹ sprechen läßt, bliebe die Rede von einer ›Letztgrenze‹ – wenigstens unter Bedingungen der Moderne – unverständlich.

---

10 Vgl. Michael Makropoulos, »Grenze und Horizont. Zwei soziale Abschlußparadigmen«, in: Claudia Honegger u. a. (Hg.), *Grenzenlose Gesellschaft? Verhandlungen des 29. Kongresses der Deutschen Gesellschaft für Soziologie*, Opladen 1999, S. 387-396, hier 390, der allerdings die »prinzipielle Künstlichkeit von Grenzen« auf einer Stufe sieht mit der »prinzipielle[n] Situativität von Horizonten« und die ›Gegebenheit‹ von Situationen unberücksichtigt läßt. So erscheint es fraglich, ob Horizont und Horizontverschiebung (S. 387) eine stimmige Metapher abgeben, um den modernen Konstruktivismus und die Entgrenzung des Möglichkeitssinns zu fassen.

11 Koschorke (Anm. 2), S. 7.

12 Vgl. Werner Kogge, *Die Grenzen des Verstehens. Kultur – Differenz – Diskretion*, Weilerswist 2002; vgl. auch Heike Kämpf, *Die Exzentrizität des Verstehens. Zur Debatte um die Verstehbarkeit des Fremden zwischen Hermeneutik und Ethnologie*, Berlin 2003.

13 Vgl. Udo Tietz, »Verstehen versus Mißverstehen. Re- und Dekonstruktion des hermeneutischen Negativismus«, in: *Dialektik. Zeitschrift für Kulturphilosophie* 2001, H. 2, S. 45-59.

2. Zwischen Position und Horizont

Was Horizont und Grenze unterscheidet, ist ihre verschiedene Passierbarkeit. Hinter der Grenze ist irgend etwas, das bei aller Unterschiedenheit kategorial gleich und insofern auch vergleichbar ist. Hinter dem Horizont – als Horizont im oben benannten Verständnis, nicht als bloße Grenze des aktuell Sichtbaren – ist nichts dergleichen. Daß er sich jeder Annäherung entzieht, macht leiblich spürbar, daß es keinen Sinn hat, hinter ihm etwas zu vermuten, was mit gleichen (wie auch immer konzeptualisierten) Raumvorstellungen faßbar wäre. Grenzen dagegen – politische, soziale, kulturelle Grenzen insbesondere – schüren Nachfragen, sie provozieren den Vergleich der beiden Seiten und die Untersuchung der Form ihrer Abgrenzung und deren Entstehung:[14]

»Einstmals vor nicht allzu langer Zeit, als das Abendland über erheblich größere Selbstgewißheit verfügte und sich über das, was es war und was es nicht war, viel sicherer war, hatte der Kulturbegriff eine feste Form und bestimmte Konturen. Zunächst grenzte er einfach, global und evolutionär, das Abendland – rational, historisch, fortschrittlich, fromm – vom Nicht-Abendland – abergläubisch, statisch, archaisch, magisch – ab.«[15]

Als das Abendland sich noch selbstgewiß als einzige Kultur von allem Anderen abhob, hatte auch der Begriff der Kultur noch feste Grenzen. Die wachsende Kenntnis der Anderen stellte aber die radikale Abgrenzung, die Abendland und Kultur identifizierend zusammenschloß, radikal in Frage. Doch was heißt es, wenn Geertz formuliert, daß das alte Konzept nun »zu grob erschien und zu offen«?[16] Zu »grob«, weil die anderen auf diese Weise nur indifferent als Fremde zu beschreiben waren und nicht als Angehörige dieser oder jener voneinander unterscheidbaren Kultur. Und darum – potentiell – auch zu »offen«: Sobald die Ab- und Ausschließungen brüchig oder, positiv formuliert, Perspektivenübernahmen denkbar werden, müßte die Grenzenlosigkeit der Fremde das Eigene

<hr/>

14 Vgl. auch die Unterscheidung zweier Typen von Grenzen bei Bernhard Waldenfels, »Auf der Schwelle zwischen Drinnen und Draußen. Phänomenologische Grenzbetrachtungen«, in: ders., *Der Stachel des Fremden*, Frankfurt am Main 1990, S. 28-40, hier 31 ff.

15 Clifford Geertz, *Spurenlesen. Der Ethnologe und das Entgleiten der Fakten*, München 1997, S. 53.

16 Ebd.

überfluten, wenn es nicht zu komplexeren Relationen zwischen Eigenem und Fremdem in der Lage wäre. Der Verzicht auf eine spezifischere Kenntnis schlüge in Selbstverlust um. Das Eigene drohte dann nichts anderes mehr zu sein als anderes unter anderem. Der Kulturbegriff »verschob sich« demnach notgedrungen

»in Richtung auf die Form, die uns heute vertraut ist – Lebensweise eines Volkes. Inseln, Stämme, Gemeinschaften, Nationen, Zivilisationen [...], am Ende auch Klassen, Regionen, ethnische Gruppen, Minderheiten, Jugendliche [...], hatten Kulturen: Arten und Weisen, wie man etwas tut, ausgeprägt und charakteristisch; jeder hatte eine für sich«.[17]

Auch der heute vertraute Kulturbegriff setzt also notwendigerweise (auf) Grenzen; doch ist nicht mehr sicher, wo diese zu ziehen sind: zwischen Völkern, Klassen, Generationen, zwischen jedem Einzelnen?[18] Die Frage, wer oder was Kultur *hat*, aber ist so schwierig zu beantworten, weil jenseits der einfachen Opposition Abendland/Nicht-Abendland nicht mehr präzise angebbar ist, was denn nun Kultur überhaupt *ist*, da diese nun – phänomenal *und* konzeptionell – an eine Pluralität von Grenzziehungen gebunden ist.

»Schon allein auf die Vorstellung von einem kulturellen Schema hagelte es Fragen, und sie hageln immer noch. Es gab Fragen im Hinblick auf die Kohärenz von Lebensweisen und das Ausmaß, in dem sich zusammenhängende Ganzheiten bilden. Es gab Fragen hinsichtlich ihrer Homogenität und des Ausmaßes, in dem allen Angehörigen eines Stammes, einer Gemeinschaft oder sogar einer Familie (von einer Nation, oder einer Zivilisation ganz zu schweigen) ähnliche Glaubensvorstellungen, Praktiken, Gewohnheiten und Empfindungen gemeinsam sind. Es gab Fragen zur

17 Ebd.
18 Clifford Geertz schreibt, »that those puzzles [raised by the fact of cultural diversity] arise not merely at the boundaries of society, where we would expect them [...], but, so to speak, at the boundaries of ourselves. Foreignness does not start at the water's edge but at the skin's.« (Clifford Geertz, »The Uses of Diversity«, in: *Michigan Quarterly Review*, Winter 1986, S. 105-123, hier 112). Von daher wäre, was hier zur Frage der Grenze und Position ausgeführt wird, auch auf Helmuth Plessners Konzeption der ›exzentrischen Positionalität‹ des Menschen zu beziehen, die er gerade aus dem – von Pflanze und Tier zu unterscheidendem – »Verhältnis des begrenzten [menschlichen] Körpers zu seiner Grenze« herleitet (Helmuth Plessner, *Die Stufen des Organischen und der Mensch. Einleitung in die philosophische Anthropologie*, Berlin, New York, 3. Auflage 1975, S. 103). Allerdings läßt sich dieser komplexe Zusammenhang von Körpergrenze, Positionalität und kulturellen Grenzen hier nur andeuten.

Diskretheit, zu der Möglichkeit, einen Punkt anzugeben, an dem die eine Kultur, sagen wir die lateinamerikanische, aufhört und die nächste, sagen wir die indianische, anfängt. Es gab Fragen […] im Hinblick auf die schiere Möglichkeit, daß jemand, ob von innen oder außen, etwas so Gewaltiges wie eine ganze Lebensweise erfaßt und die Worte zu ihrer Beschreibung findet. Die Anthropologie – oder jedenfalls die Sorte, die Kulturen erforscht – geht ihren Weg unter dem Vorwurf der Belanglosigkeit, Befangenheit, Illusion und Undurchführbarkeit.«[19]

All diese Fragen sind Fragen nach der Konstitution von Grenzen, nach der inneren Kohärenz, Ganzheit, Homogenität und Gemeinsamkeit des Umgrenzten und der Diskretheit des Abgegrenzten. Es erscheint geradezu als Voraussetzung der Forschungen des Kulturanthropologen, daß er stets eine Grenze passiert und doch niemals sicher sein kann, ob diese Grenze tatsächlich einen Unterschied macht.

Divergieren aber Erfahrung und Vorstellung, so liegt es nahe, zunächst einmal das Denken zu ändern. Vielleicht liegt einer der Schwachpunkte jener zugrundeliegenden Kulturkonzeption darin, die Frage nach der Kultur oder den Kulturen bevorzugt von der Grenze her zu stellen, statt im Rahmen der Horizont-Metapher. Als Anzeichen des phänomenalen Raums erfahrbar und als Bedingung der Möglichkeit von Grenzziehungen konzeptualisiert, etabliert der Begriff des Horizonts einen zweiten Bereich gegenüber der grenzbewehrten Position kulturellen Eigensinns, der auf diese ebenso bezogen bleibt, wie er sie übersteigt. Sein Vorzug besteht gerade in seiner Bindung an die Horizontale der differenten Positionen, so aber, daß er zugleich jede einzelne Perspektive, qua Verweis auf die Gemeinsamkeit des Horizonthabens, relativiert.

Allerdings hebt der Horizont sich von der Dichte je konkreter Situationen dadurch ab, daß er inhaltlich leer bleibt. Als ›Letzthorizont‹ käme allenfalls – schreibt man Kultur mit Blick auf eine lange abendländische Tradition nur Menschen zu[20] – eben ›der Mensch‹ in Frage. Auf dieser universalen Ebene ist dann allerdings jede weitere Grenzziehung ein Kategorienfehler und schlicht unangebracht. Mit Geertz: »Menschen als Menschen sind sich zweifellos überall ziemlich ähnlich. Darauf legt man sich fest, wenn man von ihnen

19 Geertz, *Spurenlesen* (Anm. 15), S. 53 f.
20 Einen Durchgang durch diese Tradition bietet Martin Scharfe, *Menschenwerk. Erkundungen über Kultur*, Köln u. a. 2002, insbes. S. 11-68.

als von Menschen spricht und nicht von Ägyptern, Buddhisten oder Sprechern des Türkischen redet.«[21]

Die entscheidende Frage für die Transposition des hermeneutischen Horizontbegriffs ist dabei, ob sich Gadamers Ausführungen zum »historischen Bewußtsein« auf ein so gefaßtes ›kulturelles Bewußtsein‹ übertragen lassen, das unter dem Begriff der Kultur nicht allein das substantiell Eigene abhandelt, sondern auch die allem Kulturellen eignende Verweisstruktur.[22] Die Frage ist theoretisch zu verstehen. In die zwei Aspekte der Hermeneutik unterteilt: Wäre sich ein solches kulturelles Bewußtsein seiner »eigenen Andersheit bewußt« und höbe deshalb sein eigenes kulturelles Setting von anderen Kulturen ab? Vor allem aber: Kann es das »voneinander Abgehobene sogleich wieder zusammennehmen«, um im formal einheitlichen Horizont des Kulturellen, dessen es sich so versichert, »sich mit sich selbst zu vermitteln«?

Unter Rekurs auf die Differenzsetzung im Bewußtsein der Andersheit läßt sich in einem ersten Schritt so zumindest die konzeptuelle Grenze zwischen dem überholten Modell der abendländischen Kultur und der »Form, die uns heute vertraut ist«, bestimmen: Kultur haben nun auch die Anderen. Allerdings eignet derart bestimmter Kultur eine ›Jemeinigkeit‹, welche die »alle(s) umfassende« Tatsache der kulturellen Verfaßtheit – den Letzthorizont – so gut aktualisieren wie unberücksichtigt lassen kann. Noch nichts, weder im Positiven noch im Negativen, ist damit über den

---

21 Geertz (Anm. 15), S. 64. Vgl. zum Versuch einiger dem Beschreiben der Fremde verpflichteter Autoren, diese Dimension zur Grundlage einer Erkennbarkeit des Fremden zu machen: Manfred Weinberg, »Inventur der Fremde«, in: Stefan Rieger u. a. (Hg.), *Interkulturalität zwischen Inszenierung und Archiv*, Tübingen 1999, S. 165-186, bes. 179 ff. Besonders deutlich wird in dieser Hinsicht Michael Roes: »Die gründe für die unterschiede im jeweilgen denken liegen nicht in den intellektuellen fähigkeiten, sondern in den unterschiedlichen sprachen begründet. / Doch können wir uns verständigen. Denn gemeinsam haben wir unseren körper. Nicht kulturen begegnen einander, sondern gesichter, gerüche, stimmen. Die direkteste art, den anderen zu verstehen, ist, ihn als begehrenswert zu empfinden und ihm ein bewusztsein dieses wertes zu vermitteln.« (Michael Roes, *Rub' Al-Khali. Leeres Viertel. Invention über das Spiel*, Frankfurt am Main 1996, S. 746). Ähnliche Phantasien eines transkulturellen Erkennens im sexuellen Akt finden sich auch bei Hubert Fichte und Josef Winkler.

22 Vgl. Niklas Luhmann, »Kultur als historischer Begriff«, in: ders., *Gesellschaftsstruktur und Semantik. Studien zur Wissenssoziologie der modernen Gesellschaft*, Bd. 4, Frankfurt am Main 1995, S. 31-54.

zweiten Schritt gesagt, das heißt über Möglichkeiten und Beschränkungen, das Eigene nicht nur abzugrenzen, sondern als Eigenes unter anderem zu verstehen, um den Blick freizumachen für das, was es mit Anderen teilt. Hier kommt die spezifische Struktur des Horizonts zum Tragen. Mit seinem Begriff wäre eine Form von Teilhabe zu bezeichnen, die jede mögliche Perspektive einschließt, ohne von einer oder mehreren als ausschließliches Gut beansprucht werden zu können. Mit anderen Worten: Was das Eigene mit dem Anderen verbindet, ist in diesem Sinne zwar gegeben, aber nicht zu haben. Es ist lediglich strukturell vorgeformt und bleibt aktuell stets von eigens zu diesem Zweck unternommenen Anstrengungen abhängig. Ohne den Willen, zu verstehen, ist auch gemäß solchem Kulturverständnis nicht weiterzukommen. Gleichwohl ist die Arbeit des Verstehens nicht Produktion – das Verbindende wird nicht erst hergestellt –, sondern Aufklärung einer Lage, die nicht beliebig renoviert werden kann. Das nähert sie dem wirkungsgeschichtlichen Bewußtsein an:

»Wirkungsgeschichtliches Bewußtsein ist zunächst Bewußtsein der hermeneutischen Situation. [...] Der Begriff der Situation ist ja dadurch charakterisiert, daß man sich nicht ihr gegenüber befindet und daher kein gegenständliches Wissen von ihr haben kann. Man steht in ihr, findet sich immer schon in einer Situation vor, deren Erhellung die nie ganz zu vollendende Aufgabe ist. Das gilt auch für die hermeneutische Situation, das heißt die Situation, in der wir uns gegenüber der Überlieferung befinden, die wir zu verstehen haben.«[23]

Für »gegenüber der Überlieferung« läßt sich ›gegenüber fremden Perspektiven‹ einsetzen. Die betonte Unbestimmtheit der Formulierung zeigt dabei an, daß der Möglichkeitsbereich im kulturellen Feld weitaus größer ist; das ändert aber nichts an der Übertragbarkeit des Begriffs der Situation, der dem Begriff des Horizonts, zu dessen Sachzusammenhang er ›wesenhaft gehört‹,[24] zur Seite steht. Der Begriff der Situation erweitert die Relation zwischen Position und Horizont um den Querbezug auf andere Positionen, welche die erste Position einem Repertoire an anderen Möglichkeiten aussetzen, denen allen gemeinsam ist, daß sie Horizont haben. Horizont zu haben, das ist somit das Verbindende verschiedener Kulturen

23 Gadamer (Anm. 1), S. 307.
24 Vgl. ebd.

und einzelner Standpunkte, das, was sie teilen, ohne des Geteilten habhaft werden zu können. Im Horizont sammeln sich die Perspektiven gleichsam und werden im selben Zug auf sich selbst zurückgeworfen: »Denn woraus ich in keinem Sinne heraustreten kann, das kann ich nicht wie von außen überblicken.«[25] Ohne Möglichkeit zur Objektivierung und das heißt ohne Möglichkeit, den eigenen Standpunkt zu überschreiten, ist es dennoch die Binnenperspektive selbst, die ihre Relativität anzeigt. Die Situation ist also wie folgt bestimmt: Ohne Position kein Horizont, der an die Begrenztheit meiner Perspektive und die Fülle anderer Möglichkeiten erinnert; ohne Horizont keine Position, die das Eigene vom Anderen abhebt.

3. Ironie und Intensität der Grenzen

Horizonte, das wäre ein anderer Aspekt des eben erhobenen Befundes, sind – anders als Grenzen – so wenig ironiefähig wie -bedürftig. Im Sinne der romantischen Konzeption von Ironie als einem »klare[n] Bewußtsein der ewigen Agilität, des unendlichen vollen Chaos«,[26] fungiert der Horizont eher als das als unendliche Fülle interpretierte Absolute, das die divergenten Perspektiven beherbergt. Aktualisiert und bereichert durch den Widerspruch der Ansichten und die Konkurrenz der Standpunkte, selber aber ort- und perspektivlos, entzieht er sich jeder Gegenüberstellung. Das sei es ironische, sei es ernsthafte Geschäft der wechselseitigen Relativierung schließt den Horizont, von dessen Hintergrund es sich abhebt, nicht ein.

Anders verhält es sich mit der Grenze. Ihre Lage im Raum bestimmt sich in Relation zu alternativen Koordinaten desselben Systems. Zumal ihre Passierbarkeit bringt die Alternative zur Geltung, mal die eine, mal die andere Seite markieren zu können – sei es per Beobachtung oder Grenzübertritt. Die Grenze ist eine Zwei-Seiten-Form im Sinne George Spencer Browns. In Abhängigkeit vom

25 Karl Jaspers, *Die geistige Situation der Zeit*, Berlin, New York 1999 (9. Nachdruck der 5. Auflage 1932), S. 28.
26 Friedrich Schlegel, »Ideen«, in: *Kritische Friedrich-Schlegel-Ausgabe*, Bd. 2: *Charakteristiken und Kritiken I*, herausgegeben von Hans Eichner, München u. a. 1967, S. 256-272, hier 263 (Fragment Nr. 69).

Standpunkt des Beobachters hat sie eine Innenseite und eine Außenseite. »Die Innenseite wird im Unterschied zur Außenseite bezeichnet. Die Form ist das Ergebnis einer Operation, nämlich eines
›crossing‹ von der Außenseite der Unterscheidung, dem ›unmarked
state‹, auf die Innenseite, den ›marked state‹.«[27] Dieser Form, die
sich im Modus einer Beobachtung zweiter Ordnung leicht vergegenwärtigen läßt, indem man die Unterscheidung auf sich selbst
anwendet und als Form der Beobachtung bestimmt,[28] ist trotz der
Asymmetrie von markierter und nicht-markierter Seite die Tendenz
zur Ironie unwiderruflich eigen. Denn hat man Differenz einmal als
Bedingung der Möglichkeit von Beobachtung bestimmt, wird man
den Schatten der anderen Seite nicht mehr los; stets zeigt sich, daß
man auch anders beobachten kann.

Friedrich Schlegels »Reise nach Frankreich« (1803) demonstriert
die Unwiderruflichkeit solcher Differentialität ebenso eindringlich
wie unfreiwillig. Ironisch gut informiert, inzwischen aber ganz anders gesonnen,[29] unterlegt Schlegel dem territorialfürstlich zersplit-
terten Deutschland ein Bild von ursprünglicher Freiheit und
zwanglos integrierender Charakterstärke, das zwar vom Eindruck

27 Vgl. Dirk Baecker, »Einleitung«, in: ders. (Hg.), *Probleme der Form*, Frankfurt am
    Main 1993, S. 11.

28 In »Kultur als historischer Begriff« plädiert Niklas Luhmann dafür, Kultur grund-
    sätzlich als ein Phänomen nicht der »Gegenstandswelt« (Luhmann, [Anm. 22],
    S. 32), sondern einer Beobachtung zweiter Ordnung zu verstehen und unterstellt
    von daher, daß »der Begriff der Kultur seine moderne Prägung erst in der zweiten
    Hälfte des 18. Jahrhunderts erhalten« (ebd., S. 32 f.) habe – und zwar bedingt
    durch das Auftreten »eines intensiven und extensiven Vergleichsinteresses und das
    Folgeinteresse an Reflexion und an Reflexion der Reflexion« (ebd., S. 38). Inner-
    halb dieses Horizonts weist Luhmann auch der Ironie einen Platz zu: »Man kann
    ebensogut wie zuvor [vor der Etablierung des Kulturbegriffs] etwas zu wissen
    meinen, moralisieren, kritisieren, beleidigen und mit all dem kommunikativ ver-
    ständlich operieren. Man kann fluchen, ohne dadurch beirrt zu sein, daß Flüche
    kulturell bedingte Kommunikationsformen sind, und man dies wissen kann. Die
    Gesellschaft muß nur die Möglichkeit bereitstellen, auf zwei Ebenen nebeneinan-
    der zu kommunizieren, nämlich im Modus erster und im Modus zweiter Ord-
    nung. Selbst Interferenzen, selbst Vermischungen sind möglich, ja gerade deshalb
    möglich, weil die Kommunikationsformen sich unterscheiden. Nur müssen sie
    durch besondere Signale ausgezeichnet werden – als Zitate, als Ironie, als Parodie«
    (ebd., S. 42).

29 Vgl. Matthias Schöning, *Ironieverzicht. Friedrich Schlegels theoretische Konzepte
    zwischen ›Athenäum‹ und ›Philosophie des Lebens‹*, Paderborn u. a. 2002.

des Rheins noch wach gehalten werde,[30] seine eigentliche Prägnanz aber im Kontrast mit Frankreich erlangen soll. Es kommt, wie es kommen muß, wenn man mit Differenz (Frankreich vs. Deutschland) beginnt, um die Abgrenzung von Einheit (Deutschland) und Vielheit (Frankreich) zugunsten der Einheit zu asymmetrisieren. Auf nichts anderes gegründet als auf das Postulat des Vorrangs der Einheit gegenüber der Differenz, entzieht die Nachträglichkeit der Präferenz für Einheit eine wesentliche Bedingung für die Möglichkeit ihrer Aufweisbarkeit und schlägt folgerichtig ins Gegenteil um. Schlegels Balzac[31] vorgreifende Schilderung des öffentlichen Lebens als eines Raumes »kulturelle[r] Promiskuität«,[32] in dem sich alle Ordnung in ein »Gedränge und Schauspiel« disparatester Gewerbe auflöst,[33] mündet in eine Suche nach Ursprungsszenarien, deren Rastlosigkeit den Mangel, den sie bekämpft, performativ reproduziert. Auch ist es kein Zufall, daß diese Suche in immer fernere Regionen und Zeiten schweift. Die grenznahe Alternative kann kein substantiell Anderes sein, sonst wäre es durch mehr als nur eine Grenze getrennt und nicht lediglich eine Alternative. 1820 bringt Schlegels Diagnose von der »Signatur des Zeitalters« das Problem auf den Begriff: Ärgerlich sind weniger die Inhalte einzelner Positionen an sich, das Hauptübel »liegt in dem merkwürdigen Charakterzug […], daß jetzt alles sogleich zur Partei wird«.[34]

4. Soziale Konstitution

Nicht die einzelnen Optionen bereiten dem modernen Antimodernisten Friedrich Schlegel Ungemach, sondern die »Multioptionalität«[35] jeder Situation. Ihre Ambivalenz verweist auf die unhintergehbar soziale Konstitution der Grenzziehungen, die später Georg

30 Friedrich Schlegel, »Reise nach Frankreich«, in: ders., *Dichtungen und Aufsätze*, herausgegeben von Wolfdietrich Rasch, München/Wien 1984, S. 565-592, hier 570 ff.

31 Vgl. Honoré de Balzacs Darstellung der »Galeries-de-Bois«, in: ders., *Verlorene Illusionen*, übersetzt von Otto Flake, Zürich 1977, S. 351 ff.

32 Friedrich Balke, *Der Staat nach seinem Ende. Die Versuchung Carl Schmitts*, München 1996, S. 92-95, hier 95.

33 Vgl. Schlegel (Anm. 30), S. 580-583, Zitat: 581.

34 Friedrich Schlegel, »Signatur des Zeitalters«, in: ders., *Dichtungen und Aufsätze* (Anm. 30), S. 593-728, hier 603.

35 Begriff nach Peter Gross, *Die Multioptionsgesellschaft*, Frankfurt am Main 1994.

Simmel pointiert: »Die Grenze ist nicht eine räumliche Tatsache mit soziologischen Wirkungen, sondern eine soziologische Tatsache, die sich räumlich formt.«[36] Wie Simmel, so betont auch Lucien Febvre das Ineinandergreifen von Räumlichkeit und Sozialität, das zur Voraussetzung der völkischen Nationalisierung des territorialstaatlichen Raums im 19. Jahrhundert wird.[37]

Daß Grenzen sichtbare Zeichen einer imperialen Raumnahme durch fremde Mächte sind, die ihren Verlauf in entfernten Hauptstädten aushandeln und mit dem Lineal exekutieren, stellt einen Sonderfall dar. Die Regel sind eigentümliche Grenzverläufe, die sich bei Anlehnung an Naturgegebenheiten, an durch Sprache und Dialekt, Sitten, Gebräuche, Religion o. ä. geprägten Regionen entlangschlängeln, mehrere zu Verwaltungseinheiten zusammenfassen und dabei Ein- und Ausschlüsse, Grauzonen, Mischungen und Neues produzieren. Ihre soziale Konstitution läßt sich gleichwohl jederzeit aufdecken, wie ein Beispiel aus dem auflagenstärksten deutschen Roman belegen mag: »›Ein Land? Das verstehe ich nicht.‹«, so Tjaden in Erich Maria Remarques Kriegsroman *Im Westen nichts Neues* beim gemeinsamen Räsonnement darüber, wie Kriege entstehen:

»Ein Berg in Deutschland kann doch einen Berg in Frankreich nicht beleidigen. Oder ein Fluß oder ein Wald oder ein Weizenfeld. / ›Bist du so dämlich oder tust du nur so?‹ knurrt Kropp. / ›So meine ich das doch nicht. Ein Volk beleidigt das andere –‹ / ›Dann habe ich hier nichts zu suchen‹, erwidert Tjaden, ›ich fühle mich nicht beleidigt.‹ / ›Dir soll man nun was erklären‹, sagt Albert ärgerlich, ›auf dich Dorfdeubel kommt es doch dabei nicht an.‹ / ›Dann kann ich ja erst recht nach Hause gehen‹, beharrt Tjaden, und alles lacht. / ›Ach, Mensch, es ist doch das Volk als Gesamtheit, also der Staat –‹, ruft Müller. / ›Staat, Staat‹ – Tjaden schnippt schlau mit den Fingern –, ›Feldgendarmen, Polizei, Steuer, das ist euer Staat. Wenn du damit zu tun hast, danke schön.‹«[38]

Wenn der Staat aufdringlich wird, namentlich wenn »die große moderne europäische« Sklaverei der »allgemeinen Wehrpflicht«[39]

36 Georg Simmel, *Soziologie. Untersuchungen über die Formen der Vergesellschaftung, Gesamtausgabe*, herausgegeben von Otthein Rammstedt, Bd. 11, Frankfurt am Main 1992, S. 697.

37 Lucien Febvre, »*Frontière* – Wort und Bedeutung«, in: ders., *Das Gewissen des Historikers*, Frankfurt am Main 1990, S. 32 ff.

38 Erich Maria Remarque, *Im Westen nichts Neues*, Köln 1987, S. 185 f.

39 Alexander Moritz Frey, *Die Pflasterkästen. Ein Feldsanitätsroman*, Leipzig, Weimar

und Mobilmachung alles aufhebt, was im bürgerlichen Leben einmal galt, ist nach der Form der sozialen Konstitution des Politischen zu fragen, auf deren Basis Freund und Feind konstruiert werden. Für die Form der Grenze und die Art ihrer Sicherung ist das nicht ohne Belang. Eine bloße, selbstzweckhafte Staats-Maschine konstituiert reine Territorien und statistisch erfaßte Populationen; sie führt gedrillte Heere in die Schlacht,[40] die von Zwang und Sold beziehungsweise der Aussicht auf Beute zusammengehalten werden, und verteidigt Grenzen, die beliebig verschiebbar sind. Treten Nationen an, die sich bevorzugt als Körper imaginieren, dann geht es um Ausdehnung und Einverleibung im Äußern sowie im Innern um die sozialhygienische Säuberung der Gemeinschaft der Zugehörigen von allem Fremden. Die nationale Grenze markiert nicht primär das Territorium, sondern den je individuell inkorporierten »Volkskörper«. Würde nicht jeder einzelne täglich den gemeinschaftlichen Stil oder Habitus reaktualisieren und mit seiner ganzen Person für die Fortdauer der Gemeinschaft haften,[41] wäre die Staatsgrenze, an der die Verwaltungshoheit endet, schon gar nicht zu halten.

»Die gelungene Überblendung sozi[aler] und räumlicher Begrenzungen erzeugt [...] jene imaginäre Homogenität nach ›innen‹ und Distinktheit nach ›außen‹, jene Identität und ›seelische Kohärenz‹ der Gruppe als ein scheinbar natürliches Faktum, die dann als Nationalcharakter oder Volksgeist angeschrieben werden können.«[42]

»Wer sein Vaterland verteidigt, verteidigt fortan die Integrität seiner eigenen Körperimago.«[43]

  1984 (EA 1929). Vgl. dazu auch Matthias Schöning, »›Lemuren der Somme‹. Kritiken kollektiver Adressierung in Alexander Moritz Freys ›Die Pflasterkästen‹«, in: *Zeitschrift für Germanistik* NF 1/2003, S. 83-100.
40 Vgl. Ulrich Bröckling, *Disziplin. Soziologie und Geschichte militärischer Gehorsamsproduktion*, München 1997, S. 57 ff.
41 Als Beispiel für einen kulturanthropologischen National(sozial)ismus vgl. Erich Rothacker, »Kulturen als Lebensstile«, in: *Bonner Mitteilungen*, Bonn 1934, H. 13, S. 1-8. Zu Rothacker: Volker Böhnigk, *Kulturanthropologie als Rassenlehre. Nationalsozialistische Kulturphilosophie aus der Sicht des Philosophen Erich Rothacker*, Würzburg 2002.
42 Susanne Lüdemann, »Die Solidarität von Staat und Raum. Politische Grenzen, soziologische Grenzen, Körpergrenzen«, in: Claudia Honegger u. a. (Hg.), *Grenzenlose Gesellschaft? Verhandlungen des 29. Kongresses der Deutschen Gesellschaft für Soziologie*, Opladen 1999, S. 359-369, hier 362.
43 Ebd., S. 366.

Die Form der Feindschaft folgt der Konstitution des Sozialen. Der satisfaktionsfähige Gegner wird zum Fremden, den man schlägt, wo man ihn trifft. Die Intensität der Feindschaft und die Mobilisierungsbereitschaft steigen, wenn der Gegner als Fremder imaginiert werden kann. Das zeigen noch Asylrechtsdebatten der 1990er Jahre und ebenso die Balkankriege und militärischen Interventionen. Sosehr sich jedoch die Narrative seit Anfang des 19. Jahrhunderts ähneln mögen,[44] ihre Konstitutionsbedingungen sind gleichwohl andere. Die modernen Medien entsubstantialisieren den Feind, sie machen die Feindschaft hochgradig temporalisierbar und unterstellen sie dem wechselnden Kalkül der Situationen. Die massenmediale Konstruktion und Revision von Feindschaften mag ein zivilisatorisches Potential in sich bergen – Medienstrategien wiegen leichter als die »seelische Kohärenz« (G. Simmel) der Volksgenossen –, zugleich aber ist sie anfällig für sekundäre Instrumentalisierungen durch Kriegsgewinnler und Warlords, die den Krieg auf niedriger Flamme pflegen.[45] In jedem Fall eröffnet die Einsicht in die soziale und mediale Konstruktion von Grenzen und Feindschaften eine Perspektive, in der die vermeintlich monolithischen Kulturen ihre Risse zeigen und differentialistische Kulturkonzepte möglich werden.

5. Noch einmal: Horizont und Grenze

In seinem Buch *Zwischen den Kulturen* hat Alexander García Düttmann den Begriff der Kultur von einem unhintergehbaren ›Uneins-Sein‹ der Kultur(en) her perspektiviert: »Weil [...] Kultur nie einfach sie selber ist, weil Kultur immer bedeutet *zwischen den Kulturen*, kann es ein Anerkennen geben und ist die erste Forderung nach Anerkennung die der Kultur.«[46] Mit dieser Formulierung nimmt Düttmann die inzwischen lange Tradition philosophischer

---

44 Vgl. Wolfgang Müller Funk, *Die Kultur und ihre Narrative. Eine Einführung*, Wien, New York 2002, S. 229.

45 Vgl. Herfried Münkler, *Die neuen Kriege*, Reinbek 2002.

46 Alexander García Düttmann, *Zwischen den Kulturen. Spannungen im Kampf um Anerkennung*, Frankfurt am Main 1997, S. 19. Erinnert sei an Geertz' Diagnose des Abschieds vom abendländischen Kulturmonopol als dem »Bedürfnis nach einer exakteren, *anerkennderen* Darstellung der Welt anderswo«.

Bemühungen auf, die Verschränkung von Eigenem und Fremdem zu fassen. Weil sich Kulturen demnach per Differenz konstituieren, sind sie nie rein sie selbst, sondern immer auch in einem »Zwischen« zu lokalisieren, das sich in jede einzelne (Sub-)Kultur einträgt. Düttmann zitiert aus diesem Blickwinkel unter anderem Jean-Luc Nancys »Lob der Vermischung«: »Jede Kultur ist in sich ›multikulturell‹, nicht nur, weil es immer eine vorgängige Akkulturation gegeben hat und es keine einfache und reine Herkunft gibt, sondern vor allem deshalb, weil der Gestus der Kultur einer des Vermischens ist.«[47]

Einem optimistischen In-Aussicht-Stellen friedlich multikultureller Zeiten gegenüber ist jedoch, insofern es aus dem grundsätzlich ›Vermischten‹ der Kulturen abgeleitet wird, Skepsis anzumelden. Düttmann merkt an, dass, im »Zeichen eines […] Philosophems der Einheit und der Vereinheitlichung betrieben«, Anerkennung sich »in einem geschlossenen« Kreis bewege, »in dem der andere letztlich nicht anerkannt wird, sondern in seiner Identität wiedererkannt wird, als dieser oder jener andere«.[48] Die ›Schließung‹ des Kreises zieht Grenzen, fokussiert auf die jemeinige Kultur, in der der Andere (als Fremder) identifiziert wird – um einen doppelten Preis: das konstitutive Un-eins-Sein seiner wie meiner Kultur wird so vergessen gemacht.

Düttmann entwirft eine andere Möglichkeit, indem er für eine Politik plädiert, die sich »von der Erfahrung des Fremden in den Bereich des Zwischen versetzen [läßt], der weder der Bereich des Selben und Eigenen ist noch der des Fremden und Anderen, weder der Bereich einer Synthese noch der einer Opposition«.[49] Die Versetzung ins ›Zwischen‹ läßt sich als Reflexion auf die Ironie der Grenzen und eine davon sich ableitende Selbstreflexion verstehen, die den Horizont (mit)thematisiert. Aus diesem Plädoyer können Konsequenzen gezogen werden:

»Im Zeichen dieses ›Zwischen‹ läßt sich Interkulturalität […] zu einer komplexeren politischen Utopie ausformulieren, die der bloß reaktiven, auf die Bildung einer ›(kulturellen, ethnischen, sprachlichen, geschlechtlichen) Identität‹ abzielenden Politik der Anerkennung, eine

47 Jean-Luc Nancy, »Lob der Vermischung«, in: *Lettre International* 5 (1993), S. 6.
48 Düttmann (Anm. 46), S. 144.
49 Ebd., S. 79.

›aktive Politik des Anerkennens‹ als Suche nach ›Möglichkeiten einer verwandelnden Praxis, durch die der Mensch voraussetzungslos wird‹, gegenübergestellt.«[50]

Eine auf die kulturelle ›Hervorbringung‹ statt auf eine Wesensbestimmung des Menschen zielende Anthropologie könnte so zu jenem Ort und ›Sehepunkt‹ werden, »an dem das Wissen vom Menschen sich der Tatsache bewußt bleibt, daß es selbst unter der Prämisse seiner inner- und interkulturellen Anerkennung steht«;[51] von daher kann und muß sie sich selbst andauernd in Frage stellen und begegnet mit solcher Selbstreflexion dem »Vorwurf der Belanglosigkeit, Befangenheit, Illusion und Undurchführbarkeit« – und zwar gerade ohne ihn zu entkräften. Ihr Ansatz ist von daher ein (nicht im alltäglichen Sinne, doch im präzisen Verständnis der Frühromantik) ironischer Umgang mit den diesem Feld eingeschriebenen Grenzen.

Bei allem Sinn für Ironie stellt sich gleichwohl die Frage, wie ein solches Programm operationalisiert werden kann, ohne sich erneut in der Aporie einer bloßen Selbstrelativierung zu verfangen. Kann das apostrophierte »Zwischen« in Begriffen der Position, Situation und des Horizonts, der die Bedingung der Möglichkeit von Grenzen formal anzeigt, konzeptualisiert werden? Wir wollen die Frage nicht direkt angehen, sondern unter Rückgriff auf eine Mitte der achtziger Jahre des letzten Jahrhunderts geführte Auseinandersetzung zwischen Richard Rorty und Clifford Geertz.

In einem Beitrag im *Journal of Philosophy*, verfaßt für ein Symposium zum Thema *The Social Responsibility of Intellectuals*, unterscheidet Rorty unter dem Titel »Postmodernist Bourgeois Liberalism« zunächst ironisch ›Kantianer‹, die an solche Dinge wie »intrinsic human dignity, intrinsic human rights, and a historical distinction between the demands of morality and those of prudence«[52] glaubten, von ›Hegelianern‹, die annehmen, daß »humanity« eine biologische statt eine moralische Kategorie sei und »that there is no human dignity that is not derivative from the dignity of some specific

50 Stefan Rieger, Schamma Schahadat, Manfred Weinberg, »Vorwort«, in: dies. (Hg.), *Interkulturalität. Zwischen Inszenierung und Archiv*, Tübingen 1999, S. 9-26, hier 18; Zitate im Zitat: Düttmann (Anm. 46), S. 106.

51 Ebd.

52 Richard Rorty, »Postmodernist Bourgeois Liberalism«, in: *The Journal of Philosophy* LXXX, Nr. 10, Oktober 1983, S. 583-589, hier 583.

community«.[53] ›Kantianer‹ glauben somit an ›den‹ Menschen und seine Kultur (beides im Singular), ›Hegelianer‹ immer nur an je unterschiedlichen Kulturen angehörige Menschen (also alles im Plural) und ihre von solcher Zugehörigkeit sich ableitenden Werte (unter Voraussetzung einer identifizierbaren menschlichen Natur).[54] Rorty bekennt sich dabei grundsätzlich zu dieser zweiten Gruppe, geht es ihm mit seinem Beitrag doch darum, aufzuweisen, daß eine Loyalität zur jemeinigen Gesellschaft »morality enough« sei »and that such loyalty no longer needs an ahistorical backup«.[55] Gesellschaften (oder eben: Kulturen) hätten nur ihren eigenen Traditionen verantwortlich zu sein. Kultur heißt hier offensichtlich, sich als die bessere Kultur zu verstehen, in dezidierter Absage an die (relativistische) Einsicht, daß solches ›besser‹ nur durch die Verwurzelung in ebendieser, in ›je meiner‹ Kultur begründet sein könnte. Die Betonung liegt somit auf den Grenzen, der Horizont bleibt verdunkelt.

Die moralische Rechtfertigung der Institutionen und Praktiken der eigenen Gruppe sei zudem die Sache von historischen Erzählungen und nicht von philosophischen Metaerzählungen – und gefestigt würden diese tatsächlich eben nicht durch Philosophie, sondern durch die Künste, »which serves to develop and modify a group's self-image by, for example, apotheosizing its heroes, diabolizing its enemies, mounting dialogues among its members, and refocusing its attention«.[56] Innersoziale Spannungen, auch solche mit dem Fremden, würden realiter nur selten durch »appeals to general principles« gelöst, weit öfter durch das, was mit Dworkin »convention and anecdote«[57] genannt werden könne.

53 Ebd.
54 Im übrigen sind diese Hegelianer mit dem titelgebenden »postmodern bourgeois liberalism« gemeint. Ihr Liberalismus besteht in der Verteidigung von »liberal institutions« als Verteidigung einer Gesellschaft »on the basis of solidarity alone« (ebd., S. 584); das Adjektiv »bourgeois« soll hervorheben, »that most of the people I am talking about would have no quarrel with the Marxist claim that a lot of those institutions and practices are possible and justifiable only in certain historical, and especially economic, conditions« (585), wobei solcher »bourgeois liberalism« mit einem »philosophical liberalism« (der »Kantianer«) konfrontiert wird – und »postmodern« im Sinne der Diagnose Lyotards vom Ende der Metaerzählungen verstanden wird.
55 Ebd., S. 585.
56 Ebd., S. 587.
57 Ebd.

Rortys Abwertung der Philosophie, prominent ausgearbeitet in *Ironie, Kontingenz und Solidarität*, ist – wie gesagt – nicht als fröhlicher Relativismus zu verstehen: »there is a difference between saying that every community is as good as every other and saying that we have to work out from the networks we are, from the communities with which we presently identify«.[58] Die Annahme, daß jede Tradition so vernünftig und moralisch sei wie jede andere, müsse einem Gott vorbehalten bleiben, »someone who had no need to use (but only to mention) the terms ›rational‹ or ›moral‹, because she had no need to inquire or to deliberate. Such a being would have escaped from history and conversation into contemplation and narrative.«[59] Dem fröhlichen Multikulturalismus würde es nicht nur an Ressourcen für notwendige Entscheidungen fehlen; es gibt überhaupt keinen ›Sehepunkt‹, von dem aus die Pluralität der Kulturen neutral beobachtet und verglichen werden könnte. Wenn alles gleich gültig sein soll, ist zuletzt alles gleichgültig und deshalb unentscheidbar.[60]

Horizontalität bringt nach diesem Plädoyer für Grenzen Clifford Geertz ins Spiel, der zwei Jahre später in seiner »Tanner Lecture on Human Values« unter dem Titel »The Uses of Diversity« auf Rorty antwortet. Anschließend an die Zeitdiagnose einer sich zunehmend homogenisierenden Welt,[61] greift er zu diesem Zweck zunächst auf eine ›Vorgeschichte‹ aus dem Jahre 1971 zurück: Claude Lévi-Strauss' Eröffnungsrede zum internationalen Jahr des Kampfes gegen den Rassismus der Unesco. Lévi-Strauss mutmaßte selbst, zu diesem Vortrag wegen eines zwanzig Jahre früher gehaltenen Vortrags über »Rasse und Geschichte« eingeladen worden zu sein, in der Erwartung, er werde dessen Thesen wiederholen. Doch hat er inzwischen ganz anderes im Sinn, als jenen antiethnozentrischen »Ka-

---

58 Ebd., S. 589.

59 Ebd.

60 Darauf zielte schon Geertz' Einwurf, das klassische dichotomische Kulturkonzept sei nicht nur zu »grob«, sondern im Falle seiner Umwertung auch zu »offen« (s. o.).

61 Geertz schreibt von der »possibility that the variety is rapidly softening into a paler, and narrower, spectrum« und folgert ironisch pointierend: »We may be faced with a world in which there simply aren't any more headhunters, matrilinearists, or people who predict the weather from the entrails of a pig. Difference will doubtless remain – the French will never eat salted butter. But the good old days of widow burning und cannibalism are gone forever« (Geertz, »The Uses of Diversity« [Anm. 18], S. 105).

techismus«[62] zu erneuern, dessen Befolgung den Mitgliedern der Unesco erlaubte, »von einer bescheidenen Anstellung in irgendeinem Entwicklungsland zum geheiligten Status von Funktionären einer internationalen Institution aufzusteigen«;[63] eine Haltung, die Geertz »the desperate tolerance of Unesco cosmopolitanism«[64] nennt. Im Vortrag,[65] den der Generaldirektor der Unesco durch eine Verkürzung der Redezeit Lévi-Strauss' entschärfen wollte, woraufhin dieser seine Redegeschwindigkeit einfach an die verbliebene Zeit anpaßte, unternimmt Lévi-Strauss eine Umwertung der moralischen Implikationen des Begriffs ›Ethnozentrismus‹, der in wesentlichen Hinsichten kein Übel, sondern die unverzichtbare Voraussetzung kultureller Produktivität beschreibe:

»Wenn es, wie ich in *Rasse und Geschichte* geschrieben habe, ein bestimmtes Optimum an Verschiedenheit zwischen den menschlichen Gesellschaften gibt, über das sie nicht hinausgehen, unter das sie aber auch nicht gefahrlos absinken können, muß man anerkennen, daß diese Verschiedenheit zum Teil aus dem Bedürfnis jeder Kultur erwächst, in Gegensatz zu den sie umgebenden anderen Kulturen zu treten, sich von ihnen zu unterscheiden, mit einem Wort: sie selbst zu sein; sie ignorieren sich nicht, machen gelegentlich sogar Anleihen beieinander; damit sie aber nicht zugrunde gehen, muß in anderer Hinsicht zwischen ihnen eine gewisse Undurchlässigkeit fortbestehen.«[66]

62 Claude Lévi-Strauss, »Vorwort«, in: ders., *Der Blick aus der Ferne*, übersetzt von Hans-Horst Henschen und Joseph Vogl, München 1985, S. 9-17, hier 12.

63 Ebd., S. 13.

64 Geertz, »The Uses of Diversity« (Anm. 18), S. 109.

65 Als das in unserem Zusammenhang zentrale Ziel seines Vortrags nennt Lévi-Strauss im Vorwort, er habe davor gewarnt, »daß es einfach nicht genügte, Jahr für Jahr schöne Redensarten hervorzusprudeln, um die Menschen mit Erfolg zu verändern«. Er habe hervorgehoben, »daß die Ideologie der Unesco, um der Konfrontation mit der Realität zu entgehen, sich nur allzu leicht hinter widersprüchlichen Behauptungen versteckte. Etwa so [...], daß sie sich vorstellte, man könne durch gutgemeinte Worte antinomische Anträge wie die überwinden, die darauf abzielten, die ›Treue zu sich selbst und die Öffnung in Richtung der anderen‹ miteinander zu versöhnen und gleichzeitig die ›schöpferische Bejahung einer jeden Identität *und* die Annäherung aller Kulturen‹ zu fördern« (Lévi-Strauss [Anm. 62], S. 15). Vgl. auch Doris Bachmann-Medick, »Multikultur oder kulturelle Differenzen? Neue Konzepte von Weltliteratur und Übersetzung in postkolonialer Perspektive«, in: dies. (Hg.), *Kultur als Text. Die anthropologische Wende in der Literaturwissenschaft*, Frankfurt am Main 1998, S. 261-296, hier 277 f., 294 Anm. 57, deren verstecktem Hinweis auf die Debatte wir hier nachgegangen sind.

66 Ebd., S. 14.

Andernfalls entstünde eine Welt, »in der die Kulturen, von wechselseitiger Leidenschaft füreinander ergriffen, nur bestrebt wären, sich gegenseitig zu feiern, in einer Art Verschmelzung, in der jede die Anziehungskraft, die sie auf andere gehabt haben mochte, und ihre eigenen Existenzgründe einbüßte«.[67] Zuletzt ginge so alle Kreativität (und damit auch kulturelle Veränderbarkeit) verloren, insofern »jede wirkliche Schöpfung eine gewisse Taubheit gegenüber dem Reiz anderer Werte voraussetzt, die bis zu ihrer Ablehnung, ja sogar Negation gehen kann«.[68]

Im wesentlichen stimmt Geertz dieser Diagnose zu. Dennoch hat er Vorbehalte:

»The trouble with ethnocentrism is not that it commits us to our own commitments. We are, by definition, so committed, as we are having our own headaches. The trouble with ethnocentrism is that it impedes us from discovering at what sort of angle [...] we stand to the world; what sort of bat we really are.«[69]

Es ist der altbekannte ethnologische Anspruch, in der Erkundung der Fremde(n) auch etwas über sich selbst zu erfahren, qua Grenzübertritt auch in ein anderes Verhältnis zur eigenen Kultur zu kommen. Geertz versteht den Hinweis von Lévi-Strauss und die danach zitierten und kommentierten Invektiven Rortys, daß Bedeutung »arises within the frame of concrete social interaction in which something is a something for a you and a me, and not in some secret grotto in the head; and that it is through and through historical«, als Annahme, »that human communities are, or should be semantic monads, nearly windowless«.[70] Die Tatsache, daß »the limits of my language are the limits of my world«, impliziere aber nicht,

»that the reach of our minds, of what we can say, think, appreciate, and judge, is trapped within the borders of our society, our country, our class, or our time, but that the reach of our minds, the range of signs we can manage somehow to interpret, is what defines the intellectual, emotional and moral space within which we live. The greater that is, the greater we can make it become by trying to understand [...] what it is like to be them, the clearer we become to ourselves, both in terms of what we see in others that seems

67 Ebd., S. 15.

68 Claude Lévi-Strauss, »Rasse und Kultur«, in: ders., Der Blick aus der Ferne (Anm. 62), S. 21-52, hier 51.

69 Geertz, »The Uses of Diversity« (Anm. 18), S. 112.

70 Ebd., S. 113.

remote and what we see that seems reminiscent, what attractive and what repellent, what sensible and what quite mad.«[71]

Wirklich deutlich ist der Unterschied zwischen den Grenzen (von Gesellschaft, Land, Klasse und Zeit, also historischer Situation) und dem geistigen, emotionalen und moralischen ›Horizont‹ (zumindest: Raum) an dieser Stelle nicht; erkennbar aber ist, dass sich Geertz mit der Ein- und Abschließung einer Kultur nicht abfinden will. Zwar diagnostiziert er in Anlehnung an Lévi-Strauss, die Welt erscheine inzwischen mehr »like a Kuwaitii bazar than like an English gentlemen's club«;[72] der neuen Unübersichtlichkeit aber sei nicht mit dem bloßen Rückbezug auf die eigene Kultur zu begegnen, sondern durch eine Korrelation von Steigerung der Entscheidungskraft und Weitung der Perspektive.

Um dies zu unterstreichen, fügt Geertz eine Anekdote in seine Argumente ein – die Geschichte vom betrunkenen Indianer und einem Dialysegerät. In aller Kürze: Der Zugang zu einem staatlichen Medizinprogramm im Südwesten der USA, das »by young, idealistic doctors from major medical schools, largely northeastern«, durchgeführt wurde, für Patienten, die auf eine Dialyse angewiesen waren, »was organized not in terms of the power to pay but simply severity of need and order of application«.[73] Die Voraussetzung eines dauerhaften Erfolgs der Behandlung war allerdings eine strenge Disziplin der Patienten in bezug auf die – etwa diätetischen – Anweisungen der Ärzte. Diese aber verweigerte ein Indianer. Sein Argument war: »I am indeed a drunken Indian, I have been one for quite some time, and I intend to go on being one for as long as you can keep me alive by hooking me up to this damn machine of yours.«[74] Daß dieses Argument den Ärzten in Anbetracht anderer Patienten mit einer (aufgrund eines ›angemesseneren‹ Verhaltens) besseren Prognose nicht zu vermitteln war, versteht sich von selbst. Da er jedoch einmal ins Programm aufgenommen war, konnten sie ihn nicht wieder daraus entlassen,

»but they were very deeply upset – at least as upset as the Indian, who was disciplined enough to show up promptly for all his appointments, was resolute – and surely would have devised some reason, ostensibly medical, to

71 Ebd., S. 113 f.
72 Ebd., S. 121.
73 Ebd., S. 116.
74 Ebd.

displace him from his position in the queue had they seen in time what was coming. He continued on the machine, and they continued distraught, for several years until, proud, as I imagine him, grateful (though not to the doctors) to have had a somewhat extended life in which to drink, and quite unapologetic, he died.«[75]

Es gehe in dieser Geschichte weder um unempfindliche Ärzte oder sich betrinkende Indianer noch darum, daß eine philosophische oder anthropologische Perspektivierung zu einem besseren Ende geführt hätte; vor allem aber:

»I cannot see that either more ethnocentrism, more relativism, or more neutrality would have made things any better (though more imagination might have). The point of the fable – I'm not sure it properly has a moral – is that it is this sort of thing, not the distant tribe, enfolded upon itself in coherent difference [...] that best represents, if somewhat melodramatically, the general form that value conflict rising out of cultural diversity takes nowadays.«[76]

Wie aber sollte ein Mehr an Imagination, das Geertz hier programmatisch ins Spiel bringt, die Lage verbessert haben?

»If our peremptory doctors and our intransigent Indian [...] are to confront one another in a less destructive way (and it is far from certain – the clefts are real – that they actually can) they must explore the character of the space between them.«[77]

Geertz sagt nicht ausdrücklich, was er mit diesem »space between« meint. Sicher ist lediglich, daß Aufklärung über die Form der Kluft zwischen den Positionen den konfrontativen Charakter der Differenz mildern soll. Aber zugunsten von was? Ein Kompromiß ist unmöglich, Konsens aussichtslos; Heuchelei wäre es, Exklusion und Empathie zu paaren.

»If we have (as I admit I have) more than a sentimental sympathy with that refractory American Indian, it is not because we hold his views. Alcoholism is indeed an evil, and kidney machines are ill-applied to its victims. Our sympathy derives from our knowledge of the degree to which he has earned his views and the bitter sense that is therefore in them, our comprehension of the terrible road over which he has had to travel to arrive at them and of what it is – ethnocentrism and the crimes it legitimates – that has made it so

75 Ebd.
76 Ebd., S. 117.
77 Ebd., S. 119.

terrible. If we wish to be able capaciously to judge, as of course we must, we need to make ourselves able capaciously to see.«[78]

Wenn im geschilderten Fall weder ein Mehr an Ethnozentrismus noch ein Mehr an Relativismus weitergeholfen hätten, so bindet Geertz doch die Angemessenheit der unvermeidlich geforderten Entscheidung an die Fähigkeit und Bereitschaft hinzusehen. In solchen Konflikten helfen die Buchstaben von Gesetzen und Ausführungsbestimmungen allein nicht weiter. Vielmehr schlägt die Stunde jener Vokabeln, die über jeden in der Logik einer Subsumtionsmaschine behandelten Fall hinausweisen und eine Berücksichtigung besonderer Umstände, sprich: der Situation, verlangen; die Forderung nach Angemessenheit etwa wäre eine solche Vokabel. Ohne daß im Namen des einen oder anderen gefordert werden könnte, den Rahmen, sei es des Kodifizierten, sei es des Üblichen, zu überschreiten, verlangt die Situation eine Erweiterung des tradierten Gesichtskreises, soll die Urteilskraft nicht kleinliche Texttreue sein, sondern kreative Kapazität, Neuem und Fremdem hermeneutisch wie prozedural gerecht zu werden. In solchen Fällen hilft die Reflexion auf den (gemeinsamen) Horizont, nicht weil so notwendig eine angemessene Lösung zu finden wäre, sondern weil nur im Bewußtsein solchen Horizonts der ›Fall‹ überhaupt sachgerecht verhandelt werden kann.

Der Raum zwischen Arzt und Individuum, »the space between«, so läßt sich folgern, ist der Raum zwischen Grenze und Horizont. Der Forderung, über Inklusion ins Gesundheitsprogramm (oder Exklusion daraus) im Rahmen der gesetzlichen Bestimmungen zu entscheiden, tritt ein im alkoholverliebten Indianer gleichsam allegorisch verkörperter Horizont zur Seite, der die Relation zwischen der Entscheidungsinstanz und den Patienten, welche die Aufnahme in die Therapie erwarten, um die Frage erweitert, welche Konstitutionsbedingungen eine medizinische und juridische Rationalität tragen, die sich nicht in jedem Fall problemlos in ein Urteil übersetzen läßt. Als Horizont kann der Indianer firmieren, weil sein Fall Teil einer Geschichte ist, die bis zur Kolonisierung des Landes durch weiße Siedler zurückreicht und nicht zuletzt seinen Alkoholismus mit einem Hof von Bedeutungen umgibt. Zugleich geht die in diesem Horizont etablierte Grenze mitten durch seine Person

78 Ebd., S. 123.

hindurch, wie sich an dem gleichzeitigen Beharren auf Abweichung und der Fähigkeit, diese notfalls im kulturellen Register der weißen Ärzte zu formulieren, zeigt.

6. So what?

Richard Rorty hat es sich nicht nehmen lassen, noch einmal auf Geertz zu antworten – hauptsächlich mit dem Argument, daß es am genannten Beispiel nichts zu sehen gebe oder besser: daß genauer zu sehen diesen Fall um keinen Deut weniger konflikthaft gemacht hätte: »My own reaction to the case as Geertz presents it is that it is not particularly depressing, but rather cheering. It shows our liberal institutions functioning well and smoothly. [...] Procedural justice was visibly done.«[79] Zudem sei es auch moralisch befriedigend zu sehen,

>that life-or-death decisions are made on the basis of >severity of need and priority of application< – rather than, say, on the basis of political or financial clout, family membership, or the sympathies of those present. We take moral pride in the fact that our society hands such decisions over to mechanisms of procedural justice.«[80]

Ärzte, denen es um mehr Verständnis gegangen wäre, wären, nach Rorty, in diesem Fall durchaus fehl am Platz gewesen, denn es gehe eben nicht darum, daß Ärzte den Wert des einen Lebens gegen ein anderes aufwögen; sie hätten wie Anwälte und Lehrer einfach ihren Job zu machen. Allerdings leisteten sich liberale Gesellschaften durchaus Experten für das Verstehen (und Erklären) der oder des Fremden: Ethnologen eben,

»who are expected and empowered to extend the range of society's imagination, thereby opening the doors of procedural justice on people on whom they had been closing. Why are drunken Indians, in Geertz's words, >as much a part of contemporary America< – as yuppie doctors? Roughly, because anthropologists have made them so.«[81]

Die Indianer seien noch im 19. Jahrhundert »non-persons, without human dignity« gewesen. »The anthropologists made it hard for us

79 Richard Rorty, »On Ethnocentrism. A Reply to Clifford Geertz«, in: *Michigan Quarterly Review*, Winter 1986, S. 525-534, hier 527.
80 Ebd.
81 Ebd., S. 529.

to continue thinking of them that way, and thereby made them into
›part of contemporary America‹.«[82] In diesem Sinne unterscheidet
Rorty zwischen den »agents of love« und den »agents of justice« und
hält es für einen fundamentalen Irrtum, die Aufgabe der einen mit
jener der anderen zu vermischen. Die einen

»make these candidates for admission visible by showing how to explain
their odd behavior in terms of a coherent, if unfamiliar, set of beliefs and
desires – as opposed to explaining this behavior with terms like stupidity,
madness, baseness or sin. The latter, the guardians of universality, make sure
that once these people are admitted as citizens, once they have been shep-
herded into the light by the connoisseurs of diversity, they are treated just
like all the rest of us.«[83]

Anders gesagt: Während die »agents of love« die Ausgegrenzten dem
kulturellen Horizont wieder einfügen, ist es die Aufgabe der »agents
of justice«, auf dieser Grundlage die nötigen Entscheidungen (und
damit neuerlichen, wenngleich nicht mehr inter-, sondern nun intrakulturellen Ein- und Ausgrenzungen) zu exekutieren. Auch Rorty postuliert somit einen notwendigen Bezug von Grenze und Horizont, aber er plädiert dafür, die Register nicht zu vermischen. Von
daher sollten liberale Gesellschaften seines Erachtens auch einfach
in dem fortfahren, was sie immer schon getan haben. Rorty setzt
gegen Geertz' antiethnozentrisches ›Verstehen‹ einen ›Anti-Antiethnozentrismus‹ als

»an attempt, to cope with the phenomenon of wet liberalism by correcting
our culture's habit of giving its desire for windows a philosophical foun-
dation. Anti-anti-ethnocentrism does not say that we are trapped within
our monad or our language, but merely that the well windowed monad we
live in is no more closely linked to the nature of humanity or the demands
of rationality than the relatively windowless monads which surround
us.«[84]

Wenn die Welt immer mehr einem kuwaitischen Basar gleiche, um
so besser: »For this is just the sort of situation that the Western liberal ideal of procedural justice was designed to deal with«,[85] insofern
sie auf der Toleranz gegenüber Verschiedenheit gegründet sei. Die
Zeiten einer »old-timey *Gemeinschaft*«, in denen alle übereinstimm-

82 Ebd.
83 Ebd.
84 Ebd., S. 526.
85 Ebd., S. 532.

ten, wer als »decent human being« durchgehe, seien nun einmal vorbei. Alles, was heutzutage nötig sei, sei

»the ability to control your feelings when people who strike you as irredeemably different show up at the Hotel de Ville, or the greengrocers, or the bazaar. When this happens, you smile a lot, make the best deals you can, and, after a hard day's haggling, retreat to your club. There you will be comforted by the companionship of your moral equals«.[86]

Es dürfte die liberalen Gesellschaften in der Tat eher weiterbringen, an das Geleistete anzuknüpfen und Recht, Rechtszugang und Rechtsrealität zu entwickeln, als im Namen eines diffusen Anderen auf den unzweifelhaft fortbestehenden Mängeln zu insistieren. Rortys Plädoyer für Grenzen bewahrt vor dem ›zu groben‹ Kulturalismus, der über der konzentrierten Steigerung des Relativismus die parallele Steigerung des Ethnozentrismus, besser: Anti-Antiethnozentrismus, vergißt. Gleichwohl wäre es falsch,[87] wenn man glaubte, auf einen selbstverständlichen Fortschritt im Zeichen der Freiheit vertrauen zu können. Mit der einfachen Entscheidung – mehr Ethno- oder mehr Anti- – ist kein Weiterkommen.

Man muß unterscheiden können zwischen Situationen, in denen es darauf ankommt, die Grenzen zu bewahren, und solchen, in denen es angebracht ist, deren aktuellen Verlauf in Frage zu stellen. Der Anti-Antiethnozentrist ist erst, was er sein will, wenn er auch den Zwischenraum zum Antiethnozentristen zu besetzen vermag, sonst würde ihn wohl weder sein Geschäftserfolg noch der abendliche Rückzug hinter die Grenzen wirklich beruhigen. Deshalb ist an Geertz' Beispiel durchaus etwas zu sehen. Die bloße Festlegung aufs Eigene wäre ein Verzicht auf Urteilskraft und Mitsprache. Auch wer auf das Funktionieren der Institutionen baut, kommt ohne einen Sinn für Horizontalität nicht aus; keine Institution, kein Recht antizipiert alle Fälle seiner Anwendung, deshalb bedarf es einer Perspektivierung der Rechtsentwicklung in der Umwelt des Rechts. Für Rorty mag das weniger im Vordergrund stehen als für die mit den Abgründen des Rechtspositivismus bekannten Euro-

---

86 Ebd., S. 533.
87 Auch Richard Rorty vertraut – bei allem Optimismus – nicht ausschließlich auf den naturwüchsigen Gang der Dinge, sonst müßte er für einen neuen Aufbruch nicht mit solchem Engagement plädieren. Vgl. ders., *Achieving our Country. Leftist Thought in Twentieth-century America*, Cambridge (Mass.), London, 3. Auflage 1999.

päer;[88] er unterschlägt diesen Punkt gleichwohl nicht. So ist er sich mit Geertz denn auch vollkommen einig in der Betonung der Unverzichtbarkeit der Imagination zur Erweiterung der Ressourcen der Selbstbeschreibung. Strittig ist primär der Startpunkt. Ob man aber das jeweils Gegenüberliegende programmatisch von der Grenze oder vom Horizont aus angehen will, das kann getrost jedem selbst überlassen bleiben. Die je andere Perspektive wird sich ohnehin nicht dauerhaft übersehen lassen.

88 Vgl. Jürgen Habermas, »Rortys patriotischer Traktat. Aber vor Analogien wird gewarnt«, in: *Süddeutsche Zeitung* Nr. 48, 27./28. Feb. 1999, S. 13.

III. Bilder und Menschenbilder

Christiane Kruse
Bild- und Medienanthropologie

Eine Perspektive für die Kunstwissenschaft als Bildwissenschaft

In dem Buch *Bild-Anthropologie* hat der Kunsthistoriker Hans Belting jüngst ein Projekt beschrieben, daß der »Notwendigkeit einer Bildgeschichte« Rechnung tragen soll.[1] Diese noch zu erforschende Bildgeschichte beabsichtigt, den engen Rahmen der Kunstgeschichte zu sprengen und Bilder in einen weitgespannten Horizont zu stellen, der von den ersten menschlichen Artefakten bis hin zu ihren Auftritten in den heutigen Massenmedien reicht. Eine künftige Bildwissenschaft, so heißt es dort, wird ihren Gegenstand nicht mehr nur nach Epochen und Stilen ordnen und sie in ihren jeweiligen geistes- beziehungsweise kulturhistorischen Kontexten verstehen wollen. Eine künftige Bildwissenschaft fragt generell, wozu Menschen überhaupt Bilder machen.

Im ersten Teil dieses Beitrags werde ich Hans Beltings Projekt der Bild-Anthropologie vorstellen und zeigen, in welchem Sinne Belting das Fach Kunstgeschichte als Bildwissenschaft versteht. Im zweiten Teil stelle ich die historische Anthropologie der Medien als ein komplementäres Projekt vor, das im Konstanzer SFB »Literatur und Anthropologie« interdisziplinär, auch von mir selbst, bearbeitet wurde. Im dritten Teil werde ich an einem Fallbeispiel aus der Kunstgeschichte zeigen, welche Erkenntnisse sich aus einer bild- und medienanthropologischen Analyse des Bildermachens gewinnen lassen.

---

1 Hans Belting, *Bild-Anthropologie. Entwürfe für eine Bildwissenschaft*, München 2001. Belting ist einer von mehreren Protagonisten der Kunstgeschichte, die das Fach für Bilder jenseits des Kunstkontextes öffnen wollen. Der Magdeburger Philosoph Klaus Sachs-Hombach erstrebt sogar die Institutionalisierung einer interdisziplinären Bildwissenschaft. Vgl. auch den Band von Christa Maar und Hubert Burda (Hg.), Iconic turn. Die neue Macht der Bilder. Köln 2004.

I.

Die von Belting entworfene Fragestellung der Bild-Anthropologie zerfällt in eine Trichotomie der Kategorien Medium – Bild – Körper.[2] Damit wird angezeigt, daß Bilder nicht körperlos in der Welt zirkulieren, sondern Orte haben, und zwar erstens im Menschen selbst, etwa als Bilder der Erinnerung, der Vorstellung oder von Träumen, und zweitens als Artefakte in den diversen Medien, die in den Dienst des Bildermachens gestellt werden. Die Frage, wie die inneren Bilder mit den Bildern, die gemacht werden, in Beziehung stehen, ist eine erste generelle Fragestellung der Bild-Anthropologie. Dabei wird zwischen der individuellen Produktion innerer Bilder und der kollektiven Bildproduktion, die Äußerungen symbolischer Handlungen einzelner Kulturen sind, unterschieden. Nun sollen diese diversen Bild*geschichten* innerhalb einer interdisziplinär arbeitenden Bildwissenschaft nicht mehr wie bisher voneinander isoliert behandelt, sondern quasi in einer einzigen Bildgeschichte der Menschheit zusammengeführt werden. Es geht also nicht mehr um eine westlich dominierte Bildgeschichte, die mit der Kunstgeschichte, welche die Kunstwissenschaft zum Gegenstand ihres Faches erklärt hat, in eins zu setzen ist, sondern um eine kulturübergreifende Bildwissenschaft. Innerhalb der Bildgeschichte der Menschheit vermutet Belting universale Themenkomplexe, etwa Körper, Tod, Zeit und Raum.

Bildgeschichte, darüber ist sich Belting im klaren, ist zugleich Mediengeschichte, denn die Bilder, die es zu erforschen gilt, tauchen als wissenschaftlicher, das heißt objektivierbarer Gegenstand ausschließlich in den verschiedenen Medien auf. Mit anderen Worten: Die individuellen inneren Bilder der Menschen können nur mittelbar Gegenstand einer Bildwissenschaft sein. Somit fragt eine künftige Bildwissenschaft nach der Interdependenz von inneren und äußeren Bildern, etwa welche Bildthemen innerhalb der Bildgeschichte immer wieder auftauchen und in welchen Medien sie erscheinen. Bild und Medium sind, wie Belting betont, »zwei Seiten einer Münze, die man nicht voneinander trennen kann, auch wenn sie Verschiedenes bedeuten«.[3] Individuelle und kollektive Bildwahrnehmung wird über Medien eingeübt und gesteuert. Sie ist grund-

2 Belting 2001, S. 11 ff.
3 Belting 2001, S. 13.

sätzlich ein Akt der Animation (eines toten Bildobjekts), der im Verlauf der Geschichte und in den verschiedenen Kulturen unterschiedlich praktiziert wurde und wird.

Bilder stehen in einem doppelten Körperbezug, einmal, indem jeder Mensch mit seinen Vorstellungen und Phantasien über ein eigenes, individuelles Bilderarsenal verfügt und mit seinem Gedächtnis ein körpereigenes Bildarchiv besitzt. Dann sind die einzelnen Bildmedien selbst künstliche oder symbolische Bild-Körper, in die individuelle und kollektive Vorstellungen, Erinnerungen und Träume eingeschrieben werden. Im Akt der Bildherstellung entäußern wir uns unserer Bilder, um sie uns im Akt der Bildbetrachtung wieder zu verinnerlichen. Deshalb versteht Belting den Menschen selbst als einen Bildträger, freilich einen lebendigen im Unterschied zu den Artefakten.

In der heutigen, von den verschiedenen Medientheorien beherrschten Wissenschaftsdebatte vermißt Belting die Frage nach den Bildern, die in die Fragestellungen der einzelnen Fächer zersplittert ist und noch einer Synthese harrt. Eine Ikonologie, wie sie Erwin Panofsky verstand, engte den Bildbegriff ein, indem Bilder aus der Kunstgeschichte auf die in ihren schriftlichen Vorlagen vorgefundene Bedeutung reduziert wurden. Aby Warburg mit seinem Unternehmen des Mnemosyne-Atlas und seinen Forschungen über das Schlangen-Ritual der Pueblo-Indianer oder André Malraux' *Musée imaginaire* haben bereits Ansätze zu einer universalen Bildgeschichte geliefert. Die Kunstwissenschaft des 20. Jahrhunderts hat jedoch diese ersten bildwissenschaftlichen Ansätze nicht weiter verfolgt, sondern überwiegend daran gearbeitet, einen reinen Begriff von der Kunst der eigenen Kultur in den Gegenständen ihres Faches zu isolieren, der sorgfältig von Nicht-Kunst und den Artefakten anderer Kulturen unterschieden werden sollte.[4]

Eine Krise der ›Repräsentation‹, so wie sie einige französische Philosophen des Poststruktualismus angesichts der sich immer schneller beschleunigenden Bildzirkulation in den Massenmedien diagnostiziert haben, ist eigentlich eine Krise der Bilder, denen man vorwirft, daß sie sich nicht mehr auf Welt beziehen, daß sie Zeichen ohne eine Referenz sind, geschweige denn eine Bedeutung haben.

---

4 An diese Traditionen des Faches wird jetzt von verschiedenen Seiten wieder angeknüpft, etwa in den Graduiertenkollegs »Identität und Differenz« an der Universität Trier oder »Bild. Körper. Medium« der Hochschule für Gestaltung in Karlsruhe.

Die Frage, was ein Bild sei, ist heute im Zeitalter der digitalen Bilder, das auf das zu Ende gehende Zeitalter der analogen Bilder wie Foto und Film folgt, schwieriger zu beantworten denn je. Es sei jedoch davor gewarnt, die Bilder mit den Medien zu verwechseln, die sie produzieren. Eine Bildwissenschaft, die die Bilder wieder an ihre uralte Geschichte zurückbindet und ihre Funktionen für die Menschen im Auge behält, werde zeigen, daß sie auch heute mehr als nur sich selbst bedeuten.

Die Frage nach der Wechselwirkung der inneren Bilder oder internen Repräsentationen der Menschen, deren Biologie die Neurowissenschaften erforschen, mit ihren Manifestationen in den diversen Medien wird der Kern einer Wissenschaft sein, die sich mit der anthropologischen Begründung der Bilder befaßt. Künstliche Bilder unterscheiden sich von den alltäglichen Wahrnehmungsbildern schon dadurch, daß sie Bilder, denen wir besondere Aufmerksamkeit schenken wollen oder sollen, isolieren und ihnen eine andere, eine mediale Präsenz verleihen. Die Externalisierung der individuellen beziehungsweise kollektiven inneren Bilder der Menschen in eine mediale Präsenz ist historisch in einer Bild- und einer Mediengeschichte faßbar, die ambivalent aufeinander bezogen sind, da Bilder und Medien von Fall zu Fall immer neue Beziehungen miteinander eingehen.

Die Frage nach der Geschichte von Bildern und Medien ist eng mit der Geschichte des Körpers, der Beziehung von Körperwahrnehmung und Körperdarstellung, verbunden. Die heutige Körperflucht hat ihr Ziel in den Bildern der digitalen Medien, die uns von unseren Körpern befreien, indem sie uns zeigen, wie wir sein wollen: schön und unsterblich. Aber auch dies ist nicht neu, sondern nur eine unter vielen uralten Funktionen, die Bilder mit Hilfe der Medien wahrnehmen.

Es geht Belting in erster Linie um die Bilder und nicht so sehr um die Medien, die Bildträger, deren generelle Funktion es ist, die inneren Bilder sichtbar, stabil zu machen und zu speichern. Bilder haben eine mentale, die Medien hingegen eine materiale Eigenschaft, auch wenn sich beides im sinnlichen Eindruck zu einer Einheit verbindet. Das unsichtbare, das mentale Bild, das sich im Medium materialisiert, werde erst zum Bild, wenn der Betrachter es von seiner materiellen Schlacke befreit und es im Akt der Bildwahrnehmung animiert:

»Im Akt der Animation trennen wir es [das Bild – C. K.] in der Vorstellung wieder von seinem Trägermedium. Dabei wird das opake Medium transparent für das Bild, das es trägt: das Bild scheint gleichsam durch das Medium durch, wenn wir es betrachten. Diese Transparenz löst seine Bindung an das Medium, in dem es der Betrachter entdeckt hat.«[5]

Der Bildbegriff, den Belting zu isolieren sucht, ist am zweidimensionalen Bild, näherhin am Kunstbild westlicher Prägung, gewonnen, das nur betrachtet und nicht betastet oder in welcher Weise auch immer benutzt werden will. Dieser Bildbegriff stellt die haptische Wirkung und die taktile Funktion, die ein Bildobjekt, etwa ein Fetisch, haben kann, nicht in Rechnung. Und auch das Gemachtsein des Bildes, für das man in der Bildgeschichte nicht nur unserer eigenen Kultur spezielle, nicht allein ästhetische Kriterien gefunden hat, fällt aus diesem anthropologischen Bildbegriff noch heraus. Der reine Bildbegriff ist zunächst auf seine geistige, seine mentale Herkunft und Bestimmung festgelegt.

Im Verlauf des ersten Kapitels, das mit ›Einführung in das Thema‹ überschrieben ist, wird deutlich, daß Belting mit dem Projekt einer Bildwissenschaft dem Kunstbegriff einen ihm gebührenden historischen und kulturell determinierten Ort zuweist. Dann trägt der Autor mehr zu einer Klärung des Medienbegriffs bei, als er eigentlich beabsichtigt hatte. Beltings Überdruß an der Mediendebatte wird deutlich, wenn er den Kommunikationstheoretiker Marshall McLuhan als Initiator der Medienfrage nimmt, um die folgende Gegenposition zu beziehen:

»Wir glauben hartnäckig daran, daß im Medium Bilder zu uns kommen, die jenseits des Mediums ihren Ursprung haben. Sonst könnten wir uns auch in Bilder der alten Kunst, deren Medien gar nicht für uns bestimmt waren, nicht einfühlen. Der Bilderwunsch wird von den jeweils aktuellen Medien, die diesem permanenten Wunsch ihre Existenz verdanken, immer wieder so neu erfüllt, als handelte es sich dabei um die Geburt neuer Bilder.«[6]

Die Bilder, die als Gegenstand einer zukünftigen Bildwissenschaft prädestiniert sind, sind gegen den historischen Wandel der Medien resistent und passen sich den jeweiligen Medien an. So gibt es für Belting universal-anthropologische Bilder, etwa vom Tod, und kulturell kodierte Medien, in denen sie erscheinen. Auf diese Weise

5 Belting 2001, S. 30.
6 Belting 2001, S. 31.

lasse sich die Faszination, die ein Bildbetrachter der heutigen westlichen Bildtradition beispielsweise angesichts einer afrikanischen Maske empfinde, erklären. Diese – ich nenne sie universal-anthropologischen – Bilder gleichen Nomaden, die geschichts- und kulturlos die jeweiligen Medien als temporäre Durchgangsstationen benutzen. Sie lagern transkulturell im körperlichen Gedächtnis der Menschen und sind mit universalen symbolischen Bedeutungen ausgestattet, die potentiell für alle Menschen lesbar sind. Der Körper, den Belting als »Ort der Bilder« versteht, ist eine ›pièce de résistance‹ gegen die Medien, die den universalen Bildern ein immer neues modisches Gewand anlegen.

Was die Kunst betrifft, eine kurze Episode in der Geschichte der Bilder, so konstatiert der Autor eine Ambivalenz zwischen Bild und Medium, die aus dem sinnlichen Reiz der Bilder resultiert, den wir ästhetisch nennen. Die Frage nach den Bildern werde in der Kunstwissenschaft nach wie vor nur historisch abgehandelt, und die Medienfrage sei verpönt, weil sie den hehren Kunstbegriff in Gefahr bringe.

Eine »Bildgeschichte des Menschen« beinhaltet mit gleicher Berechtigung die Gesichtsmasken der Maori-Indianer wie die technisch hergestellten Bilder, in denen einige, wie etwa der Medienwissenschaftler Vilém Flusser, einen radikalen Bruch der Bildgeschichte sehen. Der Wunsch nach beweiskräftigen Bildern der Wirklichkeit, der mit der Fototechnik realisiert schien, ist, so Belting, ein uralter Wunsch nach authentischen Abbildern der Welt. Ob das Turiner Leichentuch Christi, das wahre Bild Christi in Rom oder die Bildpraxis der Toten- oder Lebendmasken: All diese Bilder entstanden in der Absicht, mit Hilfe des Körperkontakts das beweiskräftige Bild einer Person durch ein technisches Reproduktionsverfahren zu gewinnen. Eine anthropologische Bildgeschichte erweitert den Begriff der Technik, der heute gern auf den Dualismus von Maschine und Mensch gebracht wird, und sieht, wie der amerikanische Kunsthistoriker Lev Manovich, in den geometrisch berechneten Bildräumen der Renaissance malereitechnische Verfahrensweisen, die den heutigen maschinentechnischen Simulationsverfahren strukturell gleichen.[7] Das Bildfenster des Florentiner Humanisten und Kunsttheoretikers Leon Battista Alberti ist

---

7 Lev Manovich, »Eine Archäologie des Computerbildschirms«, in: *Kunstforum international* 132, 1996, S. 124-135.

ebenso virtuell wie das Bildschirm-Fenster der PCs; der Blick auf den Bildschirm zwingt zum gleichen standardisierten Blick wie das perspektivisch konstruierte Gemälde; die Algorithmen, die das digitale Bild generieren, sind nach der Geometrie der Perspektive errechnet. Das simulierte und animierte Bild gehört, wie Belting feststellt, als Leistung der Phantasie zum anthropologischen Erbteil. Die Medientechnik erweitert lediglich die Grenzen der Imagination und simuliert einen Blickraum, der sich in der Projektion des Betrachters an die Stelle von Erfahrung setzt.

Die anthropologische Frage nach dem Bild kann nur interkulturell angegangen werden. Im Kulturvergleich werde der Konflikt zwischen dem Allgemeinbegriff des Bildes und den kulturellen Konventionen zur Sprache kommen, wobei die Medien, etwa das europäische Gemälde oder die asiatische Bildrolle, ihren Anteil an der regionalen Sinngebung des Bildes haben. Auch die Kulturgeschichte des Körpers im Spektrum der Körperbilder werde bei der anthropologischen Bildbestimmung eine Rolle spielen. Der Kulturvergleich der Bilder soll erforschen, wie fremde Bilder in der jeweiligen eigenen Bildtradition rezipiert wurden. Wie etwa die Maler der europäischen Moderne afrikanische Masken aus ihrem kulturellen Kontext in den Kunstkontext transponierten oder mit welcher Begründung die spanischen Eroberer indianische Bildobjekte zerstörten und mit ihren eigenen Bildern kolonialisierten, gebe Aufschluß über die Denkbarrieren der eigenen gegenüber den fremden Kulturen, Denkbarrieren, deren nähere Betrachtung zeigen werde, auf welche Weise die fremden Bilder mißverstanden wurden und aus der eigenen Kultur ausgegrenzt werden.

Hans Belting, der mit seiner Kulturgeschichte des christlichen Kultbildes über die Grenzen des Faches hinaus bekannt geworden ist und der über die Konzeption des Meisterwerks in der Moderne ebenso nachgedacht hat wie über das Ende der Kunstgeschichte, war immer davon überzeugt, daß trotz allen Bestrebungen des Menschen, sich immer wieder neu zu erfinden, der Mensch mit seiner uralten Lust am oder seinem Zwang zum Bildermachen eine prämoderne Erscheinung ist. Eine anthropologische Bestimmung der Bilder verbindet einen Ausstieg aus dem längst leergelaufenen Glauben an einen Fortschritt der Kunst mit einer Reflexion über ein Grundbedürfnis der Menschen, ihre physische und metaphysische Existenz in Bildern zu reflektieren.

Die historische Medienanthropologie, so wie sie am Konstanzer SFB »Literatur und Anthropologie« erarbeitet wurde, richtet den Blick vor allem auf die Medien, die allgemein als körperliche, materielle oder technisch-apparative Stützen oder Träger von Zeichenprozessen verstanden werden, welche auf diese Weise erzeugt, gespeichert, kommuniziert und reproduziert werden können.[8] Die Geschichte der Medien, die von der Höhlenmalerei zum Internet zu beschreiben wäre, ist demnach ein Prozeß zunehmender Ausdifferenzierungen und Funktionsübernahmen, die das jeweilig neue Medium nicht obsolet machen, sondern ihm eine andere Funktion zuweisen. Medien werden als Instrumente der Welterzeugung angenommen, die die kulturelle Wahrnehmung bedingen, die Kommunikation strukturieren und das Gedächtnis affizieren. Das anthropologische Fundament dieses Medienbegriffs besagt, daß die Menschen sich im Laufe ihrer Geschichte Werkzeuge erschaffen haben und von diesen ihrerseits erschaffen und immer wieder umgeschaffen werden. Diese allgemeinen Bestimmungen des anthropologisch und historisch fundierten Medienbegriffs wurden in vielen Einzelprojekten der Konstanzer Wissenschaftlerinnen und Wissenschaftler themenspezifisch untersucht.

Im folgenden werde ich in die Fragestellungen meines 2002 abgeschlossenen SFB-Projekts »Wozu Menschen malen. Historische Begründungen eines Bildmediums« einführen, das sich als komplementär zur Bild-Anthropologie von Hans Belting erweist.[9] Es geht darin um Begründungsdiskurse des Bildermachens am Beispiel eines der ältesten Bildmedien, der Malerei. Die antiken und christlichen Ursprungsmythen der Bilder, die ich untersuche, geben Auskunft, wozu Menschen innerhalb einer Kultur die Malerei erfunden haben und welche Funktionen gemalte Bilder für diese Menschen hatten beziehungsweise noch immer haben. Auch eine medienanthropologische Bestimmung der Bilder fragt nach der Beziehung zwischen den inneren, den körpereigenen Bildern der Menschen und den äußeren, den künstlichen Bildern, die sich die Menschen

---

8 Siehe den Antrag auf Fortsetzung des SFB 511 »Literatur und Anthropologie« (1999-2001), S. 20.

9 Siehe zum folgenden Christiane Kruse, *Wozu Menschen malen. Historische Begründungen eines Bildmediums*, München 2003, S. 15 ff.

in ihren Artefakten, die wir Medien nennen, machen. Doch geht eine medienanthropologische Fragestellung grundsätzlich von der Differenz zwischen zwei modellhaft verstandenen Bildkategorien aus, den medialen Bildern, die von den Menschen hergestellt werden, und den nichtmedialen Bildern, die ihren Ort im Menschen haben: Wahrnehmungsbilder, Erinnerungen, Vorstellungen, Träume etc. Dieses Modell wird von den sowohl schriftlich als auch bildlich überlieferten Medientheorien bestätigt. Die Herstellung künstlicher, mediengestützter Bilder wird grundsätzlich damit begründet, daß der körpereigene Bildgenerator und -speicher sich – wegen seiner biochemischen und biophysikalischen Beschaffenheit – vor allem durch die Bild*qualität* von den künstlich hergestellten Bildern unterscheide. So können die inneren Repräsentationen hinsichtlich ihrer Dauer, Schärfe, Tiefe, Farbigkeit und auch ihrer schwer zu steuernden Dynamik, vor allem aber wegen ihrer Unsichtbarkeit für andere als den künstlichen Bildern unterlegen empfunden werden. Andererseits wird berichtet, wie besonders intensiv erfahrene innere Bilder, etwa in einer Vision oder einem Traum, zur Bildproduktion führten, die Gemälde oder Bildwerke aber, die daraus entstanden, nur als ein matter Abglanz der inneren Sensationen erachtet wurden. Die Differenz der beiden Bildkategorien wird nicht zuletzt dadurch bestätigt, daß sich über die Fixierung der inneren Bilder in den verschiedenen Medien nie Bilder ergeben, die mit den inneren Bildern identisch wären: Wir haben und sehen eben keine Gemälde, Fotos oder Filme im Kopf.

Die medienanthropologische Fragestellung verhält sich insofern komplementär zur Bild-Anthropologie, als sie das Bildermachen selbst in das Zentrum der Überlegungen stellt. Medien werden nicht als Kehrseite der vom Bild definierten Medaille angenommen, sondern Bild und Medium bilden eine interdependente Einheit, wobei die verschiedenen Bildtechniken und die davon abhängende Bildqualität als ein eigener Wert der Bildproduktion anerkannt wird.

Eine in den Begründungsdiskursen der Malerei durchgängig anklingende Frage betrifft die Differenz der einzelnen Medien. Der sogenannte *paragone* der italienischen Renaissance beispielsweise ist nichts anderes als ein Wettstreit der Medien, der trotz aller Polemik klar darüber informiert, welche Leistungen die jeweiligen Medien – Schrift, Malerei, Skulptur – erbringen können. Der anthropologische Medienbegriff gewinnt erst als Differenzbegriff an Schärfe, denn Menschen bedienen sich unterschiedlicher Medien, die dann spezifische Funktionen wahrnehmen.

Der anthropologische Medienbegriff, den ich in meiner Studie verfolge, ist semiotisch fundiert.[10] Ich definiere ein Medium allgemein als von Menschen hergestellte, korrelierende Einheit von einem physischen Zeichenträger und einem Zeichengefüge. Der Zeichenträger dient der Realisation oder Manifestation des Zeichengefüges. Die Korrelation zwischen Zeichenträger und Zeichengefüge ergibt sich aus der Transmedialität der Zeichen, das heißt, ein Zeichen oder Zeichengefüge kann in ganz verschiedenen Medien realisiert werden. Nehmen wir das konkrete Beispiel der Medaille, das Belting als Metapher der Differenz von Bild und Medium anführt. Ich betrachte das Bild auf der Medaille und das runde Stück prägsames Metall als korrelierende Einheit, die das Medium bestimmen. Der Kopf auf der Medaille hat nun eine andere Funktion als beispielsweise das gemalte Porträt desselben Kopfes, was unmittelbar einleuchtet. Ich kann aber genausowenig von einem glatten, runden Stück Metall als einer Medaille sprechen, wie ich von einem Stück Leinwand mit einem Topf Farbe daneben von einem Gemälde sprechen kann. Die Prägung des Metalls mit einem Kopf oder die Bemalung der Leinwand mit einem Bild – allgemein: die am Zeichenträger vorgenommene Zeichenhandlung – macht das Stück Leinwand erst zu einem Gemälde, das ich dann als Medium bestimmen kann.

Der anthropologische Medienbegriff ist nicht nur semiotisch, sondern auch ontologisch fundiert. Ich bestimme Medien als Objekte, die dazu geschaffen werden, damit sie bestimmte Funktionen für Menschen wahrnehmen. Medien sind zunächst einmal Dinge, ob Bücher, Skulpturen oder Apparate (Radio, PC oder Datenhandschuhe), die von Menschen erfunden und hergestellt werden, somit ontologisch in der Welt verankert sind. Aus der objekthaften Bestimmung der Medien, die hergestellt werden, damit sich Menschen ihrer bedienen, lassen sich verschiedene Grundfunktionen ableiten, nämlich zuallererst Mittelbarkeit als prinzipielle Bestimmung eines jeden Mediums: Jedes Medium ist Stellvertreter eines abwesenden Körpers oder unsichtbaren Gedankens, das heißt einer

10 Dazu ausführlich Kruse 2003, S. 22 ff.

mentalen Operation. Hinsichtlich der Mittelbarkeit gibt es Gemeinsamkeiten zwischen medialen Bildern und einem bestimmten Typus von nichtmedialen Bildern, den Erinnerungsbildern. Auch diese sind mittelbar, da sie wahrgenommene Erlebnisse und Ereignisse einer vergangenen Zeit wieder zu Bewußtsein bringen. Nur haben die subjektiven Bilder der Erinnerung eine ganz andere Qualität als etwa ein Gemälde, ein Foto oder ein Videofilm, die von demselben Ereignis gemacht worden sind (wobei sich Gemälde, Foto und Video ebenfalls in ihrer Bildqualität unterscheiden). Welche Funktionen medienbasierte Bilder beim Vorgang der Erinnerung zugeschrieben werden und wie sich mentale Erinnerungsbilder von medialen Bildern unterscheiden, ist Gegenstand medienanthropologischer Fragestellungen.

Die grundsätzliche Mittelbarkeit eines jeden Mediums und auch der Erinnerung steht in Opposition zur Unmittelbarkeit der Augenzeugenschaft: Jedes Medium, jede Erinnerung ist daher ein Objekt distanzierter visueller und/oder auditiver und anderer Sinneswahrnehmungen. Medienbasierte Bildrezeption als ein kognitiver Akt ist daher grundsätzlich von unmittelbaren Sinneswahrnehmungen zu unterscheiden, die auch unbewußt und passiv ablaufen können. Selbstverständlich hat auch die Medienrezeption unbewußte oder passive Anteile, doch dienen Medien prinzipiell der aktiven Perzeption.

Als erste von drei Grundfunktionen der Medien wird die *Repräsentationsfunktion* angenommen. Jedes Medium dient der Vergegenwärtigung eines Abwesenden und Vergangenen oder dem Sichtbar- oder Wahrnehmbarmachen einer unsichtbaren mentalen Operation oder Repräsentation. Als zweite Grundfunktion nenne ich die *Kommunikationsfunktion*, der zufolge ein Kommunikator über die Form sowie den Inhalt entscheidet, die in einem Medium manifest werden sollen. Dritte Grundfunktion ist die *Reflexionsfunktion*, das heißt, daß ein Rezipient den Inhalt dekodiert und mental verarbeitet. Medien entstehen demnach aus mentalen Operationen (auf der Kommunikatorseite) und generieren mentale Operationen (auf der Rezipientenseite).

Folgende allgemeine anthropologische Mediendefinition liegt den weiteren Ausführungen zugrunde: Medien sind von Menschen intentional erfundene und hergestellte Objekte, die Zeichengefüge zum Zweck der Repräsentation, Kommunikation und Reflexion transportieren. Der Medienbegriff ist ein Differenzbegriff, das heißt, das jeweilige Medium gewinnt an definitorischer Schärfe durch unterscheidende, abgrenzende Gegenüberstellung zu anderen Medien und Nicht-Medien. Der Medienbegriff ist kulturhistorisch determiniert, insofern jede Kultur und jede Zeit die ihr gemäßen Medien erfindet oder ausschließt. Der Medienbegriff wird ferner als transkulturhistorisch angenommen, da wahrscheinlich jede Kultur zu jeder Zeit über Medien verfügt hat und verfügen wird.

3.

Die hier nur kursorisch ausgeführten theoretischen Ansätze einer anthropologischen Bestimmung von Bildern und Medien sollen jetzt an einem Beispiel aus der Bildgeschichte konkretisiert werden, das in den Bereich der europäischen Kunstgeschichte fällt. Das Beispiel, das ich gewählt habe, ist der christliche Ursprungsmythos des Bildes schlechthin, die Inkarnation Gottes, die von den Malern in unzähligen Darstellungen der Verkündigung immer wieder neu erzählt worden ist.[11] Es soll gezeigt werden, daß die Menschwerdung Gottes in Christus, eines der größten Mysterien des christlichen Glaubens, von den frühneuzeitlichen Malern als ein Problemfall der bildmedialen Repräsentation abgehandelt wurde. Das Problem, das die Maler in ihren Bildern reflektieren, ist ein doppeltes: einmal die Bildlichkeit des unsichtbaren Gottes, der die Inkarnation bewirkt, und dann die Voraussetzungen des christlichen Bildes schlechthin, nämlich die Menschwerdung Gottes in der Person Christi. Medienanthropologisch gibt die hier vorgestellte Verkündigungs-Ikonographie eindrucksvolle Beispiele für die Selbstreflexion der Malerei, die den Ursprung der christlichen Religion mit dem Ursprung des gemalten Bildes verknüpft.

Der umbrische Maler Benedetto Bonfigli macht in seiner Version der circa 1470 entstandenen Verkündigung unmißverständlich klar, daß für die Memoria der Verkündigungsgeschichte Medien wie Schriftband, Buch und gemaltes Bild eine ganz zentrale Rolle spielen (*Abb. 1*).[12]

11 Siehe dazu ausführlicher Kruse 2003, S. 175 ff.
12 Zu dem Gemälde Annamaria Rosi, in: V. Garibaldi (Hg.), *Un pittore e la sua città.*

Abb. 1: Benedetto Bonfigli, Verkündigung mit hl. Lukas
(Perugia, Galleria Nazionale dell'Umbria)

In dem Altarbild für die peruginischen Notare hat Bonfigli den Vermittler des ganzen Geschehens, den Evangelisten Lukas, gleich mit ins Bild gesetzt. Lukas sitzt zwischen den Protagonisten des Verkündigungsdialogs mit gespitztem Federkiel und Federmesser und

Benedetto Bonfigli e Perugia, Mailand 1996, S. 166; Louis Marin, *Opacité de la peinture. Essais sur la représentation au Quattrocento*, Paris 1989, S. 11 f., machte das Gemälde zum Sinnbild seiner Studie über die neuzeitliche Repräsentation; Georges Didi-Huberman, *Fra Angelico – Dissemblance et Figuration*, Paris 1990, S. 129 f.; Daniel Arasse, *L'annonciation italienne. Une histoire de perspective*, Paris 1999, S. 171 ; Kruse 2003, S. 15 ff.

lauscht dem Wortwechsel des Engels mit Maria, um ihn mit der in schwarze Tinte getauchten Feder aufzuzeichnen. Während der Engel zu seiner Rechten gerade den Gruß spricht, setzt Lukas die Feder zum Schreiben an. Maria lauscht mehr in sich hinein als dem Engel, da sie der göttlichen Botschaft schon inne ist, bevor sie die Geisttaube erreicht. Das Schriftband, das Lukas beschreiben will, ist noch leer. Das Buch, das auf seinen Knien aufgeschlagen liegt, zeigt nichts als weißes Pergament, und der prachtvoll gebundene Codex zwischen den Vorderläufen des Stiers, das Alte Testament, ist, da eine neue Zeit beginnt, zugeklappt. Bonfigli differenziert genau zwischen den einzelnen Gattungen der Schriftmedien und ihren Funktionen: Auf das Schriftband soll der gesprochene Dialog zwischen dem Engel und Maria diktiert werden; in das Buch, das Evangelium, wird Lukas den Dialog übertragen und damit der Nachwelt überliefern; das Alte Testament ist beendet und deshalb zugeklappt, da es nur mehr von Vergangenem berichtet.

Das leere, weiße Schriftband und die noch nicht beschriebenen oder bemalten Buchseiten indizieren zwar ihre zukünftige Funktion als Zeichenträger, aber, da die Schriftzeichen (und vielleicht auch die Bildzeichen) noch nicht eingetragen sind, weil das Ereignis, das medial fixiert werden soll, noch nicht eingetreten ist, befinden sie sich im semantisch leeren Stadium des Noch-nicht-Schriftband- beziehungsweise Noch-nicht-Buchseins. Nun ist ein Schriftband oder ein Buch ohne Schrift kein Medium, da die Funktion des Mediums, Zeichen zu übermitteln, nicht erfüllt werden kann. Zeichen und Zeichenträger bilden *per definitionem* ein Korrelat, eine unauflösbare Einheit. Somit ist das zeichenlose Buch auf Lukas' Knien medientheoretisch gesehen kein Buch oder, genauer: Es ist noch nicht Buch, da wir die Eintragung der Zeichen durch Lukas erwarten.

Der mediale Ort, das heißt der Ort im Bild, wo die Malerei das ›Nicht-Bildsein‹ Gottes als Nicht-Gemaltsein, also medientheoretisch, reflektiert, ist in einer ganzen Reihe von Verkündigungsdarstellungen seit dem Trecento genau dort, wo in Bonfiglis Verkündigung der Evangelist Lukas sitzt, nämlich zwischen dem Engel und Maria. Doch machen wir zunächst die Gegenprobe, um an wenigstens einem Beispiel zu zeigen, daß der Bildort Gottes tatsächlich zwischen dem Engel und Maria zu suchen ist (*Abb. 2*). Im Giebel des Polyptychons von Matteo di Giovanni ist Gottvater genau so

Abb. 2: Matteo di Giovanni, Polyptychon (Ascanio, Museo d'arte sacra)

plaziert, daß er sich zwischen dem Engel und Maria als Urheber des sich unsichtbar ereignenden Mysteriums der Menschwerdung Christi zu erkennen gibt und gleichzeitig sein Segensgestus und Blick auf die thronende Madonna mit dem Kind im Zentrum der Pala den Vollzug der Inkarnation bestätigt.

Wir suchen hingegen nach dem ungemalten Bild Gottes: Verschiedene Lösungen lassen sich für die als Fresken ausgeführten Verkündigungen in der Trecentomalerei ausmachen, die sich nach den Dispositiven der jeweiligen Fresken im Kirchenraum richten (*Abb. 3*).[13] Giotto macht den Anfang in einer Reihe von Gemälden und Fresken, die die Unsichtbarkeit Gottes medientheoretisch als

13 Zum folgenden siehe Arasse 1999, S. 28, und Kruse 2003, S. 206 ff.

Abb. 3: Giotto, Verkündigung (Padua, Arenakapelle)

Bildlosigkeit Gottes reflektieren. Die Verkündigung in der Arena-kapelle an der Stirnwand zum Altar verteilt die Protagonisten auf zwei Häuser, die die große Bogenarkade einerseits so voneinander trennt, daß Maria die Botschaft des Engels über eine große räumliche Distanz empfängt, andererseits aber auch verbindet, indem die ornamentierte Archivolte die zwei getrennten Orte überbrückt. Im Zwischenraum, den wir nicht ignorieren dürfen, ist keine Malerei, kein Bildträger, keine Bildfläche, kein Bildzeichen, sondern nichts als unsichtbare, unkörperliche, immaterielle Luft.

Während Giotto und eine ganze Reihe weiterer Maler das un-sichtbare Bild Gottes als trägerloses Zeichen oder Bild ohne Malma-terie auffassen, stellen sich einige Maler im Jahrhundert darauf die Frage, wie die Repräsentation des Bildwerdens Gottes in der Person Christi metapiktural gelingen kann. Der Bildort dieses nach wie vor bild- und medientheoretischen Problems bleibt der gleiche, doch die Aussagen werden komplexer. Am Anfang steht vermutlich die Verkündigung von Domenico Veneziano, ein kleines Bild im ehe-maligen Zentrum der fünfteiligen, heute auf drei Museen verteilten Predella einer Pala mit der heiligen Lucia (*Abb. 4*).[14] John Spencer machte das um 1445 datierte Bild in der Kunstwissenschaft bekannt, als er darin die erste überlieferte zentralperspektivisch konstruierte Verkündigungsdarstellung erkannte, die wahrscheinlich eine verlo-rene, von Vasari bezeugte Verkündigung von Masaccio wiederholt.[15]

---

14 Zum Altarbild der hl. Lucia Hellmut Wohl, *The Paintings of Domenico Veneziano (ca. 1410-1461). A Study in Florentine Art of the early Renaissance*, New York 1980, S. 32 ff. und S. 130 ff.; Kruse 2003, S. 208 ff.

15 John Spencer, »Spatial Imagery of the Annunciation in Fifteenth Century Flo-rence«, in: *Art Bulletin* 27, 1955, S. 275-280, hier: S. 279 f.

Abb. 4: Domenico Veneziano, Verkündigung, Teil der Predella einer Altartafel
(Cambridge, Fitzwilliam Museum)

Am bildräumlichen Dispositiv des Gemäldes beeindrucken eine rigorose Symmetrie der Architekturelemente, die Säulenstellungen, Fenster und der zentrale Durchgang zum Garten, bei gleichzeitiger Asymmetrie des nach links oben aus dem Bildzentrum verschobenen Fluchtpunktes, der in der Mitte der Holztür am Ausgang des Gartens liegt. Die flache Bühne, auf der sich die Verkündigungsszene ereignet, ist ganz auf den Kontrast mit dem tiefen Durchgang zum Garten gebracht, der an der hölzernen Pforte jäh endet. Schließlich fällt noch die distanzierte Kommunikation zwischen dem in Kniestellung mit verschlossenen Lippen ›redenden‹ Engel und der aufrecht stehend die göttliche Botschaft empfangenden Maria ins Auge. Die Bildanlage bedient sich, wie Louis Marin, Georges Didi-Huberman und Daniel Arasse ausführen, kalkuliert der bildlichen Paradoxa und Antithesen, um das Geheimnis der Inkarnation sichtbar zu machen.[16]

Ein Detail hat die Interpreten des Gemäldes schon immer beeindruckt. Es ist die mit einem Riegel verschlossene Holztür am Ende des Gartens, die Wohl als »a simple, sturdy gate such as any Florentine carpenter would make« bezeichnet hat (*Abb. 5*).

Diese Holztür fängt den entlang der Fluchtlinien in die Tiefe des Bildes gleitenden Blick abrupt ab. Das bei den Theologen als *porta clausa* bekannte Marien- und Christusattribut verweist auf eine Reihe von Texten, die das unsichtbare Geheimnis der Menschwerdung

16 Marin 1989, S. 140 f.; Didi-Huberman 1990, S. 148 f.; Arasse 1999, S. 82.

Abb. 5: Domenico Veneziano, Verkündigung, Detail: Holztür
(Cambridge, Fitzwilliam Museum)

Christi betreffen, die uns hier aber nicht weiter interessieren werden. Die Tür sieht so aus, als ob an dieser Stelle des Gemäldes der
Bildträger nicht bemalt sei und das nackte Holz der Bildtafel dort
hervorschaue. Die Holztür ist wörtlich genommen nichts anderes
als der hölzerne Bildträger, der sich als Ur-Grund des Gemäldes
unter der Malschicht befindet. Die Holztür repräsentiert die Ur-
Materie des Gemäldes oder das Bild vor dem gemalten Bild als Anti-
Medium. Auf der Fläche der Tür liegt der Fluchtpunkt, von dem
aus die Malerei den Tiefenraum des Bildes vor den Augen des Betrachters sukzessiv aufbaut. Das rektanguläre Stück Holz im Fluchtpunkt des Gemäldes erinnert an die simple Materialität und strikte
Flächigkeit des Bildträgers, den die Malerei mit Hilfe der Flucht-
punktperspektive wie durch ein Mysterium in einen Raum verwandelt, den Menschen und Engel bewohnen können und in dem Blu-
men wachsen.

In dem Stück (gemalten) Holzes zwischen dem Engel und Maria
stellt sich das Mysterium der Malerei als der Beginn eines sukzessiv

Abb. 6: Piero della Francesca, Polyptychon des hl. Antonius
(Perugia, Galleria Nazionale dell'Umbria)

ablaufenden semiotischen Prozesses, als Bildmedienprozeß selbst
dar. Am Anfang ist nur ein Stück Holz, das entsprechend präpariert,
das heißt grundiert werden muß. Auch die Kreidegrundierung der
Tafel, die den weißen Untergrund für die Temperamalerei liefert, ist
in Venezianos Verkündigungsbild dargestellt: In der raumzeitlichen
Sukzession der Perspektivkonstruktion bildet die weiße Wandflä-
che, vor der die Verkündigung stattfindet, den nächsten Schritt im
Bildmedienprozeß, nämlich die Grundierung der Holztafel. Das
dritte Stadium des Bildwerdens ist der Farbauftrag, der eigentliche

Zeichenprozeß, der sich als (geheimnisvolles) Konfigurations-, Kodierungs- und Projektionsverfahren von gemalten Bildzeichen auf einem flächigen Bildträger darstellt. Er kommt, wie Cennino Cennini kurz zuvor in seinem Handbuch der Malerei ausgeführt hatte, einer *incarnazione* gleich.[17] Es trifft sich, daß anläßlich einer Untersuchung der Gemäldeoberfläche beobachtet werden konnte, daß das Gemälde in der folgenden Reihenfolge ausgeführt wurde: (1) der Fußboden und die weißen Wände, (2) die Säulen, das Gebälk und der Garten, (3) die Figuren. Der Prozeß der Gemäldeherstellung führt somit von der Fläche in die Bildtiefe zu den Figuren.[18]

Nun ist diese pikturale Allegorie des Bildwerdens in Venezianos Verkündigung alles andere als ein Topos, und man könnte Zweifel an der Interpretation hegen, wenn sich die Selbstdarstellung des medialen Prozesses nicht auch noch in anderen Gemälden der Verkündigung nachweisen ließe. Auch Piero della Francescas Verkündigung im Giebel des circa 1470 datierten Polyptychons aus der umbrischen Nationalgalerie gehört in diese Reihe metamedialer Reflexionen der Malerei (*Abb. 6*).[19] Der Bildaufbau folgt Domenico Venezianos Verkündigung, nur dramatisiert Piero das Geschehen mit dem schmalen Arkadengang aus zehn Zwillingssäulen zwischen dem Engel und Maria. Die Säulen würden den Blick unendlich in die Tiefe des Bildes führen, wenn nicht am Ende des Gangs eine marmorierte Wand dem Tiefensog der Perspektive ein plötzliches Ende bereitete (*Abb. 7*).

Pieros blaumarmorierte Bogenwand ist das Pendant zum leeren Zwischenraum unter dem Arkadenbogen in der Arenakapelle (*Abb. 3*) und zu Domenico Venezianos Holztür (*Abb. 5*). Diese fingierte Marmorfläche, deren Wolkenstruktur genauso schön anzusehen wie semantisch leer ist, zeigt das Gemälde im Zustand abstrakter Farbkonfiguration. Vertieft man sich in die Struktur ihrer

17 Siehe dazu Kruse 2003, S. 175 ff.
18 Wohl 1980, S. 130.
19 Zum Polyptychon siehe Eugenio Battisti, *Piero della Francesca*, erw. Aufl., Bd. 2, Mailand 1992, S. 530 ff., und den Ausstellungskatalog nach der Restaurierung: *Piero della Francesca. Il polittico di Sant'Antonio*, herausgegeben von V. Garibaldi, Perugia 1993; ferner zu der Verkündigung im Giebel des Polyptychons Thomas Martone, »Piero della Francesca e la prospettiva dell'intelletto«, in: *Piero teorico dell'arte*, herausgegeben von O. Calabrese, Rom 1985, S. 173-186, hier: S. 181 ff.; Marin 1989, S. 155 ff.; Didi-Huberman 1990, S. 147; Arasse 1999, S. 41 ff.; Kruse 2003, S. 211 ff.

Abb. 7: Piero della Francesca, Verkündigung aus dem Polyptychon des
hl. Antonius, Detail: Marmorwand
(Perugia, Galleria Nazionale dell'Umbria)

einzelnen Farbbestandteile – Weiß, Schwarz, Blau, Beige –, so erscheinen die Formen zunächst ungeordnet, planlos, ja chaotisch. Keine Farbe ist rein, das heißt ungemischt. Jedes der amorphen Farbfelder besteht aus zwei oder mehreren Farbtönen, die sich durchziehen, überlagern und überdecken. Die semantische Leere des Farbspiels scheint allein der Laune des Malers entsprungen, der dem Pinsel freien Lauf und eine geistlose Arbeit ausführen läßt. Doch sieht nach eingehender Betrachtung auch das ungeübte Auge, daß diese Fläche komponiert ist, die Farbflecken in einer diagonalen Aufwärtsbewegung arrangiert sind, und helle mit dunklen Tönen alternieren. Das amorphe, scheinbar geistlose Spiel mit der reinen Farbmaterie ist ganz auf den Kontrast mit der rigiden Konstruktion des Säulengangs angelegt (*Abb. 6*). Betrachtet man nun die fingierte Marmorwand nicht als räumliches Ende des Gemäldes, sondern als dessen Ursprung, so zeigt sich, daß fast alles, was in dem Bild gemalt ist, aus dieser Farbmischung von Weiß, Schwarz, Blau und Beige hervorgegangen ist. Man findet all diese Farben zum Säulengang mit Kreuzgewölbe im Spiel von Licht und Schatten geordnet. Die Terrakottafliesen des Fußbodens sind aus demselben Beige wie der Marmor gemacht. Im Kleid des Engels und seinen Flügeln finden sich die chromatischen Blautöne aus der Marmorfläche, selbst Mariens Mantel, der Strahlenkranz der Taube sowie die Blätter und Früchte des Baums sind Mischungen aus den Farben, die sich im Durcheinander der Farbflecke befinden. Nur eine Farbe, das Rot, mit dem Marias Kleid gemalt ist und das ungemischt in den Bogenzwickeln der Arkaden über Maria wieder auftaucht, ist in der Marmorfläche nicht zu finden.

Das Fehlen von Rot bestätigt meine Hypothese, in dem amorphen Farbgemisch das Bild vor dem Bild, das präfigurierte oder ungestaltete Gemälde zu erkennen. Die Inkarnation hat sich dort, wo die Farbmischungen ungeordnet, gestalt- und bedeutungslos ihr reines Farbsein zeigen, noch nicht vollzogen. Das Bildwerden bedarf der planvollen Ordnung der Farbmaterie, eines Aktes des Geistes (wie die Inkarnation), und der Farbe Rot, die Blut bedeutet und Leben symbolisiert. Die Inkarnation ereignet sich nicht in dem Arkadengang, zwischen den (toten) Marmorsäulen, sondern die Menschwerdung Christi vollzieht sich unsichtbar unter dem roten Kleid, das Maria trägt. Das rote Kleid, ein Stück Stoff, genauer: eine simple rote Farbfläche, die außer ein paar Falten keine signifikante Ge-

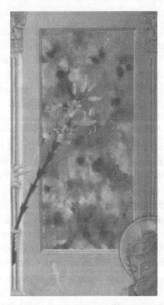

Abb. 8: Benedetto Bonfigli, Verkündigung mit hl. Lukas,
Detail: Marmorfläche (Perugia, Galleria Nazionale dell'Umbria)

stalt hat, präfiguriert das amorphe, ungestaltete Bild Christi, dem
das anthropomorphe Bild im Zentrum des Polyptychons als Beweis
für den Vollzug der Menschwerdung folgt (*Abb. 6*).

Während Domenico Veneziano das Bildwerden Christi als semiotischen Medienprozeß der Malerei interpretiert, der seinen Ursprung in der semantischen Leere des unbemalten Bildträgers hat
und sich durch die Geistestätigkeit und Handverrichtung des Malers vollzieht, betont Piero della Francesca die Rolle der Farbe, die
aus ihrem amorphen, flüssigen Zustand durch den Malakt zu plan-
und bedeutungsvollen Bildzeichen geformt und geordnet wird.

Benedetto Bonfiglis Verkündigungstafel (*Abb. 1*), die der Anlaß
der Überlegungen war, bestätigt nun die Interpretation der sogenannten *marmi finti* als ungestaltete Urmaterie, aus dem das Gemälde gemacht ist: Gleich mehrere fingierte Marmorflächen zieren
die Wand der Palastarchitektur, die der Verkündigungsszene mit
heiligem Lukas als Kulisse dient (*Abb. 8*). Der gemalte Marmor zeigt

247

den gleichen Befund, ungestaltete Farbe, jetzt mit allen Farbtönen, aus der das ganze Gemälde besteht. Nicht zufällig erinnern die runden roten, schwarzen und braunen Farbtupfen an die Farbkleckse auf einer Palette, dem Zustand des Gemäldes *ante picturam*, und nicht zufällig könnte man sich diese von kannellierten Pilastern gerahmten Flächen auch als Bild-Flächen mit figurativen Gemälden vorstellen. Zum Noch-nicht-Buchsein und Noch-nicht-Gemäldesein kommt bei Bonfigli das Noch-nicht-Skulptursein, denn auf Maria im Zustand der Verkündigung wartet eine Baldachinarchitektur mit Figurennische, in der sie nach der Geburt Christi als thronende Gottesmutter mit dem Kind auf dem Schoß Platz nehmen wird. Wie das ungeschriebene Evangelium, sind auch die ungestalteten Wandflächen und der unbewohnte Baldachin medientheoretische Paradoxa: In ihrer Funktion als Zeichenträger sind sie Zeichenträger ohne (sinnvolle) Zeichen. Sie werden erst zu Medien, wenn die Zeichen eingetragen sind, das heißt, wenn die angekündigte Menschwerdung Gottes mit der Geburt Christi vollzogen ist.

Die Fresken und Gemälde mit dem Thema der Verkündigung reflektieren die Funktion des gemalten Bildes bei der Übermittlung und *memoria* christlicher Glaubensinhalte. Die Argumente, die hier vorgebracht werden, betreffen den Ursprung der Malerei, der die Menschwerdung Gottes in der Person Christi voraussetzt. So wie als Folge der Inkarnation der unsichtbare Gott sichtbar wird, so tritt auch die Malerei aus einem amorphen Zustand der Farbe *ante picturam* in das Stadium der plan- und bedeutungsvollen Bildzeichen, die das Ereignis im medialen Nachvollzug erfassen, interpretieren und im kollektiven Gedächtnis behalten werden.

Hans-Georg Soeffner und Jürgen Raab
Bildverstehen als Kulturverstehen
in medialisierten Gesellschaften

1. Die Flut der Bilder und die Wendung zur Kultur

Bereits die ältesten uns zugänglichen Dokumente menschlicher Zeichenkonstitution und Zeichenverwendung – die gravierten Knochen, Hölzer und Steine, die Felszeichnungen und Höhlenmalereien des Paläolithikums[1] – führen zwei anthropologische Aspekte menschlichen Zusammenlebens deutlich vor Augen: Sie rufen in Erinnerung, daß das Leben in sozialer Ordnung unhintergehbar ein Leben in Symbolen ist,[2] und sie machen aufmerksam auf die für die intersubjektive Interpretation von Wirklichkeit sowie für die Herstellung und Festigung von Kultur als sozialer Ordnung offenkundige »Unvermeidlichkeit der Bilder«.[3]

Die ehemals seltene, kostbare und exklusive, lokal gebundene und religiös-rituell eingebundene Ausdrucksform Bild hat sich im Laufe ihrer Jahrtausende währenden, wechselhaften Geschichte zu einem massenhaft verbreiteten und jederzeit verfügbaren, für jedermann im profanen Alltag rezipierbaren, (re)produzierbaren und manipulierbaren Darstellungsmittel gewandelt. Die unter den Vorzeichen der Rationalisierung mit der Renaissance beginnende und mit der Industrialisierung im 19. Jahrhundert vorangetriebene Entwicklung, Herstellung und Nutzung optisch-technischer Artefakte bereitete der ubiquitären Präsenz zunächst unbewegter (Gemälde, Fotografien), zusehends dann bewegter Bilder (Film, Fernsehen, Video, Computer) im Alltag der Moderne den Weg.[4] Spätestens am Epochenwech-

---

[1] Vgl. André Leroi-Gourhan, *Prähistorische Kunst. Die Ursprünge der Kunst in Europa.* Freiburg 1971; Michel Lorblanchet, *Höhlenmalerei. Ein Handbuch,* Stuttgart 1997.

[2] Die angemessene anthropologische Bestimmung des Menschen lautet für Cassirer denn auch *animal symbolicum.* Ernst Cassirer, *Versuch über den Menschen. Einführung in eine Philosophie der Kultur,* Frankfurt am Main 1990, S. 51.

[3] Gerhard von Graevenitz, Stefan Rieger, Felix Thürlemann (Hg.), *Die Unvermeidlichkeit der Bilder,* Tübingen 2001 (Literatur und Anthropologie Bd. 7).

[4] Vgl. u. a. Jonathan Crary, *Techniken des Betrachters. Sehen und Moderne im 19.*

sel zur inzwischen allseits diagnostizierten ›Postmoderne‹ sind die technischen Medien und ihre Bilder zu einer elementaren Form der Vermittlung, der Aneignung und des Verstehens von sozialer Wirklichkeit geworden. Kaum noch gibt es Inhalte, Vorgänge und Ereignisse von individueller, gemeinschaftlicher oder gesellschaftlicher Bedeutung, die nicht unmittelbar bildlich dokumentiert, ausgestaltet und kommuniziert werden (könnten); eine Entwicklung, die in der zunehmenden Verbreitung von Überwachungskameras, der Vernetzung von Video und Computer sowie der Verkleinerung und Vervielfältigung digitaler Hybridmedien[5] ihren vorläufigen Abschluß findet.

Diese neue Qualität und Quantität der technischen Medien und ihrer Bilder gab Anlaß zu unterschiedlichen Einschätzungen. Sie reichen von der Klage über den kulturzersetzenden Verlust des gedruckten Wortes[6] bis zur überschwenglichen Begrüßung der Bildmedien als den überlegenen Kulturtechniken.[7] So glaubt im Anschluß an Marshall McLuhans These von den Medien als ›Erweiterungen des menschlichen Körpers‹[8] mancher Theoretiker in der medial-apparativen Technik das eigentliche Movens der ontogenetischen und phylogenetischen Menschheitsevolution zu erkennen, weil sie die Defizite des naturgegebenen Sehens aufzuheben und in Richtung gänzlich neuer, ›transanthropologischer‹ Seh- und Denkerfahrungen zu erweitern vermag.[9] Zahlreicher aber sind die kritischen, kulturpessimistischen Stimmen. Für Vilém Flusser etwa hat sich die synthetische und apparativ erzeugte, den »bild-

Jahrhundert, Dresden, Basel 1996; Ulrike Hick, *Geschichte der optischen Medien*, München 1999; Hans H. Hiebel, Heinz Hiebel, Karl Kogler, Herwig Walitsch, *Große Medienchronik. Technik und Leistung, Entstehung und Geschichte der neuzeitlichen Medien*, München 1999. Zur kunsthistorischen Reflexion über die inflationäre Bildvermehrung in der Moderne vgl. Georg Kauffmann, *Die Macht des Bildes. Über die Ursachen der Bilderflut in der Moderne*, Opladen 1988.

5 Etwa das Fotografieren und Videofilmen mit Mobiltelefonen.

6 Neil Postman, *Amusing Ourselves to Death. Public Discourse in the Age of Show Business*, New York 1985; deutsch: *Wir amüsieren uns zu Tode*, Frankfurt am Main: 1985.

7 Vgl. Mitchell Stephens, *The Rise of the Image and the Fall of the Word*, New York 1998.

8 Marshall McLuhan, *Die magischen Kanäle*, Düsseldorf 1970.

9 Vgl. exemplarisch Peter Weibel, *Die Beschleunigung der Bilder. In der Chro-*

speienden Apparaten« entspringende, »entsetzliche«, »blendende und betäubende Bilderflut« der »bewegten und tönenden Bilder« des menschlichen Sehens bereits derart bemächtigt, daß er kein Zurück mehr sieht zu den Herstellungs- und Wahrnehmungsweisen »der guten alten, stillen Bilder« aus der Vergangenheit.[10] Dramatischer fällt Paul Virilios Klage über den durch technische Substitutionen hervorgerufenen Verlust aus. Durch ihre Ästhetik der Schnelligkeit gehen die technischen Bilder über die Zerstörung alter Wahrnehmungsmuster hinaus und führen zu einer umfassenden »Industrialisierung des Sehens« und einer »synthetischen Wahrnehmung«[11] – keinesfalls im Sinne einer bloß partiellen »Eroberung des Körpers«,[12] sondern vielmehr als Totalangriff auf die Natur des Menschen. Anders als Flusser sieht Virilio die Individualität und Subjektivität, die Erinnerungs- und Kommunikationsfähigkeit des Menschen durch die Medientechniken denn auch weniger bedroht als vielmehr bereits im völligen Verfall begriffen: Die Störung der Wahrnehmung ziehe einen generellen Verlust der Erkenntnisfähigkeit nach sich, der »Horizonts des Sehens und Wissens verdunkle« und es komme zur »Erblindung«.[13] Übertroffen wird diese kulturpessimistische Einschätzung nur noch durch Jean Baudrillard, für den generell all jene zeichenhaften Darstellungen, an denen er nicht unmittelbar einen Realitätsbeweis ablesen kann, bloße »Simulakren der Simulation« und damit Ausdruck der »Agonie des Realen« sind.[14] War die Bilderflut der Moderne noch durch eine kulturelle Überproduktion solcher Codes ohne Referenzen ausgezeichnet, konstatiert Baudrillard für die Epoche »nach der Orgie«[15] eine Gesellschaft, in der die Menschen zu auf sich selbst zurückgeworfenen, wahrnehmungs- und kommunikationsunfähi-

nokratie, Bern 1987; ders., »Über die Grenzen des Realen. Der Blick und das Interface«, in: Gerhard. J. Lischka (Hg.), *Der entfesselte Blick*, Bern 1993, S. 219-245.

10 Vilém Flusser, »Bilderstatus«, in: ders., *Medienkultur*. Frankfurt am Main 1997, S. 69-82.

11 Paul Virilio, *Die Sehmaschine*, Berlin 1989, S. 136-141.

12 Paul Virilio, *Die Eroberung des Körpers. Vom Übermenschen zum überreizten Menschen*, Frankfurt am Main 1996.

13 Virilio (Anm. 11), S. 171.

14 Jean Baudrillard, *Agonie des Realen*, Berlin 1978.

15 Jean Baudrillard, »Nach der Orgie«, in: ders., *Short Cuts*, Frankfurt am Main 2003, S. 131-145.

gen Opfern ihrer eigenen kulturellen Errungenschaften geraten. Diese Vision faßt er in das »Bild eines nachdenklichen Mannes, der an einem Streiktag vor einem leeren Fernsehmonitor sitzt« – für Baudrillard »das schönste Bild der Anthropologie des 20. Jahrhunderts«.[16]

Diesseits von kulturpessimistischen Bilanzierungsversuchen und metaphysischen Endzeitvisionen regte die ›Flut der Bilder‹ aber auch ein breites Theoretisieren über die Bedeutung der Medien und Bilder im Alltagshandeln der Menschen an sowie eine damit verbundene Diskussion über die methodologisch-empirische Arbeit am Bild. Zunächst aber richteten sich die Bestrebungen darauf, die »visuelle Zeitenwende«[17] und die »Wiederkehr der Bilder«[18] begrifflich in einer Weise zu fassen, die den besonderen Anspruch der neu zu begründenden bildwissenschaftlichen Auseinandersetzung deutlich sichtbar macht. Die hieraus entsprungenen, den Paradigmenwechsel anzeigenden Wendungen vom *iconic turn,*[19] *imagic turn*[20] oder *pictorial turn*[21] lehnen sich zum einen an den von Richard Rorty in den 1960er Jahren für die Geisteswissenschaften proklamierten *linguistic turn*[22] an, in dessen Zuge sprachwissenschaftliche Forschungen und die Linguistik insgesamt eine starke Aufwertung erfuhren. Und sie suchen zugleich Anschluß an die sogenannte kulturtheoretische Wende, welche die Sozial- und Kulturwissenschaf-

16 Baudrillard (Anm. 15), S. 145.

17 Siegfried Frey, *Die Macht des Bildes. Der Einfluß der nonverbalen Kommunikation auf Kultur und Politik,* Bern u. a. 1999, S. 9.

18 Gottfried Boehm, »Die Wiederkehr der Bilder«, in: ders. (Hg.), *Was ist ein Bild?,* München 1994, S. 11-38.

19 Boehm (Anm. 18), S. 13.

20 Ferdinand Fellman, »Innere Bilder im Licht des imagic turn«, in: Klaus Sachs-Hombach (Hg.), *Bilder im Geiste,* Amsterdam 1995, S. 21-38; ders., *Symbolischer Pragmatismus. Hermeneutik nach Dilthey,* Reinbek bei Hamburg 1991.

21 William J. T. Mitchel, *Picture Theory. Essays on verbal and visual Representation,* Chicago, London 1994; ders., »Der Pictorial Turn«, in: Christian Karvagna (Hg.), *Privileg Blick. Kritik der visuellen Kultur,* Berlin 1997, S. 15-40.

22 Für Rorty beinhaltete der *linguistic turn* insbesondere drei Aspekte: die Vorstellung von der Kultur als Text und eine damit verbundene stärkere Berücksichtigung der Sprache und Rhetorik historischer Texte sowie die Bedeutung von Machtaspekten im alltäglichen Sprachgebrauch. Richard Rorty (Hg.), *The Linguistic Turn. Recent Essays in Philosophical Method,* Chicago 1967.

ten insgesamt seit geraumer Zeit in Gestalt des *interpretive turn*[23] oder *cultural turn*[24] umtreibt.

Innerhalb dieses terminologisch abgesteckten Rahmens lassen sich nun zwei übergreifende, parallel verlaufende Tendenzen ausmachen. Eine zeichnet sich dahingehend ab, daß verschiedene wissenschaftliche Disziplinen, die sich durch eine lange Unterordnung des Bildes unter Sprache und Text auszeichnen, beginnen, ihnen bislang fehlende, je eigene theoretische und methodische Ansätze zur visuellen Wahrnehmung und bildlichen Darstellung zu erarbeiten.[25] Die andere Tendenz weist in Richtung der Etablierung einer allgemeinen, interdisziplinären Bildwissenschaft. In Deutschland geht die Bestrebung einerseits dahin, unter dem Dach einer »Bildanthropologie« vornehmlich kunstgeschichtliche, medienwissenschaftliche, philosophische und psychologische Erkenntnisinteressen, Perspektiven und Verfahren in die Diskussion zu bringen und vor allem zu integrieren.[26] Weitaus populärer aber sind die im Zuge des *cultural turn* von den anglo-amerikanischen Ländern ausgegangenen, stärker sozial- und kommunikationswissenschaftlich ausgerichteten *Cultural Studies* mit ihren unter den ›umbrella headings‹ *Visual Culture* und *Visual Studies* versammelten »postdisziplinären Projekten« zur Konstituierung einer »neuartigen Bildkulturwissenschaft«.[27]

23 Paul Rabinow, William M. Sullivan (Hg.), *Interpretive Social Science*, Berkeley 1979; James Bohman, David Hiley, Richard Shusterman (Hg.), *The Interpretive Turn*, Ithaca 1991.

24 David Chaney, *The Cultural Turn. Scene-Setting. Essays on Contemporary Cultural History*, London, New York 1994. Zu einer umfassenden Darstellung der theoretischen Hintergründe der kulturtheoretischen Wende: Andreas Reckwitz, *Die Transformation des Kulturtheorien. Zur Entwicklung eines Theorieprogramms*, Weilerswist 2000.

25 Vgl. jüngst und exemplarisch die Beiträge in: Bettina Heintz, Jörg Huber (Hg.), *Mit den Augen denken. Strategien der Sichtbarmachung in wissenschaftlichen und virtuellen Welten*, Wien 2001.

26 Vgl. u. a. Hans Belting, *Bild-Anthropologie. Entwürfe für eine Bildwissenschaft*, München 2001. Hans Belting, Dieter Kamper (Hg.), *Der zweite Blick. Bildgeschichte und Bildreflexion*, München 2000. Klaus Sachs-Hombach, Martin Rehkämpfer (Hg.), *Bild, Bildwahrnehmung, Bildverarbeitung. Interdisziplinäre Beiträge zur Bildwissenschaft*, Wiesbaden 1998; Jürgen Stöhr (Hg.), *Ästhetische Erfahrung heute*, Köln 1996.

27 Tom Holert, »Bildfähigkeiten«, in: ders. (Hg.), *Imagineering. Visuelle Kultur und Politik der Sichtbarkeit*, Köln 2000, S. 14-33, hier 21. Aus der Fülle der Lite-

2. Perspektiven auf die Kultur und die Perspektive der Kultursoziologie

Die Vielfalt und die historischen Besonderheiten der Erscheinungsformen von Kultur, ihre Allgegenwart im menschlichen Leben und ihre Verknüpfung mit nahezu allen menschlichen Lebensäußerungen machen es nicht nur schwer, ›Kulturelles‹ von ›Nicht-Kulturellem‹ zu unterscheiden, sie machen es auch zu einem beinahe hoffnungslosen Unterfangen, eine verbindliche Definition für all das zu finden, was mit dem Ausdruck ›Kultur‹ verbunden wird. Für ›Kultur‹ trifft offensichtlich zu, was Nietzsche für »alle Begriffe, in denen sich ein ganzer Prozeß semiotisch zusammenfaßt«, konstatierte: Sie »entziehen sich der Definition«, denn »definierbar ist nur das, was keine Geschichte hat«.[28] Dieser Einschätzung aber steht die Forderung Georg Simmels entgegen, daß, wer über Kultur spreche, »für seine Zwecke die Vieldeutigkeit ihres Begriffes begrenzen«[29] müsse.

Gerade an den *Cultural Studies*, die sich als eine grundlegende Neuausrichtung der Kulturwissenschaften und als Kultursoziologie der Gegenwart verstehen, tritt dieses Dilemma deutlich zutage. Einerseits deckt sich ihre ›Neufassung‹ des Kulturbegriffs »as a whole way of life«[30] mit der zugleich einfachen und umgreifenden, in ihrer Allgemeinheit aber auch unbefriedigenden Formel des deutschen Ethnologen Adolf Friedrich, die noch weitgehend mit der Auffassung von Edward B. Tylor übereingeht: Kultur, heißt es dort bereits, sei die »Summe aller Lebensäußerungen eines Volkes«.[31] Andererseits aber schränken sie das Verständnis von Kultur

ratur zu *Visual Culture* und *Visual Studies* vgl. exemplarisch Chris Jenks (Hg.), *Visual Culture*, London, New York 1995; John A. Walker, Sarah Chaplin, *Visual Cultuer. An Introduction*, Manchester, New York 1997; Nicolas Mirzoeff, *An Introduction to Visual Culture*, London 1999; Ian Heywood, Barry Sandywell (Hg.), *Interpreting Visual Culture. Explorations in the Hermeneutics of the Visual*, London, New York 1999.

28 Friedrich Nietzsche, »Zur Genealogie der Moral«, in: ders., *Werke in drei Bänden*, Bd. II, München 1966 (1887), S. 791-820, hier 820.

29 Georg Simmel, *Philosophie des Geldes*, Frankfurt am Main 2000 (1907), S. 190.

30 Raymond Williams, »Culture is ordinary«, in: ders., *Resources of Hope. Culture, Democracy, Socialism*, London, New York 1958, S. 12. Kritisch zu diesem Kulturbegriff auch Mieke Bal, *Kulturanalyse*, Frankfurt am Main 2002.

31 Adolf Friedrich, »Die Forschung über das frühzeitliche Jägertum«, in: *Paideu-*

radikal ein, indem sie Kultur auf das »Feld sozialer Ungleichheit« und den »Kampf um Bedeutungen« reduzieren.[32] Entsprechend wird das Verhältnis von Kultur und Medien in den *Cultural Studies* unter dem zwar zentralen, aber einzigen Aspekt der Macht zum Thema, wobei das »intellektuelle[s] Projekt mit politischem Anspruch« darauf abzielt, »eine demokratischere und gerechtere Gesellschaft zu schaffen«.[33] Gleiches gilt auch für die Teilbereiche der *Visual Culture* und *Visual Studies*, deren oberstes Anliegen es ist, die medialen Reproduktionen von Machtverhältnissen und sozialen Ungleichheiten mit ihren jeweiligen Gegentendenzen zu untersuchen.

Jenseits aller Ambitionen und Differenzen ist den verschiedenen Konzeptionen kulturwissenschaftlicher Forschung jedoch eines gemeinsam:[34] Sie verstehen Kultur als ganze, ebenso wie ihre jeweiligen Erscheinungsformen, als von Menschen Geschaffenes, das dem einzelnen gleichwohl einen fremden Willen aufzwingt, Anpassungsleistungen und Unterordnung fordert und selbst die Befreiungsakte gegenüber der aufgezwungenen Kultur wiederum im Horizont des Kulturellen ansiedelt. In seiner philosophischen Anthropologie hat Helmuth Plessner diese widersprüchliche Einheit als *Conditio humana* dargestellt und mit dem Begriff der »exzentrischen Positionalität« des Menschen beschrieben. Die Instinktreduktion und die daraus sich ableitende Nichtfestgelegtheit und Weltoffenheit des Menschen bedingen seine »konstitutive Gleichgewichtslosigkeit« und sind der »›Anlaß‹ zur Kultur«. Sie setzten die Disposition zu jener zweiten, von Menschen künstlich selbst zu schaffenden Natur, seiner Kultur, denn »existentiell bedürftig, hälftenhaft, nackt ist dem Menschen die Künstlichkeit wesensentsprechender Ausdruck seiner Natur. Die Künstlichkeit ist der mit

ma. Mitteilungen zur Kulturkunde. Heft 1/2, Bd. 2 (1941/43), S. 20-43, hier 29. Edward B. Tylor, *Die Anfänge der Kultur. Untersuchungen über die Entwicklung der Mythologie, Philosophie, Religion, Kunst und Sitte*, Bd. I, Leipzig 1873.

32 Rainer Winter, »Cultural Studies als kritische Medienanalyse«, in: Andreas Hepp, Rainer Winter (Hg.), *Kultur, Medien, Macht. Cultural Studies und Medienanalyse*, Opladen 1997, S. 49-65.

33 Udo Göttlich, Lothar Mikos, Rainer Winter (Hg.), *Die Werkzeugkiste der Cultural Studies. Perspektiven, Anschlüsse und Interventionen*, Bielefeld 2001, S. 7.

34 Vgl. hierzu ausführlich Hans-Georg Soeffner, »Die Perspektive der Kultursoziologie«, in: Klaus E. Müller (Hg.), *Phänomen Kultur*, Bielefeld 2003, S. 171-194.

der Exzentrizität gesetzte Umweg zu einem zweiten Vaterland, in dem er Heimat und Verwurzelung findet.«[35]

Ein solcher Kulturbegriff läßt nicht nur *jeder* Wahrnehmung, *jeder* Sache, *jedem* Werk, *jeder* Handlung und eben auch *der* Geschichte unter dem Blickwinkel des Sinnverstehens »Kulturbedeutung« (Max Weber) zukommen. Vielmehr schafft und gewährleistet Kultur aus einem solchen Verständnis heraus auch eine weitgehend ausgedeutete Welt für und durch Interpreten. Sie ist Erkenntnisstil und – nicht nur in ihren Produkten – Erkenntnisgegenstand: für die vorwissenschaftliche Alltagswahrnehmung und das Alltagsdeuten der Menschen im praktisch tätigen Umgang mit ihrer Welt ebenso wie für die darauf sich beziehenden Interpretationen des Sozialwissenschaftlers. Darüber hinaus differenziert dieser Kulturbegriff nicht zwischen Hoch- und Trivialkultur, sondern ist vielmehr die »transzendentale Voraussetzung jeder Kulturwissenschaft« und beruht wiederum darauf, »daß wir Kulturmenschen sind, begabt mit der Fähigkeit und dem Willen, bewußt zur Welt Stellung zu nehmen und ihr einen Sinn zu verleihen«.[36]

Folgt man der Vorstellung vom Menschen als Kulturwesen und von der Gesellschaft als intersubjektiv geteilter Kulturwelt, so erweist sich die Perspektive der Kultursoziologie notgedrungen als eine weitgefaßte: wie die jeder anspruchsvollen Soziologie ist sie zunächst definiert durch ihre Bestimmung als »Menschenwissenschaft« (Norbert Elias). Für ein wenn auch nicht vollständiges, so doch kategorial befriedigendes und empirisch verwertbares Verständnis schließen wir uns abermals der Auffassung Max Webers an und begreifen (Kultur-)Soziologie als Erfahrungs- und Wirklichkeitswissenschaft, als eine der materialen Analyse verpflichtete »verstehende Soziologie«. Sie basiert auf der Annahme, daß wir uns deutend in einer von Menschen vor- und ausgedeuteten Welt bewegen und daß wir verstrickt sind in unsere eigenen Symbole und Fiktionen oder Konstruktionen der Wirklichkeit. Dabei ist die Erkenntnis, daß Subjekte nach Maßgabe ihres artspezifischen und individuellen Vermögens ›ihre‹ Wirklichkeit konstruieren und daß es sich

35 Helmuth Plessner, *Die Stufen des Organischen und der Mensch. Einleitung in die philosophische Anthropologie*, Berlin, New York 1975 (1928), S. 316.

36 Max Weber, »Die ›Objektivität‹ sozialwissenschaftlicher und sozialpolitischer Erkenntnis«, in: ders., *Gesammelte Aufsätze zur Wissenschaftslehre*, Tübingen 1973 (1904), S. 146-214, hier 180.

bei dem, was kollektiv für ›wirklich‹ erachtet wird, um soziale Konstrukte handelt, zwar nicht eben neu, aber reich an Konsequenzen.[37] In den Kultur- und Sozialwissenschaften muß es darum gehen, diese unterschiedlichen gesellschaftlichen Konstruktionen zu beschreiben, sie in ihren historischen und sozialstrukturellen Bedingungen zu erfassen, um sie frei von Werturteilen deutend zu verstehen und ursächlich zu erklären.

3. Sozialwissenschaftliche Hermeneutik als verstehende Wissenschaft und Wissenschaft vom Verstehen

In der Frage nach der theoretischen und forschungspraktischen Umsetzung dieser Aufgabe ist in einem weiteren Punkt abermals an die ›Klassik‹ der deutschen Soziologie anzuschließen. An die Einsicht nämlich, daß menschliches Verhalten nur aus seinem geschichtlichen Kontext heraus verstanden werden kann und daß die Probleme des Sinnverstehens deshalb nicht anders als historisch-hermeneutisch dargestellt und analysiert werden können.

Weil das Leben in sozialer Ordnung ein Leben in Symbolen ist und weil der menschlichen Zeichenkonstitution und Zeichenverwendung jegliche ›natürliche‹ Eindeutigkeit fehlt, sind Auslegen und Deuten, Verstehen und Erklären keine historisch spät und unvermittelt auftretenden Kunstprodukte menschlichen Geistes. Sie sind weder eine geistes- noch eine sozialwissenschaftliche Erfindung. Vielmehr werden sie jedermann jederzeit abverlangt und gehören – hierin offenbaren sich das anthropologische Erbe der Hermeneutik und die hermeneutischen Grundlagen der Sozialwissenschaften – als natürlich auferlegte, deshalb ontogenetisch wie phylogenetisch früh eingeschulte und eingeübte Fähigkeiten und Fertigkeiten zu den grundlegenden Konstitutionsbedingungen menschlichen Daseins und menschlicher Sozialität.

Im Gegensatz zum ›Alltagsverstehen‹ geschieht das ›professionelle‹ Verstehen des Sozialwissenschaftlers in einer besonderen, nicht-all-

---

37 Peter A. Berger, Thomas Luckmann, *Die gesellschaftliche Konstruktion der Wirklichkeit. Eine Theorie der Wissenssoziologie*, Frankfurt am Main 1969.

täglichen Einstellung: in einer »theoretischen Subsinnwelt«.[38] In ihr besteht ein prinzipieller Zweifel an *allen* sozialen Selbstverständlichkeiten und ist einzig das Interesse leitend, das – auch vom Sozialwissenschaftler – fraglos Gegebene, Hingenommene oder Vorausgesetzte durch extensive und detaillierte Analyse und die Explikation seiner Konstitutionsbedingungen zu ›entzaubern‹, um so das Zustandekommen der gesellschaftlichen Wirklichkeit zu erkennen. Die Deutungsarbeit im Rahmen sozialwissenschaftlicher Hermeneutik richtet sich somit auf den Nachvollzug und das Nachbilden von etwas bereits Vollzogenem und Gebildetem: auf die methodisch kontrollierte Rekonstruktion von Prozessen der Sinnkonstitution. Sie ist daher nicht nur Anleitung zum Verstehen von etwas, von einem Inhalt, sondern auch Aufklärung über die Prozeduren und Perspektiven des Verstehens selbst – ein Verstehen des Verstehens.

Menschliches Handeln, Sprechen und Interagieren geschieht nicht ›einfach unmittelbar‹, sondern unterliegt prinzipiell dem »Gesetz der vermittelten Unmittelbarkeit«.[39] Wir ›inszenieren‹ unser Handeln, Sprechen und Interagieren, indem wir dafür eine bestimmte Ausdrucksform wählen: signifikante Symbole, die sich zu symbolischen ›Großformen‹ – zu »kommunikativen Gattungen«[40] und medialen Formaten bis hin zu ganzen Darstellungsstilen – komplettieren. Mittels ihrer zeigen wir unserem Gegenüber an, daß wir mit dem, was wir hier und jetzt tun, genau dies meinen – und nicht jedes sonst noch Mögliche. Die von uns gewählte Gestalt dient also als Mittel und ›Programm‹ zur intersubjektiven Sinnkonstruktion; ihre Aufgabe ist es, eine gewisse, wechselseitig abgesicherte Verständigung im interaktiven Austausch zu gewährleisten. Eine jede solche Ausdrucksgestalt besteht notwendig aus einer bestimmten Kombination von Elementen. Und es ist die spezifische, aktive oder passive Synthese dieser Elemente in ihrer zeitlichen Abfolge, durch die sich alternative Handlungsmöglichkeiten einerseits und alternative Deutungsmöglichkeiten andererseits sukzessive aus-

38 Alfred Schütz, *Der sinnhafte Aufbau der sozialen Welt*, Wien 1974 (1932), S. 313-340.
39 Helmuth Plessner (Anm. 35), S. 321-341.
40 Thomas Luckmann, »Kommunikative Gattungen im kommunikativen ›Haushalt‹ einer Gesellschaft«, in: Gisela Smolka-Kordt, Peter M. Spangenberg, Dagmar Tillmann-Bartylla (Hg.), *Der Ursprung von Literatur*, München 1988, S. 279-288.

schließen und der gültige Sinn einer Handlung sequentiell herge-stellt wird.

Bei der Erschließung des konkreten Handlungssinns eines ›Textes‹ hat die hermeneutische Interpretation entsprechend zu verfahren. »In der Linie des Geschehens«[41] durchläuft sie den gleichen Vorgang der gegliederten, sinnkonstituierenden Abfolge und rekonstruiert so entlang des Handlungsproduktes – des ›Textes‹ – den Hand-lungsprozeß und die sequentielle Sinnkonstitution. Dabei ist es ihre Aufgabe, die im ›Text‹ anfangs noch enthaltenen, später dann ausge-schlossenen Handlungs- und Deutungsalternativen zu erschließen. So beginnt die Analyse mit dem ersten Handlungsakt, dem Beginn des Protokolls oder einer vom Forscher identifizierten Schlüsselstel-le, und schreitet dann Ausdruck für Ausdruck, Wort für Wort, Satz für Satz und/oder Einzelbild für Einzelbild deutend voran. Dabei zielt die Interpretation auf die Begründung der Notwendigkeit je-den Details für die Sinnkonstruktion einer Handlung. Das Uner-hörte ist das einzelne Element und sein besonderer Ort, das Detail, das an *seiner* spezifischen Stelle dazu beiträgt, dem Ganzen im Han-deln Sinn – ein Sinnpotential – zu verleihen, und das später dieses Sinnpotential für Interpreten erschließbar macht. Aus der einzigar-tigen Gestalt und Stellung jedes einzelnen Elements sozialer Ord-nung erklärt sich die Faszination des Fallanalytikers am Detail und am Singulären, seine Liebe für das scheinbar Nebensächliche und Abwegige, seine Aufmerksamkeit für das Netzwerk der Motive und Symbole. In dem Umstand, »daß in dem Einzelnen der Typus, in dem Zufälligen das Gesetz, in dem Ästhetischen und Flüchtigen das Wesen und die Bedeutung der Dinge hervortreten«, liegt nicht nur, wie Simmel vermutete, »das Wesen der ästhetischen Betrachtung und Darstellung« begründet, es findet sich hier auch – dies zeigte insbesondere Erving Goffman im Anschluß an Simmel – der kon-krete Ort, an dem Gesellschaft lebt und am Leben gehalten wird.[42]

Zwei Gesichtspunkte sind bei der Auslegung von besonderer Be-deutung. (1) Die Analyse geht – zunächst – kontextfrei vor und klammert alles Wissen, das über den ›Text‹, seine Umwelt und sein

41 Wilhelm Dilthey, »Entwürfe zur Kritik der historischen Vernunft«, in: Hans-Georg Gadamer, Gottfried Boehm (Hg.), *Seminar: Philosophische Hermeneutik*, Frankfurt am Main 1976 (1958), S. 189-220, hier 214.
42 Georg Simmel, »Soziologische Ästhetik«, in: *Die Zukunft* 17 (1896), S. 204-216, hier 205.

Milieu existiert, ohne in ihm selbst repräsentiert zu sein, aus. Nur so kann es gelingen, gedankenexperimentell möglichst viele und ungewöhnliche hypothetische ›Lesarten‹, Kontexte, Sinnvorstellungen und Orientierungen zu entwickeln, in denen die untersuchte Handlungssequenz sinnhaft erscheint. (2) Der spezifische Handlungsverlauf stellt eine im ›Text‹ dokumentierte Aktions- oder Reaktionsabfolge des oder der Akteure auf sich selbst dar. Deshalb ist bereits der erste Handlungsakt eine ›Reaktion‹ auf das noch in der Zukunft liegende, doch stets schon antizipierte Handlungsziel. Als methodische Konsequenz hieraus folgt: Für den ersten Handlungsakt muß das Aufsuchen von Deutungsmöglichkeiten und hypothetischen Kontexten so ausführlich wie nur eben möglich sein, denn es gilt zu erschließen, welches ›Material‹ dem jeweiligen Bewußtsein von Identität zur Verfügung stand und in sowohl passiver wie aktiver Synthesis zu einer bestimmten Gestalt ausgeformt wurde.

Im Voranschreiten der Interpretation reduziert sich allmählich die so gewonnene Mannigfaltigkeit von Deutungen durch Prüfung ihrer Anschlußfähigkeit und Kompatibilität mit dem jeweils Nachfolgenden. So beginnt sich der ›Fall‹ zu konkretisieren, indem seine – nur interpretativ, also nicht anders als sequenzanalytisch erschließbare – »generative Handlungslogik«[43] hervortritt. Durch die begründete Darlegung des Ausschlusses unzutreffender Handlungsmöglichkeiten und Sinnvarianten sowie durch die ebenso begründete Darlegung der sich zusehends erhärtenden, dann intersubjektiv gültigen Deutung, kristallisieren sich die Selektionskriterien und Selektionsverfahren der Handelnden heraus, zeigt sich die Besonderheit des Falls im Rahmen der für ihn möglichen Kontexte und Sinnwelten – und die Interpretation gelangt an ihr Ziel: zur Rekonstruktion einer spezifischen Sinnwelt, ihrer Aufbauprozesse und ih-

---

43 Ulrich Oevermann, Tilman Allert, Elisabeth Konau, Jürgen Krambeck, »Die Methodologie einer ›objektiven Hermeneutik‹ und ihre allgemeine forschungslogische Bedeutung in den Sozialwissenschaften«, in: Hans-Georg Soeffner (Hg.), *Interpretative Verfahren in den Sozial- und Textwissenschaften*, Stuttgart 1979, S. 352-434. Zur Methodologie und Forschungspraxis der objektiven Hermeneutik vgl. Ulrich Oevermann, »Zur Analyse der Struktur sozialer Deutungsmuster«, in: *Sozialer Sinn. Zeitschrift für hermeneutische Sozialforschung*, 2 (2001), S. 3-33; Andreas Wernet, *Einführung in die Interpretationspraxis der Objektiven Hermeneutik*, Opladen 2000.

rer ordnenden Kompositionsprinzipien sowie zu den soziohistorischen, interaktionsstrukturellen und milieuspezifischen Gründen, aus denen der Handelnde seine Wahl trifft.

Die Interpretation des Einzelfalls erzielt ihren soziologischen Erklärungswert jedoch erst dann, wenn sie in die Entwicklung einer Strukturhypothese als eines vom Interpreten begründet dargelegten Sinnzusammenhangs einmündet. Nur so kann es gelingen, einerseits die durch die extensive Detailanalyse und die Fallrekonstruktion hergestellte ›Nähe‹ in eine abstrakte, tendenziell generalisierbare Aussage umzuwandeln und andererseits das Individuelle als Allgemeines zu fassen sowie seine übergreifende Kulturbedeutung offenzulegen. Der Weg von der sequentiellen Einzelfallrekonstruktion – dem *deutenden Verstehen* sozialen Handelns – hin zum *ursächlichen Erklären* seines Ablaufs und seiner Wirkungen führt über die Konstruktion eines begrifflich reinen Typus von dem oder den als Typus gedachten Handelnden und von dem von ihnen subjektiv gemeinten Sinn.[44] Nur im Reiche der idealtypischen zweckrationalen Konstruktion läßt sich entscheiden, wie ein Akteur »im Falle idealer Zweckrationalität disponiert« und gehandelt haben würde. Erst mit Hilfe dieser idealtypischen Konstruktion, die terminologisch, klassifikatorisch und heuristisch um so besser ihren Dienst leistet, je »weltfremder« sie ist, lassen sich Vergleiche mit dem dokumentierten Handeln anstellen. Dann ist es auch möglich, den »Abstand« zwischen dem Handeln in idealtypischer Zweckrationalität einerseits und dokumentiertem Handeln andererseits dadurch »kausal zu erklären«, daß die Elemente benannt werden können, die sich im untersuchten Fall in die ›reine Zweckrationalität‹ eingemischt haben.[45]

Während der jeweilige Einzelfall selbst als eine historisch-konkrete Antwort auf eine ebenso historisch-konkrete Problemsituation interpretiert wird, dienen der Vergleich und die Zusammenführung der Einzelfallanalysen der Suche nach neuen Bindegliedern zwischen den Einzelerscheinungen und der schrittweisen Entdeckung allgemeiner Strukturen sozialen Handelns. Die Konstruktion eines objektivierten, begrifflich reinen Typus sozialen Handelns baut sich dementsprechend auf von den – jeweils extensiven – Einzelfallana-

---

44 Max Weber, *Wirtschaft und Gesellschaft. Grundriß der verstehenden Soziologie,* Tübingen 1985 (1922), S. 1-30.
45 Max Weber (Anm. 44), S. 10.

lysen über Fallvergleich, Deskription und Rekonstruktion fallübergreifender Muster bis hin zur Deskription und Rekonstruktion fallübergreifender und zugleich fallgenerierender Strukturen. Der konkrete Einzelfall wird also ausschließlich im Hinblick auf seinen Abstand vom und seine Differenz zum begrifflich reinen, zweckrationalen Idealtypus kausal erklärt. Nicht durch diese kausale Erklärung der Differenz aber läßt sich der Einzelfall verstehen, sondern umgekehrt: durch deutendes Verstehen sozialen Handelns gelangt man zur Konstruktion von Idealtypen, die ihrerseits den Einzelfall als solchen sichtbar machen und ihm zu seinem Recht verhelfen. Indem sie seine Differenz zum Idealtypus *erklären*, tragen sie dazu bei, ihn in seiner Singularität und Konkretion zu *verstehen*, »denn Zweck der idealtypischen Begriffsbildung ist es überall, nicht das Gattungsmäßige, sondern umgekehrt die Eigenart von Kulturerscheinungen scharf zum Bewußtsein zu bringen«.[46]

Verstehende Soziologie in diesem Sinne ist das fortschreitende, den Einzelfall und damit die Menschen, ihre Ordnungen und ihre Geschichte ernst nehmende, deutende Verstehen sozialen Handelns. Die historisch-genetischen, begrifflich reinen Idealtypen – die wissenschaftlichen Konstruktionen zweiter Ordnung – zielen auf ebendieses historische Verstehen des Einzelfalls und auf das Verstehen der Historie gleichermaßen.

4. Die Stellung des Bildes in den Sozialwissenschaften

Die verstehenden Sozialwissenschaften haben die Bilder als Auslegungsmedien lange Zeit wenn nicht gänzlich ignoriert, so doch in weiten Teilen randständig behandelt. Es sind im wesentlichen zwei Gründe, die für diese Zurückhaltung und die entsprechend unausgereifte Entwicklung einer sozialwissenschaftlichen Hermeneutik des Bildverstehens verantwortlich sind:

Erstens: Die lange Vorgeschichte der (Selbst-)Bindung der Geistes- und Sozialwissenschaften an Sprache und Schrift bei gleichzeitigem Mißtrauen gegenüber der Ausdrucksform, Gestaltungskraft, Erzähl- und Wahrheitsfähigkeit von Bildern.[47] So trivial es auch

---

46 Max Weber (Anm. 36), S. 202.
47 Vgl. Jack Goody, *Literalität in traditionnalen Gesellschaften*, Frankfurt am Main 1981.

klingen mag, es muß daran erinnert werden, daß man Bilder in unserer Kultur – und gewiß nicht nur in ihr – über Jahrhunderte hinweg als Garanten der Traditions-, Glaubens- und Wissensvermittlung ansah, auch dann, wenn ihnen kein Text beigefügt war. Die Fenster, Fresken und Gemälde unserer Kirchen und Kathedralen bezeugen dies ebenso eindrucksvoll wie das Vertrauen der frühneuzeitlichen Bildungstheoretiker in die Fähigkeit der Bilder, ›wahrhaftiges Wissen‹ zu vermitteln.[48] Die Konventionen der ›Allegorik‹, der Ikonographie und des Bildaufbaus gaben zudem der visuell orientierten Gesellschaft dieser Zeit Semantiken und syntaktische Regeln an die Hand, mit deren Hilfe die Bilder intersubjektiv zu entschlüsseln waren.[49] Das Mißtrauen gegenüber der angeblichen Mehrdeutigkeit der Bilder entsteht erst in einer Zeit, für die Schriftlichkeit und Texte zu Garanten der Intersubjektivität und ›Objektivität‹ werden, weil mit der Fixierung auf die Textlektüre nicht nur allmählich die Fähigkeit der Bildentschlüsselung abhanden kommt, sondern weil man zunächst auch relativ blind ist gegenüber der Mehrdeutigkeit oder gar Ambivalenz von Texten.

Der zweite Grund ist in der Wesensverschiedenheit von Bild und Sprache beziehungsweise Text zu suchen. Auf diese Differenz machte Karl Mannheim aufmerksam, und die Cassirer-Schülerin Susanne K. Langer umschrieb sie später mit den Kategorien »diskursiver« vs. »präsentativer Symbolismus«.[50] So ist Sprache dadurch charakterisiert, daß in ihr nur Sachverhalte zum Ausdruck gebracht werden können, die sich in eine besondere Ordnung einfügen: in die diskursive, das heißt lineare und sukzessive Aneinanderreihung sinnhafter Bedeutungseinheiten zu einem größeren Sinngebilde – »jede Idee, die sich zu dieser ›Projektion‹ nicht eignet, ist unaussprechbar, mit Hilfe von Worten nicht mitteilbar«.[51] Demgegenüber zeichnen sich Bilder durch einen simultanen und integralen, daher »präsentativen Symbolismus« aus. In der Totalität des Bildes sind alle den

48 Vgl. etwa den *Orbis pictus* des Amos Comenius und die bebilderten Stadtmauern bei Tommaso Campanella.

49 Vgl. Ernst H. Gombrich, *Bild und Auge. Neue Studien zur Psychologie der bildlichen Darstellung*, Stuttgart 1986.

50 Karl Mannheim, »Beiträge zur Theorie der Weltanschauungs-Interpretation«, in: ders., *Wissenssoziologie. Auswahl aus dem Werk*, Neuwied 1964 (1921/22), S. 91-154, hier 135 f.; Susanne K. Langer, *Philosophie auf neuem Wege. Das Symbol im Denken, im Ritus und in der Kunst*, Frankfurt am Main 1965, S. 100-104.

51 Langer (Anm. 50), S. 88.

Sinn des Ganzen konstituierenden symbolischen Elemente zugleich gegenwärtig. Hieraus folgt zweierlei: Zum einen wird die spezifische Bedeutung der Einzelelemente »nur durch die Bedeutung des Ganzen verstanden, durch ihre Beziehungen innerhalb der ganzheitlichen Struktur«;[52] zum anderen können durch die Ausklammerung der Restriktionen sprachspezifischer Linearität und Sukzessivität Ideen, Intentionen und Positionen vermittelt werden, die über das Symbolsystem der Sprache entweder gar nicht oder nicht mit jenem besonderen Sinnpotential kommunizierbar und damit intersubjektiv zugänglich wären.

Weil sich die bildlichen Darstellungen dem pragmatischen, semantischen und syntaktischen Ordnungsgefüge der Sprache entziehen, weil sie sich außerdem gezielt von der natürlichen Umgebung abheben und sich gegen die Flüchtigkeit und Willkürlichkeit des ›natürlichen Sehens‹ wenden, eröffnen sie dem Ausdrucksverhalten und der Wahrnehmung andere und immer wieder neue Optionen. Die Innovation optisch-technischer Darstellungsmittel ebenso wie die Herausbildung, Verteidigung, Vermischung, Verletzung und letztendliche Ablösung bildlicher Gestaltungskonventionen zielen auf die beständige Hervorbringung solcher Bildmedien und Bilder, die sich den wandelnden Darstellungs- und Wahrnehmungswünschen der Menschen anpassen. Sie bieten dem medialen Publikum, das sich dauerhaft auf der Suche nach Reizsteigerung und Überraschung, nach dem Ungeheuerlichen und Nie-Gesehenen, nach der »Zumutung des Unzumutbaren«[53] befindet, stets neue Sehattraktionen. Insgesamt aber erweitert sich das Sehfeld über seinen Horizont hinaus und die Wahrnehmung transzendiert in andere Blickräume und unbekannte Blickweisen, was Bildproduzenten und -rezipienten gleicherweise die Grenzenlosigkeit des Sichtbaren und noch zu Schauenden immer wieder vor Augen führt.[54] Dieser Effekt wird schließlich noch verstärkt durch die immer größere Verfügbarkeit und breitere Nutzung medialer Produktions-, Aufzeichnungs- und

52 Langer (Anm. 50), S. 103.
53 Helmuth Plessner, »Die Musikalisierung der Sinne«, in: ders., *Gesammelte Schriften*, Bd. VII: *Ausdruck und menschliche Natur*, Frankfurt am Main 1982 (1967), S. 481-492, hier 489.
54 Auf dieser »ikonischen Differenz« beruht für Boehm die »zugleich visuelle und logische Mächtigkeit, welche die Eigenart des Bildes kennzeichnet«, Boehm (Anm. 18), S. 30.

Nachbearbeitungstechniken, durch die sich die Beziehung zwischen Zeichenproduzenten und -rezipienten zusehends ›demokratisiert‹. Kurz: Bilder sind Träger und Vermittler sozialen Sinns. Als eigenständige Formen sozialen Ausdrucks vermitteln sie inszenierte und stilisierte, damit symbolisch anders ›gerahmte‹ Realitäten. Sie zeigen Ausschnitte, Perspektiven und Arrangements der Wirklichkeit in einer vom jeweiligen Medium abhängigen, je eigenen Materialität und verlangen deshalb nach spezifischen Produktionstechniken, Rezeptionsweisen und Interpretationsverfahren.

Einer sozialwissenschaftlichen Bildhermeneutik stellt sich somit eine doppelte Problemlage und Aufgabe. Zum einen muß sie ein dem Gegenstand und seiner jeweiligen Erscheinungsform (Gemälde, Fotografien, Film-, Fernseh-, Video- und Computerbilder) angemessenes Deskriptions- und Interpretationsverfahren entwickeln. Zum anderen kommt sie nicht umhin, ihre auf nichtsprachliche Daten gerichteten Analyseschritte und -ergebnisse in Sprache zu übersetzen und in Schrifttexten zu fixieren: Auch bei den Bildästhetiken setzt sich die Textförmigkeit der Interpretation am Ende durch. Unsere Ausführungen dürften freilich deutlich gemacht haben, daß Vorschläge der Bildinterpretation, die gänzlich der traditionellen Vorstellung von der ›Welt als Text‹ verhaftet bleiben und die Bildmedien unabhängig von ihrer Erscheinungsform mit den probaten methodischen Verfahren der Textauslegung angehen, der von Mannheim und Langer beschriebenen, besonderen Wesensart von Bildern oder den spezifischen Text-Bild-Verhältnissen, wie sie etwa für Embleme konstitutiv sind, kaum gerecht zu werden vermögen.[55] Nach wie vor gilt, daß

»die kultursoziologische Forschung [...] über kein erprobtes und bewährtes Instrumentarium der Bildanalyse [verfügt], das ihren eigenen methodologischen Ansprüchen gerecht würde, die optisch wirksamen Bildmaterialien hinsichtlich ihrer manifesten Bedeutungs- und latenten Sinngehalte zu analysieren«.[56]

55 Vgl. Bernhard Haupert, »Objektiv-hermeneutische Fotoanalyse am Beispiel von zwei Soldatenfotos aus dem Zweiten Weltkrieg«, in: Detlef Garz, Klaus Kraimer (Hg.), *Die Welt als Text. Theorie, Kritik und Praxis der objektiven Hermeneutik*, Frankfurt am Main 1994, S. 281-314; Thomas Loer, »Werkgestalt und Erfahrungskonstitution«, in: ebd., S. 341-382.

56 Stefan Müller-Doohm, »Visuelles Verstehen. Konzepte kultursoziologischer Bildhermeneutik«, in: Thomas Jung, Stefan Müller-Doohm (Hg.), *Wirklichkeit im*

Grundsätzlich aber kann sich die sozialwissenschaftliche Bildanalyse an kunsthistorischen und kunstwissenschaftlichen Methodologien orientieren. Hier insbesondere an den Ansätzen von Erwin Panofsky und Max Imdahl, nicht nur, weil ihre Ursprünge in der Wissenssoziologie liegen,[57] sondern weil beide auch wiederum wissenssoziologisch rezipiert und adaptiert wurden.

5. Wissenssoziologische Grundlegung und kunsthistorische Ansätze der Bildinterpretation

Panofsky entwickelt sein dreistufiges Interpretationsverfahren in direkter Bezugnahme auf Karl Mannheims wissenssoziologische Überlegungen zu einer »Theorie der Weltanschauungs-Interpretation«. Mannheims Frage ist, wie etwas Atheoretisches, die »objektjenseitige Weltanschauung«, zum Gegenstand der Wissenschaft werden kann. Da kulturelle Phänomene entweder unvermittelt oder vermittelt gegeben sind, folgert er, daß das volle Verstehen eines Kulturgebildes auf der Ebene von drei aufeinander aufbauenden »Sinnschichten« erfolgen muß: über das Verstehen seines unmittelbar erfaßbaren *objektiven Sinns*, seines nur mittelbar gegebenen *intendierten Ausdruckssinns* und seines erst über »transzendierende Interpretation« sich erschließenden *Dokumentsinns*.[58] Diese Konzeption übernehmend, beginnt Panofskys Ikonologie auf der ersten Ebene mit der *vorikonographischen Beschreibung* als einer rein phänomenalen Benennung von natürlichen Objekten, Gegenständen, Personen und Ereignissen, die im Bild zu sehen sind. Auf der zweiten Ebene, der *ikonographischen Analyse*, bringt der Betrachter dann sein kulturelles, in der Regel literarisches Kontextwissen um The-

Deutungsprozeß, Frankfurt am Main 1995, S. 438-457, hier 442. Für die *Cultural Studies* vgl. Andres Hepp, *Cultural Studies und Medienanalyse*, Opladen 1999.

57 Vgl. Marion G. Müller, »Bilder, Visionen, Wirklichkeiten. Zur Bedeutung der Bildwissenschaft im 21. Jahrhundert«, in: Thomas Knieper, Marion G. Müller (Hg.), *Kommunikation visuell. Das Bild als Forschungsgegenstand – Grundlagen und Perspektiven*, Köln 2001, S. 14-24, hier 15 f.

58 Den Gedanken, über die Interpretation des in Kulturgebilden sich manifestierenden ästhetischen Ausdrucksverhaltens den »Geist« (Max Weber), die »Weltanschauung« (Wilhelm Dilthey) einer Epoche zu beschreiben, entwickelt Mannheim exemplarisch am Kunstwerk als der prägnantesten Gestaltungsform von Kultur, vgl. Karl Mannheim (Anm. 50), S. 104 f.

men und Vorstellungen ein, um die Motive konkret zu identifizieren. Auf der dritten und ›höchsten‹, synthetisierenden und transzendierenden Ebene geschieht die *ikonologische Interpretation*. Sie führt die ersten beiden Ebenen zusammen, berücksichtigt dann formale Faktoren (wie Perspektive, Farbkomposition, Lichtführung, Pinselstrich etc.) und hebt schließlich darauf ab, das in der Gesamterscheinung des Bildes verdichtete, durch die Person des Künstlers zum Ausdruck gebrachte spezifische Verhältnis einer historisch konkreten Kulturgemeinschaft zur Welt – ihren »Weltanschauungssinn« (Karl Mannheim) – intuitiv aufzudecken.[59]

In kritischer Auseinandersetzung mit Panofskys Ikonologie entfaltet Imdahl seine Ikonik. Die von Panofsky beschriebenen Analyseebenen erachtet er als unumgänglich, aber als nicht hinreichend für das Sinnverstehen von Bildern. Sie führen lediglich diejenigen Inhalte der synthetischen Interpretation zu, die der Betrachter aufgrund seiner bereits vorgeprägten Wahrnehmung und seiner intellektuellen Vorbildung im Bild *wiedererkennt*, was er also aus seinem subjektiven Wissensvorrat ableiten und wieder in diesen zurückführen kann. Ausgeblendet aber bleibt, was nur am Bild(medium) zu *sehen* ist: jene nur über die jeweilige ästhetische Ausgestaltung, über die »planimetrische Komposition« als dem je besonderen Zusammenspiel von Form, Perspektive, Komposition und Choreographie vermittelten Sinngehalte. So setzt die ›transzendierende Interpretation‹ bei Imdahl bereits auf der phänomenalen Ebene ein und rückt die von Panofsky im wahrsten Sinne ›tertiär‹ verhandelte formale Bildkonstruktion nicht nur an den Anfang, sondern zugleich ins Zentrum der Analyse. Die visuelle Verknüpfungslogik von Bildaufteilung und Farbgebung, von Linienführungen und Lichtverhältnissen sowie der Anordnung von Objekten und Personen begründet den optischen Mehrwert bildlicher Darstellungen und eröffnet dem Betrachter Erkenntnischancen jenseits des von ihm bereits Gewußten und deshalb Wiedererkannten. Aufgrund dessen bildet die Imdahlsche Unterscheidung zwischen »wiedererkennendem Sehen« und »sehendem Sehen«[60] auch die Grundlage der Ikonik. Ihr Ziel ist es, das nur im ästhetischen Verhalten zum Ausdruck kommende

59 Diese ins Kunstwerk eingegangene und am ihm ablesbare Verbindung zwischen dem Künstler, der Gemeinschaft und ihrer Epoche bezeichnet Panofsky als *Habitus*. Erwin Panofsky, *Studien zur Ikonologie der Renaissance*, Köln 1997, S. 30-61.
60 Max Imdahl, *Giottos Arenafresken. Ikonographie, Ikonologie, Ikonik*, München 1980.

Andere und Neue, das Unerwartete und Imaginäre, methodisch zu erschließen – nicht auf der Grundlage eines konventionalisierten Regelwerkes, sondern durch Vergleiche, die der Besonderheit des jeweiligen Gegenstandes angemessen sind.

Die Ikonologie Panofskys wurde zuerst von Pierre Bourdieu sozialwissenschaftlich gewendet. Er machte sie jedoch nicht für seine empirischen Studien zur Fotografie fruchtbar, sondern nutzte sie – sehr viel grundlegender – zur Untermauerung seiner Gesellschaftstheorie durch den von Panofsky übernommenen Begriff des *Habitus*.[61] In jüngster Zeit tendiert die Entwicklung eher in Richtung einer Verbindung der Überlegungen Panofskys und Imdahls für die methodologische Weiterführung der Bildinterpretation; etwa bei dem Vorschlag zu einer »struktural-hermeneutischen Bildanalyse«[62] oder der »dokumentarischen Methode der Bild- und Fotointerpretation«.[63] Diese Ansätze verbleiben jedoch bei den ›stehenden Bildern‹ der Gemälde und Fotografien und thematisieren nicht die Herausforderung des Sinnverstehens durch die ›bewegten Bilder‹ der neuen technischen Medien. Die Gegenstände des methodisch-kontrollierten Verstehens aber resultieren aus der sich ständig wandelnden kulturellen Sinnproduktion. Sie wiederum steht in engstem Zusammenhang mit den technischen Entwicklungen, so auch jener der audiovisuellen Medien. Wenn sich Menschen die Welt deutend und sinnverstehend aneignen und wenn sie durch neue Formen der Symbolproduktion und des Symbolverstehens versuchen, einen Zugang zu ihr finden, dann muß sich die sozialwissenschaftliche Hermeneutik auch diese neuen kulturellen Ausdrucksformen und komplexen Sinnstrukturen zum Gegenstand machen.

61 Vgl. Pierre Bourdieu, Luc Boltanski, Robert Castel, Jean-Claude Chamboredon, Gérard Lagneau, Dominique Schnapper, *Eine illegitime Kunst. Die sozialen Gebrauchsweisen der Photographie*, Frankfurt am Main 1981; Pierre Bourdieu, »Der Habitus als Vermittlung zwischen Struktur und Praxis«, in: ders., *Zur Soziologie der symbolischen Formen*, Frankfurt am Main 1983, S. 125-158.

62 Stefan Müller-Doohm, »Bildinterpretation als struktural-hermeneutische Symbolanalyse«, in: Ronald Hitzler, Anne Honer (Hg.), *Sozialwissenschaftliche Hermeneutik*, Opladen 1997, S. 81-108.

63 Ralf Bohnsack, »Die dokumentarische Methode in der Bild- und Fotointerpretation«, in: Ralf Bohnsack, Iris Nentwig-Gesemann, Arnd-Michael Nohl (Hg.), *Die dokumentarische Methode und ihre Forschungspraxis. Grundlagen qualitativer Sozialforschung*, Opladen 2001, S. 67-89.

6. Die Herausforderung des Verstehens bewegter Bilder

Im Unterschied zu Gemälden und Fotografien weisen Film- und Videoaufnahmen eine genuin sequentielle Struktur auf: In ihnen ist, analog zu verbalen Aussagen oder geschriebenen Texten, dem Interpreten das Ganze nicht unmittelbar präsent. Vielmehr ist der Bedeutungsgehalt der Gesamthandlung im ersten Handlungsakt nur als Spur vorhanden, als ›Reaktion‹ auf das künftige, bereits antizipierte Handlungsziel, und konturiert sich erst allmählich aus der zeitlichen Abfolge und dem gegenseitigen Verweisungszusammenhang vieler, komplexer Symbole. Deshalb muß auch und gerade die Analyse des audiovisuellen Datums bei der extensiven Ausdeutung des ersten Handlungsaktes, dem ersten vom Forscher für die Analyse ausgewählten (Stand-)Bild, beginnen. Hier bewegen wir uns auf der Stufe von Ikonologie und Ikonik beziehungsweise den sozialwissenschaftlichen Ansätzen zu ihrer methodischen Weiterführung. Doch wo Panofsky die Ebenen der Sinnkonstitution und der über sie vermittelten Wissen*inhalte* strikt voneinander trennt, muß beim sequentiell strukturierten Datum jedes identifizierbare Element und jede Sinneinheit auf allen drei Stufen beschrieben und ausgedeutet werden. Zugleich gilt es, die von Imdahl hervorgehobene besondere Bedeutung der »planimetrischen Komposition« des Einzelbildes zu erfassen, mithin jene kommunikativen Darstellungs*formen*, die dem Wissen erst eine Gestalt geben und dem Handeln schon allein aus sich heraus sozialen Sinn verleihen. Nur auf diesem Wege kann es gelingen, heuristische Deutungshorizonte als imaginierte Vorstellungen von Idealkonstruktionen zu entwerfen, die möglichst *alle* potentiellen, inhaltlich und formal realisierbaren Anschlußhandlungen enthalten. Dergestalt wird die Bild-für-Bild-Analyse so lange weitergeführt, bis diejenige Stelle im Handlungsprodukt identifizierbar wird, an der sich die Struktur nur noch reproduziert, das heißt keine neuen Deutungen mehr entwickelt werden können. Diese Sinnschließung manifestiert sich dann auch in jener, in den ersten Analyseschritten rudimentär bereits entwickelten, dann im Interpretationsverlauf mitgetragenen und durch den begründeten Ausschluß sich nicht bestätigender Handlungsalternativen und Sinnvarianten zusehends erhärtenden *einen* Lesart, mit der versucht wird, die »Kulturbedeutung« (Max Weber) beziehungsweise den »Weltanschauungssinn« (Karl Mannheim) von gesellschaftlichen Symbolisierungen zu beschreiben.

Doch in den Film- und Videoaufzeichnungen reihen sich die Einzelbilder nicht nur wie in einer Bildergeschichte einfach aneinander. Vielmehr weist das audiovisuelle Datum eine ihm eigene sequentielle Struktur auf, die in den Einzelschritten der hermeneutischen Analyse berücksichtigt und für sie transparent gemacht werden muß.[64] Ihre Charakteristik läßt sich analytisch aus drei Blickwinkeln beschreiben. Das erste Moment der Sequentialität ist die kontinuierliche Abfolge von Bewegungen innerhalb der einzelnen Einstellungen. Die Mobilität der Kamera – und dies ist das zweite Moment der Sequentialität – versetzt durch Schwenks, Fahrten und Zooms das Bild selbst in Bewegung und bewirkt neue zeitliche und räumliche Modulationen.[65] In dieser Hinsicht fast noch bedeutsamer sind der Schnitt und die Montage der Bildfolgen, denn zusammen mit der beweglichen Kamera erlauben sie die Abtrennung von Szenen beziehungsweise die Herstellung von Anschlüssen. Konstitutiv für das audiovisuelle Datum ist deshalb die durch fortlaufende Absonderung, Einschachtelung und Verknüpfung von Wahrnehmungsanlässen bewirkte Änderung, Fortführung, Transformation und Neuordnung von Sinnstrukturen oder Handlungsfolgen. Der Schnitt und die Montage bestimmen die Organisation von Raum und Zeit und sind die zentralen Elemente des Zeigens und der Narration, damit visuell-kognitive Interpretationsanleitungen, denn durch sie wird der Blick und das ›Wissen‹ des Betrachters gerahmt und gelenkt. Die hieraus notwendigerweise resultierenden filmischen Erzählweisen sind jedoch lediglich Konventionen, relative Ordnungsschemata und -muster, die be- oder mißachtet, zitiert oder persifliert, modelliert, miteinander kombiniert und damit auch transformiert werden können. Neben diese Aspekte, die insgesamt unter das Problem des Anschlusses beziehungsweise der Abfolge bewegter Bilder zu fassen sind, rückt schließlich das dritte se-

---

64 Diesen Umstand vernachlässigt der bisher einzige Ansatz zur hermeneutischen Filmanalyse: Felicitas Englisch, »Bildanalyse in strukturalhermeneutischer Einstellung. Methodische Überlegungen und Analysebeispiele«, in: Detlef Garz, Klaus Kraimer (Hg.), *Qualitativ-empirische Sozialforschung*, Opladen 1991, S. 133-176.

65 Zur »Verräumlichung der Zeit« kommt die »Dynamisierung des Raumes« als zweites Spezifikum des Films. Vgl. Erwin Panofsky, »Stil und Stoff im Film«, in: *Filmkritik* 6 (1967), S. 343-355.

quentielle Moment: die mit den visuellen Eindrücken stets verknüpften auditiven Einspielungen, das heißt die seit den Ursprüngen des Mediums untrennbare Simultaneität von Bild und Ton, in
Form von Musik und Geräuschen, Kommentaren und Dialogen.

In der damit nur grob umrissenen Komplexität des audiovisuellen
Datums liegt das große ästhetische Potential des Mediums und liegen zugleich die besonderen Herausforderungen für das Deuten
und Verstehen. Sinnkonstitution und Sinnvermittlung vollziehen
sich zugleich – redundant oder ›gegenläufig‹ – auf verschiedenen
formalen und inhaltlichen Ebenen. In ihnen sind nicht nur Sprache
und Schrift als die bislang vorherrschenden Zeichensysteme ›aufgehoben‹; auch überhöht das durch die Ästhetisierungsmittel Schnitt
und die Montage erzielbare Arrangement der Zeit- und Bewegungs-
bilder die vermittels der ›planimetrischen Komposition‹ über Gemälde und Fotografien kommunizierbaren Sinngehalte.[66]

Für die Analyse muß nun die permanente Abfolge und Simultaneität sowie die spezifische Kombinatorik der visuellen und auditiven Eindrücke in ein Nach- und Nebeneinander zunächst sprachlicher, dann schriftlich fixierter Deskriptionen übersetzt werden.[67] Es
gilt, ein gegliedertes und transparentes Datenprotokoll zu erstellen,
das den ersten Schritt sowie den fortwährenden Bezugspunkt des
Interpretationsprozesses bildet. Da die methodisch kontrollierte
Rekonstruktion des Handlungs- und Visualisierungsprozesses nur
auf der Grundlage einer vollständigen analytischen Durchdringung
des Materials geschehen kann, muß das Datum in seine einzelnen
Sinnfiguren zerlegt und muß darüber hinaus die Gleichzeitigkeit
und die zeitliche Sukzession der Beobachtungseinheiten anschaulich gemacht werden.[68]

Entscheidend hierbei ist – und dies wird von der konventionellen

---

66 Vgl. Hans-Georg Soeffner, Jürgen Raab, »Sehtechniken. Die Medialisierung des
Sehens«, in: Werner Rammert (Hg.), *Technik und Sozialtheorie*, Frankfurt am
Main 1998, S. 121-148.

67 Dies jedoch in dem Bewußtsein, daß der bildhafte Gehalt insbesondere ›bewegter
Bilder‹ niemals vollständig in sprachlichen Sinn übersetzt werden kann sowie –
generell – daß weder das künstlich hergestellte Datum mit der Lebensrealität
noch das sprachliche Ordnungssystem mit der ›Ordnung der Dinge‹ verwechselt
werden darf.

68 Ein Vorschlag für ein solches Notations-, Deskriptions- und Transkriptionssy-
stem ist die von Bergmann u. a. entwickelte Matrix. Vgl. Jörg Bergmann, Thomas Luckmann, Hans-Georg Soeffner, »Erscheinungsformen von Charisma –

Sozialforschung oft übersehen oder ignoriert –, daß keine strikte Trennung zwischen Datentranskription und Ausdeutungsprozeß besteht. Vielmehr beginnt »die Auswertung der Daten genaugenommen bereits mit der Herstellung künstlicher ›Dokumentationen‹ […], insbesondere also mit dem Verschriften, mit der Transkription«.[69] Weil für die sozialwissenschaftliche Analyse deshalb grundsätzlich gilt, daß sich die Struktur der Transkription und der Datenaufbereitung nach der Struktur des beobachteten Handelns zu richten hat, ist eine gewisse Flexibilität und ›Geschmeidigkeit‹ des Transkriptionssystems notwendigerweise vorausgesetzt. Nur so wird seine Anpassung an die ›natürliche‹ Gestalt des untersuchten Handlungsproduktes wie auch an das jeweilige Erkenntnisinteresse und die spezifische Fragestellung der Untersuchung und letztlich auch an pragmatische Aspekte der Forschung möglich.

Auf diese Weise können innerhalb einer Sequenz mit unterschiedlicher Schwerpunktsetzung die zentralen audiovisuellen Mitteilungsebenen (Einstellungsdauer, Schnittarten, Einstellungsfolgen, Kamerapositionen, Kameraperspektiven und -bewegungen usw. sowie die nochmals zu differenzierende Tonspur) einerseits und die Darstellungen der medial aufgezeichneten Handelnden (Körperhaltungen, mimisch-gestischer Ausdruck, Sprechakte inklusive Prosodie usw.) andererseits erfaßt und ausgedeutet werden. Auf die so ermöglichte detailgenaue Betrachtung der einzelnen Kanäle folgt aber stets die deutende (Wieder-)Zusammenführung der Sinneinheiten zu einer eingängigen Sinngestalt und Lesart, zuletzt die Sinnschließung als der zur Konstruktion eines begrifflich reinen Typus hinleitenden Gesamtinterpretation.

Zwei Päpste«, in: Winfried Gebhardt, Arnold Zingerle, Michael N. Ebertz (Hg.), *Charisma – Theorie, Religion, Politik*, Berlin, New York 1993, S. 121-155.
69 Ronald Hitzler, Anne Honer (Anm. 62), S. 11.

7. Resümee und Ausblick

Menschen haben keine natürliche Umwelt. Sie leben in geistig-sozialen Welten: in Werten und Normen, in Handlungs- und Kommunikationsmustern, in Institutionen und gesellschaftlichen Ordnungen. Menschliche Umwelt ist somit das, was der Mensch aufgrund seiner reflexiv-künstlichen Natur aus der Natur macht: Kultur, in der er sich als Kulturwesen bewegt. Daß dem Kulturwesen die geschichtlich-gesellschaftliche Wirklichkeit, seine Welt, als immer schon gedeutete entgegentritt, stets aber auch als neu zu schaffende und manipulierbare gegeben ist, ist eine anthropologische, daher in einem eher trivialen Sinne universale Einsicht. Wie dieses Potential jedoch konkret aussieht, wie es umgesetzt wird, woraus sich die unterschiedlichen Realisierungen erklären lassen, wie und mit welchen Hilfsmitteln der Mensch den Menschen verändert – dies herauszufinden ist die ebenso umfassende wie letztlich nur in Bruchstücken erfüllbare Aufgabe der (Kultur-)Soziologie.

Der hier vorgestellte Ansatz macht nun das zum Thema, was diesseits der Schrifttexte das soziale Leben mitformt: den Körper und die Sinne, die Bilder und die Medien. Ihm ist daran gelegen, die sozialen Gebrauchsweisen der Medien zu beschreiben und die Konstitutionslogiken der Bilder zu ergründen, insgesamt: ihre Konstruktionsprinzipien historisch-rekonstruktiv zu untersuchen und zu verstehen. Nur so lassen sich auch Aussagen machen über die Rückwirkungen der sozialen Konstruktionen auf ihre Konstrukteure: etwa in historischer Perspektive über die am Medium sich offenbarende Haltung der Handelnden zur Welt,[70] oder – wie in laufenden Forschungen – über die medial gestützte Herstellung und Auf-Dauer-Stellung von politischer Gefolgschaft[71] ebensowie von milieuspezifischen Vergemeinschaftungen.[72]

70 Hans-Georg Soeffner, »Sich verlieren im Rundumblick – Die ›Panoramakunst‹ als Vorstufe zum medialen Panoramamosaik der Gegenwart«, in: ders., *Gesellschaft ohne Baldachin. Über die Labilität von Ordnungskonstruktionen*, Weilerswist 2000, S. 336-370.

71 Vgl. Jürgen Raab, Dirk Tänzler, »Politik im/als Clip. Zur soziokulturellen Funktion politischer Werbespots«, in: Herbert Willems (Hg.), *Die Gesellschaft der Werbung*, Wiesbaden 2002, S. 217-245.

72 Vgl. Jürgen Raab, »Medialisierung, Bildästhetik, Vergemeinschaftung. Ansätze einer visuellen Soziologie am Beispiel von Amateurclubvideos«, in: Thomas Knieper, Marion G. Müller (Hg.), *Kommunikation visuell. Das Bild als Forschungsge-*

In dem Maße jedoch, in dem menschliche Wahrnehmung zunehmend apparativ gestützt, verstärkt und dirigiert wird, verändern sich nicht nur die Wahrnehmungsmöglichkeiten und die durch sie konstituierten synästhetischen Welten, sondern wahrscheinlich auch – bis zu einem gewissen Grad – die Qualität der Wahrnehmung. Zwar ist kaum davon auszugehen, daß die technischen Medien und ihre Bilder die Wirklichkeit der Alltagserfahrung und des sozialen Alltags insgesamt auf den Kopf zu stellen vermögen; sich die vom Menschen geschaffene ›zweite Natur‹ nicht nur nachdrücklich in die ›erste‹ *ein*schreibt, sondern diese *über*schreibt und damit substituiert. Doch wo medial überformte und dirigierte Wahrnehmungssituationen mehr und mehr in Konkurrenz zu solchen situativen Reservaten und kommunikativen Anlässen treten, die nicht unmittelbar mediatisiert sind, da stellt sich die nach wie vor ebenso offene wie gesellschaftlich schwerwiegende Frage, wie die Konkurrenz der Wahrnehmungsbedingungen ›gelöst‹ wird: ob es tatsächlich – wie Walter Benjamin prognostizierte – dazu kommt, daß der »apparatfreie Aspekt der Realität [...] zu ihrem künstlichsten [...] und der Anblick der unmittelbaren Wirklichkeit zur blauen Blume im Land der Technik« wird.[73]

genstand – *Grundlagen und Perspektiven*, Köln 2001, S. 37-63; ders., »›Der schönste Tag des Lebens‹ und seine Überhöhung in einem eigenwilligen Medium. Videoanalyse und sozialwissenschaftliche Hermeneutik am Beispiel eines professionellen Hochzeitsvideofilms«, in: *Sozialer Sinn. Zeitschrift für hermeneutische Sozialforschung* 3 (2002), S. 469-495.

73 Walter Benjamin, *Das Kunstwerk im Zeitalter seiner technischen Reproduzierbarkeit. Drei Studien zur Kunstsoziologie*, Frankfurt am Main 1963, S. 31.

Gottfried Seebaß
Vermeidbare Unvermeidlichkeit

Zur anthropologischen Signifikanz
des Bildlichen

1. Einleitung

Sind »Bilder unvermeidlich«? So allgemein gestellt ist diese Frage offenbar unbeantwortbar. Oder beantwortbar allenfalls mit den Worten des Büchnerschen Präsidenten an seinen philosophierenden König Peter:[1] »Eure Majestät, vielleicht ist es so, vielleicht ist es aber auch nicht so.« Es kommt eben ganz darauf an, was man unter »Bildern« *versteht* und welche *Formen* der »Unvermeidlichkeit« man ins Auge faßt. Beginnen wir mit den letzteren!

Unvermeidlich ist etwas, das notwendig ist oder sein muß. Das normative »Müssen« aber scheidet hier ebenso aus wie das »Müssen« im Sinne der Selbstwidersprüchlichkeit des Gegenteils oder der Unvereinbarkeit mit den Naturgesetzen. Ebensowenig wird man sagen können, daß Bilder lebensnotwendig für Menschen sind, abgesehen von Sonderfällen.[2] Kurz, wenn man die Meßlatte der »Unvermeidlichkeit« *so hoch* hängt, ist die Frage ohne Pointe.

Andererseits gibt es Formen der Unvermeidlichkeit, die *so schwach* sind, daß sie die Frage trivialisieren. Beim Durchklicken durch unsere Fernsehprogramme stoßen wir unvermeidlich auf die ewig gleichen Talkshows, Ratespiele und Seifenopern über vorbildliche Schwarz- oder Weißkittel. Wer in den Urlaub fliegt, findet neben Cola und Hamburgern auch die unvermeidliche »Bild-Zeitung« und die nicht weniger unvermeidlichen Bildlieferanten Agfa, Kodak und Polaroid. In dieser Form also sind »Bild« und Bilder unvermeidlich – trivialerweise. Oder besser gesagt: Sie wären vermeidbar und sind deshalb signifikant für unsere triviale Freizeitkultur, nicht anders als die zugehörigen Berge von Plastikmüll und die »sekundäre Analphabetisierung«.

1 Georg Büchner, *Leonce und Lena*, Akt I, Szene 2.
2 Das Foto eines Geheimagenten, der ihn umbringen will, kann für den Verfolgten zum Beispiel ebenso lebensrettend sein wie der Besitz einer Landkarte für einen Piloten, der in der Wüste notlanden mußte.

Ist das Bildliche, so verstanden, deshalb *anthropologisch* signifikant, wenigstens kultur- oder regionalanthropologisch?[3] Nun, so niedrig sollte die Meßlattte doch nicht hängen. Irgendwo zwischen der unvermeidlichen »Bild-Zeitung« und der Lebensnotwendigkeit sollte die »Unvermeidlichkeit der Bilder«, nach der es sich lohnt zu fragen, schon angesiedelt sein. »Anthropologisch signifikant« ist der Umgang mit Bildern gewiß nicht erst, wenn er für alle Menschen wesentlich oder spezifisch ist. Ebenso klar ist aber auch, daß nicht allen kulturellen oder historischen Kontingenzen anthropologische Dignität zukommt. Das gilt nicht nur für TV und »Bild-Zeitung«. Auch das Urteil über die anthropologische Signifikanz von Cyberspace, KI und Hip-Hop können wir, allen modischen Aufgeregtheiten zum Trotz, getrost einer späteren Zeit überlassen. Anthropologisch unvermeidlich sollten nur Dinge genannt werden, die in irgendeiner Weise repräsentativ sind für das, was der Mensch (nach der Definition von Kant) »als frei handelndes Wesen aus sich selber macht, oder machen kann und soll«.[4]

Zwei besonders wichtige Bereiche des »Bildlichen« möchte ich im folgenden auf ihre so verstandene »anthropologische Unvermeidlichkeit« hin durchleuchten: *visuelle Bilder* und *sprachliche Bilder*, speziell Metaphern.

2. Die Dominanz des visuell Bildlichen

Der Siegeszug des visuellen Bildes im 20. Jahrhundert war vor allem ein *technologischer*. Die Erfindungen von Fotografie, Film, Fernsehen, Holographie und computergestützter Bildproduktion sind Meilensteine der Medienentwicklung. Und fast noch mehr sind es die parallel entwickelten Techniken zur massenhaften Reproduktion und Verbreitung von Bildern. Daß unsere Kultur davon nicht nur bei der Informationsvermittlung und der politischen wie merkantilen Propaganda, sondern auch im Bereich der Ästhetik nachhaltig umgeformt worden ist, liegt auf der Hand. Töricht wäre es deshalb, die kulturelle Signifikanz dieser Entwicklung in Abrede stellen zu wollen.

---

3 Zum Begriff der »Regionalanthropologie« vgl. *Sonderforschungsbereich Literatur und Anthropologie, Fortsetzungsantrag*, Konstanz 1998, S. 14 f.

4 Immanuel Kant, *Anthropologie in pragmatischer Hinsicht*, Vorrede, AA, Bd. VII, S. 119.

Die *ästhetische* Vorbildfunktion des (visuell) Bildlichen reicht weiter zurück. Im Wettstreit der Künste untereinander ist wiederholt versucht worden, der bildenden Kunst die führende Rolle zu geben. Berühmt sind Leonardo da Vincis Bemerkungen über die Musik als »kleine Schwester der Malerei«, die nur Vergängliches schaffen könne, und über die weit unterlegene Ausdruckskraft der Dichtung, die der Malerei nur im »schwächsten Teil«, der »freien Einbildung«, gleichkommt:[5]

»Wenn du das eigene Werk des Dichters herausfinden willst, wirst du entdecken, daß er nichts anderes ist als einer, der aus verschiedenen Wissenschaften gestohlene Dinge zusammenreimt und daraus ein Lügengebilde herstellt oder, wenn du willst, weniger ehrenrührig gesagt, ein Hirngespinst.«

Den bekannten Wechselvergleich des Simonides, den Leonardo pejorativ abgewandelt hatte (»Dichtung als blinde Malerei«), hat Lessing dann zusammen mit dem Horazischen »ut pictura poiesis« zum Anlaß genommen, bildende Kunst und Dichtung deutlich gegeneinander abzugrenzen.[6] Danach hat an dieser Front erst einmal Ruhe geherrscht.

Anders bei der Musik. Johann Jakob Engels Programmschrift *Über die musikalische Malerei* (1780) war, trotz des berühmten Dementis von Beethoven im Untertitel der *Pastorale,* nur das Vorspiel zu einer Entwicklung, die im 19. Jahrhundert voll zur Entfaltung kam. Berlioz, Liszt und Mussorgski sind Beispiele dafür, mehr noch Debussy, der von sich selbst bekannte, er »liebe die Bilder beinahe ebenso sehr wie die Musik«, und über dessen *Images pour orchestre* ein Kritiker schrieb:[7]

5 Leonardo da Vinci, *Malerei und Wissenschaft,* zit. nach Ralf Konersmann (Hg.), *Kritik des Sehens,* Leipzig 1991, S. 98 ff.

6 Gotthold Ephraim Lessing, *Laokoon oder über die Grenzen der Malerei und Poesie* (1766), in: *Werke,* 8 Bde., München 1974, Bd. VI, S. 9 f.; vgl. auch *Abhandlungen über die Fabel* (1759), in: *Werke,* Bd. V, S. 355 ff.

7 Malherbe, Charles, anläßlich der Uraufführung 1913, zit. nach Volker Scherliess, *Debussy und der musikalische Impressionismus,* CD-Begleitheft, Hamburg 1992, S. 5. Das Debussy-Zitat entstammt einem Brief an Edgar Varese von 1911, zit. nach Myriam Chimènes, *Debussy, Images I & II. Childrens Corner,* CD-Begleitheft, Hamburg 1986, S. 2. Im übrigen hat schon Gluck in der Vorrede zu *Alceste* (1767) seine musikalischen Intentionen direkt am Vorbild der Malerei orientiert, wenn er erklärt (zit. nach Wilhelm Zentner (Hg.), *Reclams Opernführer,* Stuttgart, 26. Auflage 1969, S. 34): »Ich glaubte, die Musik müsse für die Poesie das sein, was die

»Wirkliche Bilder, wo sich der Musiker bemüht, für das Ohr die Eindrücke des Auges zu übersetzen; [...] die Melodie mit ihren unendlich vielen Rhythmen entspricht den vielfältigen Strichen einer Zeichnung, das Orchester ist eine große Palette, zu der jedes Instrument seine Farbe liefert. [...] Er will das, was er zu Gehör bringt, sichtbar machen, und die Feder zwischen seinen Fingern wird ein Pinsel.«

Das mag so sein – oder auch nicht. Letztlich ist der Streit um die Vorbildfunktion der bildenden für alle übrigen Künste müßig. Zum Glück müssen wir die Originale des Architekten Hartmann nicht selbst gesehen haben, um Mussorgskis *Bilder einer Ausstellung* genießen zu können. Eine Tendenz zur Übersteigerung des visuell Bildlichen aber war offenbar längst im Gange, ehe sie durch die Verbreitung der Fotografie und der elektronischen Bildmedien massiv verstärkt und zum Gemeingut gemacht wurde.

Was sie genau bedeutet, ist allerdings weniger klar. Euphorische Prognosen über angebliche Bewußtseins- und Daseinserweiterungen stehen neben apokalyptischen Horrorszenarien. Beunruhigung haben die neuen Techniken allemal ausgelöst. Wilhelm Buschs Bilderbogen *Ehre dem Fotografen* ist eben nicht nur ein ironisches Aperçu über die Unvollkommenheiten der damaligen Fotografie, sondern zugleich das Dokument eines Künstlers, der durch die technisch-reproduktive Konkurrenz zutiefst verunsichert ist. Die Entwicklung der »abstrakten Kunst« und diverser Experimentalformen ist ohne diesen Hintergrund kaum verständlich. Mit der technischen Möglichkeit zur Produktion und Reproduktion von bewegten wie unbewegten, zwei- oder dreidimensionalen Bildern in nahezu unbegrenzter Menge und Präzision, die sich fortschreitend auch auf Mikro- und Makrobereiche erstrecken, welche dem bloßen Auge nicht zugänglich sind, hat die bildende Kunst, wie es scheint, ihre traditionelle Vorrangstellung als einzige ikonische Direktvermittlerin der visuellen Wirklichkeit, samt ihrer Bewahrung im kulturellen Gedächtnis, eingebüßt, ja, diese kognitive Funktion vollständig zugunsten der ihr allein verbliebenen rein ästhetischen aufgegeben.

Hier allerdings stellen sich zwei entscheidende Fragen. Sind visuelle Bilder – gleichgültig welcher Art – *kognitiv* unvermeidlich, also

Lebhaftigkeit der Farben und eine glückliche Mischung von Schatten und Licht für eine fehlerfreie, wohlgeordnete Zeichnung sind, welche nur dazu dienen, die Figuren zu beleben, ohne die Umrisse zu zerstören.«

auch in dieser Funktion anthropologisch signifikant? Und stimmt es tatsächlich, daß Bilder einen direkten oder zumindest ausgezeichneten Zugang zur visuellen *Realität* eröffnen? Beide Fragen erregen Zweifel.

3. Kognitive Unvermeidlichkeit?

»Ein Bild sagt mehr als tausend Worte« lautet ein alter Slogan der Fotoindustrie, den die Telekom bei der Propagierung des Bildtelefons sicher wieder ausgraben wird. Und es ist wahr: ein Paßfoto, Lageplan oder bebilderter Katalog sind durch verbale Beschreibungen nicht zu ersetzen, ebensowenig Piktogramme im internationalen Verkehr. Und in der bildenden Kunst? Läßt sich das Lächeln der »Mona Lisa« etwa in Worte fassen? Ja, wüßten wir ohne die Kunst Leonardos überhaupt, wie die Gattin des Francesco del Giocondo aussah und lächelte? Wir wüßten es nicht. Doch was entginge uns, wenn wir es nicht wüßten?

Auch Kulturen, in denen ein striktes Abbildungsverbot für Menschen besteht, vergessen ihre Toten nicht, obwohl die Nachgeborenen sich mit Erzählungen und hinterlassenen Werken begnügen. Ein unersetzlicher, anthropologisch signifikanter Verlust? Ich zweifle daran. Sind all die Toten der Gaskammern und Schlachtfelder des 20. Jahrhunderts, die »kein Gesicht« mehr haben, aber in den Erzählungen ihrer Enkel weiterleben, mehr vergessen als die, an die niemand mehr denkt und deren Paßfotos in den Archiven verstauben? Entgeht uns etwas, wenn wir nicht wissen, wie Homer (so es ihn gab) aussah? Erfahren wir Bedeutendes, wenn wir die schönen Marmorköpfe von Platon, Aristoteles oder Nero betrachten oder ein Idealgemälde von Goethe oder Madame Récamier? Wer Menschen nach ihrer Erscheinung einstuft, muß bitter enttäuscht sein von der Unansehnlichkeit eines Mozart, der doch in seinen Briefen und vor allem in seiner Musik als Mensch weitaus lebendiger vor uns steht als der römische »Dornauszieher« in seiner erstarrten Anmut oder das maskenhafte Filmidol Marilyn Monroe.

Man kann nicht bestreiten, daß die bildende Kunst aller Kulturen und Zeiten exemplarisch sein kann für das, was »der Mensch aus sich machen kann und soll« – ästhetisch vor allem, aber partiell auch kognitiv. Ebensowenig muß man in Abrede stellen, daß manche Bilder kognitiv unersetzlich sind. Aber man muß dann schon genau hinsehen, *welche* es sind und welche *Funktion* sie erfüllen. Ein Testfall ist Schach, das von vielen Menschen für ein Spiel des räumlichen Vorstellungsvermögens gehalten wird und das doch (wie die Schachecken unserer Zeitungen zeigen) leicht auf ein logisches Spiel mit Buchstaben und Zahlen zu reduzieren ist. Und allemal folgt aus der begrenzten Anerkennung der kognitiven Unvermeidlichkeit nicht jene Hypertrophierung und Fetischisierung des Bildlichen, die die technischen Bildmedien mit sich bringen. Im Gegenteil, gerade die Pluralität und beliebige Einsetzbarkeit reduziert ihren kognitiven Gehalt, da sie uns blind für das Wichtige und Exemplarische machen. Ein prominenter Berufsfotograf hat deshalb angesichts von 48 Millionen täglich geschossener Fotos sarkastisch festgestellt: »Die Bilderflut wird uns eines Tages alle ersäufen.«[8]

4. Bild und Wirklichkeit

Das führt zur zweiten kritischen Frage, der des direkten oder ausgezeichneten Zugangs zur Wirklichkeit. Durch die Erfindung der elektronischen Bildmanipulation und der Konstruktion »virtueller Welten«, die von der wirklichen visuell ununterscheidbar sind, wird die kognitive Verläßlichkeit des »Selbstgesehenen« offenbar ad absurdum geführt. Dennoch lebt diese Erwartung fort und hat manche Theoretiker sogar auf den Gedanken gebracht, analog zu früheren Alphabetisierungskampagnen weltweite »Ikonisierungsschulen« zu fordern, durch die »das Auge« darauf trainiert werde, »alles Bildliche als Metapher zu begreifen«.[9] In dieser Form ist das natürlich barer Unsinn,[10] weist aber auf ein reales Problem hin.

Zeichnungen, Gemälde und andere Produkte der *bildenden Kunst*

8 Stefan Moses am Ende des deutschen Dokumentarfilms *Augenzeugen*, 1997.
9 Horst Bredekamp, »Politische Theorien des Cyberspace«, in: Hans Belting und Siegfried Gohr (Hg.), *Die Frage nach dem Kunstwerk unter den heutigen Bildern*, Stuttgart 1996, S. 48 f.
10 Wie bei sprachlichen Metaphern (vgl. dazu unten S. 290), so läßt sich auch die Metaphorizität von Bildern prinzipiell nur auf dem Hintergrund ihrer nichtmetaphorischen Verwendung verständlich machen. Außerdem besteht das Wesen der Illusion gerade darin, daß sie, wie Kant (*Anthropologie in pragmatischer Hinsicht*, § 13) richtig gesehen hat, »bleibt, ob man gleich weiß, daß der vermeinte Gegenstand nicht wirklich ist«.

haben schon immer, auch nach Einführung der Zentralperspektive, als nur begrenzt realistisch gegolten. Anders bei den Produkten *fotografischer Bildverfahren*. Ihr wichtigstes Hilfsmittel wird im Deutschen als »Objektiv« bezeichnet, obwohl auch die Fotografie wirklich objektiv nie gewesen ist. Kritische Beobachter haben das immer bemerkt, so zum Beispiel Karl Pawek und noch pointierter Heinrich Böll 1964 aus Anlaß der »Weltausstellung der Photographie« zum Thema »Was ist der Mensch?«.[11] Pawek hat allerdings zugleich den Unterschied zur freien Kunst festgehalten:

»Daß es auf Grund der Erfindung der Photographie von der physischen Welt zu ihrer bildlichen Darstellung eine Brücke gibt, die nicht ausschließlich von der künstlerischen Phantasie und der schöpferischen Freiheit des Menschen gestützt wird, das ist die eigentliche Sensation ihrer Erfindung.«

Und auch der freier Gestaltung gewiß nicht abholde Andreas Feininger definiert die Fotografie als eine symbolisch vermittelte »Übersetzung der Wirklichkeit in die Form eines Bildes« – geeignet als »Verbreitungsmittel für Wissen und Wahrheit«, das dem Menschen die Möglichkeit gibt, »die Welt zu erforschen und seinen Horizont zu erweitern«.[12]

Woran liegt es, daß trotz aller Einsicht in die »Menschengemachtheit« und zum Teil völlige Scheinhaftigkeit des Bildes ein »Urvertrauen« in seine Verläßlichkeit nie verlorenging? Ein Grund ist die alte, kulturell fest verankerte Überzeugung vom *Sehen* als höchstem Sinn und Modell alles Denkens oder Erkennens. Thesen dieser Art sind Legion, belegbar von Platon und Aristoteles über Augustin und diverse neuzeitliche Denker wie Leonardo, Goethe, Kant und Schopenhauer bis in die Gegenwart.[13] Im Jahre 1913 pries ein entrückter Karl Wolfskehl das Auge als »König und Hüter des menschlichen Sinnengefüges, des Menschen Allsinn«, der selbst die Sprache zum

---

11 *Weltausstellung der Photographie*, Hamburg 1964, S. 3 ff. Bölls Verdikt lautet: »Die große Täuschung der Photographie liegt in der Vor-Täuschung ›objektiver Wirklichkeit‹.«

12 Andreas Feininger, *Farbfotolehre*, München 1975, S. 225, 231.

13 Vgl. Platon, *Politeia*, 507c-508a; Aristoteles, *Metaphysik*, 980a25; Augustin, *De Trinitate*, XI, 1; Leonardo da Vinci (Anm. 5), S. 96 ff.; Johann Wolfgang Goethe, *Das Sehen in subjektiver Hinsicht*, dtv Gesamtausgabe, 45 Bde., München 1961-63, Bd. 39, S. 199; Immanuel Kant, *Anthropologie in pragmatischer Hinsicht*, § 19; Arthur Schopenhauer, *Über das Sehen und die Farben*, in: *Sämtliche Werke*, 5 Bde., Darmstadt 1980, Bd. III, S. 206.

»optischen Phänomen« mache, »daran nur die Ausdrucksmaterie akustisch ist«.[14] Platon und ihm folgend Herder wollten sogar – gestützt auf eine spekulative Etymologie des griechischen »anthropos« – den Menschen schlechthin zum »sehenden Wesen« machen,[15] ein Verdikt, das sich in anderer Form auch in der philosophischen Anthropologie des 20. Jahrhunderts findet.[16]

Die anthropologische These wird traditionell auch *theologisch* gestützt. Die visuell metaphorische Vorstellung vom Menschen als Gottes »Ebenbild«, der daraus seine Vorrangstellung in der Natur bezieht, ist ein Beleg dafür.[17] Wichtiger aber noch ist die Visualisierung des göttlichen Geistes selbst. Die neutrale griechische Rede von der »prónoia« und »prógnosis« Gottes, die schon im Neuplatonismus mit der Lichtmetaphorik verknüpft wurde,[18] ist in der lateinischen Theologie zur »praevisio« und »providentia« geworden, also zur visuell orientierten »Vorsehung«. Selbst die Theorien, die das göttliche Wissen mit Augustin und Boethius[19] als zeitlos begreifen, haben am Modell des Sehens festgehalten. Thomas von Aquin hat dafür das Bild vom Kreis benutzt, dessen Punkte einander sukzedieren und die doch vom Mittelpunkt aus simultan sichtbar sind.[20] Und der spekulativste Kopf des späten Mittelalters, Cusanus, hat dem »Sehen Gottes« einen eigenen Traktat gewidmet, der neben vielem anderen auch die Kuriosität einer etymologischen Ableitung des griechischen Wortes »theós« von »theáesthai« (»schauen«) enthält.[21]

---

14 Karl Wolfskehl, *Über den Geist der Musik* (1913), Nachdruck in: Klaus Müller-Richter, Arturo Larcati (Hg.), *Der Streit um die Metapher*, Damstadt 1998, S. 44.

15 Platon, *Kratylos*, 399c; Johann Gottfried Herder, *Briefe zur Beförderung der Humanität*, III, 28; *Ideen zur Philosophie der Geschichte der Menschheit*, III, 6,1.

16 So zum Beispiel in der Bestimmung des Menschen als »Augenwesen« oder »wesensnotwendig schauendes Wesen« bei Erich Rothacker, *Philosophische Anthropologie*, Bonn, 2. Auflage 1966, S. 169 ff.

17 Vgl. insbesondere *Genesis* 1,26-28 und für die römische Literatur Ovid, *Metamorphosen*, I, 76 f.

18 Vgl. Werner Beierwaltes, »Pronoia und Freiheit in der Philosophie des Proklos«, in: *Freiburger Zeitschr. f. Philos. u. Theol.* 24 (1977), S. 94.

19 Augustin, *De Civitate dei*, XI, 21; XII, 18; Boethius, *Consolatio Philosophiae*, V.

20 Thomas von Aquin, *Summa Contra Gentiles*, I, 66.

21 Nikolaus von Kues, *De Visione Dei*, I. VIII, in: *Philosophisch-Theologische Schriften*, 3 Bde., Wien 1964-67, Bd. III, S. 99, 127.

Die Hochschätzung des menschlichen Augensinns ist also »göttlich geadelt«. Wenn irgendwo, so wird insinuiert, gibt es Erkenntnis für uns durch Sehen. Auch unser *epistemisches Vokabular* ist großenteils visueller Herkunft: »Theorie«, »Evidenz«, »Reflexion«, »Intuition«, »Idee«, »Skepsis« etc. Doch lassen wir uns durch all dies nicht den Verstand rauben! Im Sprachgebrauch ist der visuelle Ursprung *nicht* mehr semantisch virulent. Die meisten Sprecher kennen die lateinischen oder griechischen Wortwurzeln überhaupt nicht, und schon für sie ist die Virulenzannahme mehr als zweifelhaft. Arbogast Schmitt hat dies gegen die behauptete Gleichsetzung von Denken und Sehen bei Homer geltend gemacht, Peter Stemmer gegen die traditionelle Überinterpretation der visuellen Metaphorik bei Platon.[22] Und selbst wenn es sich *damals* anders verhalten hätte, würde das für den *heutigen* Sprachgebrauch wenig besagen und für das *sachliche* Recht der Visualisierung des Geistigen überhaupt nichts.

Im Gegenteil, sie führt meist in die Irre. Das gilt für Musik und Arithmetik, aber auch und zuallererst für die *Sprache*. Man muß nicht so weit gehen wie viele neuere Bedeutungstheorien, die die Rolle visueller Vorstellungen völlig bestreiten. Wörter für Farben und Formen sind davon sicherlich mitbestimmt. Doch schon die klassische Diskussion um *Allgemeinbegriffe* für visuell Wahrnehmbares im 17./18. Jahrhundert hat deutlich gemacht, in welchem Maße das Verständnis auch hier über das rein Visuelle hinausgeht.[23] Bei nicht visuellen Prädikaten gilt das erst recht. Spinoza etwa hat sich entschieden dagegen gewandt, Begriffe als »stumme Tafelbilder« aufzufassen, und damit die Generalkritik Ryles an der Vorstellung vom Geist als »innerem Theater« partiell vorweggenommen.[24] Und was herauskommt, wenn man neben den Termini auch die *logischen Ausdrücke* und die *Prädikationsstruktur* nach dem Modell

22 Arbogast Schmitt, *Selbständigkeit und Abhängigkeit menschlichen Handelns bei Homer* [= Akad. d. Wiss. u. d. Literatur: Geistes- u. Sozialwiss. Klasse, Mainz 1990, Nr. 5], Stuttgart 1990, S. 130-141, 183, 225; Peter Stemmer, *Platons Dialektik*, Berlin 1992, S. 75 ff.

23 Vgl. insbesondere John Locke, *An Essay Concerning Human Understanding*, II, II,9; III, 3; George Berkeley, *A Treatise Concerning the Principles of Human Knowledge*, Introd. § 11 ff.; David Hume, *A Treatise of Human Nature*, I, 1,7; *An Enquiry Concerning Human Understanding*, XII, 2 Fußnote.

24 Baruch Spinoza, *Ethica Ordine Geometrico Demonstrata*, II prop. 48 f., zit. nach *Opera/Werke*, herausgegeben von K. Blumenstock, 2 Bde., Darmstadt 1978, Bd. II, S. 240 f. 244 f.; Gilbert Ryle, *The Concept of Mind*, London 1949.

der »inneren Schau« konstruiert, hat Ernst Tugendhat in seiner detaillierten Kritik an Husserl herausgearbeitet.[25] Schon die Rede vom »introspektiven« Zugang zum Bewußtsein ist irreführend. Und so ist es denn nur ein Treppenwitz der Wissenschaftsgeschichte, daß die Psychologen der »Würzburger Schule«, als sie bemerkten, daß »Bewußtseinslagen« wie Zweifeln, Zustimmen oder Erkennen nicht anschaulich sind, allen Ernstes glaubten, sie seien es, die das unanschauliche Denken zuerst »entdeckt« hätten.

Kurzum, visuelle Bilder sind als Modell des Geistes zwar in einem bestimmten, theologisch oder etymologisch spekulativen Traditionszusammenhang unvermeidlich und hier wohl auch regionalanthropologisch (vgl. Anm. 3) signifikant. Losgelöst von ihm aber sind sie sehr wohl vermeidbar – notwendigerweise, denn wir haben es nun einmal oft nicht mit Bildlichem oder Visuellem zu tun. Teilweise wird das auch von den Bildbegeisterten anerkannt. Manche rühmen am Bild gerade den vorbegrifflichen, *nicht* diskursiven Charakter, der geeignet sei, »eine Barriere gegen den Zugriff von Sprache und Begriff aufzurichten«.[26] Andere sehen im Bild nur den unvermeidlichen *Ausgangspunkt* und das transitorische Mittel zu höheren Stufen des Geistigen.[27] In diesem Sinn hat auch die Theologie (das 2. Nizenum etwa oder Thomas[28]) den Gebrauch von Bildern gerechtfertigt. Das 4. Konzil von Konstantinopel hat Bilder sogar für ebenso verehrungswürdig und kerygmatisch bedeutsam erklärt wie die Evangelien des *Neuen Testaments*.[29] Letzteres ist natürlich eine Extremposition, die um so problematischer ist, als die Logik einer »Erkenntnis des Übersinnlichen durch sinnliche Bilder« (mehr noch als die durch direkte »geistige Schau«) äußerst dubios ist. Doch selbst wenn wir Sinn

25 Ernst Tugendhat, »Phänomenologie und Sprachanalyse«, in: Rüdiger Bubner u. a. (Hg.), *Hermeneutik und Dialektik*, Tübingen 1970, Bd. II, S. 3-24; *Vorlesungen zur Einführung in die sprachanalytische Philosophie*, Frankfurt am Main 1976, Vorlesungen 9 und 10.

26 Gottfried Boehm, »Sehen. Hermeneutische Reflexionen« (1992), in: Konersmann (Anm. 5), S. 296. Die Vorbegrifflichkeit des anschaulichen Denkens betont im Anschluß an Ludwig Klages auch Rothacker 1966 (Anm. 16).

27 So exemplarisch Platon, *Timaios*, 47a-e, und *Politeia*, 509d-511e.

28 Vgl. Heinrich Denzinger, *Kompendium der Glaubenbekenntnisse und kirchlichen Lehrentscheidungen*, Freiburg, 37. Auflage 1991, Rn. 600-603, 605, 607 f.; Thomas von Aquin, *Summa Theologica*, I q.1 a.9 resp.

29 Vgl. Denzinger (Anm. 28), Rn. 653-656.

mit ihr machen könnten, bliebe sie im besten Falle ein Sonderfall. Die meisten Erkenntnisse oder Überzeugungen, die wir haben, gewinnen wir jedenfalls nicht so – und übrigens auch nicht durch normales, sinnliches Sehen. Insofern wäre es angebracht, sich mehr an ein anderes Theologumenon zu halten:[30] »Selig sind, die nicht sehen und doch glauben.«

5. Kritik und Unersetzlichkeit von Metaphern

Damit komme ich zu meinem zweiten Themenbereich, sprachlichen Bildern, speziell *Metaphern*. Metaphern genießen bei Wahrheitsliebenden keinen besonders guten Ruf. So hat Aristoteles wiederholt vor der Verunklarung durch metaphorische Ambiguitäten gewarnt,[31] ähnlich Hobbes, Locke oder Berkeley.[32] Nur Leute, die ihre eigene Unklarheit aktiv verschleiern wollten, machten davon Gebrauch, so Aristoteles. Und nur weil die Menschheit getäuscht werden will, stünde die Rhetorik, »dieses machtvolle Instrument von Irrtum und Täuschung«, bis heute in Blüte, so Locke.[33] Paul Valéry hat von der »angeborenen Narrheit« der Menschen gesprochen, »eine Hypallagé für eine Entdeckung, eine Metapher für einen Beweis, einen Wortschwall für einen Strom grundlegender Wahrheiten zu halten«.[34] Und der Ironiker Wilhelm Busch hat Quintilians Formel von der Hyperbel als »zierlichem Überdehnen der Wahrheit« auf die gesamte Höflichkeit ausgedehnt und vom »zierlichen Betrügen« gesprochen, über das alle Bescheid wissen und das doch allen Vergnügen macht.[35]

30 *Johannes* 20,29.
31 Aristoteles, *Rhetorik*, 1404b37 ff., 1407a31 ff.; vgl. *Analytica Posteriora*, 97b37 f.; *Topik* 123a33-36, 139b32-140a10, 158b17.
32 Thomas Hobbes, *Leviathan*, Kapitel 4 und 25; *De Cive*, Kapitel 12, § 12; John Locke, *Essay* (Anm. 23), II, 21,2-3; III, 10,34; George Berkeley, *De Motu*, § 3.
33 Aristoteles, *Rhetorik*, 1407a32 f.; Locke, *Essay* (Anm. 23), III, 10,34.
34 Paul Valéry, *Introduction à la Méthode de Leonardo da Vinci*, in: *Œuvres*, 2 Bde., Paris 1957/61, I, S. 1209.
35 Quintilian, *Institutio Oratoria*, VIII, 6,67 f.; Wilhelm Busch, *Kritik des Herzens* (1874), Gedicht »Wer möchte diesen Erdenball«. Kant (*Anthropologie in pragmatischer Hinsicht* § 14, vgl. auch § 69 f.) hat die reziproke soziale Scheinhaftigkeit der Höflichkeit wie des gesamten »decorum« ähnlich gesehen, von wechselseitigem »Betrügen« aber nicht sprechen wollen, »weil aus diesem Spiel mit Verstellungen,

Daran ist vieles richtig, vieles aber auch übertrieben. Bildlichkeit der Rede schließt Stringenz, Wahrheit und Tiefsinn nicht aus. Das haben Schriftsteller wie Jean Paul oder Lessing, dem sein Kontrahent Goeze metaphorische »Theaterlogik« vorgeworfen hatte, zu Recht geltend gemacht.[36] Es kommt eben darauf an, wie man mit den rhetorischen Mitteln umgeht. Auch Aristoteles war sich dessen bewußt und hat die Dichter ausdrücklich gegen Philosophen in Schutz genommen, die ihren Spott darüber ausgießen, daß etwas, was man auch direkt hätte ausdrücken können, indirekt ausgedrückt wird.[37]

Aristoteles ist es denn auch gewesen, der als erster jene drei *Grundfunktionen* der Metapher benannt hat, die Cicero und Quintilian später explizit gemacht haben: ästhetisch-rhetorische Intensivierung, pointiertes Zeigen und semantische Erweiterung.[38] In diesen Funktionen ist die Metapher unersetzlich, also im Sprachgebrauch unvermeidlich und insofern anthropologisch signifikant. Bei ihrer Erklärung hat die antike Metapherntheorie vorzüglich auf die *Ähnlichkeit* abgestellt, zum Teil mit dem Schlagwort vom »kurzgefaßten Vergleich«.[39] Darüber hat man neuerlich viel die Nase gerümpft. Doch geht diese Kritik oft ins Leere. Denn entweder geht sie von einem verengten Ähnlichkeitsbegriff aus, der sich durch einen

welche Achtung erwerben, ohne sie vielleicht zu verdienen, endlich wohl Ernst werden kann«. Die prinzipielle philosophische Skepsis gegenüber dem »schönen Schein« ist jedoch auch hier unverkennbar. Und der Rhetorik gegenüber hat Kant ihn (im Unterschied zu der ihn explizit spielerisch verwendenden Dichtkunst) auch unverblümt als Betrug gekennzeichnet (vgl. *Kritik der Urteilskraft*, § 53).

36 Jean Paul, *Vorschule der Ästhetik*, XIV, § 81 f.; Gotthold Ephraim Lessing, *Anti-Goeze*, in: *Werke* (Anm. 6), Bd. VIII, S. 193 ff.

37 Aristoteles, *Poetik*, Kapitel 22.

38 Vgl. Aristoteles, *Rhetorik*, III, 2-5.10-11, und *Poetik*, Kapitel 21 f.; Cicero, *De Oratore*, III, 155 ff.; Quintilian, *Institutio Oratoria*, VIII, 6. Auch in der neueren Metapherntheorie sind alle drei Funktionen wiederholt angesprochen worden, besonders klar zum Beispiel von Paul Henle, »Die Metapher«, in: Paul Henle (Hg.), *Sprache, Denken, Kultur*, Frankfurt am Main 1969, S. 235-263.

39 Zum letzteren vgl. speziell Aristoteles, *Rhetorik*, 1406a20-26, 1410b15-20, 1412b32 f.; Cicero, *De Oratore*, III, 157; Quintilian, *Institutio Oratoria*, VIII, 6,8 f. An anderen Stellen, insbesondere bei Aristoteles, werden allgemeinere Ähnlichkeitserklärungen gegeben. Eine solche findet sich auch in der Rhetorik des Auctor ad Herennium (ca. 88-85 v. Chr.), wörtlich zitiert bei Hans-Heinrich Lieb, »Was bezeichnet der herkömmliche Begriff ›Metapher‹« (1967), in: Anselm Haverkamp (Hg.), *Theorie der Metapher*, Darmstadt, 2. Auflage 1996, S. 347 Anm. 19.

formaleren (wie etwa Kants Begriff der »symbolischen Hypoty-pose«[40]) leicht verbessern läßt, oder (wie im Falle von Nelson Good-man[41]) von einem rigiden extensionalistischen Vorurteil. Die Ähn-lichkeit bleibt natürlich die wichtigste Grundlage. Doch haben die sogenannten »Interaktionstheorien« in der Nachfolge von I. A. Ri-chards[42] und vor allem die integrativen Theorien von Black und Searle deutlich gemacht, daß neben ihr *andere* Übertragungs-prinzipien ins Spiel kommen.[43] Auf die (unabgeschlossene) seman-tische Analyse und Theorie der Metapher möchte ich hier nicht weiter eingehen. Ich konzentriere mich auf ihre Funktionen, und diese eben waren im Kern schon in der Antike präsent.

6. Drei metaphorische Grundfunktionen

Die Funktion des *pointierten Zeigens* sei hier nur kurz gestreift. Me-taphern sind bestens geeignet, bestimmte Aspekte herauszuheben oder ein komplexes Geschehen verdichtet zusammenzufassen. Cice-ros[44] »lachende Saaten« belegen das ebenso wie Trakls »schwarzer Frost«[45] oder die Charakterisierung eines in seinem Wert verkann-ten Menschen als »Diamant unter Glaskugeln«. Gleiches gilt für die Aussage eines Kritikers, daß ein Bild »von der Bewegung lebt«.[46] Vor allem in der Lyrik erfüllen Metaphern keineswegs nur eine ästheti-sche oder rhetorisch-ornamentale Funktion, sondern auch eine Funktion der semantischen Aussageverdichtung. Durch metaphori-sche Kontraktion wird es zum Beispiel möglich, so etwas wie »synäs-

---

40 Immanuel Kant, *Kritik der Urteilskraft*, § 59; vgl. *Anthropologie in pragmatischer Hinsicht*, § 38.

41 Nelson Goodman, »Seven Strictures on Similarity«, in: *Problems and Projects*, In-dianapolis 1972, S. 437-446; *Sprachen der Kunst*, Frankfurt 1997, Kapitel II.

42 Vgl. dazu neben den Passagen aus Richards' Buch *The Philosophy of Rhetoric* bei Haverkamp (Anm. 39), S. 31-52, auch die dort wiederabgedruckten Aufsätze von Black 1954 (Haverkamp, S. 55-79) und Ricœur 1972 (Haverkamp, S. 356-375).

43 Vgl. Max Black, »Mehr über die Metapher«, in: Haverkamp (Anm. 39), S. 379-413; John R. Searle, *Ausdruck und Bedeutung*, Frankfurt 1982, Kapitel 4.

44 Cicero, *De Oratore*, III, 156.

45 Georg Trakl, »Winternacht«, in: *Die Dichtungen*, Salzburg 1938, S. 149.

46 Vgl. Berys Gaut, »Metaphor and the Understanding of Art«, in: *Proceedings of the Aristotelian Society* 97 (1997), S. 230.

thetische Simultaneität« herzustellen und die zeitliche Sukzession der Rede zu sprengen. Noch einmal Trakl:[47] »Der Abend tönt in feuchter Bläue fort. Vom Hügel, wo sterbend die Sonne rollt, stürzt das lachende Blut.« Natürlich kämen wir, wie ohne Lyrik, prinzipiell auch ohne diese Funktion von Metaphern aus. Aber das Leben wäre dann ärmer und die sprachliche Kommunikation ungleich schwieriger. Insofern scheint die Entwicklung von Metaphern keine kulturhistorische Kontingenz zu sein.

Die Funktion der *rhetorischen Intensivierung* dient (wie schon Aristoteles feststellt[48]) der Interessierung des Hörers und der Vermeidung von Langeweile, vor allem aber der suggestiven Persuasion. Daher sind Metaphern ein Hauptinstrument der politischen *Propaganda*. Das Zitieren des »Bootes, in dem wir alle sitzen«, oder des »Bootes, das voll ist« und von der »Asylantenflut« überspült zu werden droht, ist weit wirksamer als das Zitieren statistischer Fakten. Entsprechendes gilt für die perfide Rattenszene des Nazi-Hetzfilms *Der ewige Jude*. Propagandistische Metaphorik sollte generell, unabhängig vom Wert oder Unwert ihres Zwecks, als Mittel zur intellektuellen Verdummung und Vergewaltigung vermieden werden. Faktisch allerdings dürfte sie ebenso unausrottbar sein wie viele andere Formen des sozialen Betrugs und Selbstbetrugs, insofern also unvermeidlich und anthropologisch (leider) signifikant.

Auch die *schöne Literatur* kann sich, muß sich aber nicht in den Dienst von Propaganda stellen. Ihre Metaphorik ist ästhetisch suggestiv, nicht primär persuasiv. Berühmte Metaphern der Weltliteratur wie das »bellende Herz« des Odysseus, Hamlets »Gedankens Blässe« oder das Goethesche »Labyrinth der Brust«[49] sind nur besonders markante Beispiele für Formen der verlebendigenden, intensivierenden Sprachgestaltung, die ästhetisch unersetzlich sind und anthropologisch zweifellos signifikant. Fast noch deutlicher wird das bei der ästhetischen Distanzierung zur Wirklichkeit, Schillers »ästhetischem Schein«.[50] Literarische Metaphern sind notorisch

---

47 Georg Trakl, »Im Dorf: 2« und »Die Schwermut«, in: *Die Dichtungen* (Anm. 45), S. 80, 181.

48 Vgl. Aristoteles, *Rhetorik*, 1404b1 ff., 1410b6 ff., und *Poetik*, 1458a17 ff.

49 Homer, *Odyssee*, XX, 13 ff.; Shakespeare, *Hamlet*, III, 1; Goethe, »An den Mond«.

50 Friedrich Schiller, *Über die ästhetische Erziehung des Menschen in einer Reihe von Briefen*, 26. Brief.

uneindeutig und geben Rezipienten wie Autoren die Freiheit, mehrere Varianten durchzuspielen. So schaffen sie Raum für die Phantasie, von der sprachliche Kunstwerke leben.

Manche haben dies auf die Spitze zu treiben versucht. Der Surrealismus propagierte die *kombinatorische Willkür*, die Jacques Lacan noch mit der These überboten hat, daß »*jede* Konjunktion zweier Signifikanten eine Metapher konstituieren könnte«.[51] Andere haben Metaphorik durch *Inkongruenz* definieren wollen oder sogar, wie Harald Weinrich, als »widersprüchliche Prädikation«.[52] Ganz falsch ist auch das nicht, aber doch ziemlich ungenau. Wirkliche Widersprüche nämlich sind selten – seien es kontradiktorische (wie »sinnvoller Unsinn«) oder konträre (wie »weiße Schwärze«). Und wenn sie auftreten, signalisieren sie auch nur, daß die Sache verschiedene Aspekte hat. Nicht widersprüchliche also, sondern allenfalls falsche Prädikationen könnten definitorisch sein. Aber auch das trifft nicht zu. »Wir sitzen alle in einem Boot« kann zugleich im wörtlichen wie metaphorischen Sinne wahr sein, bezogen etwa auf die Crew eines Minensuchboots im Einsatz. Umgekehrt muß Paul Celans »schwarze Milch« nicht unter allen Umständen als konträr widersprüchlich oder auch nur als faktisch falsch empfunden werden, wie das Schulbeispiel der »schwarzen Schwäne« zeigt. Inkongruenzen fungieren oft als Signal, daß eine Äußerung metaphorisch zu nehmen ist, aber sie tun es keineswegs immer und haben auch darauf kein Monopol. Und vor allem darf man die semantische Offenheit und Vieldeutigkeit von Metaphern nicht mit ihrer vermeintlichen Dunkelheit oder Paradoxie verwechseln.

Auch ihre dritte Grundfunktion, die *semantische Erweiterung*, ist aus der Sprache nicht wegzudenken. Ontogenetisch zeigt sich das etwa im Phänomen der »Übergeneralisation« beim Spracherlernen, phylogenetisch in der Tatsache, daß zahllose Wörter metaphori-

---

51 Jacques Lacan, »Das Drängen des Buchstabens im Unbewußten oder die Vernunft seit Freud« (1957), wiederabgedruckt in: Haverkamp (Anm. 39), S. 190, Hervorhebung von mir. Als Originaldokument des Surrealismus vgl. die Auszüge aus André Bretons *Surrealistischem Manifest* (1924) bei Müller-Richter, Larcati (Anm. 14), S. 119 ff., bes. 122.

52 Harald Weinrich, »Semantik der kühnen Metapher« (1963), in: Haverkamp (Anm. 39), S. 330, vgl. 325, 327, 328. Eine »Inkongruenztheorie« der Metapher ist vor allem von Monroe C. Beardsley vertreten worden, vgl. seinen Aufsatz in: Haverkamp, S. 120-141, sowie »Metaphor«, in: Paul Edwards (Hg.), *The Encyclopedia of Philosophy*, 8 Bde. New York 1967, Bd. V, S. 284-289.

schen *Ursprungs* sind. Diesen Ursprung kann man sich teilweise direkt vergegenwärtigen, teilweise etymologisch aufdecken. Beispiele sind allenthalben zu finden und als solche auch keineswegs überraschend. Denn wo immer ein neues Bedeutungsfeld erschlossen oder ein neuer Aspekt beachtet wird, liegt die Anknüpfung an schon vorhandene Bedeutungen nahe. Zunächst wird das Neue metaphorisch gefaßt. Später kann es sich terminologisch verselbständigen oder sich neben der Grundbedeutung behaupten, wenn diese sich nicht sogar gänzlich verliert. Vieles daran ist unerforscht und eine spannende Aufgabe für die historische Philologie und die Soziolinguistik. Prinzipiell dunkel oder geheimnisvoll aber ist daran nichts. Deshalb ist es auch kein besonders kühner Akt, diese genetische, meist nur interimistische Form der Bildlichkeit unserer Sprache als unvermeidbar und, wenn man so will, anthropologisch signifikant anzuerkennen.

7. Ubiquität von Metaphern

Häufig bleibt es allerdings nicht dabei. Manche Beobachter sind von der Tatsache des ubiquitären metaphorischen Untergrunds so fasziniert, daß sie den Boden unter den Füßen verlieren. Wenn nahezu *alles* metaphorisch fundiert ist und die Entwicklung weitergeht, reicht die Bedeutung auch scheinbar nichtmetaphorischer Ausdrücke dann nicht – bewußt oder unbewußt – doch bis zur Ursprungsphase zurück? Ja, ist es dann *überhaupt* möglich, wörtliche und metaphorische Verwendungen auseinanderzuhalten? Und wenn nicht, wird damit nicht auch der korrespondierende Unterschied der Weltbezüge hinfällig oder sogar die Differenz zwischen Realität und Fiktion? Kann man jetzt noch von Wahrheit und wahrheitsfähigen Sätzen reden? Oder verweist uns die inhärente Metaphorizität unhintergehbar an Formen des sprachlichen Denkens, die nicht mehr diskursiv, satzförmig oder begrifflich sind?

Nun, hier geht einiges durcheinander. Schon der *Begriff* der Metaphorik setzt den der wörtlichen Rede voraus. Wäre die Differenz tatsächlich hinfällig, gäbe es auch die Metapher nicht mehr, denn diese lebt von der Doppelbedeutung. Gewiß, *welches* die wörtlichen oder metaphorischen Teile sind und *wie* beide aufgefaßt werden, ist historisch, kulturell und individuell wandelbar. Die Grundstruktur bleibt aber immer gleich und die Wandelbarkeit begrenzt. Daß die Bedeutungen – bewußt oder unbewußt – ständig unter den Wörtern »gleiten«, wie Lacan behauptete,[53] ist eine spekulative psychoanalytische Übertreibung, die man kaum ernst nehmen kann. Implausibel ist aber auch der Versuch von Searle, Metaphern ganz auf die situative »Äußerungsbedeutung« einzuschränken, losgelöst von der systemischen »Wort-« oder »Satzbedeutung«,[54] sowie Ricœurs Versuch, metaphorische Bedeutungen konstruktiv aus einem semantischen Momentanereignis zwischen Hörer/Leser und Autor hervorgehen zu lassen.[55] Letzteres mag auf poetische Texte partiell zutreffen, ist aber ganz gewiß nicht der Normalfall. Außer unter besonderen Umständen sind die Dinge keineswegs so unklar oder so sehr im Fluß, daß man nicht mehr entscheiden könnte, ob oder mit welcher Form metaphorischer Rede man es zu tun hat.

Entsprechend zweifelhaft ist ihre behauptete Ubiquität. Paul de Man hat gemeint, schon jede *Übersetzung* sei ein metaphorischer Akt.[56] Und Nietzsche, Fritz Mauthner und Ernst Cassirer glaubten sogar, die bloße Verwendung von *Lauten* zur Bezeichnung nichtlautlicher Gegebenheiten sei metaphorisch.[57] Wäre dem so, fiele der Ubiquitätsnachweis leicht. Doch die schlichte Verwendung von arbiträren Zeichen hat nichts mit semantischer Metaphorik zu tun – außer etwa für Anhänger jener krausen »onomatopoietischen Ursemantik«, für die Platons *Kratylos* ein warnendes Beispiel liefert.

Nicht ganz so kraus, aber theoretisch kaum überzeugender ist die Idee einer »etymologischen Tiefensemantik«. Gewiß, die Etymologie eines Ausdrucks *kann* semantisch erhellend sein. Aber sie ist es nur dann, wenn sie *lebendig* geblieben ist.[58] An diesem Nachweis

---

53 Vgl. Lacan (Anm. 51), S. 186, 188, 195 ff.

54 Vgl. Searle (Anm. 43), S. 99 f., 106 u. ö.

55 Paul Ricœur, »Die Metapher und das Hauptproblem der Hermeneutik« (1972), in: Haverkamp (Anm. 39), S. 366 f.

56 Paul de Man, »Epistemologie der Metapher« (1978), in: Haverkamp (Anm. 39), S. 419.

57 Friedrich Nietzsche, »Über Wahrheit und Lüge im außermoralischen Sinn« (1873), in: *Werke*, 3 Bde, München 1966, Bd. III, S. 309-322; Fritz Mauthner, *Beiträge zu einer Kritik der Sprache*, Leipzig 1923, Bd. II, S. 451-454, 517-521, 525; Ernst Cassirer, *Sprache und Mythos* (1925), in: *Wesen und Wirkung des Symbolbegriffs*, Darmstadt 1956, S. 147, 149.

58 So auch (zum Beispiel) in der Kritik an Cassirer Goodman 1997 (Anm. 41), S. 80 f.

fehlt es zumeist. Wir denken schwerlich an irgendwelche Metaphern, wenn wir erzählt bekommen, Barenboim habe das neue Stück von Arvo Pärt eindrucksvoll auf dem Flügel vom Blatt gespielt. Dennoch hat Mauthner »Flügel« und »Blatt« als Beispiele für Wörter angeführt, deren metaphorischer Ursprung fortwirkt. Und das Wort »eindrucksvoll«, das bei ihm nicht auftaucht, wäre nach seiner Logik ebenfalls ein Beleg, obwohl die »untergründige Metaphorik« hier nur mit Mühe sichtbar gemacht werden kann, etwa durch die scheinparadoxe Aussage »Er spielte eindrucksvoll ausdrucksvoll«.

Mauthner hat negative Schlüsse gezogen. Als kulturelles »Gedächtnis der Menschheit« zwinge die Sprache, bedingt durch ihre Metaphorizität, allen eine Unfreiheit des Denkens auf, die es, in radikaler Weiterführung der von Kant begonnenen »Riesenarbeit« der »Selbstzersetzung der Sprache oder des Denkens«, sprachkritisch zu überwinden gelte:[59]

»Was der Mensch mit übermenschlicher Kraft auch wagen mag, um Wahrheit zu entdecken, er findet immer nur sich selbst, eine menschliche Wahrheit, ein anthropomorphisches Bild der Welt. Das letzte Wort des Denkens kann nur die negative Tat sein, die Selbstzersetzung des Anthropomorphismus.«

Ein hoffnungsloses Unterfangen natürlich, aber zum Glück auch ein unnötiges für den, der aufhört, obsolet gewordene Bedeutungen in die Sprache hineinzulesen oder sie untergründig herauszuhören.

8. Metaphorische Unbegrifflichkeit

Hans Blumenberg jedoch hat – genau umgekehrt – versucht, aus Mauthners Not eine Tugend zu machen. Gerade die Ubiquität und Nichtelimierbarkeit von Metaphern sind für ihn der Schlüssel zur Sprache. Sein Ruf nach einer allgemeinen »Metaphorologie«, einge-

---

59 Mauthner (Anm. 57), S. 476, 479. Eine kritische Auseinandersetzung mit Mauthners Programm, die auch auf direkte Parallelen zum Antirationalismus und zur Idee des »wortlosen Begreifens« bei Nietzsche beziehungsweise Hofmannsthal (vgl. unten S. 294) aufmerksam macht, findet man bei Hubert Schleichert, »Kritische Betrachtungen über Mauthners Sprachkritik (und nicht nur seiner)«, in: Erich Leinfellner und Hubert Schleichert (Hg.), *Fritz Mauthner*, Wien 1995, S. 43-56.

fügt »in den weiteren Horizont einer Theorie der Unbegrifflich-keit«,[60] enthält eine historische und eine systematische Botschaft. *Historisch* hat Blumenberg sich mit bewundernswürdigem Lesefleiß bemüht, die metaphorische Vorgeschichte philosophischer und wis-senschaftlicher Grundbegriffe zu eruieren und deren untergründige theoretische Relevanz aufzuzeigen. Dieser Anspruch bleibt jedoch weitgehend uneingelöst, da die Lebendigkeit der Urbedeutungen eben nicht nachgewiesen, sondern nur angedeutet oder insinuiert wird. So wird Blumenberg (frei nach Thomas Mann) zum »raunen-den Beschwörer des metaphorischen Untergrunds«, der die Phanta-sie seiner Leser semantisch beschwingt oder, weniger freundlich ge-sagt, sie anregt, metaphorische Kaffeesatzleserei zu betreiben.

Wichtiger allerdings als die eher magere historische ist seine *syste-matische* Botschaft. Sie lautet, daß Metaphern vor allem unhinter-gehbar sind als eine Form des Sprachgebrauchs, der dem begriffli-chen und diskursiven vorausliegt. So könnten sie den »Raum der unmöglichen, der fehlgeschlagenen oder der noch nicht konsoli-dierten Begriffsbildung« füllen und stellten daher, auch systema-tisch gesehen, so etwas wie »Leitfossilien einer archaischen Schicht des Prozesses der theoretischen Neugierde dar«.[61] Hier trifft Blu-menberg sich mit anderen Autoren. Schon der von Mauthner kri-tisch bewunderte »geniale Wirrkopf« Vico hatte Metaphern »kleine Mythen« genannt, die abstrakten Begriffen notwendig voraus-gehen.[62] Cassirer hat diesen Gedanken weitergeführt und die me-taphorische Darstellung des Allgemeinen im Besonderen als das »eigentliche Grundprinzip der sprachlichen sowohl wie der mythi-schen ›Metapher‹« bezeichnet, »die Grundform der sprachlichen Begriffsbildung«.[63] Als bloße *Vorstufe* ist diese Metaphorik allerdings nicht gerade epistemologisch sensationell, zumal sie sich der Sa-

60 So speziell Hans Blumenberg, »Ausblick auf eine Theorie der Unbegrifflichkeit« (1979), in: Haverkamp (Anm. 39), S. 443. Das allgemeine Konzept der »Metapho-rologie« wird exemplarisch entwickelt in Hans Blumenberg, *Paradigmen zu einer Metaphorologie* (1960), Frankfurt am Main 1998, und ergänzt durch »Beobachtun-gen an Metaphern«, in: *Archiv für Begriffsgeschichte* 15 (1971), S. 161-214.

61 Blumenberg 1971 (Anm. 60), S. 171; 1979, a. a. O., S. 438.

62 Vgl. Mauthner (Anm. 57), S. 480, sowie Giambattista Vico, *Prinzipien einer neu-en Wissenschaft über die gemeinsame Natur der Völker* (3. Auflage 1744), Nachdruck Hamburg 1990, Bd. II, S. 188-196.

63 Cassirer 1925 (Anm. 57), S. 151, 154; vgl. auch *Philosophie der symbolischen Formen*, 3 Bde., Darmstadt 1964, II, S. 28-30.

che nach kaum von der »semantischen Übergeneralisation« beim Spracherlernen unterscheidet.[64] Doch der systematische Anspruch geht weiter.

Harte Vertreter der »metaphorischen Unbegrifflichkeit« sehen in ihr keine unvollkommene Vorform, sondern ganz im Gegenteil eine *höhere Form* des Denkens, die den Zugang zu einer Wirklichkeit eröffnet, welche uns als solche immer entzogen ist. Nur in metaphorischer Form könne (nach einem Bibelwort) das »Unsagbare sagbar« werden.[65] Die Nähe zur Theologie mit ihrer Idee der indirekten Gotteserkenntnis ist unverkennbar, auch die zur Mystik. Das prinzipielle Mißtrauen in die Sinnhaftigkeit und Wahrheitsfähigkeit des begrifflichen, diskursiven Sprechens muß eben entweder in tiefe Resignation und ins Verstummen führen oder, positiv gewendet, in die Idee eines ekstatischen »Einsseins mit den Dingen«, das jenseits derartigen Sprechens liegt. Hofmannsthal hat dies als das Gefühl beschrieben, »als könnten wir in ein neues, ahnungsvolles Verhältnis zum ganzen Dasein treten«, als gebe es ein »Denken mit dem Herzen«, das »unmittelbarer, flüssiger, glühender ist als Worte«, oder eine uns unbekannte Sprache, »in welcher die stummen Dinge zu uns sprechen«.[66] Und kurz zuvor hatte Nietzsches Zarathustra von der Erfahrung geschwärmt, »als ob die Dinge selber herankämen und sich zum Gleichnis anböten« und du gleichsam »auf jedem Gleichnis zu jeder Wahrheit reitest«.[67] Zwei Dokumente, so recht aus dem Geiste des Fin de siècle, die aber – wir wissen es – auch am Beginn des 21. Jahrhunderts immer noch ihre Anhänger haben[68] und deren Ekstatik natürlich auf Traditionen verweist, die wesentlich älter sind.

64 Das kommt sehr deutlich auch in der (ähnlich ausgerichteten) Interpretation zum Ausdruck, die Paul de Man (Anm. 56), S. 426 f., von Condillacs und Rousseaus Theorien gegeben hat.

65 Vgl. *Prediger* 1,8 sowie für die entsprechende Metapherntheorie Blumenberg 1979 (Anm. 60), S. 444 ff., und ihm folgend Boehm 1992 (Anm. 26), S. 285, 287 f.

66 Vgl. Hugo von Hofmannsthal, »Ein Brief« (1902), Nachdruck in: *Ausgewählte Werke*, 2 Bde., Frankfurt am Main 1957, Bd. II, S. 346, 348.

67 Vgl. Friedrich Nietzsche, *Also sprach Zarathustra*, Teil III: »Die Heimkehr«, und *Ecce homo*: »Also sprach Zarathustra« 3, in: *Werke* (Anm. 57), Bd. II, S. 432 f., 1132.

68 Ein schönes Beispiel liefert die folgende Aussage von Klaus Müller-Richter (in: Müller-Richter, Larcati 1998 [Anm. 14], S. 80) über Musils Vergleiche: » […] diese Überblendung entwickelt ein evokatives Potential, das die Vielschichtigkeit

9. Metaphorologische Wahrheitskritik

Metaphern, so insinuieren zumindest Nietzsche und Blumenberg, eröffnen den Zugang zu einer Welt, die jenseits von Begrifflichkeit, Wahrheit und Falschheit liegt. Und sie tun dies auch nicht (wie bei Hofmannsthal) im Überschreiten unserer tradierten Sprache, sondern *in ihr* und immer schon. Das ist der Kerngedanke von Nietzsches Aufsatz »Über Wahrheit und Lüge im außermoralischen Sinn«. Von den Unbegrifflichkeitsmetaphorologen wird er wie ein kanonischer Text verehrt – nicht grundlos, denn er überragt alle späteren an Klarheit und Prägnanz. Gerade deshalb aber macht er auch besonders deutlich, in welchem Maße die Anhänger jener Idee den Boden unter den Füßen verlieren.

Nietzsche geht es, wie die Einleitung klarmacht, primär um die Destruktion des Intellekts und des Intellektualismus. Er möchte zeigen, daß alle »Wahrheiten« nur ein[69]

»bewegliches Heer von Metaphern, Metonymien, Anthropomorphismen [sind], kurz eine Summe von menschlichen Relationen, die, poetisch und rhetorisch gesteigert, übertragen, geschmückt wurden und die nach langem Gebrauch einem Volke fest, kanonisch und verbindlich dünken«.

Weil wir den metaphorischen Ursprung und die Sprachrelativität unserer Begriffe »vergessen« haben, geben wir uns der »Illusion« eines vernünftigen »Suchens und Findens der Wahrheit« hin, während wir eigentlich doch nur »nach einer festen Konvention unbewußt lügen«.[70] Nietzsche stützt seine These von der inhärenten Metaphorizität der Sprache auf einen metaphorischen Dreischritt: vom unbekannten Objekt zum Nervenreiz, von diesem zum Bild und vom Bild schließlich zum Sprachlaut. Keiner dieser Schritte ist wirklich metaphorisch. Doch sehen wir davon jetzt einmal ab. Auch so bleiben entscheidende Schwierigkeiten.

Zunächst ist die Rede vom *Lügen* verfehlt. Denn »lügen« bedeutet »mit Wissen die Unwahrheit sagen«, setzt also genau jene Kenntnis der Wahrheit voraus, die es dem Anspruch nach gar nicht gibt. Gemeint sein kann allenfalls, daß wir nie *sicher* sein können, ob etwas, das wir für wahr halten, wahr ist. Manchmal klingt dies bei Nietz-

und Polysemie des Realen aus der Verschränkung von empirisch Beobachtbarem und gleichnishafter Reflexion allererst konstituiert«.
69 Vgl. Nietzsche 1873 (Anm. 57), S. 314.
70 Vgl. Nietzsche 1873 (Anm. 57), S. 314, 316.

sche auch durch.[71] Doch warum soll es so sein? Und warum, wenn
es so wäre, sollte Nichtwissen, sei es auch prinzipiell, ein Argument
gegen die Wahrheit liefern? Hier liegt der Kern des Problems und
der Schlüssel zu seiner Lösung.

Nietzsche setzt, wie auch Blumenberg, *Wahrheit* mit *wahrer Erkenntnis* gleich, betrachtet sie also als Merkmal des erkennenden
Geistes. Das wird durch die sogenannte »Adäquationstheorie« der
Wahrheit nahegelegt, die auf Avicenna zurückgeht[72] und die schon
Thomas zu der Annahme verleitete, Wahrheiten – menschliche wenigstens – unterlägen dem Wandel.[73] Nun, Geisteszustände sind
wandelbar, Wahrheiten jedoch niemals. Denn Wahrheit und
Falschheit beziehen sich primär auf Sätze beziehungsweise Satzge-
halte. Von einer »wahren Meinung« läßt sich nur sprechen, wenn
der in ihr enthaltene Wahrheitsanspruch berechtigt ist, das heißt
sich auf einen Satzgehalt richtet, der tatsächlich wahr ist. In der
klassischen »Korrespondenztheorie«, die oft mit der »Adäquationstheorie« verwechselt wird, kommt das auch klar zum Ausdruck.[74]
Seit Aristoteles also, spätestens aber seit Frege sollten darüber eigentlich keine Irritationen mehr aufkommen.[75] Selbst wenn es unmöglich wäre, Wissen – verstanden als richtig begründete wahre
Meinung – überhaupt zu erlangen, bliebe die Wahrheit oder Falschheit der Sätze und der korrespondierenden Wirklichkeit davon un-
berührt. Dies nicht beachtet zu haben, ist der erste Fehler der meta-
phorologischen Wahrheitskritik.

Der zweite besteht in einer fundamentalen Mißdeutung des *Er-
kenntnisgegenstands.* Woher weiß Nietzsche eigentlich, daß es das
»unerkennbare Objekt« jenseits der »Bilder« (oder wenn man will:
»Nervenreize«) überhaupt gibt? Natürlich weiß er das nicht – genausowenig wie Kant etwas von seinem unbekannten »Ding an sich
X« wußte und wissen konnte, auf das Nietzsche explizit anspielt.[76]

71 Vgl. Nietzsche 1873 (Anm. 57), S. 314, Zeilen 1-4, und 316, Zeile 35 ff. Die Be-
    hauptung von Klaus Müller-Richter (in: Müller-Richter, Larcati 1998 [Anm. 14],
    S. 8 f., 40-42), Nietzsche sei in diesem frühen Aufsatz noch nicht zu seiner späte-
    ren radikalen Wahrheitskritik gelangt, ist also unzutreffend.
72 Vgl. dazu Blumenberg 1960 (Anm. 60), S. 14, Anm. 3.
73 Thomas von Aquin, *Summa Theologica*, I q.16 a.8.
74 Vgl. Aristoteles, *Metaphysik*, 1011b26 f.
75 Gottlob Frege, *Der Gedanke* (1918/19), in: *Logische Untersuchungen*, Göttingen
    1966, S. 30-36.
76 Nietzsche 1873 (Anm. 57), S. 321 f.

Nur dieses X aber ist es, auf das sich die Unerkennbarkeitsthese richten kann. Und daraus ein Argument gegen jede wahre Erkenntnis oder gar gegen die Wahrheit selbst abzuleiten, heißt, Kants »transzendentalen Idealismus« mit dem ihm korrespondierenden Begriff der »empirischen Realität« gründlich mißzuverstehen. Kleist hat ihm das in seiner »Kant-Krise«, die Nietzsche zu Recht als »Verzweiflung an der Wahrheit« interpretiert hat,[77] vorgemacht.

Aber verzweifeln muß man hier nicht. Wahrheitsfähige Sätze und ihnen korrespondierende Sachverhalte gibt es natürlich nur innerhalb eines bestimmten *Begriffssystems* oder einer bestimmten *Sprache*. Mit ihnen zusammen werden sie eingeführt beziehungsweise erlernt. Aber es gibt sie. Und *innerhalb* dieses Rahmens gibt es auch wahre Erkenntnis, partiell jedenfalls. Um dies zu erkennen, bedurfte es auch nicht erst der »erkenntnistheoretischen Wende« oder der Transzendentalphilosophie eines Kant. Auf die Sprache bezogen ist diese Einsicht nämlich definitorisch in die klassische »Korrespondenztheorie« eingebaut. Sobald man verschiedene Sprachen nebeneinanderstellt, ergibt sich aus ihr auch eine Pluralisierung und Relativierung. So gesehen ist es also nicht neu, sondern vielmehr Bestandteil der alten, vermeintlich überholten Aristotelischen Ontologie, wenn wir bei Nietzsche lesen, die Welt sei uns »noch einmal ›unendlich‹ geworden: insofern wir die Möglichkeit nicht abweisen können, daß sie unendliche Interpretationen in sich schließt«.[78]

Neu sind allenfalls der epistemologische Weltschmerz und die Mystifizierung. Gewiß, es bleiben die Probleme der sprachlichen Kommensurabilität und des Spracherlernens. Solange man aber noch von konkurrierenden Sprachsystemen oder verschiedenen »Interpretationen« spricht, setzt man einen *Bezugspunkt* voraus, der die Alternativen vergleichbar macht, und dieser allein kann es natürlich auch rechtfertigen, von bestehender »Relativität« zu reden.[79]

77 Nietzsche, Friedrich, *Unzeitgemäße Betrachtungen*, Drittes Stück: »Schopenhauer als Erzieher«, in: *Werke* (Anm. 57), I, S. 302 f. Kleists »Kant-Krise« ist dokumentiert in den Briefen vom 22. 3. und 23. 3. 1801, in: *Sämtliche Werke und Briefe*, hg. von H. Sembdner, 2 Bde., München 1961, II, S. 634 f., 636.

78 Friedrich Nietzsche, *Die fröhliche Wissenschaft*, § 374, in: *Werke* (Anm. 57), II, S. 250.

79 Näheres dazu in: Gottfried Seebaß, *Das Problem von Sprache und Denken*, Frankfurt am Main 1981, Kapitel VIII, und S. 453-466, sowie mit speziellem Bezug auf

Wären die Differenzen tatsächlich radikal, also weder durch Übersetzungen noch durch Sprachlernprozesse zu überwinden, würden die davon Betroffenen eben in verschiedenen Welten leben, zwischen denen es keine Verbindung gibt. Und wer das wirklich glaubt oder glaubt, überhaupt nichts Verstehbares erlernt zu haben, so daß ihm die Worte, wie Hofmannsthal schrieb, »wie modrige Pilze im Munde zerfallen«,[80] der sollte dann auch nicht lamentieren, sondern mit Wittgenstein oder Lord Chandos schweigen. Zu meinen jedoch, ausgerechnet Metaphern, sprachliche Bilder seien geeignet, diese Lücke zu schließen, ist vollends ein Kinderglaube.

10. Schluß

Sind Bilder unvermeidlich und anthropologisch signifikant? Der Büchnersche Präsident (siehe oben, S. 275) behält recht: Manche von ihnen sind es in mancher Hinsicht, andere nicht. Von denen, die es sind, sind manche für uns ein Gewinn, andere eher ein Schaden. Viele Erscheinungen der Bildlichkeit aber, gerade unter den vermeintlich tiefsten, *sind* vermeidbar und *sollten* vermieden werden. Und daß *sie* vermeidbar sind, das jedenfalls ist ein Segen.

Kants transzendentalen Idealismus »Ist das Problem der Außenwelt transzendental?«, in: Eva Schaper und Wilhelm Vossenkuhl (Hg.), *Bedingungen der Möglichkeit*, Stuttgart 1984, S. 243-250.

80 Hofmannsthal (Anm. 66), S. 342.

Karlheinz Stierle
Die Modernität der französischen Klassik
Negative Anthropologie
und funktionaler Stil[1]

I. Der Begriff des *siècle classique*

Boileaus Lehrgedicht *L'art poétique* (1674) gibt ein Bild der französischen Literatur seiner Zeit, das bis heute für die Vorstellung vom siècle classique bestimmend geblieben ist. Bon sens, clarté, raison, règles, noblesse, plaire sind die poetologischen Schlagworte, die sich mit dem Stereotyp des siècle classique verbinden.

Erstmals wohl findet sich eine Vorstellung von der herausragenden Bedeutung der Epoche unter Ludwig XIV. in jenem berühmtberüchtigt gewordenen *Poème sur le siècle de Louis le Grand* (1687), mit dem Charles Perrault die Genesung des Königs vor der Akademie überschwenglich feierte und damit den Streit auslöste, der als *Querelle des anciens et des modernes* in die Literaturgeschichte eingegangen ist.[2] Doch schon 1668 hatte Perrault in seinem Gedicht *La peinture* das »siècle où nous vivons« implizit mit dem Zeitalter Ludwigs XIV. gleichgesetzt.[3] Durch Voltaire wird die Sicht Perraults auf seine eigene Epoche sanktioniert. Im Rückblick erscheint das siècle de Louis XIV als ein herausragender Gipfelpunkt der französischen Kultur, den großen Epochen Griechenlands, Roms und Italiens vergleichbar. Das »siècle du bon goût« ist in der Geschichte des Werdens und Vergehens der Kulturen ein herausgehobener Augenblick,

---

1 Gekürzte Fassung des gleichnamigen Beitrags in: F. Nies, K. Stierle (Hg.), *Französische Klassik*, Romanistisches Kolloquium Bd. 3, München 1985. Vgl. dort auch die Abschnitte zu La Rochefoucauld, Madame de Lafayette und Racine sowie Verf., *Sprache und menschliche Natur in der klassischen Moralistik Frankreichs*, Vortrag zum Gedächtnis von Gerhard Hess, Konstanz 1985.

2 Vgl. H. R. Jauß, »Ästhetische Normen und geschichtliche Reflexion in der ›Querelle des Anciens et des Modernes‹«, Einleitung zur Neuausgabe von Ch. Perraults *Parallèle des Anciens et des Modernes*, München 1964.

3 »La peinture«, in: Ch. Perrault, *Contes*, hg. von J.-P. Collinet, Paris 1981, S. 219-238. Vgl. bes. S. 232 und 238. Zum Begriff des siècle vgl. W. Krauss, »Der Jahrhundertbegriff im 18. Jahrhundert«, in: ders., *Studien zur deutschen und französischen Aufklärung*, Berlin 1963.

schon aus melancholischer Ferne der eigenen Gegenwart betrachtet. Lineare und zyklische Zeitvorstellung kommen bei Voltaire gleichermaßen zur Geltung. Wenn in der linearen Zeit die eigene Gegenwart als siècle philosophique über die vergangene Epoche als ein Zeitalter der errungenen Vernunft hinausreicht, so ist die vergangene Epoche im Schema der zyklischen Zeit eine Epoche des vollendeten Geschmacks, von der die eigene Gegenwart schon abgefallen ist.[4]

4 In Voltaires *Le siècle de Louis XIV* wird so einerseits die Epoche der französischen Klassik zu einem der weltgeschichtlichen Gipfelpunkte, andererseits aber ist das eigene Jahrhundert des siècle philosophique, was die Verbreitung der lumières betrifft, dennoch dem vorausliegenden überlegen. Voltaire ist zugleich ›ancien‹ und ›moderne‹. Als ›ancien‹ folgt er der Theorie der Gipfelperioden, wie sie von Du Bos in seinen *Réflexions critiques sur la poésie et la peinture* (1719) entwickelt worden war. Diese Position wird besonders deutlich im Artikel »goût« der *Encyclopédie*, wo Voltaire ein dynamisches Kreislaufmodell der Kulturentwicklung skizziert. Der Zwang zur Überbietung treibt über den Augenblick der erreichten Vollkommenheit hinaus. »Le public ne sait plus où il en est, et il regrette en vain le siècle du bon goût qui ne peut plus revenir« (*Encyclopédie ou dictionnaire raisonné des sciences, des arts et des métiers*, Bd. 7, Paris 1757, Reprint Stuttgart 1966, S. 761). Als ›moderne‹ steht er in der Linie Perraults und besonders Fontenelles. Voltaire hat die Autoren des *siècle de Louis XIV* im Auge, wenn er in dem Brief an Duclos vom 1. Mai 1761 von »nos auteurs classiques« spricht. Im Brief an Madame de Fontaine vom 31. Mai 1761 werden dieselben Autoren »nos meilleurs auteurs du siècle de Louis XIV« genannt (*Œuvres* de Voltaire par M. Beuchot. Bd. 59, Paris 1832, S. 428). J. F. Laharpe macht in seinem *Lycée ou cours de littérature ancienne et moderne* (Neuauflage. Bd. 14, Paris 1816, S. 1) eine kritische Anmerkung zur seit Voltaire üblich gewordenen Bezeichnung des eigenen Jahrhunderts als siècle philosophique. Im Bedeutungswechsel von siècle als Regierungszeit zum siècle als Jahrhundert und in der Ablösung der Referenz auf einen herausragenden Herrscher durch das anonyme qualifizierende Prädikat »philosophique«, mit dem implizit eine Überlegenheit der eigenen über die vergangenen Epochen angedeutet ist, sieht Laharpe die vorschnelle Vorwegnahme einer Kritik, die erst den folgenden Jahrhunderten zukäme. »… nous ne voyons pas que les écrivains qui l'ont illustrée aient pris sur eux de devancer l'âge suivant, en qualifiant le leur de *siècle du génie*: c'est du nôtre qu'il a reçu ces titres glorieux de *grand siècle*, de *beau siècle* que personne ne lui a contestés … Il nous a été réservé de donner au nôtre, surtout en France, et de notre seule autorité une espèce de signalement qui devait nous séparer et des temps passés et des temps à venir.« Doch hatte so schon Perrault dem Urteil der folgenden Epoche vorgegriffen.

Zum Ursprung der Anschauungsformen von linearer und zyklischer Zeit vgl. J. Schlobach, *Zyklentheorie und Epochenmetaphorik – Studien zur bildlichen Sprache der Geschichtsreflexion in Frankreich von der Renaissance bis zur Frühaufklärung*, München 1980.

Schon früh findet sich in Frankreich ein Beleg dafür, daß der Ausdruck ›classique‹ auch für Autoren der eigenen Nationalliteratur verwendet wurde.[5] Doch wird dieser Sprachgebrauch erst für die Autoren des siècle de Louis XIV allgemein üblich. Die Epochenbezeichnung ›siècle classique‹, die den Epochennamen des siècle de Louis XIV ablöst, entsteht erst im frühen 19. Jahrhundert, und zwar in engem Zusammenhang mit der Auseinandersetzung um ›classique‹ und ›romantique‹.[6] Erst indem das von den Brüdern Schlegel verbreitete Begriffspaar in Frankreich Eingang fand und dort in einer völlig anderen literarischen Konfiguration zur Geltung kam, wurde der Begriff, der bei den Schlegels für einen ganzen Geschichtsraum, den der antiken Welt, einstand, zur Bezeichnung einer nachmittelalterlichen, modernen Epoche der eigenen nationalen Literaturgeschichte. Im Streit um die Verbindlichkeit der klassischen Kunstregeln konnte Boileaus *Art poétique* nun zu einer Art letzter Instanz werden. So wird in der einflußreichen *Histoire de la littérature française* (1844) von Daniel Nisard Boileaus »doctrine«[7] grundlegend für das Verständnis der »époque glorieuse« (S. 347). Die neue, polemisch aufgeladene Epochenkonzeption wird konkre-

---

5 Schon Th. Sebillet spricht in seiner *Art poétique françoys* (1548) von der »lecture des bons et classiques pöetes françois« und meint damit sowohl die vorbildlichen Dichter der Vergangenheit als auch der eigenen Gegenwart.

6 In diesem Sinne ist in Stendhals *Racine et Shakespeare* der classicisme jene Kunstdoktrin, die die Kunst des siècle de Louis XIV zur unumstößlichen Norm machen möchte. Der ursprüngliche Sinn von classique zur Bezeichnung der Autoren, die in der Schule gelesen und kommentiert werden, ist hier schon ganz verloren. Dagegen hatte die *Encyclopédie* von Diderot und d'Alembert noch den Zusammenhang von Schulautor und klassischem Autor im Blick, wobei gleichzeitig den französischen Autoren des siècle de Louis XIV der Rang des Klassischen zugebilligt wurde. Vgl. Art. »classique«: »Ce mot ne se dit que des auteurs que l'on explique dans les collèges; les mots et les façons de parler de ces auteurs servent de modèle aux jeunes gens … On peut dans ce dernier sens donner le mot d'auteurs *classiques Françoise* aux bons auteurs du siècle de Louis XIV et de celui-ci; mais on doit plus particulierement appliquer le nom de *classiques* aux auteurs qui a écrit tout à la fois élégamment et correctement, tels que Despréaux, Racine etc.« (*Encyclopédie ou dictionnaire raisonné des sciences, des arts et des métiers*, Bd. 3, Paris 1753, reprint Stuttgart 1966, S. 507). In N. Landais' *Dictionnaire général et grammatical des dictionnaires français*, Paris 1834, wird erstmals die Bezeichnung classicisme ausdrücklich historisiert und auf die Epoche Ludwigs XIV. bezogen. So heißt es unter dem Stichwort classicisme: »qui appartient à la littérature classique du XVIIᵉ s.«

7 *Histoire de la littérature française* von D. Nisard (1844 ff.), Bd. 2, 5. Auflage Paris 1874, S. 297.

tisiert mit Hilfe von Boileaus als antiromantisches Manifest gelesenem Lehrgedicht.

Das so gewonnene Bild des siècle classique legte eine Sinnmaske über eine ganze Epoche. Es verhalf ihr in Schule und Universität zu Prestige, aber es legte auch zwischen die Werke selbst und ihre Deutung eine verklärende und einebnende Distanz. So mußte schließlich der Epochenbegriff mehr und mehr in Frage gestellt werden. Zum einen ließ die literarhistorische Forschung den Graben zwischen literarhistorischem Befund und aus dem 19. Jahrhundert überkommener Klassik-Konzeption immer tiefer werden. Andererseits wurden die Werke der Klassik in Formen der ›verjüngenden Rezeption‹ aus ihrer abstrakten Ferne befreit und unbekümmert um klassische Normen neu zur Geltung gebracht. Und schließlich erfuhr die zum tautologischen Stereotyp verfestigte Vorstellung des siècle classique einen immer größeren Geltungsschwund.

Angesichts dieser Situation, die eine Krise im Verständnis des Klassischen anzeigt, könnte es naheliegen, für die französische Literatur des 17. Jahrhunderts auf den Begriff des Klassischen gänzlich zu verzichten. Dennoch scheint es fruchtbar, sich der im Begriff und im Anspruch des Klassischen liegenden Herausforderung zu stellen und die Vorstellung des Klassischen selbst so zu revidieren, daß sie jene Momente trifft, die die fortwirkende und noch anwachsende Bedeutung der großen französischen Literatur des 17. Jahrhunderts bedingen.

Hans-Georg Gadamer hat in seinem Buch *Wahrheit und Methode* die Frage aufgeworfen, »wie es möglich sein soll, daß ein normativer Begriff wie der des Klassischen ein wissenschaftliches Recht behalten oder wiedergewinnen soll«.[8] Gadamer hält am normativen Gehalt des Klassik-Begriffs fest und sucht ihn doch mit der Erfahrung der Geschichtlichkeit des Verstehens zu vermitteln. So ist das Klassische Ausgangspunkt seiner Reflexion über die Horizonterfahrung der Rezeption und dessen, was er selbst »Horizontverschmelzung« nennt. Gadamers subtile Überlegungen führen das Problem des Klassischen in eine neue Dimension. Ohne in die schwierigen Probleme des Gadamerschen Begriffs der Horizontverschmelzung einzudringen, halten wir zunächst schlicht fest, daß die Erfahrung des Klassischen als eine Horizonterfahrung gedacht ist. In diesem Sinne

8 H.-G. Gadamer, *Wahrheit und Methode* (1960), Tübingen, 2. Auflage 1965, S. 270.

aber läßt sich auch von der Horizonterfahrung einer ganzen Epoche sprechen, die als klassische bezeichnet wird. Die französische Klassik setzt in ihren signifikantesten Werken einen Horizont unserer neuzeitlichen Erfahrung von Literatur. Eben deshalb kann die Klassik auch der Moderne nicht als Begriff entgegengesetzt werden. Als Horizont der Moderne kommt der französischen Klassik eine Geltung zu, die sie prinzipiell von allen anderen europäischen ›Klassiken‹ der Neuzeit unterscheidet.

Schon Sainte-Beuve entwickelte in seinen tiefgreifenden Studien zur französischen Klassik einen besonderen Sinn für jene moderne Klassizität, die in Regeln einer klassischen Doktrin nicht zu fassen ist, sondern der subtilen Durchdringung einer beunruhigten, dynamischen, sich ins Ungreifbare entziehenden Subjektivität gilt.[9] Erstmals aber hatte Friedrich Nietzsche einen Blick für das, was man den Horizontcharakter der französischen Klassik nennen könnte. Nietzsche selbst verstand sich zu den ›Meistern‹ der französischen Klassik in einer tief angelegten Affinität. Aus seinen Bemerkungen zur französischen Klassik und ihren großen Autoren tritt eine Klassik hervor, die von keinem Klassik-Stereotyp verdeckt wird und die seither immer mehr an Kontur gewonnen hat.

Mehr oder weniger ausdrücklich stehen die Versuche des 20. Jahrhunderts, das siècle classique neu zu interpretieren, in der Linie von Nietzsches Einsicht in die Radikalität, mit der die großen Autoren der französischen Klassik sich bemühen, frei von allen Vormeinungen die menschliche Natur zur Darstellung zu bringen. P. Bénichous *Morales du grand siècle*[10] steht dieser Einsicht ebenso nahe wie L. Goldmanns *Le Dieu caché*[11] und Krailsheimers *Studies in Self-Interest*[12] und nicht zuletzt die differenzierteste Untersuchung des Klassischen, H. Peyres *Qu'est-ce que le classicisme?*,[13] in der gegen

9 Vgl. bes. Sainte-Beuves Hauptwerk *Port-Royal* (1840), aber auch seine biographisch-literarischen Essays über Autorinnen und Autoren der französischen Klassik in den *Portraits de Femmes* und den *Lundis,* moralistische Recherchen über den Zusammenhang von Lebensform und Sprachstil, die gewöhnlich allzu gedankenlos unter die Formel »L'homme et l'œuvre« eingeordnet werden.

10 P. Bénichou, *Morales du grand siècle,* Paris 1948.

11 L. Goldmann, *Le dieu caché – Étude sur la vision tragique dans les Pensées de Pascal et dans le théâtre de Racine,* Paris 1962.

12 A. J. Krailsheimer, *Studies in Self-Interest from Descartes to La Bruyère,* Oxford 1962.

13 H. Peyre, *Qu'est-ce que le classicisme?,* 2. Auflage Paris 1942.

jede vordergründige Klassik-Konzeption neue Wege zum Klassischen selbst erschlossen werden. In der Linie solcher Versuche, zum siècle classique einen neuen Zugang zu finden, will die vorliegende Darstellung zwei Aspekte herausheben, die in einem inneren Zusammenhang stehen, der gleichfalls von Nietzsche zuerst wahrgenommen worden ist. Ich nenne die beiden Momente, die mir das grundlegend Neue im epochalen Zusammenhang der französischen Klassik zu sein scheinen, negative Anthropologie und funktionalen Stil. Beide Konzepte bedürfen einer Vorbemerkung.

In der französischen Klassik wird die Frage »Was ist der Mensch?« neu gestellt. Die menschliche Natur, die im Spiegel ihrer signifikantesten Werke erscheint, verweist jede geschichtliche und gesellschaftliche Besonderheit in den Hintergrund. Die condition humaine selbst steht in Frage. Auf die Frage, was der Mensch sei, geben die großen Werke dieser Epoche keine Antwort. Ihre Antworten sind scheinhaft, es sind immer neue Metaphern der Frage selbst. Die Unlösbarkeit der Frage nach der menschlichen Natur ist ihr eigentliches Thema. Jede Antwort ist vordergründig, ist nur ein Innehalten vor einer tieferliegenden Frage. Es bietet sich an, diese Reflexionsbewegung, in der das Denken wie die Imagination der französischen Klassik stehen, in Analogie zum Begriff der negativen Theologie als negative Anthropologie zu bezeichnen.[14] Die Wendung zur negativen Anthropologie ist verbunden mit einem neuen, gesteigerten Sprach- und Darstellungsbewußtsein, das dieser entspricht. Die negative Anthropologie der französischen Klassik ist keine Lehre, sondern eine Bewegung, die sich eine Sprache sucht, in der sie sich darstellen kann. So schafft sie sich eine solche, die keiner der vorgängigen philosophischen, poetischen oder literarischen zugehört. Traditionell sind sowohl die Sprache der Philosophie wie die Sprache der Dichtung ›markierte‹ Sprachen, die ihren Diskurs schon immer selbst bezeichnen. Die neue Sprache der klassischen Autoren ist dagegen wesentlich bestimmt durch die Situationsbezogenheit eines funktionalen Stils, der ganz aus der je besonderen Sache, der je besonderen Sprachintention in ihrer genauen Differen-

14 Der Begriff der negativen Anthropologie findet sich bereits als Titel eines 1969 erschienenen Buches von U. Sonnemann, meint dort aber etwas wesentlich anderes. Bei Sonnemann, der sich mit seinem Titel auf Th. W. Adornos *Negative Dialektik* (Frankfurt 1966) bezieht, geht die negative Anthropologie aus einer dialektischen Geschichtsphilosophie hervor.

zierung hervorgeht. Die französische Klassik hat damit dem Ideal des markierten, rhetorischen Sprechens, das im europäischen Barock einen Kulminationspunkt fand, eine folgenreiche neue Sprachkonzeption entgegengesetzt, die ein neues Ideal des nicht mehr codierten Sprechens in die europäische Literatur einführen sollte.

II. Negative Anthropologie und funktionaler Stil bei Pascal

Pascals *Pensées,* die Fragmente seines nicht zum Abschluß gekommenen großen Werks zur Verteidigung des christlichen Glaubens, sind das erste Zeugnis einer ›klassischen‹ Neubesinnung auf die Natur des Menschen, die im Zeichen einer negativen Anthropologie steht und die sich damit insbesondere von jener positiven Anthropologie absetzt, wie sie in Descartes' Traktat »Les passions de l'âme« entworfen worden ist. Pascals Verteidigung des christlichen Glaubens ist in ihren wesentlichen Momenten ein anthropologischer, nicht ein theologischer Diskurs. So vermeidet er ebenso wie der engere Kreis seiner Verwandten und Freunde für die Bezeichnung dieses Werks konsequent den theologisch festgelegten Terminus der ›Apologie‹. Erst die spätere Tradition spricht von Pascals ›Apologie‹ des christlichen Glaubens. Pascals unerhörter Versuch besteht darin, die Erfahrung des Glaubens als eine aus der menschlichen Natur selbst hervorgehende Notwendigkeit in einer Folge von Schritten darzustellen. Er knüpft dabei an Montaigne an und geht über diesen doch in einem entscheidenden Schritt hinaus. Schon Montaignes *Essais* folgen der Bewegung eines Nachdenkens, das, an der Konkretheit eigener Lebensumstände und subtiler Selbstbefragung ansetzend, unablässig nach der Natur der condition humaine fragt, ohne doch je zu einer Antwort zu kommen, die sich als seine Lehre vom Menschen vergegenständlichen ließe. Für Montaigne ist dabei die Sache selbst, die Frage nach der Natur des Menschen, schon unauflösbar mit einem immer neu reflektierten Darstellungs- und Sprachproblem verknüpft. Der *Essai* ist die Versuchsbewegung des Erkennens wie die Versuchsbewegung, dem Erkennen seine eigene diskursive Organisation zu geben. Wenn Montaignes Reflexionen schon den Möglichkeitsraum einer negativen Anthropologie vorzeichnen, so sind sie doch noch immer auf einen Fixpunkt der unwandelbaren Positivität bezogen, die Idee der Natur selbst. Das Vertrauen in die Vernünftigkeit der menschlichen Natur oder vielmehr in die Möglichkeit, sich aller bedrängenden Gedankenprobleme durch den einfachen Akt der Hingabe an eine sinnvolle, vorsorgende, wissende Natur entledigen zu können, ist immer wieder Montaignes letztes Wort. Dieses Vertrauen auch ist es, das seinen Gedanken jene heitere Gelassenheit gibt, die bis heute der Zauber der *Essais* geblieben ist.

Pascals negative Anthropologie tilgt den positiven Bezugspunkt der Montaigneschen Anthropologie radikal. Damit aber treten die vielfältigen, oft fast zitathaften Übernahmen Montaignescher Reflexionen, die sich in Pascals *Pensées* finden, in einen neuen Kontext. Die neue argumentative Funktion wird ihnen bis in die Konkretheit des Stils, der sprachlichen Realisierung, eingeprägt. Jedes Wissen vom Menschen wird in Pascals leidenschaftlich-ungeduldigen Reflexionen als ein vermeintliches, unzulängliches negiert, und dennoch bleiben auch solche Negationen wiederum nicht ein Ort des in sich zur Ruhe kommenden Wissens. Die Negation wird zur Negation der Negation. In der berühmten Reflexion über den Menschen als »roseau pensant« hat Pascal diese Gedankenfigur in ein Bild übersetzt, dessen sprachliche Bewegung in actu vollzieht, was das Bild besagt: »L'homme n'est qu'un roseau, le plus faible de la nature; mais c'est un roseau pensant.«[15]

Pascals Denkfigur, die das Denken nie zur Ruhe kommen läßt, ist, wie erstmals Hugo Friedrich in seiner großen Studie gezeigt hat, das Paradox.[16] Es ist eine Denkform, die immer neu die undurchdring-

---

15 B. Pascal, *Pensées*, herausgegeben von L. Brunschvicg, Bd. 2, Paris, Vaduz 1965. Nach dieser Ausgabe wird im folgenden zitiert. Pascal scheint hier Bezug zu nehmen auf Calvins *Institution de la religion chrestienne* (1539), wo der Mensch gleichfalls mit einem ›roseau‹ verglichen wird. Vgl. *Institution de la religion chrétienne*, Bd. 1, herausgegeben von J. Pannier, Paris 2. Auflage 1961, Kapitel 2: »De la cognoissance de l'homme et du liberal arbitre«, S. 96: »Car qu'est-ce autre chose, quand on nous enseigne de cheminer en nostre force et vertu, que de nous eslever au debout d'un roseau, lequel ne nous peut soustenir qu'il ne rompe incontinent et que nous ne tresbuchions? Combien encores qu'on faict trop d'honneur à noz forces, les accomparageant à un roseau.« Die vielfältigen Beziehungen, die Pascal mit Calvins Lehre von der condition de l'homme verbinden, sind, soweit ich sehe, noch kaum untersucht worden.

16 H. Friedrich, »Pascals Paradox. Das Sprachbild einer Denkform«, in: *Zeitschrift für Romanische Philologie* 56 (1936), S. 322-370.

liche Widersprüchlichkeit der condition humaine zur Darstellung bringt und sie dem Leser als Figur seiner eigenen Erfahrung auferlegt. »S'il se vante, je l'abaisse; s'il s'abaisse, je le vante; et je le contredis toujours, jusqu'à ce qu'il comprenne qu'il est un monstre incompréhensible« (II, S. 317, Nr. 420).

Der Leser, Pascals Gegenspieler in einem imaginären Dialog, soll genötigt werden, sich seine eigene condition zu Bewußtsein zu bringen und sich so der fundamentalen ›inquiétude‹ auszusetzen, die für Pascal die notwendige Folge der Einsicht in die condition humaine ist, der indes das Bewußtsein selbst sich immer wieder zu entziehen sucht. Das Bewußtsein ist nie wahrhaft bei sich, es ist zerstreut, abgelenkt durch die Tatsache selbst, menschliches Bewußtsein zu sein. Nur in Akten der höchsten Anstrengung kann es sich seiner selbst in gesteigerten Graden innesein. Gerade dann aber wird es sich der Unauflösbarkeit der Fragen bewußt, die es aus sich selbst in solchem Zustand der Konzentration hervorbringt.

Pascals negative Anthropologie erfaßt den Menschen in einer Situation des prinzipiellen Orientierungsverlusts. Die neue Erfahrung der kosmologischen Dezentriertheit des Menschen im All wird zur Erfahrung des Verlusts einer ursprünglich positiven menschlichen Natur durch das Verhängnis des Sündenfalls. Das Ich erlebt seine Dezentriertheit in der Erinnerung an seine ursprüngliche Bestimmung und wird sich so zum »moi haïssable«, zum Ich, das in sich selbst entzweit ist und das seine eigene Identität flieht. Hierin liegt Pascals konsequente Abwendung von Montaignes Vertrauen in die eigene »âme bien née« und ihre Aufgehobenheit in der Vernunft der Natur. Indem Pascal Montaignes Einsicht vom positiven Bezugspunkt einer vernünftigen Natur ablöst, wird die Position der negativen Anthropologie selbst radikalisiert. Bei Pascal geschieht dies mit der Absicht, so den Punkt zu finden, von dem aus sich der Schritt in die andere Dimension des Glaubens mit innerer Notwendigkeit ergibt. Hierin ist Pascals Argumentation der Radikalisierungsstrategie von Descartes vergleichbar, der in seinem *Discours de la méthode* durch die Verschärfung des Montaigneschen Zweifelns den Punkt einer unbezweifelbaren Gewißheit zu finden hoffte, von dem aus eine neue Gewißheit des philosophischen und wissenschaftlichen Diskurses sich aufbauen ließ. Dagegen ist Pascals Übertritt von der negativen Anthropologie in die Dimension des christlichen Glaubens nicht mehr allein kognitiver, sondern praktischer Natur. Die

Einsicht muß erst in der Praxis der charité wie der Religionsausübung verankert werden, wenn sie über eine punktuelle Erfahrung hinaus zur neuen Wirklichkeit werden will.

Wenn Pascal selbst also seine negative Anthropologie in eine Theologie des religiösen Bewußtseins überführen wollte, so ist doch unübersehbar, daß gerade dieser Übergang in den *Pensées* nicht gelungen ist, ja daß in eben dieser Schwierigkeit wohl der innerste Grund für das Scheitern seines Projekts gesucht werden muß. Der zersplitterte Diskurs, der uns aus Pascals Nachlaß überkommen ist, ist Ausdruck einer negativen Anthropologie, die weder den Übergang zur anderen Dimension des Glaubens argumentativ zu leisten vermochte noch sich selbst als einen kohärenten Diskurs organisieren konnte. Die Gebrochenheit dieses ›klassischen‹ Diskurses der negativen Anthropologie hat indes Voraussetzungen, die nicht einfach einem thematisch-argumentativen Mißlingen entspringen.

Der Mathematiker Pascal besaß eine außerordentliche Bewußtheit für die Operationen seines eigenen Geistes, ihre logische Struktur wie ihre Verwurzelung in der Körperlichkeit und deren rätselvoller Natur. Eben deshalb wurde ihm das Problem der negativen Anthropologie zu einem Problem der Darstellung und ihrer Sprache. Immer neu wird Pascal auf das Problem der Sprache zurückgeworfen. Die Bewegung der negativen Anthropologie kann nicht zu einem Resultat kommen wie die Anthropologie Descartes', die sich im systematischen Aufbau des philosophischen Diskurses verwirklicht. Eben weil die menschliche Natur als unergründlich aufgefaßt ist, hat die Bewegung des Denkens selbst, das in diese Unergründlichkeit eindringt, wesentliche Bedeutung. Dazu bedarf es aber einer Sprache, deren Ordnung geeignet ist, diese Bewegung zur Darstellung zu bringen. Pascals Denken ist keinem vorgängigen Schema des Diskurses verpflichtet. Es bemüht sich in radikaler Konsequenz, aus den Bedingungen und Notwendigkeiten der Denkbewegung selbst heraus erst zur Form des Diskurses zu gelangen. »L'éloquence est une peinture de la pensée; et ainsi, ceux qui, après avoir peint, ajoutent encore, font un tableau au lieu d'un portrait« (I, S. 37, Nr. 26).

Es ist das vorausweisend Neue des Pascalschen Diskurses – das mit seinem Gegenstand, der negativen Anthropologie, innig zusammenhängt –, daß er jede Form der Markiertheit, der rhetorischen Selbstbezüglichkeit aufgibt und experimentierend neue Möglichkeiten eines funktionalen Stils erkundet. Pascal hat ein Bewußtsein von der vorrangigen Bedeutung der sprachlichen Realisierung, das gerade im Hinblick auf den theologischen Sinn seines Diskurses erstaunen muß. Die Sprache, und zwar die Sprache der »entretiens ordinaires de la vie«, bekommt höchste Dignität zugesprochen: »Un même sens change selon les paroles qui l'expriment. Les sens reçoivent des paroles leur dignité, au lieu de la leur donner« (I, S. 55, Nr. 50).

Die Sprache ist eine eigene Instanz, von der die Gestalt des Sinns abhängt, die der Schreibende in ihr zu vergegenständlichen sucht: »Les mots diversement rangés font un divers sens, et les sens diversement rangés font différents effets« (I, S. 34, Nr. 23).

Der sich der Sprache bedient, kann nicht hoffen, sie zu überwältigen, er muß ihre Ressourcen kennen und sich ihnen anheimgeben, um so die Sprache aus ihrer eigenen Autorität heraus zum Sprechen zu bringen. Die Sprache aber, der Pascal sich in seinem Sprechen überantwortet, ist nicht die der Spezialisten, eines etablierten, institutionell gesicherten Diskurses, sondern die unmarkierte, offene, der Erfahrung entspringende, Erfahrung bindende Sprache des honnête homme, der keiner Vereinseitigung seines Erkenntnisvermögens verfällt.

»La manière d'écrire d'Épictète, de Montaigne et de Salomon de Tultie [Pascal selbst, K. St.] est la plus d'usage, qui s'insinue le mieux, qui demeure [le] plus dans la mémoire, et qui se fait le plus citer, parce qu'elle est toute composée de pensées nées sur les entretiens ordinaires de la vie (...)« (I, S. 30, Nr. 18 bis).

Schon in den *Lettres Provinciales* hatte Pascal den theologischen Diskurs des Jesuiten ironisch zunichte werden lassen an der ›naiven‹, unmarkierten Rede des theologischen Laien, der nichts als seine eigene Erfahrung und sein natürliches Urteil ins Spiel bringt. Indem der jesuitische Gesprächspartner mit der scheinbaren Überlegenheit seines theologischen Wissens sein Gegenüber belehrt, entlarvt er sich aber in seiner blinden Überheblichkeit, die ihn zu absurden Konsequenzen seiner Argumentation treibt. Weil die negative Anthropologie Pascals kein Wissen ist, sondern eine offene Bewegung der Reflexion, bedarf es zu ihrer Artikulation der Sprache der »entretiens ordinaires«, die in dieser Reflexionsbewegung auf sich selbst zurückgelenkt wird. In der Sprache, in der die condition humaine sich vollzieht, soll spiegelbildlich ihre Erkenntnis gewonnen werden. So kann auch die Genauigkeit dieser Rede – und Pascal ist leidenschaftlich um Luzidität und Genauigkeit seiner anthropologischen Rede bemüht – nicht mehr die Genauigkeit der linearen Argumentation eines sich entwickelnden Diskurses sein. Pascals Darstellungsprinzip entschlägt sich der diskursiven Ordnung der Argumentation, um eine neue, aus der Sache selbst entspringende funktionale Ordnung zu gewinnen:[17]

»J'écrirai ici mes pensées sans ordre, et non pas peut-être dans une confusion sans dessein: c'est le véritable ordre, et qui marquera toujours mon objet par le désordre même« (II, S. 284, Nr. 373).

Weil Pascals Argumentation sich keinem vorgegebenen Schema mehr fügt, hängt alles von der konkreten sprachlichen Realisierung ab. In ihr liegt jetzt allein noch die Entscheidung über Gelingen oder Mißlingen des Akts der Vergegenwärtigung im Prozeß der negativen Anthropologie. Nicht ohne Stolz sagt Pascal von sich:

»Qu'on ne dise pas que je n'ai rien dit de nouveau: la disposition des matières est nouvelle; quand on joue à la paume, c'est une même balle, dont joue l'un et l'autre, mais l'un la place mieux« (I, S. 33, Nr. 22).

Disposition heißt hier konkreter sprachlicher Bezug, Übersetzung der ›Aussage‹ in die Gestualität eines sprachlichen Akts, der sich selbst ausdrücklich macht. Genauigkeit ist gestuelle Genauigkeit des sprachlichen Vollzugs, in der Sprache der »entretiens ordinaires de la vie«. Die Sprache so auszunutzen, daß ihre Potentialität an gestuell-semantischer Differenzierung der Differenziertheit der Einsichten in die menschliche Natur zu entsprechen vermag, setzt ein Vermögen voraus, das von anderer Art ist als die kognitive Fähigkeit der Argumentation. Pascal nennt es »esprit de finesse«. »Esprit de finesse« ist die auf keine Regeln zu bringende Sicherheit des spontanen Erkennens und der Übersetzung dieses Erkennens ins Medium der alltäglichen Sprache. Aber ist je eine so große Feinheit der Einsicht wie der Verkörperung im Medium der Sprache möglich, daß sie die Wahrheit wirklich trifft? Und wenn sie sie trifft, ist dann nicht noch so viel Nicht-Wahrheit mit getroffen, daß dieses Treffen wertlos ist? Pascal hat für diesen nicht aufhebbaren Zweifel, der zur

17 Zur Ordnung von Pascals geplanter Schrift zur Verteidigung des christlichen Glaubens vgl. Verf., »Pascals Reflexionen über den ›ordre‹ der *Pensées*«, in: *Poetica* 4 (1971), S. 167-196.

Triebfeder immer neuer Bemühungen wird, ein Bild von frappierender Anschaulichkeit:

»La justice et la vérité sont deux pointes si subtiles, que nos instruments sont trop mousses pour y toucher exactement. S'ils y arrivent, ils en écachent la pointe, et appuient tout autour, plus sur le faux que sur le vrai« (II, S. 13, Nr. 82).

Doch kann es um solche Vergegenständlichung, Fixierung der Wahrheit auch gar nicht gehen, wo der Gegenstand die Natur des Menschen ist. Wenn Wahrheit sich in Sprache nicht vergegenständlichen läßt, so kann doch erst im Medium der Sprache das Scheitern an ihr zu einer Erfahrung werden, die den Leser zum Vollzug seiner eigenen Erfahrung zwingt. Nie ist bei Pascal die Sprache das Medium des Ausdrucks, der subjektiven Affektivität. Sie ist Darstellung, die das Dargestellte in der Gestualität des sprachlichen Vollzugs spiegelt und unterstreicht und so jene in der Sache selbst liegende Affektivität heraustreibt, die den Rezipienten aus dem System der Verdrängung seiner in ihm selbst angelegten Einsichten herausführen soll. Der Leser entdeckt, durch die Kunst der Sprache betroffen und gesteigert, in sich selbst, was in der Sprache nie zureichend vergegenständlicht werden kann.

»Quand un discours naturel peint une passion ou un effet, on trouve dans soi-même la vérité de ce qu'on entend, laquelle on ne savait pas qu'elle y fût, en sorte qu'on est porté à aimer celui qui nous le fait sentir; car il ne nous a pas fait montre de son bien, mais du nôtre (...)« (I, S. 26 f., Nr. 14).

Pascal hat an die funktionale Bestimmtheit seiner negativen Anthropologie, die er seinerseits als Moment des Übergangs in die Dimension des Glaubens funktionalisieren wollte, Anforderungen gestellt, die sich letztlich nicht mehr einlösen ließen. Daß sein Diskurs keine endgültige Gestalt finden konnte, liegt in seiner Anlage selbst begründet. Aber so, in der Fragmentarisierung der einzelnen Momente, im beharrlichen und leidenschaftlichen immer neuen Ansetzen, entsteht eine auf sich selbst zurückweisende Form der Reflexivität, die in ihrer Konkretheit von literarischer Gestalt ist. Paul Valéry hat das Literarische von Pascals *Pensées* als eine Form der falschen, uneingestandenen Literarität angegriffen.[18] Doch gerade in der Literarität der *Pensées* liegt die konsequente Realisierung von

18 P. Valéry, »Variation sur une pensée«, in: *Œuvres,* herausgegeben von J. Hytier, Bd. 1, Paris 1957, S. 458-473.

Pascals negativer Anthropologie. Die Literarität des siècle classique ist fortan wesentlich durch ihre Verbindung mit der negativen Anthropologie bestimmt.

III. Der Horizont des siècle classique

Die negative Anthropologie des siècle classique destruiert ein vorgängiges positives Wissen über die Natur des Menschen. Die so frei werdende Dynamik der Bestimmungen, der Wechsel und Umschlag aller Positionen, setzt einen Diskurs voraus, der beweglich genug ist, der Einsicht in die ungreifbare, immer neu sich entziehende menschliche Natur zu folgen. So verlangt die neue negative Anthropologie einen neuen funktionalen Stil, der sich befreit hat von den Stereotypen einer Rhetorik und dessen Beweglichkeit die des nicht auf Regeln zu bringenden »esprit de finesse« ist. Mit dieser zweifachen radikalen Neubesinnung setzt die Literatur der französischen Klassik eine Schwelle. In der Leidenschaft, das unbeständige, rätselvolle, von undurchschaubaren Antrieben und Mächten bestimmte Subjekt zur Darstellung zu bringen, bringt das siècle classique Denkmäler einer neuen, beunruhigten Erfahrung des Menschen von sich selbst wie einer neuen, beweglichen, subtilen Sprache hervor, die dieser Beunruhigung ihre Form gibt.[19]

Zweifellos haben nicht alle klassischen Autoren an der Radikalität dieser Position teil. Manche, wie La Fontaine oder Molière, auch Madame de Sévigné, umspielen sie, ohne sie zu übernehmen.[20] Andere, wie La Bruyère, der ihr nahezustehen scheint, suchen eher die alltägliche moralische Welt als Moralist oder Satiriker zu erfassen, ohne sich in ihre Abgründigkeiten zu verlieren. Das siècle classique

19 Die in dieser Studie dargelegte Perspektive auf das siècle classique unterscheidet sich in wesentlichen Momenten von jener Konzeption des âge classique, die M. Foucault in *Les mots et les choses* (Paris 1966; deutsch: *Die Ordnung der Dinge*, Frankfurt am Main 1971) entwickelt. Insbesondere seine an der Sprachlogik von Port-Royal orientierte Auffassung der Sprache der Klassik scheint mir wesentliche Momente der écriture classique zu verfehlen. Foucault unterschätzt die Spannung, die Anthropologie und Wissenschaft und ihre Sprachen im klassischen Zeitalter einander entgegensetzt.

20 Doch läßt sich von Molière wie von La Fontaine sagen, daß ihre Nähe zur negativen Anthropologie ein wesentliches Moment ihrer Klassizität ist. Immer wieder öffnet sich ihre Komik auf das Abgründige.

kennt vielerlei Ausprägungen des Klassischen, solche, die geschichtsmächtig geworden sind, wie andere, deren geschichtliche Kraft verblaßt ist und die nur noch als Dokumente eines historisch gewordenen Klassizismus bestehen können.

Gesellschaftlich gesehen scheint die Position der negativen Anthropologie eher marginal, ja gleichsam exterritorial. Während politisch von Ludwig XIV. und seinen Ministern die Zentriertheit aller Lebensverhältnisse um den Mittelpunkt des Staatswesens angestrebt wird, wird im Diskurs der negativen Anthropologie die Dezentriertheit des Ich zum Thema gemacht; während der Hof sich den Regeln eines komplizierten Zeremoniells unterwirft, deckt ein La Rochefoucauld die verborgene Wirklichkeit des amour propre hinter dem Zeremoniell auf; während die Gesellschaft mit ihren Normen höchste Dignität genießt, erhellt die negative Anthropologie die Verfallenheit des Ich an sich selbst. Dennoch ist von allen Literaturen, von allen Stiltendenzen, die das siècle classique in sich birgt, gerade diese, die sich am meisten der Indienstnahme verweigert, die luzideste, die die höchste Steigerung des thematischen und formalen Bewußtseins in sich vereint. Dabei liegt die wenig große Lebensdienlichkeit dieser Literatur ebenso auf der Hand wie ihre Exklusionen, die genauso konsequent sind wie die Erhellung des durch Ausgrenzung angeeigneten Gebiets. Natur, die menschliche Geschichte sowie die menschliche Kultur in ihren materiellen, zivilisatorischen, technischen Aspekten sind ferngehalten. So bricht schon am Ende des 17. Jahrhunderts, noch im siècle classique selbst, der Konflikt auf zwischen dem Bewußtsein der negativen Anthropologie und dem historisch-technischen Bewußtsein der Funktionäre des neuen, absolutistischen Verwaltungsstaats. Mehr als ein Streit zwischen den Freunden des Altertums und der Moderne ist die *Querelle des anciens et des modernes* ein Konflikt zwischen diesen beiden genuin modernen Positionen.[21]

Das Denken des französischen 18. Jahrhunderts kann weitgehend als der Versuch aufgefaßt werden, eine positive Anthropologie zurückzugewinnen und dabei doch die in der negativen Anthropolo-

---

21 Dagegen kann Fénelons ›Quietismus‹ als der Versuch verstanden werden, hinter der Beunruhigung und Dynamik der negativen Anthropologie die intensive Ruhe einer neuen religiösen Innerlichkeit erfahrbar zu machen. Vgl. zu Fénelons Absetzung von La Rochefoucauld R. Spaemann, *Reflexion und Spontaneität – Studien über Fénelon*, Stuttgart 1963.

gie des siècle classique aufgebrochene Dynamik theoretisch zu verarbeiten. Die Geschichtsphilosophie des 18. Jahrhunderts und die Literatur, die sie begleitet, bedeuten eine Positivierung und Linearisierung der Dynamik des Subjekts, die das siècle classique freigelegt hatte. So wird die Dynamik des Subjekts zur gesellschaftlichen Dynamik, die gesellschaftliche Dynamik zu einer sich im geschichtlichen Prozeß verwirklichenden positiven Dynamik des Fortschritts und der Aufklärung.[22]

Die Wendung zu einer neuen, mit geschichtlichem Bewußtsein gesättigten positiven Anthropologie bezeugt im literarischen Feld eindrucksvoll der frühe Voltaire. Sein Drama *Œdipe,* das zu Racine zugleich in bewundernder Nähe und in kritischer Ferne steht, destruiert den mythischen Kern der Ödipusgeschichte ebenso wie den Mythos des ›dieu caché‹, in dessen Zeichen die Racinesche Tragödie gestanden hatte. Voltaire läßt das Unglück hervorgehen aus dem Aberglauben der Menschen, die dem Götterorakel vertrauen, statt ihre eigenen Dinge selbst in die Hand zu nehmen. Eine Positivierung der klassischen negativen Anthropologie bedeutet es auch, wenn Marivaux' Komödie die Ambiguität des Handelns und der Rede ins heitere Spiel des marivaudage zwischen Naivität und Raffinement verwandelt. Ebenso wird in den moralistischen Reflexionen von Vauvenargues das Positive der menschlichen Natur zum Thema gemacht. »Les grandes pensées viennent du cœur« ist das Axiom einer neuen Menschenkunde, die dem Menschen ein grundsätzliches Vertrauen entgegenbringt.[23]

Rousseau, dialektischer Kritiker des aufklärerischen Glaubens an den Fortschrittssinn der Geschichte, greift auf die *Princesse de Clèves* zurück, um den Gestalten seiner *Nouvelle Héloïse* ihre moralische Ambiguität zu geben. Er geht aber über sie hinaus, indem er die Verstrickung seiner Gestalten als eine Verstrickung in die Dynamik des Verstrickungszusammenhangs der Geschichte begreift. Doch

---

22 Zur positiven Anthropologie des 18. Jahrhunderts vgl. neben Voltaires *Essai sur les Mœurs* besonders die Summe der neuen Anthropologie, J. G. Herders *Ideen zur Philosophie der Geschichte der Menschheit.* Eine umfassende Darstellung der Anthropologie des 18. Jahrhunderts gibt M. Duchet, *Anthropologie et histoire au siècle des lumières,* Paris 1971.

23 »Réflexions et maximes« 127, *Œuvres complètes de Vauvenargues,* Neuausgabe, Paris 1821, S. 23. Vgl. auch Bd. 3 (*Œuvres posthumes*), »Réflexions et maximes« 109, S. 213: »La vertu n'est pas un trafic, mais une richesse.«

kennen die Gestalten seines Romans eine Erfahrung, die denen der *Princesse de Clèves* fremd ist: die errungene Freiheit der Selbstbestimmung, die die Möglichkeit einer neuen Gesellschaft in sich trägt. Dem offenen, ungreifbaren Prinzip des amour propre setzt Rousseau das positive Prinzip der offenen, ungreifbaren Freiheit des Subjekts entgegen, die sich indes nicht abstrakt, sondern nur in der konkreten Dialektik von Verstrickung und Freiheit verwirklichen kann. Doch kennt das 18. Jahrhundert auch unter eigenen Voraussetzungen Reaktualisierungen der negativen Anthropologie im Sinne vereindeutigender Akzentuierung des Negativen. Bei Sade regrediert die neu aktualisierte negative Anthropologie zur bloßen sexuellen Besessenheit. Die subtile Dynamik des amour propre wird zur Körperdynamik von Liebesmaschinen. In Choderlos de Laclos' *Les Liaisons dangereuses* wird die zitierte Klassik zum Moment einer Ästhetik des Bösen. Madame de Merteuil bedient sich der negativen Anthropologie der Klassik, um sie ihren diabolischen Zwecken dienstbar zu machen.[24] In Chamforts zynischem Witz wird die Liebe in der gegenwärtigen Gesellschaft »l'échange de deux fantaisies et le contact de deux épidermes«.[25]

Die positiv gerichtete geschichtliche Bewegung ist eine Antwort des 18. Jahrhunderts auf die geschichtslose negative Anthropologie des siècle classique. In anderer Richtung sucht das geschichtliche Bewußtsein sein Gegenbild, die Naivität des Ursprungs, als den Bewußtseinszustand eines unreflektierten, vor aller Geschichte liegenden, in sich ruhenden Augenblicks menschlicher Vollkommenheit. Die einfache, reflexionslose Positivität des Naiven ist eine Wunschvorstellung des undynamischen, in sich ruhenden Daseins, das der dezentrierten Subjektivität der negativen Anthropologie ebenso entgegengesetzt ist wie der Unruhe der gesellschaftlichen Bewegung. Das Naive erscheint in dieser Perspektive aber im Licht eines endgültigen Verlusts. So wird es bei Rousseau erfaßt und ebenso in

---

24 Die Affinität des Romans zur negativen Anthropologie der Klassik wird besonders in Baudelaires Bemerkungen dazu deutlich. Vgl. *Les Liaisons dangereuses* II, »Notes« (ders., *Œuvres complètes*, herausgegeben von Y. G. Le Dantec, Paris 1854, S. 997): »Livre de moraliste aussi haut que les plus élevés, aussi profond que les plus profonds.« – Baudelaire erkennt die »puissance de l'analyse racinienne« (S. 998). In ihr liegt die besondere moralische Wirkung des Buchs: »Ce livre, s'il brûle, ne peut brûler qu'à la manière de la glace« (S. 996).

25 Chamfort, »Maximes et Pensées«, in: *Œuvres principales*, Paris 1960, S. 92.

Schillers berühmter Abhandlung, die dem Naiven die sentimentalische Unruhe, die sentimentalische Suche nach dem Verlorenen entgegensetzt.

Schon im 18. Jahrhundert zeigten sich Formen der Infragestellung der positiven Anthropologie. Aber im 19. Jahrhundert wird immer deutlicher, daß der Versuch des 18. Jahrhunderts, die negative Anthropologie durch eine positive Anthropologie der wesentlichen Geschichtlichkeit des Menschen zu überwinden, nicht zu einem endgültigen Erfolg kommen konnte. Das 19. Jahrhundert findet einen neuen Zugang zur negativen Anthropologie des siècle classique und lernt, negative und positive Anthropologie beieinander bestehen zu lassen, ohne sich zwischen ihren Alternativen zu entscheiden. Die Perspektivenvielfalt der Frage nach dem Menschen wird als eine notwendige akzeptiert. Die Radikalität der negativen Anthropologie wird nun zum Spielraum einer sich selbst artikulierenden Subjektivität. Vor allem in der Lyrik findet die negative Anthropologie des 17. Jahrhunderts ihre überraschende Fortsetzung. Mit diesem neuen Diskurswechsel erschließt die negative Anthropologie sich einen Bereich, der außerhalb der klassischen Darstellungsformen steht. In Leopardis Lyrik gewinnt die Reflexion der französischen Klassik, insbesondere Pascals, eine melodische Stimme subjektiver Betroffenheit und subjektiven Ausdrucks. Mehr noch als Leopardi steht Baudelaire zu Pascal in innerer Affinität. In den *Fleurs du Mal* kommt ein dezentriertes Subjekt zu seiner lyrischen Selbstaussprache. Die »terre inconnue« des ›amour propre‹ wird bei Baudelaire zur »terre inconnue« der Selbsterfahrung des einsamen Ich in der modernen Großstadt.

Auch im 20. Jahrhundert bleibt der Horizont des siècle classique gegenwärtig, nicht das siècle classique der Regeln und der clarté, sondern das der negativen Anthropologie. Dies kann im einzelnen hier nicht mehr verfolgt werden. Doch ist zu erinnern an Prousts *A la recherche du temps perdu,* wo die Tiefe des Bewußtseins wie die Undurchdringlichkeit des sich entziehenden Andern erneut zu großen Themen werden, freilich bezogen auf das geheimnisvolle, zeitverwandelnde Wesen der Erinnerung, wie es erst mit Rousseau denkbar wurde. Hinzuweisen wäre auch auf zwei große philosophische Versuche, negative Anthropologie und aufklärerische Positivierung in eins zu denken, Sartres *L'être et le néant* und Merleau-Pontys *Phénoménologie de la perception.* Geschichtsphilosophische Dialektik und negative Anthropologie werden in diesen längst noch nicht ausgeschöpften Entwürfen erneut in die Bewegung der Reflexion gebracht. Ihre bedeutendsten Analysen aber, die Phänomenologie des »regard« und des »corps sexué«, sind ohne die Erfahrung der klassischen französischen Literatur des 17. Jahrhunderts nicht zu denken. Und liegt es nicht nahe, bei dem artistischen Leerlauf der Sprache in Becketts Romanen und Stücken sich des Zusammenhangs mit der Vergeblichkeit der Sprache in Racines Tragödien zu entsinnen? Beckett, ein neuer Klassiker der negativen Anthropologie, macht erneut die fortdauernde Gegenwärtigkeit jenes Horizonts sinnfällig, den das siècle classique gesetzt hat.

Es scheint, daß das neuzeitliche Bewußtsein gegenwärtig dabei ist, eine neue Schwelle zu erreichen. Radikaler als je scheint der geschichtliche Fortschritt selbst jene Fragen herauszutreiben, die die negative Anthropologie der französischen Klassik erstmals mit solcher Leidenschaft und Kraft der sprachlichen Vergegenwärtigung verfolgte. In einem Augenblick, wo die Anzeichen sich mehren, daß der Boden des geschichtlichen Denkens schwankt, liegt es nahe, zum Ursprung der neuzeitlichen Selbsterfahrung zurückzukehren und erneut die Fragen zu stellen, die mit ihm aufgeworfen wurden. So scheint die Erwartung nicht unbegründet, es könne die Aktualität der französischen Klassik in eine neue Phase des geschichtlichen Bewußtseins hinüberreichen, das nach der Bestimmung der menschlichen Natur fragt.

Ruth Groh
Negative Anthropologie und kulturelle Konstruktion

Substantielle Theorien des Menschen sind gemeinhin auf Wesensbestimmungen des Menschen ausgerichtet, die universelle Geltung beanspruchen. Häufig sind ihre Menschenbilder explizit oder implizit an bestimmte Perspektiven, an bestimmte Werthaltungen gebunden. Präformiert durch derartige Denkmuster erheben solche Theorien *partikulare* Eigenschaften zum Wesen des Menschen, oft mit normativem Anspruch. Die interessegeleitete *Universalisierung des Partikularen* könnte man mit Adorno als »Ideologie« bezeichnen: »Jedes Menschenbild ist Ideologie außer dem negativen.«[1] Das »negative Menschenbild« im Sinn Adornos ist selber keine Wesensbestimmung des Menschen, sondern das Resultat seiner soziologischen Analyse, in der er die kulturelle Konstruktion des beschädigten, selbstentfremdeten Menschen in der antagonistischen Gesellschaft beschreibt. Sein Pessimismus gilt nicht dem Menschen selbst, sondern dem allgemeinen Verblendungszusammenhang.

I. Anthropologische Theorie – Negative Anthropologie als Formalanthropologie

Wenn im Titel dieses Beitrags von negativer Anthropologie die Rede ist, bezieht sich »negativ« nicht auf Adornos pessimistische Gesellschaftsanalyse. Statt dessen ist mit »negativ« die prinzipielle Absage an Wesensbestimmungen gemeint. Hieraus ergibt sich die Bestimmung der anthropologischen Theorie als einer *im formalen Sinn negativen Anthropologie*.

Der Sonderforschungsbereich 511 »Literatur und Anthropologie«, aus dem die Aufsätze dieses Bandes hervorgegangen sind, folgte insofern einem solchen Ansatz, als seine Projekte erklärtermaßen

---

1 Theodor W. Adorno, *Soziologische Schriften* I (*Gesammelte Schriften* 8), Frankfurt am Main 1972, S. 67.

nicht auf Wesensbestimmungen ausgerichtet waren, wie etwa die traditionelle Anthropologie. Sie machten vielmehr solche Wesensbestimmungen zum Gegenstand ihrer Untersuchungen, indem sie wissenschaftliche und literarische Diskurse auf das ihnen explizit oder implizit zugrundeliegende Menschenbild befragten. Bei diesen Untersuchungen stellte sich heraus, daß in der wissenschaftlichen Literatur zum Thema der Begriff »negative Anthropologie« schon lange auf andere Weise verwendet wird als in dem eben erläuterten *formalen* Sinn einer Absage an Wesensbestimmungen. Wenn es darum geht, wissenschaftliche Theorien, literarische Werke etc. daraufhin zu befragen, welches Menschenbild ihnen zugrunde liegt, wird es unumgänglich, diese Menschenbilder zu qualifizieren. Hier gewinnt der Begriff »negative Anthropologie« einen *materialen* Sinn, wenn er ein pessimistisches Menschenbild bezeichnet. Sein Gegenpart, die im *materialen* Sinn »positive Anthropologie«, bezeichnet ein optimistisches Menschenbild. Beiden konträren Menschenbildern liegen zumeist universalisierte partikulare Bestimmungen der »bösen« oder »guten« Natur des Menschen voraus.

Der Mensch als kulturelles Konstrukt

Die mannigfachen Versuche der traditionellen Anthropologie, den Menschen auf einen angemessenen Begriff zu bringen, zeugen von der Partikularität der jeweiligen Perspektive: Zoon politikon, Animal rationale, Homo ludens, Homo necans, Homo pugnans, Homo symbolicus, Homo oeconomicus, Homo laborans, Homo oecologicus, Homo fingens, Homo rhetoricus, Homo compensator, der Mensch ein Mängelwesen, der Mensch ein Ebenbild Gottes. Man könnte die Reihe *ad ultimo* fortsetzen und erhielte doch keine Antwort auf die Frage nach der »Natur« des Menschen. Die Versuche, sie zu finden, tragen die Signatur kultureller Prägung, erweisen sich somit als kulturelle Konstrukte. Den Bemühungen um eine Definition steht überdies die durchaus triftige Annahme entgegen, der Mensch sei eine gesellschaftliche Konstruktion. Mit dieser These kommt der Wandel ins Spiel, kultureller Wandel, gesellschaftlicher Wandel, der den unabsehbaren Wandel des Anthropos bewirkt. Der Mensch wäre demnach kein definites Wesen, keines, das man definieren, auf den Begriff bringen kann, sondern ein indefinites, eben ein sich im Gang der Geschichte wandelndes kulturelles Konstrukt.

Der Begriff »kulturelles Konstrukt«, wie wir ihn hier verwenden, hat somit zwei Bedeutungen. Zum einen bezieht er sich auf die unterschiedlichen Verständnisse des Begriffs »Mensch«, wie etwa Wesensbestimmungen oder Menschenbilder, zum anderen bezieht er sich auf den Menschen selbst als Gegenstand der Betrachtung oder Untersuchung. Eine dritte Bedeutung von »kultureller Konstruktion« soll in unserem Zusammenhang nicht berücksichtigt werden: der direkte, Kunst und Natur verbindende Eingriff in den menschlichen Körper, der zwar eine lange Geschichte hat, aber heute angesichts der Erfolge von Biowissenschaften oder plastischer Chirurgie zunehmende Beachtung findet. Die Konstruktion des Menschen hatte wohl auch Kant im Blick, als er schrieb, in der Anthropologie gehe es um das, »was der Mensch aus sich selber macht«.[2] Dieses »sich« meint, wie wir es verstehen, ein Vorgefundenes, Vorhandenes, das, wie immer zustande gekommen, ein Ausgangsstadium darstellt, an dem das »Machen« ansetzt. Dieses Ausbilden, das ein Machen wäre, könnte man als Konstruieren verstehen. Was der Mensch aus sich macht, wäre demnach kein *bloßes* Konstrukt, also nicht eine *creatio ex nihilo* oder genauer *constructio ex nihilo*, sondern ein Konstrukt auf der Grundlage einer realen Basis. Nun fragt die Formalanthropologie auf der Suche nach einer solchen Basis »nach anthropologischen Eigenschaften, die *universelle* Geltung haben, losgelöst von allen historischen, kulturellen und sozialen Besonderheiten«.[3] Solche anthropologischen Universalien haben, anders als die Wesensbestimmungen der traditionellen Anthropologie, einen »formalen Status«, denn empirisch zugänglich sind nur spezifizierte, das heißt regionalen, also partikularen Besonderheiten unterliegende Eigenschaften, die von der Regionalanthropologie zu erfassen sind. Deren Forschungsergebnisse lassen sich gegebenenfalls universalisieren: »So ist es zum Beispiel nicht unplausibel anzunehmen, daß alle Menschen aller Zei-

---

2 Immanuel Kant, *Anthropologie in pragmatischer Hinsicht* (1798), Akademie-Ausgabe, Bd. 7, S. 119.

3 »Ziele, Arbeitsprogramm« des SFB 511 »Literatur und Anthropologie« an der Universität Konstanz, in: »Antrag auf Fortsetzung des …, 1999-2000-2001«, Februar 1998, S. 15. Wenn in den folgenden Abschnitten von »wir« die Rede ist, so bezieht sich das auf Positionen des SFB.

ten und Kulturen die Erfahrung des Todes reflektieren und in ritueller, symbolischer und literarisch gestalteter Form zu bewältigen suchen.«[4] So werden formalanthropologische Generalisierungen gewonnen: im Durchgang durch ihre regional und kulturell konkretisierten Ausgestaltungen.

Anthropologische Fundamentalien

Zu den unbezweifelbar vorhandenen und als reale Basis für kulturelle Konstruktionen in Frage kommenden Eigenschaften des Menschen, und zwar prinzipiell aller Menschen, gehören jene grundlegenden Verfaßtheiten und Vermögen des Menschen, die als *anthropologische Fundamentalien* bezeichnet werden können: u. a. seine sprachliche Verfaßtheit, seine geschlechtliche Verfaßtheit, sein Vermögen des Fingierens, der Imagination, der Selbstüberschreitung, des Selbstentwurfs, der Interaktion und Kommunikation, seine Fähigkeit zu sozialem und unsozialem Verhalten, sein poietisches Vermögen im weitesten Sinn. Anthropologische Fundamentalien haben den Charakter des im Konstruktionsprozeß Vorgegebenen. Als *formale* Bedingungen der Möglichkeit jeder kulturellen Konstruktion bilden sie deren notwendiges begriffliches Gegenstück.[5] *Formale* Bedingungen sind sie in *theoretischer* Hinsicht, nämlich als von der anthropologischen Theorie erschlossene und insofern »konstruierte«. *Materiale* Bedingungen sind sie in ihrer Funktion als Vorgegebenheiten, und Vorgegebenheiten sind Gegebenheiten, das heißt wirklich vorhanden. Anthropologische Fundamentalien fungieren realiter als notwendige Voraussetzung ihrer Konkretisierungen und Aktualisierungen in kulturellen Konstruktionen. Was nicht da ist, kann auch nicht konkretisiert werden. Anthropologische Fundamentalien sind also überhaupt keine phänotypischen Merkmale, die direkt in Erscheinung treten. Mit anderen Worten: Basale Verfaßtheiten und Vermögen sind nichts, was man beobachten kann. So kann zum Beispiel das Vermögen zu Freude und Trauer nicht beobachtet werden wie Lachen und Weinen. Das bedeutet: Lachen und Weinen, die wahrnehmbaren Phänomene, sind Aktua-

---

4 Ebd.
5 Im folgenden orientiere ich mich am anthropologischen Konzept des SFB und entwickle es weiter.

lisierungen, *Konkretisierungen* des Vermögens zu Freude und Trauer. Diese Vermögen werden wie andere Vermögen und wie die Verfaßtheiten des Menschen aus ihren Aktualisierungen, ihren Konkretisierungen erschlossen, *erschlossen* im genauen Sinn eines simplen Schlusses: Was auch immer Menschen – beobachtbar – tun, vermögen sie zu tun, es entspricht ihrem Verfaßtsein, sei es nun Lachen oder Weinen, miteinander kommunizieren, einander friedfertig oder feindselig begegnen, Fiktionen, Imaginationen, Phantasiegebilde hervorbringen oder Rituale praktizieren. Genauso wird verständlich, was es heißt, daß basale Vermögen und Verfaßtheiten ein »Produkt der anthropologischen Theorie« sind. Wissenschaftstheoretisch gesehen sind sie in dem Sinn *Konstrukte*, als sie nicht wie Beobachtungsbegriffe direkt auf Empirisches verweisen, sondern nur *indirekt*.

Ein aus solchen basalen Anthropologica ohne Anspruch auf Vollständigkeit gebildeter, mithin schwacher Begriff des Menschen wäre keine Bestimmung seines »Wesens« oder seiner »Natur«. Denn seine »Natur« schafft der Mensch sich nach Kant erst selbst. Sie ist nur historisch greifbar. Als Fiktion, Selbstentwurf, Konstrukt ist sie kulturellem Wandel unterworfen. Vorstellungen vom *Wesen* des Menschen als etwas unwandelbar Zugrundeliegendem sind trügerisch.

Weiterhin halten wir eine Unterscheidung von anthropologischen Fundamentalien und anthropologischen Konstanten für notwendig. Auch wenn wir Beständigkeit nicht mehr der *Natur* des Menschen zuschreiben und *Geschichte* seinem Wandel, sondern Beständigkeit selbst als geschichtliche Leistung begreifen, so würden wir doch zögern, den Wandel als Konstante anzuerkennen. Diese These, die die Geschichtlichkeit des Menschen zu seiner *eigentlichen* Natur erhebt, tritt nämlich wiederum im Range einer Seinsaussage auf. Das ist problematisch. Eine solche Seinsaussage könnte zu der Annahme führen, daß die *gesamte* anthropologische Organisation des Menschen wandelbar ist. So weit wollen wir aber den Eifer der Historisierung nicht treiben, sondern dieser Annahme den oben vorgeschlagenen Begriff des Menschen – gebildet aus basalen Anthropologica – entgegenhalten.

Zur Erläuterung kann eine Klärung der Rede von Konstanten im Gegensatz zu Fundamentalien hilfreich sein. Es ist die Aufgabe nicht nur der historischen Anthropologie, vermeintlich ahistorische Konstanten zu historisieren und damit zu relativieren. Bereiche wie etwa Familie, Zeugung, Geburt, Tod, Sexualität, Geschlecht müssen deshalb historisiert werden, weil sie an *Lebensformen* gebunden und diese wiederum interkulturell unterschiedlich und intrakulturell historischem Wandel unterworfen sind. Dementsprechend können die bereichsbezogenen Wahrnehmungen, Empfindungen, Deutungen und Praktiken je nach Lebensform höchst unterschiedlich sein und sich mit dem historischen Wandel der Lebensformen ändern: Sie sind kulturelle Konstrukte. Demgegenüber sind anthropologische Fundamentalien historischem Wandel wohl kaum ausgesetzt. Nehmen wir als Beispiel das basale Anthropologicum der geschlechtlichen Verfaßtheit. Was der Mensch auch immer daraus macht, berührt das Vorfindliche nicht. Jedes kulturelle »Konstrukt« hat die reale Basis als ihre notwendige Voraussetzung.

Aus dieser Perspektive bietet sich eine analytische Trennung des »Begriffs des Menschen« in der soeben skizzierten Form und dem »Menschenbild« an. In den »Begriff« sollten alle anthropologischen Fundamentalien als Merkmale eingehen, also jene Verfaßtheiten und Vermögen des Menschen, die sich als unbestreitbar vorhanden feststellen oder erschließen lassen. Forschungsstrategisch wäre er ein offener Begriff, der neue Untersuchungsergebnisse aufnehmen könnte. So werden »Wesensbestimmungen« sowie Wertungen vermieden. Im Gegensatz zum »Begriff des Menschen« kommt im anthropologisch verstandenen »Menschenbild« das Selbstverständnis, die Selbsteinschätzung des Menschen zum Ausdruck. Ihm gilt die eingangs zitierte Kritik Adornos. Menschenbilder sind an eine bestimmte Perspektive, an bestimmte Werthaltungen gebunden.

Negative und positive Anthropologie im materialen Sinn

Untersucht man wissenschaftliche Diskurse im Hinblick auf ihre anthropologischen Voraussetzungen, wird schon bald unübersehbar, daß sich die meisten danach einteilen lassen, ob sie eher einen von Natur aus »bösen« oder eher einen von Natur aus »guten« Menschen annehmen. Diese Menschenbilder – es sind die einer negativen (pessimistischen) und einer positiven (optimistischen) Anthropologie – treten häufig als Wesensbestimmungen des Menschen mit dem Anspruch auf universelle Geltung auf. Daß die beiden Aussagen über die Natur des Menschen – der Mensch ist gut, der Mensch ist böse – nicht gleichermaßen universell gültig sein können, ergibt sich aus ihrer Widersprüchlichkeit. Daß sie beide falsch sind, wird deutlich, wenn man sieht, wie sie zustande kommen, nämlich durch die ungerechtfertigte Universalisierung von Partikularem: Die jeweiligen ihrerseits kulturhistorisch geprägten Perspektiven fokussieren ein Partikulares, das realiter in den guten und schlechten Erfahrungen, die Menschen mit Menschen machen und seit jeher gemacht haben, in Erscheinung tritt. Es sind dieselben Erfahrungen, aus denen die Formalanthropologie – wertungsfrei konkretes Verhalten beobachtend – jene basalen Anthropologica erschließt, die oben u. a. als *Vermögen* des Menschen zu sozialem und unsozialem Verhalten aufgeführt wurden, im einzelnen etwa zu Mitleid oder Mitleidlosigkeit, zu Friedfertigkeit oder Feindseligkeit, zu Altruismus oder Egoismus. Hier handelt es sich um genotypische Merkmale, die den logischen Status von Dispositionen haben, die unter bestimmten Bedingungen aktualisiert werden. Erst durch Aktualisierung von Dispositionen kommt es zu moralisch relevantem Handeln, zu Verhaltensweisen, die als »gut« oder »böse« beurteilt werden können. Aber solche divergenten beobachtbaren Phänomene lassen keinen Schluß auf ein eindeutig bestimmbares moralisches Wesen des Menschen zu.

Wir müssen uns deshalb mit der heuristischen Hypothese begnügen, daß zu den anthropologischen Fundamentalien, also den grundlegenden Verfaßtheiten und Vermögen des Menschen, sein Vermögen zu »gutem« und zu »bösem« Handeln gehört. Die kulturelle Konstruktion der einander entgegengesetzten Menschenbilder der negativen und positiven Anthropologie erfolgt aus einer ungerechtfertigten Vereindeutigung. Universalisierungen dieser Art finden sich in so verschiedenen Wissensgebieten wie Theologie, Philosophie, Rechtswissenschaft, Ökonomie, Psychologie oder Biologie als anthropologische Voraussetzungen von Theorien. Wenn etwa Hobbes die wölfische Natur des Menschen zum Ausgangspunkt seiner Staatstheorie macht oder Rousseau seiner Gesellschaftstheorie die Behauptung von der ursprünglichen Güte des Menschen voranstellt, so sind dies einseitige thetische Setzungen im funktionalen Interesse ihrer Theorien. Das ist der Grund dafür, warum derartige Aussagen über die Natur des Menschen prinzipiell problematisch sind. Die pessimistische und die optimistische Perspektive fokussieren jeweils ein Partikulares, um es alsdann zu universalisieren oder zu totalisieren und als realistische Wesensbestimmung des Menschen auszugeben.

Negative und positive Anthropologie als Implikate divergenter Weltdeutungsmuster

Die kulturelle Konstruktion positiver und negativer Menschenbilder, die als anthropologische Voraussetzungen wissenschaftlicher Diskurse fungieren, erfolgt im Rahmen von divergenten Weltdeutungsmustern, die ihrerseits perspektivische kulturelle Konstruktionen sind. Ein Ergebnis unserer bisherigen Arbeiten zum Zusammenhang von Deutungsmustern sowie alltagskultureller, literarisch und ästhetisch dargestellter und wissenschaftlich reflektierter Naturerfahrung war, daß sich in der wechselhaften Geschichte der Selbsteinschätzungen des Menschen mit dem jeweiligen Menschenbild in der Regel ein diesem entsprechendes Bild der Natur wie der gesamten Wirklichkeit verbindet.[6] Die Isomorphie von Mensch und Natur, Natur und Gesellschaft wird häufig ganz selbstverständlich unterstellt. Anthropologischer Diskurs und kultureller Diskurs gehen zumeist von derselben Grundauffassung der »Natur der Dinge« aus. Die beiden konträren anthropologischen Konzepte sind mithin Teil zweier konträrer Weltinterpretationen, Deutungen der Natur, des Weltlaufs im Ganzen: Heil oder Unheil, Erlösung oder Auflösung, Verfall oder Stabilität – oder gar Fortschritt? Ist der Welt, dem Menschen, ein Ordnungskonzept eingeschrieben oder das Konzept des Chaos? Theologisch gewendet: Ist Gott ein liebender Vater, der es gut meint mit seinen Geschöpfen und mit unsichtbarer Hand alles zum Besten lenkt, oder ist er ein eifersüchtiger Gott, der nur sich selber liebt und die Menschen nicht für liebenswürdig, sondern für radikal böse hält, ein Willkürgott, der Gunst und Gnade nach Belieben verteilt? Fragen dieser Art stellen sich in

6 Der Plural bezieht sich auf Arbeiten von Ruth und Dieter Groh. Siehe zum Beispiel zur Isomorphie von Menschen- und Naturbild: »Religiöse Wurzeln der ökologischen Krise. Naturteleologie und Geschichtsoptimismus in der frühen Neuzeit«, in: dies., *Weltbild und Naturaneignung. Zur Kulturgeschichte der Natur*, Frankfurt am Main 1991, S. 11-91, hier 28 ff., 46 ff.

verschärftem Maß in Krisenzeiten, in Umbruchsituationen, in denen überkommene Gewißheiten fragwürdig werden.

Anfänglich setzten unsere Untersuchungen im 16. und 17. Jahrhundert an, in einer Epoche, in der es aus vielerlei Gründen, u. a. in Resonanz auf die Entdeckungen der New Science, zu einer Neuorientierung grundlegender Deutungsmuster kam. War zuvor in der Zeit der Glaubenskriege das düstere Bild einer durch den Sündenfall radikal korrumpierten Natur, der *natura lapsa*, vorherrschend, so trat nun die Vorstellung eines harmonischen Haushalts der Natur, der *oeconomia naturae*, als dominantes Deutungsmuster hervor.[7] Die Voraussetzung der *natura lapsa* von Mensch und Welt, die prinzipiell dem Verfall ausgesetzt waren und der dauernden Kontrolle zur Abwehr des Chaos bedurften, wurde im Lauf des 17. Jahrhunderts als dominantes Deutungsmuster abgelöst durch die Vorstellung harmonischer Selbstregulation oder besser: Selbstordnung. Die gesamte Schöpfung ist derart beschaffen, daß sich in ihr die Prädikate des Schöpfers abbilden, die Allmacht, Güte und Weisheit Gottes. Die Cambridger Platoniker sehen den Menschen als Ebenbild Gottes und schreiben ihm einen eingeborenen »moral sense« zu. Die unbestreitbaren Übel der Welt sind für das Funktionieren des Ganzen notwendig und also nur scheinbare Übel. Die Positivierung des Negativen ist deshalb zentrales Programm im symbolischen Feld der *oeconomia naturae*. Der Kompensationsgedanke[8] – aus *malum* wird *bonum* –, der sich im 18. Jahrhundert verselbständigen wird, hat hier seinen Ursprung. Teleologisch ist diese Weltordnung insofern strukturiert, als eben ihr selbstläufiges, regelhaftes Funktionieren in der Absicht des Schöpfers gelegen habe und so das göttliche Telos realisiere. Auf Intervention in den Lauf der Welt könne Gott verzichten, denn das Ganze stehe unter der Garantie seiner Providenz. Auf eine Konjunktur der Negativität folgte also eine Konjunktur der Positivität. Hier hatte der sogenannte Optimismus der Frühaufklärung seinen Ursprung.[9]

7 Ebd. und dies., »Natur als Maßstab – eine Kopfgeburt«, in: dies., *Die Außenwelt der Innenwelt. Zur Kulturgeschichte der Natur 2*, Frankfurt am Main 1996, S. 83-146, hier 103 ff.

8 Siehe dies., »Zur Entstehung und Funktion der Kompensationsthese«, in: dies., *Weltbild* (Anm. 6), S. 150-170.

9 Vgl. dies., »Religiöse Wurzeln« (Anm. 6).

Die beiden konträren Weltdeutungen sind keine Erfindungen der frühen Neuzeit, sondern kulturelle Konstrukte mit einer langen Tradition. Die Denkfiguren *natura lapsa* und *oeconomia naturae* sind elementare metaphysisch oder religiös-theologisch begründete Auffassungen von der Natur der Dinge, die sich zum Teil bis in die antike Philosophie zurückverfolgen lassen und sich auf bestimmte Bibelauslegungen stützen.[10] In ihrer idealtypischen Form manifestieren sie sich in folgenden Oppositionen: Universalismus und Antiuniversalismus, Teleologie und Antiteleologie, Ordnung und Chaos, Providenz und Kontingenz, Notwendigkeit und Zufall, Rationalismus und Voluntarismus, Optimismus und Pessimismus.

Wir folgen bei unserer Rekonstruktion einer doppelten anthropologischen Fragestellung: Es geht nicht nur um die Analogie von Menschenbild und Weltbild, sondern auch um die anthropologisch bedingte Genese dieser Muster. Demnach würde sich der Satz des Protagoras – des wichtigsten Vertreters der anthropologischen Wende der Vorsokratiker – bewähren: Der Mensch ist das Maß aller Dinge (der seienden, daß sie sind, der nicht seienden, daß sie nicht sind). Denn der *Homo-mensura*-Satz läßt sich »so verstehen, daß er auf die Abhängigkeit allen Wissens von dem dieses Wissen gewinnenden Menschen abhebt, so daß nach ihm alle Theorie letztlich im menschlichen Handeln gründet«.[11] Das läßt sich bereits an den großen universalistischen und teleologischen Naturauffassungen des 4. Jahrhunderts v. Chr. erkennen: Platon und Aristoteles orientierten ihr Verstehen von Naturprozessen am planvollen, das heißt zielgerichteten Handeln des Menschen, einem Handeln in der Ordnung von Mittel und Zweck.[12] Die Natur erscheint als poietisch handelndes Subjekt. Als Prototyp einer teleologischen Weltdeutung wird die in Platons *Timaios* dargestellte Kosmogonie angesehen. In

---

10 Siehe ebd. und Ruth Groh, »Van Eycks Rolin-Madonna als Antwort auf die Krise des mittelalterlichen Universalismus. Eine naturästhetische Perspektive«, in: Christiane Kruse, Felix Thürlemann (Hg.), *Porträt – Landschaft – Interieur. Jan van Eycks Rolin-Madonna im ästhetischen Kontext*, Tübingen 1999 (Literatur und Anthropologie 4), S. 115-130.

11 Kuno Lorenz, »Homo-mensura-Satz«, in: Jürgen Mittelstraß (Hg.), *Enzyklopädie Philosophie und Wissenschaftstheorie*, Bd. 2, Mannheim 1984, S. 128.

12 Vgl. Ruth und Dieter Groh, »Religiöse Wurzeln« (Anm. 6), S. 17 ff.

diesem Mythos konstruiert der Demiurg als göttlicher Weltbaumeister nach einem Urbild, dem universalistischen Paradigma der Ideen, die Welt der Sinnendinge. Die guten Absichten, die ihn dabei leiten, kommen in der harmonischen, rationalen und zweckmäßigen Einrichtung der Welt an ihr Ziel: Er verwandelt das ursprüngliche Chaos in Ordnung.

Der radikale Gegenentwurf zu dieser universalistischen und teleologischen Weltdeutung, die von der Philosophie der Stoa übernommen wurde, geht auf den antiken Atomismus zurück. Demokrit und Epikur orientierten ihr Naturverstehen ebenfalls am menschlichen Handeln, jedoch an einem Handeln nicht nach der Richtschnur eines allgemeingültigen und allgemeinverbindlichen Guten und Vernünftigen, sondern an dem willkürlichen Handeln nach Maßgabe des eigenen Vorteils und der eigenen Lust, mithin eines auf das Handlungssubjekt bezogenen *relativ Guten*. Dem Handlungsprinzip der Willkür entspricht kosmologisch das Prinzip des Zufalls. Weshalb die atomistische Kosmologie die Entstehung der Welt aus Zufall, aus der zufälligen Zusammenballung von Atomen behauptet. Nach Epikur sprechen die zahllosen Unvollkommenheiten und Übel der Welt gegen die Annahme, hier sei ein guter und weiser Gott am Werk gewesen. Er deutet deshalb die Welt nicht als harmonisches Resultat absichtsvollen Handelns. Entgegen dem universalistischen teleologischen Denkmodell Platons, in dem Zufall und Kontingenz aus der Konstruktion der Welt ausgeschlossen werden, will er antiuniversalistisch und antiteleologisch Naturprozesse als zufälliges, kontingentes, zielloses Geschehen begreifen. So wie sie entstanden ist, kann die Welt auch wieder zerfallen. Mehren sich die Übel, so manifestiert sich darin das Altern der Welt (*mundus senescens*).

Die judäisch-christliche Metaphysik hat es vermocht, die beiden Weltdeutungsmuster, das universalistische und das antiuniversalistische, in ihrem Gottesbegriff miteinander zu verbinden, wobei die Problematik dieser Synthese in unterschiedlichen Traditionen der Schöpfungs- und Heilstheologie zum Ausdruck kommt. Beiden gemeinsam ist: An die Stelle des antiken Begriffs der Natur als handelndes Subjekt, als *natura naturans*, tritt Gott. Natur ist nach der Genesis nur als geschaffene, als *natura naturata*, denkbar. Auf der optimistischen Linie erkennt die teleologisch argumentierende Schöpfungstheologie in der schönen, harmonisch und zweckvoll eingerichteten Ordnung des Ganzen, im regelmäßigen Ablauf von Naturprozessen, einen Spiegel des allmächtigen, gütigen und weisen Gottes; und sie begreift den Menschen als sein Ebenbild. Die Wirkungsmacht dieser Denkfigur reicht bis zur Aufstellung eines teleologischen Gottesbeweises (Thomas von Aquin). Sie findet später durch die einflußreiche Lehre vom »Buch der Natur«[13] weithin Beachtung. Im teleologischen Geschichtsbild, das dieser Denkfigur entspricht, herrscht die Vorstellung einer aufgrund göttlicher Vorsehung oder aufgrund von Gesetzen göttlichen Ursprungs geordnet ablaufenden Geschichte. Die Welt ist »in Ordnung«, sie ist sinnbestimmt, und zwar auch dann, wenn wir den Sinn dessen, was geschieht, nicht immer durchschauen. Das Menschenbild der vorwiegend universalistisch und teleologisch orientierten Hochscholastik war insofern ein positives, als ihr bedeutendster Denker Thomas von Aquin den Menschen zwar als Triebwesen, aber eben auch als Vernunftwesen ansah. Er sprach ihm die Fähigkeit zu, das göttliche Gesetz, die *lex divina* der jüdischen und christlichen Offenbarung, das Ur- und Vorbild der *lex naturalis,* zu erkennen, denn auch nach dem Sündenfall habe er teil an der göttlichen Vernunft.

Die Heilstheologie Augustinscher Provenienz sieht dagegen Mensch und Welt als von der Sünde radikal verdorben an. *Non posse non peccare,* so lautete bereits das Urteil von Augustinus über den Menschen: Er ist unfähig, das von Gott gegebene Gesetz zu erfüllen, sondern lebt auschließlich in der Sünde. Nur durch die Gnade Gottes und sein ständiges Eingreifen in den Lauf der Welt kann diese vorläufig vor Chaos und Zerfall bewahrt werden, auf die sie gleichwohl nach dem Willen Gottes so unausweichlich wie erkennbar zuläuft. Überdies hatte, in einer anderen, von Augustinus nicht übernommenen Tradition, der ursprünglich antiteleologische *mundus-senescens*-Topos des Atomismus seit der Esra-Apokalypse, entstanden gegen Ende des ersten Jahrhunderts, Eingang in die pessimistische Linie der christlichen Welt- und Geschichtsdeutung gefunden und die Vorstellung der gefallenen Natur durch die einer

---

13 Siehe u. a. Groh, Ruth, »Theologische und philosophische Voraussetzungen der Rede vom Buch der Natur«, und Groh, Dieter, »Die Entstehung der Schöpfungstheologie oder der *Lehre* vom Buch der Natur bei den frühen Kirchenvätern in Ost und West bis zu Augustin«, in: Aleida Assmann u. a. (Hg.), *Zwischen Literatur und Anthropologie. Diskurse, Medien,* Tübingen 2005.

*ver*fallenden Natur ergänzt.[14] Auch das Schicksal des Menschen untersteht bedingungslos dem Willen Gottes. Dieser Gott, ein voluntaristischer Machtgott, inszeniert das Drama von Sünde und Gnade, wie es ihm gefällt. Im Begriff des *Deus absconditus*, des verborgenen Gottes, ist aufgehoben, was im paganen Atomismus Willkür und Zufall bedeuten; denn Gottes Absichten, seine Pläne, seine Ziele sind unerforschlich, die Hinnahme des Faktischen, Kontingenten folglich die angemessene Haltung des Christen: Ergebung in den Willen Gottes.[15]

Im christlichen Gottesbegriff verschränken sich also die beiden skizzierten Deutungsmuster, verbinden sich *ratio* und *voluntas*, Providenz und Kontingenz, wobei heilstheologisch der Primat auf *voluntas* und Kontingenz, schöpfungstheologisch der Primat auf *ratio* und Providenz liegt.

Seit der Antiuniversalismus aufkam, standen die beiden divergenten Weltinterpretationen in Konkurrenz, wie die zahlreichen Auseinandersetzungen mit dem Epikureismus zeigen, die von seiten der Stoa und später mit besonderer Schärfe von seiten christlicher Autoren geführt wurden.[16] Weil sein Materialismus die Möglichkeit jeder Gottesverehrung zerstörte, galt der Epikureismus schließlich »als Gegenpol zum Christentum schlechthin«.[17]

Aber den Antiuniversalismus gibt es nicht nur in seiner paganen Gestalt. Im Mittelalter trat er als Nominalismus gegen den Universalismus der Hochscholastik an. Seine Negierung der Existenz des Allgemeinen und damit des Allgemeingültigen und Allgemeinverbindlichen zerbrach die traditionelle Vorstellung einer Einheit von Glauben und Wissen. Gegenstand seiner subjektivistischen und voluntaristischen Erkenntnis- und Sprachtheorie, die den Menschen, seine Fähigkeiten und Möglichkeiten aufwertet, ist das Individuelle, Besondere. Schöpfungstheologisch steht er auf seiten der Kontingenz gegen die Providenz, der Antiteleologie gegen die Teleologie. Seinem voluntaristischen, absolutistischen Gottesbegriff entspricht eine voluntaristische Anthropologie. Die Annahme der

14 Vgl. Dieter Groh, *Schöpfung im Widerspruch. Deutungen der Natur und des Menschen von der Genesis bis zur Reformation*, Frankfurt am Main 2003, S. 17 ff., 31 ff.

15 Was zum Beispiel Petrarca exemplarisch vorlebt: Ruth und Dieter Groh, »Petrarca und der Mont Ventoux«, in: dies., *Außenwelt* (Anm. 7), S. 15-82, hier 58 f.

16 Ruth Groh, »Rolin-Madonna« (Anm. 10), S. 120, 123.

17 Ebd.

Kontingenz der Welt, die eben so ist, wie sie ist, weil Gott es so gewollt hat, führt zur Anerkennung der Faktizität der Welt. Sie steht in struktureller Analogie zur Kontingenz praktischer Überzeugungen in der nominalistischen Ethik. Die Annahme eines durchgängigen Primats der *voluntas* vor der *ratio* impliziert die Relativierung des Guten – gut ist jeweils, was der Wollende als gut bezeichnet.

Im Durchgang durch die Geschichte der Denkfiguren – also nicht nur in der frühen Neuzeit – läßt sich beobachten, daß in Krisenzeiten, wenn es zu Orientierungsverlust und einer »neuen Unübersichtlichkeit« kommt, weil bisher als allgemeingültig und allgemeinverbindlich anerkannte Wahrheiten erschüttert werden, die anthropologische Frage sich mit besonderer Dringlichkeit stellt. Was ist der Mensch und was vermag er? Die einen trauen dem Menschen zu, die Dinge zum Besseren zu wenden, die anderen sehen ihn eher als Spielball des Unverfügbaren. In der Krise des Hellenismus gaben zum Beispiel die Schulen der Stoa und Epikurs unterschiedliche Antworten: eine universalistische und eine antiuniversalistische. Unter christlichem Vorzeichen gewann, wie oben gesagt, in jener fundamentalen Krise der frühen Neuzeit, deren Ausdruck und Verstärker die Reformation mit den anschließenden verheerenden Glaubenskriegen war, die Vorstellung der *natura lapsa* die Oberhand. Nach einer Epoche des Pessimismus in bezug auf Mensch, Natur, Gesellschaft und Geschichte mehrten sich jedoch seit dem späten 16. und dem 17. Jahrhundert die Anzeichen für einen Wandel der Deutungsmuster. Eine eher positive Sicht auf die von Gott wohlgeordnete Natur der Dinge trat an die Stelle von Verfallstheorien und apokalyptischen Erwartungen. Hatte man zuvor das Prinzip der Kontrolle zur Abwehr des Chaos favorisiert, so neigte man nun dem Prinzip der Selbstregulation zu. Der Umschwung dieser Prinzipien bekundet sich in vielen Bereichen: in der Theologie als Übergang von einer auf den Zusammenhang von Sünde und Gnade konzentrierten Heilstheologie zur Schöpfungstheologie und schließlich zur Natürlichen Theologie; in Erkenntnistheorie, Naturphilosophie, politischer Philosophie, Ökonomie, Moralphilosophie und Naturwissenschaften dominierte die neue optimistische Perspektive.[18]

18 Vgl. Ruth und Dieter Groh, »Religiöse Wurzeln« (Anm. 6); Dieter Groh, *Die New Science in der göttlichen Weltökonomie*, Frankfurt am Main 2006.

Wir sprechen in bezug auf den skizzierten Umschwung in Anlehnung an Rolf Peter Sieferle von einem Wandel der »symbolischen
Felder«.[19] Als symbolisches Feld definieren wir in Abhebung vom
Begriff des Paradigmas einen kulturell konstruierten Orientierungs-
rahmen, der einzelne Wissensgebiete übergreift. Indem es Denkhal-
tung und Theoriestil präformiert, bildet das symbolische Feld die
unhinterfragte Basis, auf der die speziellen Theorien einzelner Wissensgebiete ausformuliert werden. In diesem Sinn bilden die Vorstellungen von einer *natura lapsa* und einer *oeconomia naturae* symbolische Felder. Indem sie die jeweiligen Grundannahmen über
Aufbau, Zusammenhang und Schicksal der Welt zum Ausdruck
bringen, fungieren die divergenten Denkmuster gewissermaßen als
kulturelle Großmuster, als weltanschauliche Voraussetzungen der
unterschiedlichsten Theorien, auch für anthropologische Theorien,
wie im folgenden an einem Beispiel gezeigt wird.

Wir haben oben den formalen Begriff der negativen Anthropologie als einer modernen, die nicht auf Wesensbestimmungen ausgerichtet ist, erläutert und ihn vom materialen Begriff der negativen
Anthropologie unterschieden, der sich an unseren Untersuchungs-
gegenständen ablesen läßt als einem, der zum pessimistischen Deutungsmuster der *natura lapsa* gehört. Nun ist jedoch in der wissenschaftlichen Literatur noch in einem anderen Sinn von negativer
Anthropologie die Rede.[20] Dieses Konzept verneint die Frage nach
der Erkennbarkeit der menschlichen Natur: Das Wesen des Menschen entzieht sich der erhellenden Nachfrage. Dieser Begriff einer
negativen Anthropologie wird als der Anthropologiebegriff der
Moderne ausgezeichnet. Im Gegensatz zur Formalanthropologie,
die ihre Absage an Wesensbestimmungen des Menschen theoretisch
und methodisch begründet, ist hier die Begründung jedoch eine
materiale. Die Annahme, Wesensbestimmungen des Menschen sei-
en nicht möglich, wird nämlich paradoxerweise ihrerseits mit einer

---

19 Rolf Peter Sieferle, *Die Krise der menschlichen Natur. Zur Geschichte eines Konzepts*,
    Frankfurt am Main 1989, S. 14 f.; ders., *Bevölkerungswachstum und Naturhaushalt*,
    Frankfurt am Main 1990, S. 11-25.
20 Karlheinz Stierle, »Die Modernität der französischen Klassik. Negative Anthro-
    pologie und funktionaler Stil«, in: Fritz Nies, Karlheinz Stierle (Hg.), *Französische
    Klassik*, München 1985, S. 84-128.

Wesensbestimmung des Menschen begründet: Der Mensch sei ein Wesen, dessen wahre Natur verborgen sei beziehungsweise das seine wahre Natur verberge; der Mensch wird als *Homo absconditus* auf den Begriff gebracht. Der so bestimmte Begriff einer negativen Anthropologie ist deshalb kein formaler, weil angenommen wird, es gäbe eine wahre Natur des Menschen, nur sei die eben unergründlich, *ineffabile*, verborgen: der Mensch ein rätselhaftes Wesen. Das Paradox, das darin besteht, die Unmöglichkeit von anthropologischen Wesensbestimmungen mit einer anthropologischen Wesensbestimmung zu begründen, ist Indiz für die Doppeldeutigkeit dieses »modernen« Anthropologiebegriffs. Einerseits teilt er mit der Formalanthropologie die Absage an Deutungen der »Natur« des Menschen, andererseits steht er – mit seiner substantiellen Begründung – in Analogie zu den Wesensbestimmungen der Anthropologie im materialen Sinn. Unverkennbar ist denn auch die pessimistische Perspektive, die dieses Menschenbild entwirft. Der *Homo absconditus* erscheint als Ebenbild des *Deus absconditus*. Verborgen ist jedoch nicht in erster Linie der universalistische teleologisch begriffene Schöpfergott, dessen Prädikate sich in seinem Werk spiegeln, im »Buch der Natur«, sondern der Willkürgott, der Gott der Kontingenz, der sich nicht in die Karten schauen läßt, was immer er verfügt. Was in der französischen Moralistik der *Homo absconditus*, das *individuum ineffabile*, hinter der lächelnden, gefälligen Maske verbirgt, sind seine *vices*, seine Laster, sein Willkürhandeln nach Maßgabe seines *amour propre*, die Leidenschaften und Affekte, die ihn zerreißen. Das Programm der Desillusionierung, das die Moralistik umtreibt, zielt auf Verneinung geltenden Wissens, eines Bildes vom Menschen, das ihn in platonischer, stoischer und hochscholastischer Tradition als einen zeichnet, dessen Vernunft die Affekte beherrschen kann. Die Desillusionierung zeigt einen Wandel der Denkmuster des symbolischen Feldes an: von der *oeconomia naturae* zur *natura lapsa*, vom Universalismus zum Antiuniversalismus. Das »Schwarze« der menschlichen Natur, von dem später Nietzsche spricht, ist mithin kein rätselhaftes, unergründliches »schwarzes Loch«, sondern hat seinen genau bestimmbaren Ort im symbolischen Feld der *natura lapsa*, in dem von Pascal über La Rochefoucauld und Racine bis in die Moderne viele Aspekte eines pessimistischen Menschenbildes in sich wandelnden Formen weitergereicht werden. So gesehen, gehört das Bild des *Homo absconditus*, das die

französische Klassik entwarf, zum antiuniversalistischen Denkmuster einer Metaphysik des *amour propre*, der Eigenliebe, in der sich
allerdings die christlich geprägte Vorstellung der *natura lapsa* heim-
lich mit dem epikureischen Konzept der lebensklugen Selbstsorge
verband.[21] Der hier zur Rede stehende Begriff einer – pessimistischen – negativen Anthropologie läßt sich also wohl kaum als *der*
Anthropologiebegriff der Moderne auszeichnen. Denn auch in dieser Epoche wechseln die Konjunkturen der beiden symbolischen
Felder und mit ihnen die jeweiligen Menschenbilder.

Es hat uns bei unserer Arbeit selbst in Erstaunen versetzt zu sehen,
wie lange die ursprünglich religiös-metaphysisch begründeten
Weltdeutungen auch in einem säkularen Zeitalter wirksam blieben
und daß die ihnen zugeordneten begrifflichen Oppositionen bis
heute die Stichworte beim Wandel der symbolischen Felder gegeben haben.

In der Gegenwart ist nach dem Ende der universalistischen und
teleologischen Geschichtsphilosophien ein Vordringen des Antiuniversalismus und eines pessimistischen Menschenbildes zu beobachten. Die kulturelle Konstruktion der wölfischen Natur des Menschen mit ihrem rücksichtslosen Drang zur Selbstbehauptung tritt
wieder hervor: In der Hypostasierung einer Souveränität *lege absolu-
tus* – jedoch nicht ohne auf Widerstand des Universalismus etwa in
Gestalt des Postulats der Menschenrechte zu stoßen.

Als weiteres Beispiel kann die in der gegenwärtigen Konjunktur
der negativen Anthropologie wiederauflebende Diskussion um
Egoismus und Altruismus unter Evolutionspsychologen und in der
Soziobiologie dienen.[22] Hier präformiert etwa das implizit vorausgesetzte Bild eines aggressiven, nur auf Weitergabe seiner »egoistischen Gene« im »Kampf ums Dasein« angelegten Menschen die
These von der Vergewaltigung als evolutionär vorteilhafter Strategie. Kritisch wird gegen derartige Universalisierungen zu Recht ein-
gewandt, sie blendeten die ebenfalls evolutionär bedeutsamen Ver-

---

21 Vgl. Dorothee Kimmich, *Epikureische Aufklärungen. Philosophische und poetische
   Konzepte der Selbstsorge*, Darmstadt 1993.
22 Siehe zum Beispiel Heinrich Meier (Hg.), *Die Herausforderung der Evolutionsbio-
   logie*, München 1988; Bernhard Kleeberg, Stefan Metzger, Wolfgang Rapp, Tilmann Walter (Hg.), *Die List der Gene. Strategeme eines neuen Menschen*, Tübingen
   2001; Bernhard Kleeberg, Fabio Crivellari, Tilmann Walter (Hg.), *Urmensch und
   Wissenschaftskultur*, Darmstadt 2004.

haltensweisen Kooperation und Altruismus aus. Neuerdings erheben Hirnforscher aufgrund von – durchaus umstrittenen – Untersuchungsergebnissen, die die Determination menschlichen Handelns durch neuronale Aktivitäten des Gehirns beweisen sollen, die Forderung nach einer Revision des Strafrechts. Eine solche naturalistische Schlußfolgerung bedeutet nichts anderes als eine Entmächtigung des Menschen, dem die Fähigkeit zur Verantwortung für moralisch und strafrechtlich relevantes Verhalten abgesprochen wird. Wenn heute Augustinisch orientierte Theologen in jenen Ergebnissen den naturwissenschaftlichen Beweis für das *Non posse non peccare* des Kirchenvaters erblicken, so stellt diese Hypothese auch eine Fraktion der Hirnforscher in die Perspektive der negativen Anthropologie. Das perspektivische Bild des aggressiven Menschen, das hier hinsichtlich der Theoriebildung funktional wirksam wird, kann aber auch weiterreichende Konsequenzen haben. So fungieren Verweise auf genetische Determination von Verhaltensweisen beispielsweise als Begründung gesellschaftlicher Sanktionen oder Belohnungen einzelner Gruppen von Menschen. Ferner wird aus Forschungen über das Aggressionsverhalten in Schimpansenhorden aus ethologischer Perspektive geschlossen, das menschliche Aggressionsverhalten sei tief im Vormenschlichen verwurzelt.

Wir haben die beiden konträren Weltdeutungsmuster in ihrer idealtypischen Form dargestellt. Bei unseren Untersuchungen zeigte sich, daß sie tatsächlich in dieser Form auftreten können, daß aber auch Mischformen erkennbar sind. Vor allem beim Wandel der symbolischen Felder, wenn das eine seinen Gegenpart allmählich unterläuft, lassen sich in manchen Theorien Elemente aus beiden finden. Weitergehend könnte man sagen, daß die Größe einer Theorie gerade darin besteht, die Perspektivität der Weltdeutungsmuster anzuerkennen, mit anderen Worten, Totalisierungen zu vermeiden.

Im folgenden werden wir anhand einiger exemplarischer Beispiel aus unseren Arbeitsgebieten die Funktion der symbolischen Felder sowie der ihnen zugehörigen Menschen- und Naturbilder darstellen.

II. Die Reichweite anthropologischer Theorie –
Perspektiven ästhetischer Naturerfahrung

Ein Ergebnis unserer Studie zur Geschichte der Naturästhetik war die Unterscheidung von *theoretischer* und *atheoretischer* Naturerfahrung, die beide als kulturelle Konstrukte im Rahmen unterschiedlicher Weltdeutungsmuster entstanden sind.

Der Begriff »theoretische Naturerfahrung« bezeichnet eine Weise des kontemplativen Zugangs zur Natur, die in der Tradition der aristotelischen Auslegung des Konzepts der *theoría tou kosmou* als anschauende Betrachtung des Kosmos steht.[23] Ziel dieser theoretischen Kontemplation ist Erkenntnis: der Idee, des Wesens der Dinge, des Seins im Ganzen,[24] in christlicher Perspektive der Allmacht, Weisheit und Güte Gottes. Von Anbeginn ist in dieser Tradition theoretische Betrachtung der Natur zugleich Theologie.[25] Noch 1752 können wir bei einem Autor lesen: »La contemplation du monde est la théologie des sens.«[26] Nach dem antiken Konzept der *theoría* ist das Ganze des Seienden zwar in der Welt der Sinnendinge gegenwärtig, aber nur in der Weise des Scheinens. Alles Sichtbare ist bloß Abbild des unsichtbaren Urbilds, schöne Natur repräsentiert die wahre Natur. Trotz dieser Abwertung bedarf die *theoretische* Kontemplation jedoch der Erscheinungen der natürlichen Welt, allerdings nur, um das sinnlich Wahrgenommene zu transzendieren, also gewissermaßen einen Sprung vom Sichtbaren zum Unsichtbaren, vom Sinnlichen zum Übersinnlichen zu vollziehen. Die besondere Erscheinungsform der natürlichen Dinge, ihre äußere Gestalt, wird bei solcher Fixierung aufs Meta-Physische, auf ihr wahres Wesen ganz unerheblich.

Das nach Maßgabe einer universalistischen und teleologischen Kosmologie entworfene *theoría*-Konzept hatte einen normativen

---

23 Siehe Joachim Ritter, »Landschaft. Zur Funktion des Ästhetischen in der modernen Gesellschaft« (1963), in: ders., *Subjektivität*, Frankfurt am Main 1974, S. 141-163, 173-190, hier 144 f.; zum Begriff der *theoría* vgl. ders., »Die Lehre vom Ursprung und Sinn der Theorie bei Aristoteles«, in: *Veröffentlichungen der Arbeitsgemeinschaft für Forschung des Landes NRW, Schriftenreihe Geisteswissenschaften*, Heft 1, Köln und Opladen 1953, S. 32-54; auch in: ders., *Metaphysik und Politik. Studien zu Aristoteles und Hegel*, Frankfurt am Main 1969 und 1977, S. 9-32.

24 Martin Seel, *Eine Ästhetik der Natur*, Frankfurt am Main 1991, S. 70.

25 Vgl. Ritter, »Landschaft« (Anm. 23), S. 145.

26 Elie Bertrand, *Sur les usages des montagnes*, Zürich 1752, S. 166.

Anspruch. Bereits bei Platon war ein normatives Implikat der *theoría* deutlich erkennbar, als er abfällig über diejenigen sprach, die zwar die schönen Farben und Gestalten lieben, aber unfähig sind, die Natur und das Wesen des Schönen zu erkennen.[27] Wer sich bloß an den Sinnendingen ergötzt, dessen Sinneswahrnehmung ist nach Platon »vernunftlos«.[28] Die Bewegung der Töne, so heißt es im *Timaios*, gewährt den »Unverständigen Sinnengenuß, den Verständigen aber *intellektuelles* Vergnügen durch die Nachahmung der göttlichen Harmonie, die in sterblichen Bewegungen erfolgt«.[29]

Der radikale Gegenentwurf zu dem nach Maßgabe einer universalistischen und teleologischen Kosmologie entworfenen *theoría*-Konzept geht auf Epikur zurück. Der Atomismus verneint, wie oben gezeigt, die Existenz des Universellen (Platon) beziehungsweise der Weltvernunft (Stoa). Der Antiuniversalismus Epikurs läßt in Ethik und Ästhetik nur einen Maßstab gelten: den des Individuellen. Die Folgen sind eine Ethik und eine Ästhetik der Lust. Gegen Völlerei sei prinzipiell nichts einzuwenden, sagt der kluge Hedonist Epikur, bloß bekäme einem das Übermaß nicht. Ein Gewissen braucht Epikur nicht, denn nicht das allgemein Gute, hier: das Prinzip des Maßhaltens, ist ausschlaggebend, sondern das relativ Gute, relativ in bezug auf die gewünschte Befindlichkeit des einzelnen. So wie es keinen allgemeinen Maßstab des Guten gibt, kein *verum bonum*, so gibt es auch keinen allgemeinen Maßstab des Schönen, der wie im universalistischen Modell eins wäre mit dem Guten und Wahren. Was es gibt, ist nur ein relativ Schönes, relativ in bezug auf das Lustempfinden des einzelnen. Schön ist, was gefällt. In seinem Lehrgedicht *De rerum natura* beschreibt Lukrez die Betrachtung einer wilden Naturszene, ein Erlebnis, das als Grundmuster einer atheoretischen Naturerfahrung gelten kann, als ein, um mit Martin Seel zu sprechen, »profanes Fest der Sinne«[30] ohne Bezug auf Höheres. Der einzige Sinn des Spiels der Erscheinungen liegt in der Lust an der sinnlichen Wahrnehmung. Die Aufwertung der Gegenstände sinnlicher Anschauung und die Verlagerung des ästhetischen Urteils in das Subjekt werden in der Krise des mittelalterlichen Universalismus und später – im Zuge der Rezeption Epi-

27 Platon, *Politeia*, 475e und 476b.
28 Ders., *Timaios*, 28a.
29 Ebd., 80b.
30 Seel, *Ästhetik* (Anm. 24), S. 70.

kurs – im Spätmittelalter und in der frühen Neuzeit eine wichtige Rolle spielen.

Die frühen Kirchenväter ließen sich von der neuen Perspektive Epikurs nicht beirren. Die meisten von ihnen – sie hatten in den Schulen die Lehren der griechischen Philosophen studiert – sprachen vom »schönen Kosmos«, von der herrlichen göttlichen Weltordnung. Sie bildeten eine christliche Version der *theoría tou kosmou* aus, die in der Tradition der Schöpfungstheologie stand, wie sie vom Alten Testament und den jüdischen Apokalypsen über das Neue Testament überliefert worden war. Ihre stärkste Formulierung erfuhr sie im Hexaemeron von Basilius von Cäsarea und Ambrosius von Mailand im 4. Jahrhundert, ihrem Kommentar zum Siebentagewerk Gottes bei der Schöpfung. Im Gegensatz zu den Griechen hatten die Kirchenväter freilich ein Problem. Erzählte nicht die Schöpfungsgeschichte davon, daß die Strafe für den Sündenfall außer den Menschen auch die äußere Natur getroffen habe? Und gab es nicht tatsächlich übergenug Naturphänomene, die das bestätigten? Von wilden Tieren, giftigen Pflanzen bis zu Steinwüsten und Bergen? Deshalb benötigten die Kirchenväter, anders als die Griechen, ein *Argument*, um ihre positive Einschätzung der äußeren Natur zu begründen und gegen manche ideologische Gegner wie Atheisten – die Epikuräer galten als solche – und Häretiker zu verteidigen. Das Argument hieß: »Nichts ist ohne Nutzen geschaffen!« So Basilius.[31] Bei richtiger Betrachtung offenbare sich die Nützlichkeit alles Geschaffenen, auch der üblen, dem Menschen nicht zuträglichen Dinge. Sie alle hätten einen festen Platz in Gottes Schöpfungsordnung und dienten bestimmten Zwecken zum Wohl des Ganzen. Hier zeichnete sich der erste christliche Entwurf des Konzepts der *oeconomia naturae* ab, das alle Schöpfungsdinge ohne Ausnahme als Positivposten der göttlichen Heilsökonomie verbuchte. Dieses Deutungsmuster, mit Unterbrechungen tradiert über die mittelalterliche Rede vom Buch der Natur, in dem jedes Geschöpf ein mit dem Finger Gottes geschriebener Buchstabe sei, sollte sich in der frühen Neuzeit als Grundlage für die Entstehung der ästhetischen Wahrnehmung wilder Natur, zumal der Berge, bewähren.

Den ersten und tiefen Bruch in der Tradition dieser positiven, op-

---

31 Basilius, *Hexaemeron*, V. 4, herausgegeben von Stanislas Giet (Sources Chrêtiennes 26 bis), Paris 1968, S. 294 f.

timistischen Naturauffassung leitete Augustin im letzten Jahrzehnt des 4. Jahrhunderts ein: Er setzte jeder Zuwendung zur äußeren Natur, sei sie nun von wissenschaftlichem Interesse oder von der Lust an sinnlicher Anschauung motiviert, ein Verbot entgegen, das bis zum Beginn der Neuzeit weitreichende Folgen haben sollte: das Neugierverbot.[32] Er verurteilte das Sehen um des Sehens willen: Die *cupiditas videndi* oder *concupiscentia oculorum* zeugt von einer Liebe zu den Geschöpfen und zur Schöpfung, die nichts anderes ist als Abgötterei, Idolatrie. Theologisch eingebettet war Augustins Neugierverbot in seine negative Anthropologie und seine negative Sicht auf die äußere Natur.

Für die Wirkungsmacht Augustins gibt es viele Zeugnisse. Das prominenteste ist der Bericht Petrarcas von seiner Besteigung des Mont Ventoux. Als er den Blick vom Gipfel genossen und »Irdisches« bewundert hatte, stellte er erschrocken fest, daß er gegen das Augustinische Verbot der *voluptas oculorum* verstoßen hatte.[33] In der Tat geht aus Petrarcas Beschreibung seines Blicks auf die weite Landschaft zu seinen Füßen hervor, daß seine Weise der Landschaftswahrnehmung eine *atheoretische* ist. Das haben wir in unserer Petrarca-Studie im Widerspruch gegen Joachim Ritter ausführlich begründet.[34] Ritter hielt wie die traditionelle Naturästhetik die Bindung der ästhetischen an die theoretische Naturbetrachtung für unauflöslich, weshalb er auch Petrarca in die Tradition der *theoría* gestellt hat. Der atheoretische Blick Petrarcas löste diese Bindung jedoch auf. Damit reihte sich Petrarca in die Tradition der Texte römischer Autoren ein, die eine areligiöse, atheoretische Wahrnehmung von Natur und Landschaft bezeugten. Als Augustin die *concupiscentia oculorum* verwarf, hatte er zweifellos diese Texte im Blick, und er wußte wohl auch, daß eine solche Ästhetik der Augenlust auf einer Weltdeutung antiuniversalistischer epikuräischer Prägung basierte.

Die Wendung Petrarcas erscheint so im Licht der Krise des mittelalterlichen Universalismus, der Konzepte wie den teleologischen

---

32 Vgl. Dieter Groh, *Schöpfung* (Anm. 14), Kapitel 4.1.1.

33 Ruth und Dieter Groh, »Petrarca« (Anm. 15), S. 41 f.

34 Siehe ebd.; Ruth Groh, »Rolin-Madonna« (Anm. 10), S. 124 f.; vor allem aber Ruth und Dieter Groh, *Interiorità e Natura. Petrarca e l'esperienza della natura*, Verbania 2005, eine überarbeitete und wesentlich erweiterte Fassung des deutschen Textes.

und kosmologischen Gottesbeweis (Thomas von Aquin) hervorgebracht hatte. Im Lebenskonflikt Petrarcas, den er im Mont-Ventoux-Brief wie im *Secretum* und im *Canzoniere* thematisiert, wird die Kluft zwischen Heilssorge und Weltverfallenheit unüberbrückbar. Die Kontingenz des göttlichen Willens, der die Gnade versagt, so daß der Wille des Menschen zu schwach bleibt, von der Welt und ihren Eitelkeiten Abstand zu nehmen, läßt ihm als Lebensmöglichkeit nur die Anerkennung der Faktizität, konkret, die »irdischen Geschäfte« weiterzuführen,[35] wenn auch mit unglücklichem Bewußtsein. Die Analogie zwischen der Gnadenlehre des späten Augustin und dem Gottesbegriff des Nominalismus ist unübersehbar.

Fixiert auf die Sünden- und Heilstheologie in der Nachfolge Augustins hatte Luther gelehrt, die gesamte Natur sei durch den Sündenfall ins Verderben gerissen worden. Dieses negative Bild der Natur und des Menschen stand einem Wandel ästhetischer Naturerfahrung – insbesondere im Erleben der traditionell perhorreszierten Natur des Hochgebirges – entgegen. Allerdings regte sich in der Schweiz schon früh Einspruch gegen eine solche Auffassung. Zwingli und Heinrich Bullinger[36] nahmen die Schöpfungstheologie der frühen Kirchenväter inklusive des Nutzenarguments wieder auf. Konsequent belebten sie erneut die Denkfigur der Positivierung des Negativen. Mit der Rezeption der frühen Schöpfungstheologie geriet die äußere Natur in die Perspektive der *oeconomia naturae*. Das Menschenbild hellte sich, gemessen an demjenigen Luthers, merklich auf durch die Lehre Zwinglis und Bullingers, menschliches Erkenntnisvermögen sei ein Gnadengeschenk des göttlichen Geistes. Damit waren im 16. Jahrhundert, nach über 1100 Jahren, zwei Voraussetzungen geschaffen, die Möglichkeit zu einer theoretischen ästhetischen Naturerfahrung wieder zu eröffnen, die Augustin mit seinem Verdikt der *vana curiositas* und der *concupiscentia oculorum* negiert hatte. Conrad Gesner, Schüler Zwinglis und Bullingers und einer der größten Universalgelehrten seiner Zeit, war der erste, der aus dieser theologischen Wiedereröffnung des Blicks auf die schöne Natur die Konsequenz zog. 1541 sprach er vom »großen Schauspiel

---

35 Ebd., S. 54-59.
36 Zu Zwingli siehe Dieter Groh, *Schöpfung im Widerspruch* (Anm. 14), Kapitel 11.6; zu Bullinger mit Literatur siehe ders., »Heinrich Bullingers Bundestheologie«, in: *Zeitschrift für Kirchengeschichte* 115, 2004, S. 1-55.

des Weltalls«, aus dessen Wundern der Mensch »etwas Höheres, ja das höchste Wesen selbst begreifen« könne. Mit »ergriffenem Geist« bewunderte er das »Schauspiel« des Gebirges: »Ich weiß nicht, wie es zugeht, daß durch diese unbegreiflichen Höhen das Gemüt erschüttert und hingerissen wird zur Betrachtung des erhabenen Baumeisters.«[37]

Er und seine Humanistenfreunde bahnten in den nächsten Jahrzehnten durch zahlreiche Besteigungen und Beschreibungen den Weg für eine Schweizer Tradition, die in Johann Jakob Scheuchzer (1672-1733) ihren Höhepunkt fand. Er war theologisch von den Schweizer Reformatoren beeinflußt und, was seine Erfahrung der Bergnatur betraf, von Conrad Gesner. Nur entwickelte er im Unterschied zu seinen Vorgängern eine explizite Naturtheologie, das heißt die These, Gott habe sich in der Natur so offenbart, daß man sein Dasein und sein ganzes Wesen auch unabhängig von der Heiligen Schrift aus der Natur selbst erkennen könne. Er argumentierte im Rahmen des von den Kirchenvätern vorgezeichneten Deutungsmusters der *oeconomia naturae*: Die Berglandschaft ist *schön*, weil sie *nützlich* ist. Scheuchzer selbst bezeugt, daß man sich von einer nützlichen Einrichtung Gottes nicht in Furcht und Grausen abwendet, sondern Augen und Sinne öffnet. Mit »größter Lust« habe er, so sein Bericht von 1716, die wilden und steilen Felsen, den ewigen Schnee und himmelragende Eisberge inmitten des heißesten Sommers betrachtet: »mit einem Wort ein Theatrum oder Schauplatz der unendlichen Macht, Weisheit und Güte Gottes«. Damit realisierte er das Programm des doppelten Sehens: Der Anblick des Hochgebirges füllte seine »ausseren und inneren Sinne«.[38] Scheuchzers Reiseberichte dienten sowohl Naturforschern als auch den ersten Alpentouristen als »Reiseführer«.

Wie allein die Beispiele Gesner und Scheuchzer zeigen, hatte der Schweizer Alpendiskurs – vermutlich auch aufgrund der geographischen Lage – weniger Widerstände zu überwinden als etwa der englische. Scheuchzer wurde jedoch alsbald in England rezipiert. Es

---

37 Conrad Gesner, *De lacte et operibus lactariis*, Zürich 1541; übersetzt von Richard Weiß, *Die Entdeckung der Alpen*, Frauenfeld 1934, S. 1 f.

38 Johann Jakob Scheuchzer, *Helvetiae Historia Naturalis oder Natur-Historie Des Schweitzerlandes*, Bd. 1, Zürich 1716, S. 100. Zu Scheuchzer und seinem politisch-theologischen Kontext vgl. Michael Kempe, *Wissenschaft, Theologie, Aufklärung. Johann Jakob Scheuchzer (1672-1733) und die Sintfluttheorie*, Epfendorf 2003.

entstand ein Netzwerk von Beziehungen. Die Brücke der »Anglo-Swiss-Connection« bildeten die 1708 auf englisch erschienenen *Itinera Alpina* Scheuchzers. Als Resonanzboden fungierte die Royal Society, deren Mitglied er war.

Die Engländer hatten die Kontroverse um die beiden Deutungsmuster mit großer Heftigkeit ausgetragen. Auslöser war ein Buch mit dem programmatischen Titel »The Fall of Man, or the Corruption of Nature« (Geoffrey Goodman, 1616) gewesen. *Design* versus *decay* hieß der Schlachtruf der Gegenseite, *oeconomia naturae* gegen *natura lapsa*. Um die Mitte des 17. Jahrhunderts hatte das optimistische Naturbild jedenfalls in dieser Debatte den Sieg davongetragen, die Auffassung, die äußere Natur sei keineswegs durch den Sündenfall mit ins Verderben gezogen worden. Bei eingehender, das heißt richtiger Betrachtung lasse sich an jedem Naturgegenstand nachweisen, daß der weisen und zweckmäßigen Einrichtung der Welt Gottes Schöpfungsplan, sein *design* zugrunde liege.

Wie wirkte sich in England dieser Wandel des Deutungsmusters im Denken der führenden Köpfe auf das ästhetische Schicksal der Berge aus? Im Rahmen des symbolischen Feldes der *natura lapsa* hatte man die Berge als Ruinen angesehen, verwüstet durch das Strafgericht der Sintflut, als ständige Mahnung an das nahe Ende der Welt. Der Umschwung zu einem optimistischen Naturbild half, das metaphysische Grauen beim Anblick unersteigbarer Wände, rauher, zackiger Felsklippen und dunkler Abgründe abzubauen. Daran beteiligten sich zahlreiche Theologen, Philosophen, Naturforscher und Literaten. Auch die in England entstandene physikotheologische Bewegung, die das aus der theologischen und philosophischen Tradition (die Kirchenväter; Cicero, *De natura deorum*) übernommene Nutzenargument bisweilen auf die Spitze trieb, machte die Bergapologie zu ihrer Aufgabe.

In England zeigte sich jedoch, daß das Nutzenargument nur *eine* – allerdings notwendige – Vorstufe des Wandels zu einer ästhetischen Naturerfahrung war. Die Berge wurden eben nicht nur als nutzlos und lebensfeindlich empfunden, sondern auch als abstoßend häßliche Gesteinsmassen, gewaltige Kehrichthaufen, in ihrer Unordnung für jeden ästhetischen Feinsinn ein Greuel. Evidenterweise waren hier neben metaphysischen auch ästhetische Widerstände am Werk. Letztere orientierten sich am klassischen Schönheitsideal: In der traditionellen Ästhetik des Maßes und der Proportionen hatte wilde Natur, also Vielfältiges, Unregelmäßiges und Gegensätzliches, keinen Platz. Notwendig war also ein Wandel der ästhetischen Normen. Henry More, der führende Kopf der Cambridger Platonisten, leitete diesen Wandel ein.

Ein kleiner Blick zurück: Die sogenannte Kopernikanische Revolution hatte das traditionelle Weltbild schwer erschüttert, denn nun war die Erde ihrer Sonderstellung im Zentrum des Universums beraubt, und zudem hatte Galileis Blick durchs Fernrohr dem spekulativen Gedanken einer Vielzahl von Welten im unendlichen Raum neuen Auftrieb gegeben. Pascal bekannte sich offen zu seinem Schrecken vor dem »ewigen Schweigen dieser unendlichen Räume«.[39] Henry More antwortete 1671 auf die Erkenntnisse der Astronomen mit der theologischen Besetzung des Universums, indem er dem unendlichen Raum die Prädikate des unendlichen Gottes zuschrieb. Durch diese Identifikation konnte der Begriff der Unendlichkeit den Status einer ästhetischen Kategorie gewinnen, die Ästhetik des Unendlichen zum Ursprung einer Ästhetik des Erhabenen werden. Das Übersinnliche, identifiziert mit der Allgegenwart des Göttlichen, ist der Sache nach seit je das Erhabene, das durch seine metaphysische Größe den Geist des Menschen herausfordert, indem es ihn zugleich überwältigt und erhebt. Die am Übersinnlichen gewonnene Erfahrung wird von Henry More zum ersten Mal auf die großen Gegenstände der äußeren Natur übertragen. Nun konnte er auf den Anblick dieser Gegenstände mit jenem ambivalenten Gefühl antworten, das typisch geworden ist für die Erfahrung des Erhabenen, mit »pleasing Horror and Chillness«.[40] Jetzt vermochte er, sich den Bergen mit Herz und Auge zuzuwenden, als Teil der Schöpfung ihnen Liebe, Furcht und Verehrung entgegenzubringen.

Im Schulzusammenhang des Cambridger Platonismus entstand um die Wende zum 18. Jahrhundert, also lange vor Kant und Schiller, die erste auf das Hochgebirge bezogene Theorie des Erhabenen.

---

39 *Gedanken*, herausgegeben von Wolfgang Rüttenauer, Wiesbaden 1947, S. 150, Nr. 314.

40 Im *Enchiridion Metaphysicum* verkündete er 1671, daß dem unendlichen Raum die Prädikate des unendlichen Gottes zukommen: unum, simplex, aeternum, a se existens, omnipraesens etc., in: F. I. Mackinnon (Hg.), *Philosophical Writings of Henry More*, New York 1925, S. 183-229. Zit. *An Explanation of the Grand Mystery of Godliness* (1660), in: ders., *Theological Works*, London 1708, S. 43 f.

Nach der Rückkehr von ihren Alpenreisen brachten Schriftsteller wie Dennis, Addison und Shaftesbury auf den Begriff, was sie am Rand von Abgründen, unter überhängenden Felsen und angesichts schroffer Bergflanken erlebt hatten. Es waren die enthusiastischen und zugleich widersprüchlichen Empfindungen einer mit Schrecken vermischten Lust: »terrible joy«, »delightful horror«, »stupor and admiration«.[41]

Mit der Entdeckung des Naturerhabenen wandelte sich auch der Begriff des Schönen. Hatte das festgefügte Sphärenhaus des Ptolemäus als unwandelbarer Garant von Maß, Ordnung und Begrenztheit gelten können, so war nun nach der Entdeckung der Milchstraße, der Mondberge, der Phasen der Venus die Möglichkeit einer Menge von Welten, von Varianten und Variabilität offen: Der klassische Kanon des Schönen geriet ins Wanken. Mores Reaktion auf diese Verunsicherung der traditionellen Basis ästhetischer Urteile entsprang einem spontanen Gefühl. Hatte er in seinen frühen Schriften Gefallen nur an Symmetrie und Regelmaß gefunden, so empfand er nun »delight in disorder«.[42] Damit bahnte sich ein entscheidender Wandel der ästhetischen Normen an: vom Typischen, Konstanten und Regelmäßigen zum Individuellen, Veränderlichen und Unregelmäßigen. Richard Bentley bestätigte diesen Wandel. Er hielt jenen, die die Berge als das größte und abstoßendste Beispiel von Unordnung in der gesamten Natur bezeichnet hatten, 1693 entgegen:

»There is no Universal Reason, that a Figure by us called Regular is absolutely more beautiful than any irregular one (…) This objected Deformity is in our Imagination only, and not really in the things themselves.«[43]

Berge, sagt er damit, sind nicht »an sich« schön oder häßlich. Das sind keine Prädikate, die ihnen ontologisch zukommen. Man braucht nur die Perspektive zu wechseln und im Gegenzug zur traditionellen normativen Ästhetik Instanz sowie Kriterien des ästhe-

41 Zum Beispiel *The Critical Works of John Dennis*, herausgegeben von E. N. Hooker, Baltimore 1943, Bd. 2, S. 280 (1688); Thomas Burnet, *The Sacred Theory of the Earth*, London, 2. Auflage 1684, S. 109 f.

42 Zit. aus den 1640er Jahren, nach Marjorie H. Nicolson, *Mountain Gloom and Mountain Glory. The Development of the Aesthetics of the Infinite*, Ithaca 1959, S. 133.

43 Richard Bentley, *The Folly and Unreasonableness of Atheism Demonstrated from the Origin and Frame of the World*, London 1693, S. 35-38.

tischen Urteils in das Subjekt zu verlegen, um zu einer anderen Auffassung zu gelangen. In einer quasi-epikuräischen Wende konnte so die ästhetische Aufwertung wilder, dynamischer Natur erfolgen. Vom *Gefallen* ist denn auch im Bergediskurs der Cambridger Platonisten oft die Rede, zum Beispiel bei More von »pleasing Horror and Chillness« und »delight in disorder«. Ihre theoretische Naturerfahrung, die die Berge als Tempel des allmächtigen Gottes betrachtete, entstand im symbolischen Feld der *oeconomia naturae*, in das bei der Überwindung des ästhetischen Widerstands ein individuelles, das heißt antiuniversalistisches Motiv Eingang gefunden hatte.

Weltdeutungsmuster in soziobiologischer und ethologischer Perspektive

In seiner Schrift ›*Vergeltung*‹ *zwischen Ethologie und Ethik*[44] hat der Gräzist und Altertumswissenschaftler Walter Burkert zwei Formen der Vergeltung beschrieben, in denen Menschen seit je auf Akte der Aggression reagieren. Er unterscheidet das *vertikale Modell* der Rache vom *horizontalen Modell* des Ausgleichs. Im vertikalen Modell folgt auf Aggression Gegenaggression. Dabei geht es um Selbstbehauptung, um Wahrung des gesellschaftlichen Ranges und Wiederherstellen verletzter Ehre. Die Gegenaggression richtet sich – zumeist in individueller Aktion – gegen Leib und Leben des Aggressors. Zu ihr gehört der Wutausbruch, der dem konkreten Racheakt vorausgeht und ihn begleitet, das Vorgehen ist mithin irrational. Das Modell der Rache wird bestimmt durch das Gesetz der Reziprozität: heimzahlen mit gleicher Münze, was eine Spirale der Gewalt in Gang setzen kann. Das Recht des Stärkeren, das Machtprinzip, das hier herrscht, bindet diese Form der Vergeltung an eine hierarchische Gesellschaftsordnung, weshalb vom *vertikalen* Modell die Rede ist.

Dieses Modell ist, so Burkert mit Bezug auf ethologische Studien an Schimpansenhorden, tief im Vormenschlichen verwurzelt. In

---

44 Untertitel: *Reflexe und Reflexionen in Texten und Mythologien des Altertums*, München 1994. Zu Burkert siehe Ruth Groh, »Das Vertikale und das Horizontale. Zur soziobiologischen Begründung von Gesellschaftsmodellen«, in: Bernhard Kleeberg u. a. (Hg.), *Urmensch und Wissenschaftskultur* (Anm. 22).

den hierarchisch gegliederten Gruppen lassen sich analoge Akte persönlicher »Rache« oder »Bestrafung« als Antwort auf Beeinträchtigung oder Ärger beobachten. Auf der Kulturstufe des Menschen komme in den Emotionen, die mit Vergeltungsakten etwa bei der Blutrache einhergehen, die biologische Vorprägung zum Ausdruck.

Das *horizontale Modell* des Ausgleichs ist demgegenüber erst auf der Kulturstufe entstanden. Hier herrscht der Grundsatz: Der Schaden muß ersetzt werden. Bei Vergehen von Tötung oder Körperverletzung finden – so ein exemplarischer Fall – öffentliche und langwierige Verhandlungen zwischen den betroffenen Familien unter Vorsitz der Ältesten statt, um den Schadenersatz zu bestimmen, der in materieller Abgeltung besteht. Charakteristisch für dieses Modell ist – im Gegensatz zur individuellen Gegenaggression bei der Rache – die Vergesellschaftung des Vorgehens, bei dem die Verhandlungspartner gleichgestellt sind und jeder seine Argumente vorbringt. In der *horizontalen* Gesellschaftsordnung geht es nicht wie in der hierarchischen um Selbstbehauptung, sondern um das gemeinsame Ziel der Versöhnung und des sozialen Friedens. Das Gesetz der Reziprozität heißt in diesem Fall: heimzahlen mit anderer Münze.[45] So wird ein Wutausbruch vermieden, der Aggressor bleibt körperlich unversehrt, soziale Sanktionen sind jedoch möglich. Dieses Verfahren ist im Gegensatz zum vertikalen Modell rational: Kooperation statt Konfrontation. Man folgt nicht dem Machtprinzip, sondern dem Ökonomieprinzip.

In beiden Formen der Vergeltung, wie sie hier vorgestellt wurden, lassen sich Grundmuster divergenter Gesellschaftsmodelle erkennen, die auf Fragen der Moral, der Religion, des Strafrechts, der politischen Herrschaft und nicht zuletzt der Anthropologie unterschiedlich antworten. Burkert selbst spricht von »Grundkategorien des Weltverständnisses«,[46] räumt jedoch dem hierarchischen Modell der Rache den Vorrang ein vor dem horizontalen Modell des Ausgleichs. Das uralte biologische Programm des *tit for tat* habe sich gemeinhin durchgesetzt. Sein Blick auf die Kulturen des Altertums läßt allerdings erkennen, daß Art und Maß von Strafen offenbar von der Form politischer Herrschaft abhängen. In den Monarchien

---

45 Diese Differenz zum Gegenmodell ist Burkert nicht aufgefallen. Siehe dazu Ruth Groh, »Das Vertikale« (Anm. 44).
46 Burkert, *Vergeltung* (Anm. 44), S. 22.

der alten Welt waren – wie noch im vorrevolutionären Frankreich – ausgesuchte Marterstrafen üblich. Ihre Funktion war nicht, die »Gerechtigkeit« wiederherzustellen, sondern die »Macht« (Foucault). In der griechischen Polis dagegen, die ja keinen Monarchen kannte, gab es solche Marterstrafen nicht: »Dike, das Recht als einsichtige Ordnung, setzt den Ausgleich voraus.«[47] Dementsprechend stehen in der Polis Vermögensstrafen im Vordergrund. Dieser Befund sollte eigentlich den Vorrang des Machtprinzips in Frage stellen.

Auch auf dem Gebiet der Religion wird dem vertikalen Modell der Primat vor dem horizontalen Modell zugeschrieben: »Die religiöse Emotion erfüllt sich im vertikalen Modell.«[48] Bei den Juden, Griechen und Christen finden sich homologe Grundstrukturen: die Angst vor dem strafenden, rächenden Gott des Alten Testaments und die Furcht vor den launischen, neidischen Göttern, die eifersüchtig auf ihre Ehre bedacht sind und durch blutige Opfer versöhnt werden müssen. Dieses Bild *der* Religion, ein Bild, das aus der Perspektive biologischer Vorprägung fixiert ist auf die Gleichung Tötungsmacht – Strafmacht – Herrschermacht – göttliche Macht, hat Folgen auch für das Konzept der Moral: Die Furcht vor dem allwissenden Gott, einer allmächtigen Überwachungsinstanz, der nichts entgeht und die jedes Vergehen bestraft, soll die Menschen zur Moral zwingen.

Es ist jedoch einfach nicht wahr, daß das Alte Testament allein den furchterregenden Machtgott proklamiert, der »eben ob seiner Strafgewalt verehrungswürdig« sei. Es verehrt vielmehr auch in hohen Tönen den Schöpfer und seine gesamte Schöpfung. Dieses – oben beschriebene – optimistische Deutungsmuster bleibt bei Burkert unbeachtet; er kann allerdings nicht umhin, den gnädigen Gott des Neuen Testaments »abzuheben« vom Gott der Vergeltung, die Grundstrukturen seien jedoch »weithin homolog«.[49]

Ebenso einseitig wie das Bild Gottes ist das im vertikalen Modell gezeichnete Bild des Menschen. Der Mensch ist nicht human, wenn gemeinhin gilt *tit for tat*, also die Schimpansenmoral, wenn bei individuellen Akten von Aggression und Gegenaggression oder bei kollektiven Gewaltorgien – etwa im Verlauf von »ethnischen Säube-

47 Ebd., S. 29.
48 Ebd., S. 35.
49 Ebd., S. 33.

rungen« – »unausrottbare« Emotionen immer wieder »zum Durch-
bruch« kommen, die tief im Vormenschlichen verwurzelt sind.[50]
Eine derart *pessimistische Anthropologie* ist ja nicht rundheraus im
Unrecht. Menschen können so sein und so handeln. Was aber gewinnen wir durch die Annahme, es seien die biologischen Wurzeln,
die solches Verhalten determinieren? Der Verweis auf unseren angeborenen Anteil an der Schimpansenmoral kann durchaus apologeti-
sche Funktionen erfüllen, zumal, wenn das Modell der Rache, weil
biologisch tiefer gegründet, dem humanen Ausgleichsmodell über-
geordnet wird.

Denn wie wir gesehen haben oder auch ohnehin wissen, können
Menschen ja auch anders. Sie können Konfliktfälle rational und
ökonomisch regeln, dabei auf die Person des Täters und die Umstände der Tat Rücksicht nehmen mit dem Ziel der Versöhnung
und des sozialen Friedens. Sie können auch die »Goldene Regel«
akzeptieren, ohne die Kooperation nicht gelingen kann, und sogar
höherstufige ethische Prinzipien aus Einsicht bejahen. Das Ausgleichsmodell setzt mithin eine andere *Anthropologie* voraus als sein
Widerpart: eine *positive oder optimistische.* Es ist Burkert freilich
nicht entgangen, daß Soziobiologen nicht nur die Naturgeschichte
der Aggression erforschen, sondern sich auch der Frage nach der
Entstehung der »zwischenmenschlichen altruistischen Moral« zu-
gewandt haben.[51] Die Verhaltensbiologie beobachtet schon seit
langem bei Primaten neben kooperativem, auf Gegenseitigkeit
(Reziprozität) angelegtem Verhalten auch Formen von Altruismus.[52] Neuerdings sehen Evolutionsbiologen in der Kooperation
sogar ein »universales Lebensprinzip«, zu beobachten auch bei primitiven Tieren und selbst bei Einzellern.[53] Die Annahme, beim
Menschen sei neben der Neigung zu aggressiver Selbstbehauptung
auch die Fähigkeit zu lebensdienlicher Zusammenarbeit biologisch
tief verwurzelt, nicht nur das Machtprinzip, sondern auch das
Ökonomieprinzip habe seine Naturgeschichte, hat vieles für sich.
Nur, was besagt das, was bedeuten die biologischen Grundlagen

---

50 Ebd., S. 31.
51 Ebd., S. 21.
52 Vgl. Andreas Paul, *Von Affen und Menschen. Verhaltensbiologie der Primaten,*
   Darmstadt 1992; dort auch ältere Literatur.
53 »Kongreßbericht: Wider die egoistische Gesellschaft«, in: *Frankfurter Allgemeine
   Zeitung,* Nr. 159 (12. 7. 2000), N1.

für den Menschen nach dem Übergang von der Naturgeschichte zur Kulturgeschichte? Es sind in ihrer Gegensätzlichkeit – neben vielen anderen Fähigkeiten – *Vermögen*, die wir *aktualisieren* können oder auch nicht. Denn sie determinieren uns nicht, wir haben vielmehr die Option, uns dem einen wie dem andern zu verweigern. Die Berufung auf eine wie immer geartete ›Natur‹ *des Menschen* würde den Anschein einer interessegelenkten Kopfgeburt gewinnen. Gleichwohl wird der nüchterne Beobachter menschlichen Verhaltens zu dem Schluß kommen, daß beide *Menschenbilder*, das negative, pessimistische wie das positive, optimistische in Rechnung zu stellen sind. Es handelt sich jeweils um ein *partikulares*; eines von beiden *zu totalisieren* führt zu einer perspektivischen Verzerrung.

Es ist Walter Burkert auf eindrucksvolle Weise gelungen, zwei Modelle zu konstruieren, die ganz offensichtlich zu den »*Grundkategorien des Weltverständnisses*« zählen. Die Einseitigkeiten der Gewichtung und Bewertung schmälern dieses Verdienst nicht. Die beiden Modelle, das vertikale, mit einer negativen, pessimistischen Anthropologie verbundene, und das horizontale, von einer eher positiven, optimistischen Anthropologie geprägte, lassen jedoch den Schluß zu, daß eine soziobiologische Perspektive, die durchgängig den Vorrang des vertikalen Modells betont, der gegenwärtigen Konjunktur negativer Anthropologie verpflichtet ist. Die beiden Modelle stehen in Analogie zu den weiter oben vorgestellten Weltdeutungsmustern und fungieren wie diese als Grundmuster divergenter Gesellschaftskonzeptionen. Die These vom quasi naturnotwendigen Primat des Machtprinzips favorisiert nämlich ein analoges Gesellschaftsmodell, ebenso wie das horizontale Ökonomieprinzip, das ein eher positives, optimistisches Menschenbild voraussetzt. Die folgende von mir erstellte Tabelle soll das Deutungspotential der von Burkert hervorgehobenen »Grundkategorien des Weltverständnisses« zur Anschauung bringen.

Grundmuster von Gesellschaftsmodellen (Idealtypen)

Vertikales Modell	Horizontales Modell
Macht-Prinzip	Ökonomie-Prinzip
Ordnungsdenken	Vertragsdenken
Autoritarismus	Liberalismus
Autoritärer Staat	Parlamentarische Demokratie
Gemeinschaft	Zivilgesellschaft
Partikularismus	Individualismus
Dezisionismus	Konsensualismus
Voluntarismus	Rationalismus
Konfrontation	Kooperation
Dirigismus	Selbstregulation
Antiuniversalismus	Universalismus (Das Gute, Vernunft)
Recht des Stärkeren	Gerechtigkeit
Tatstrafrecht	Täterstrafrecht
Moral gegründet auf Angst	Moral gegründet auf Einsicht
Religion gegründet auf Angst	Religion gegründet auf Verehrung
Heilige Lebensordnung	Humane Lebensordnung
Schamkultur	Schuldkultur
Reziprozität »Heimzahlen mit gleicher Münze«	Reziprozität »Heimzahlen mit anderer Münze«
Biologisch-genetische Determination der Aggression	Indeterminismus
Pessimismus in bezug auf die Möglichkeiten des Menschen	Optimismus in bezug auf die Möglichkeiten des Menschen
Negative Anthropologie	Positive Anthropologie

Politisch-theologische Anthropologie
im symbolischen Feld der natura lapsa[54]

Der so berühmte wie umstrittene Staatsrechtler Carl Schmitt hat mit der ihm eigenen Klarheit und diagnostischen Fähigkeit die Funktion anthropologischer Prämissen bei der Bildung von Theorien erkannt. In *Der Begriff des Politischen*[55] schreibt er:

»Man könnte alle Staatstheorien und politischen Ideen auf ihre Anthropologie prüfen und danach einteilen, ob sie, bewußt oder unbewußt, einen ›von Natur bösen‹ oder einen ›von Natur guten‹ Menschen voraussetzen. Die Unterscheidung ist ganz summarisch und nicht in einem speziell moralischen oder ethischen Sinn zu nehmen. Entscheidend ist die problematische oder die unproblematische Auffassung des Menschen als Voraussetzung jeder weiteren politischen Erwägung, die Antwort auf die Frage, ob der Mensch ein ›gefährliches‹ oder ungefährliches, ein riskantes oder ein harmlos nicht-riskantes Wesen ist ... Die Bosheit kann als Korruption, Schwäche, Feigheit, Dummheit oder auch als ›Rohheit‹, Triebhaftigkeit, Vitalität, Irrationalität usw. erscheinen, die ›Güte‹ in entsprechenden Variationen als Vernünftigkeit, Perfektibilität, Lenkbarkeit, Erziehbarkeit, sympathische Friedlichkeit.«

Daß der Mensch im eben genannten Sinn »gut« sei, ist nach Schmitt die anthropologische Basis des Liberalismus. Sie zeige sich in der Annahme, die »Gesellschaft (habe) ihre Ordnung in sich selbst, und der Staat (sei) nur ihr mißtrauisch kontrollierter Untergebener«.[56] Für Schmitt ist der Liberalismus, den er zeitlebens bekämpft hat, zwar eine politische Theorie, aber keine »echte«, denn »alle echten politischen Theorien (setzen) den Menschen als ›böse‹ voraus ..., das heißt als keineswegs unproblematisches, sondern als gefährliches und dynamisches Wesen«. »Echte« politische Theorien sind nach Schmitt die von Machiavelli, Hobbes, Bossuet, de Maistre, Donoso Cortés – und natürlich seine eigene: »Echte« politische Theorien, so das Implikat, setzen ein pessimistisches Menschenbild voraus. Führt das optimistische zur Annahme des Prinzips der *Selbstregulation* der Gesellschaft (»hat ihre Ordnung in sich selbst«),

54 Ruth Groh, *Arbeit an der Heillosigkeit der Welt. Zur politisch-theologischen Mythologie und Anthropologie Carl Schmitts*, Frankfurt am Main 1998.

55 Carl Schmitt, *Der Begriff des Politischen, Text von 1932 mit einem Vorwort und drei Corollarien*, Berlin 1963, S. 26.

56 Ebd., S. 60 f.

so das pessimistische zur Bejahung des Prinzips der *Kontrolle* der gefährlichen Wesen durch den autoritären Staat. Die Unterscheidung von »echten« und »unechten« politischen Theorien wird erst dann verständlich, wenn man sie in Beziehung setzt zu Schmitts Bestimmung des Begriffs des Politischen: »Die spezifisch politische Unterscheidung, auf welche sich die politischen Handlungen und Motive zurückführen lassen, ist die Unterscheidung von *Freund* und *Feind*.«[57] Schmitts Anthropologie ist insofern eine politische, als sie selber seinem Kriterium des Politischen genügt. Ihre Perspektive richtet sich polemisch auf die unterschiedlichen anthropologischen Annahmen, die ihnen zugrunde liegen. Sie unterscheidet die Gegensätze nach dem Freund-Feind-Schema, und sie optiert eindeutig für das pessimistische Bild des gefährlichen, problematischen Menschen. Das Argument, mit dem Schmitt die Qualifikation der Staatstheorie des Liberalismus als unechte politische Theorie begründet, erhellt zugleich den Zusammenhang seines Begriffs des Politischen mit seiner politischen Anthropologie:[58]

»Weil nun die Sphäre des Politischen letzten Endes von der realen Möglichkeit eines Feindes bestimmt wird, können politische Vorstellungen und Gedankengänge nicht gut einen anthropologischen ›Optimismus‹ zum Ausgangspunkt nehmen. Sonst würden sie mit der Möglichkeit des Feindes auch jede spezifisch politische Konsequenz aufheben.«

Theorien, die wahrhaft politisch sind, gehen notwendig von einem anthropologischen »Pessimismus« aus, da nur der »riskante« Mensch aus dem Grund seines Wesens heraus auf Feindschaft hin angelegt ist. Seine »böse« Natur prädestiniert ihn zum Freund der Feindschaft. Auf der anderen Seite erscheint der »gute«, der »friedfertige« Mensch der liberalen politischen Theorie als Feind der Feindschaft. Man sieht, politische Theorie und politische Anthropologie bedingen sich gegenseitig. So wird der Liberalismus für Schmitt quasi zum »natürlichen« Feind.

Bei den konträren Basisannahmen der politischen Theorien hinsichtlich der Einschätzung des Menschen handelt es sich auf geradezu exemplarische Weise um Totalisierungen von Partikularem. Sicher ist der Mensch, wenn man denn bei dieser ontologisierenden Redeweise bleiben will, ein böses, gefährliches, riskantes Wesen,

57 Ebd., S. 26.
58 Ebd., S. 63.

aber er ist auch ein gutes, das heißt soziales und kooperatives Wesen. Beides lehrt jedenfalls die Erfahrung: daß er sowohl zum »Bösen« als auch zum »Guten« fähig ist, und diese Fähigkeiten zählt unsere oben vorgestellte anthropologische Theorie zu den anthropologischen Fundamentalien. Wie problematisch Totalisierungen sein können, wird ersichtlich, wenn Wesensbestimmungen, die mit Werthaltungen verbunden sind, zur Option für autoritäre Herrschaftsformen führen.

Die anthropologischen Voraussetzungen des Liberalismus hat Schmitt jedoch in polemischer Absicht vereinseitigt und hochstilisiert zu einem Modell von positiver Anthropologie, dessen Irrealismus das Gegenmodell um so glaubwürdiger erscheinen lassen sollte. Daß der Liberalismus eine derart blauäugige Anthropologie vertreten habe, ist eine Unterstellung. Mir jedenfalls ist keiner seiner prominenten Theoretiker bekannt, der die destruktiven Tendenzen der Menschen geleugnet und ausschließlich auf das Prinzip der Selbstregulation gesellschaftlichen Zusammenlebens gesetzt hätte. Daß Schmitt hier in der Tat eine Stilisierung vorgenommen hat, geht bereits aus seinem eigenen Argumentationsgang hervor. Er führt als Beispiel für die liberale Auffassung von der Güte des Menschen und die Funktion dieser Annahme für das liberale Staatsverständnis »die klassische Formulierung« von Thomas Paine an:[59] »... die Gesellschaft (society) ist das Resultat unserer vernünftig geregelten Bedürfnisse, der Staat (government) ist das Resultat unserer Laster«. Paine stellt also beides in Rechnung, sowohl die Fähigkeit des Menschen, seine Bedürfnisse im Rahmen der Gesellschaft vernünftig zu regeln, als auch seine destruktiven oder egoistischen Triebe, die »Laster«. Völlig konform mit anderen liberalen Gesellschaftstheorien wie etwa der von Adam Smith stellt Paine zufolge der Staat die Rahmenbedingungen für gesellschaftliche Interaktionen bereit, gerade auch dadurch, daß er die »Laster« mittels Kontrolle, also entspre-

59 Ebd., S. 61. Die Stelle, wie alle »klassischen« Stellen von Schmitt in der Regel nicht mit Nachweis zitiert, stammt aus dem ersten Kapitel von *Common Sense* (Januar 1776). Hier nach: *A Selection from Paine's Writings*, herausgegeben von Hypatia B. Bronner, London 1909, S. 11–37, Zit. S. 12 (Hervorhebung von der Verf.): »Society is produced by our wants, and government by our *wickedness*; the former promotes our happyness positively, by uniting our affections; the latter negatively by restraining our *vices*. The one encourages intersourse, the other creates *distinctions* ... Society, in every state, is a blessing; but goverment, even it its best state, is but a *necessary evil* ...«

chender Gesetzgebung zügelt. Schmitt hat großzügig übersehen, daß Thomas Paine, der klassische Theoretiker des Liberalismus, auch von den destruktiven Tendenzen des Menschen spricht.

Die Vermutung liegt nahe, Schmitts Option für eine negative Anthropologie orientiere sich an der Hobbesschen Annahme eines Naturzustandes gefährlicher Wesen, die von Natur aus das Recht haben, ihrem natürlichen Selbstbehauptungstrieb ohne jede Rücksicht auf Mitmenschen zu folgen. Ihren Grund hat Schmitts Option jedoch nicht in dem säkularen individualistischen Naturalismus der Hobbesschen Hypothese. Den Naturalismus der Aufklärung – und Hobbes war für ihn so lange ein Aufklärer, bis er ihn in einer späten Schrift zum politischen Theologen umdeutete – hatte er nämlich schon in seinen frühen Schriften verworfen: Es sei falsch anzunehmen, der Mensch habe von Natur aus Rechte oder einen Wert; was er sei, bestimme sich allein aus seinem Verhältnis zu Gott, und vor dem Höchsten sei der Mensch null und nichtig und könne auf kein Recht pochen.[60] Im *Glossarium* notierte er mit Genugtuung, auch für Donoso Cortés, seinen »Schutzengel«, gebe es einzig das *droit divin*, ein *droit humain* existiere nicht.[61]

Die optimistischen und pessimistischen Auffassungen vom Menschen, die den konträren politischen Theorien, den »echten« und den »unechten«, zugrunde liegen, sind, wie Schmitt in der Überleitung zu seinem Anthropologie-Kapitel im *Begriff des Politischen* schreibt, »Vermutungen …, die schließlich alle auf ein anthropologisches Glaubensbekenntnis hinauslaufen«.[62] Der Ausdruck »Glaubensbekenntnis« hat in einer Schrift zur politischen Theorie, der es auf wissenschaftliche Beweisführung ankommt und die mit Bedacht eindeutige Bezugnahmen auf seine *Politische Theologie* vermeidet, Signalwirkung. Ein solcher Bezug läßt sich jedoch unschwer herstellen. Wenn nach Schmitt »Metaphysik« etwas »Unvermeidliches« ist und politischen Theorien eine spezifische »Theologie« zugrunde liegt, dem Autoritarismus der Theismus in Form eines theologischen Absolutismus, dem Liberalismus der Deismus und dem Anarchismus der Atheismus, der den Menschen an die Stelle Gottes setzt, dann entspricht offenkundig das »anthropo-

60 Groh, *Arbeit* (Anm. 54), S. 77 ff.

61 Schmitt, Carl, *Glossarium. Aufzeichnungen der Jahre 1947-1951*, herausgegeben von Eberhard Freiherr von Medem, Berlin 1991, S. 20 f. (29. 9. 1947).

62 Schmitt, *Begriff* (Anm. 55), S. 58.

logische Glaubensbekenntnis« der politischen Theorien ihren jeweiligen theologischen Positionen. Mit dem theologischen Absolutismus, der Schmitts eigene Parteinahme für den autoritären Staat und für »echte« politische Theorien begründet, sind nun aber die Begriffe Sünde und Gnade untrennbar verknüpft. Deshalb gilt für den politischen Theologen, was Schmitt generell für den Theologen postuliert:[63]

»Ein Theologe hört auf, Theologe zu sein, wenn er die Menschen nicht mehr für sündhaft oder erlösungsbedürftig hält und Erlöste von Nicht-Erlösten, Auserwählte von Nicht-Auserwählten nicht mehr unterscheidet, während der Moralist eine Wahlfreiheit zwischen Gut und Böse voraussetzt.«

Unzweifelhaft beruft sich der anthropologische Pessimismus Schmitts, die Voraussetzung seiner eigenen politischen Theorie, auf den Glauben an das »theologische Grunddogma von der Sündhaftigkeit der Welt und des Menschen«.[64] Das theologische Grunddogma führe – »solange sich die Theologie noch nicht zur bloß normativen Moral … verflüchtigt (habe) – ebenso wie die Unterscheidung von Freund und Feind zu einer Einteilung der Menschen, zu einer ›Abstandnahme‹, und (mache) den unterschiedslosen Optimismus eines durchgängigen Menschenbegriffes unmöglich«.[65] In der Berufung auf das »Grunddogma« findet die negative politische Anthropologie ihren tiefsten – theologischen – Grund. Die anthropologische Voraussetzung der politischen Theorie wie der Bestimmung des Politischen als Unterscheidung von Freund und Feind ist damit eine *politisch-theologische Anthropologie.* »Politische Theologie steht und fällt mit dem Glauben an die Offenbarung. Denn sie setzt die Wahrheit der Offenbarung voraus, die eine Wahrheit des Glaubens ist. Sie kann deshalb nicht umhin, im Unglauben ihren Feind von Anbeginn an zu erkennen … An der Wahrheit der Offenbarung scheiden sich Freund und Feind.«[66] Der »Theologe der Jurisprudenz« und »katholische Laie« – so Selbstbezeichnungen Schmitts – hat sich wiederholt zu seinem Glauben an die Offenbarung be-

63 Ebd., S. 63.
64 Ebd., S. 64.
65 Ebd.
66 Meier, Heinrich, *Die Lehre Carl Schmitts. Vier Kapitel zur Unterscheidung Politischer Theologie und Politischer Philosophie*, Stuttgart, Weimar 1994, S. 109.

kannt, die den Menschen zu unbedingtem Gehorsam verpflichte. Es handelt sich jedoch um eine höchst einseitige und eigenwillige Deutung der Offenbarung, die zur katholischen Lehre im Widerspruch steht und von berufener Seite als »katholisierende Privatmythologie« (Barbara Nichtweiß) kritisiert wurde.[67]

Schmitt hat »das Ringen« um die eigentlich »katholische Verschärfung« als »das geheime Schlüsselwort meiner gesamten geistigen und publizistischen Existenz« bezeichnet.[68] Seine düstere politisch-theologische Anthropologie, die den von Augustin gebahnten Weg über Luther und Calvin bis ins 20. Jahrhundert weiterführt, steht genau unter diesem Zeichen. Dafür spricht seine Berufung auf Donoso Cortés, der als »katholische(r) Christ von dem Dogma der Erbsünde ausging«, um auf dieser Basis seine »absolutistische Staatsphilosophie« aufzubauen. Schmitt konstatiert bereits bei dem Spanier so etwas wie eine »katholische Verschärfung«, nämlich eine Abweichung vom Tridentinischen Dogma. Dieses sei »nicht einfach radikal« und spräche in bezug auf die Erbsünde »nur von einer Entstellung, Trübung, Verwundung«, ließe also »die Möglichkeit zum natürlich Guten durchaus bestehen«. Donoso dagegen habe das Dogma der Erbsünde »polemisch radikalisiert zu einer Lehre von der absoluten Sündhaftigkeit und Verworfenheit der menschlichen Natur«.[69] Die Abweichung vom katholischen Dogma, die auch die seine ist, reflektiert Schmitt noch im *Glossarium* unter zügelloser Verwilderung der Metaphorik, wo er die »ausgleichenden Kompromisse, die wohl ausbalancierten Formeln über die Erbsünde (die den Menschen nur verwundet, aber nicht tötet, wobei offenbleibt, ob die Wunde ein Streifschuß ist oder ein Gehirnschuß ...)« als schwächlich kritisiert.[70]

Dennoch gibt er einem Kritiker des spanischen Grafen, es war Abbé Gaduel, recht, der dogmatische Bedenken gegen die »*Übertreibung* der natürlichen Bosheit und Nichtswürdigkeit des Menschen« erhoben hatte. Diese Kritik habe jedoch zu Unrecht außer acht gelassen, »daß es sich für Cortés um eine *religiöse* und *politische* Entscheidung von ungeheurer Aktualität« gehandelt habe, im Na-

---

67 Siehe Groh, *Arbeit* (Anm. 54), u. a. S. 18.
68 Schmitt, *Glossarium* (Anm. 61), S. 165.
69 Carl Schmitt, *Politische Theologie. Vier Kapitel zur Lehre von der Souveränität*, München/Leipzig 1934, S. 73.
70 Schmitt, *Glossarium* (Anm. 61), S. 198 (16. 9. 1948).

men des Kampfes gegen »den atheistischen Anarchismus und dessen Axiom vom guten Menschen«.[71] Wer wie Donoso Cortés als politischer Theologe Theologie als Politik im Sinn einer gegenrevolutionären Kampfstrategie gegen den Anarchismus und die bürgerlich-liberale Staatstheorie seiner Zeit betreibt, dem muß man eine gewisse »Übertreibung der natürlichen Bosheit« zugestehen. Die Abweichung vom Dogma war schon hier – wie bei Schmitt – der Preis für eine Politik der Unterscheidung von Freund und Feind, die sich als theologisch fundiert verstehen will.

71 Zitate dieses Abschnittes: Schmitt, *Politische Theologie* (Anm. 69), S. 73 (Hervorhebung von der Verf.).

Gisela Trommsdorff und Wolfgang Friedlmeier
Zum Verhältnis zwischen Kultur und Individuum aus der Perspektive der kulturvergleichenden Psychologie

Der vorliegende Beitrag geht von einer engen Verbindung zwischen Individuum und Kultur aus. Welcher Art diese Verbindung ist, wie sie entsteht und wirksam ist, soll hier aus entwicklungspsychologischer Sicht präzisiert und am Beispiel von subjektiven Entwicklungstheorien behandelt werden. Zunächst wird die Beziehung zwischen Kultur und Individuum diskutiert. Dann wird auf der Grundlage eigener empirischer kulturvergleichender Studien gefragt, ob und in welcher Weise subjektive Theorien eine Vermittlungsfunktion zwischen Kultur und Individuum übernehmen.

1. Kultur in der psychologischen Forschung

Der Kulturbegriff ist in der anthropologischen, soziologischen und kulturpsychologischen Forschung vielfach diskutiert worden. Bis heute ist keine einheitliche Definition erkennbar. Das erstaunt nicht, wenn man an den vielfach zitierten Versuch von Kroeber und Kluckhohn (1952) denkt, die vorliegenden 164 Definitionen von Kultur in folgenden Merkmalen zusammenzufassen: »Culture consists of patterns, explicit and implicit, of and for behavior acquired and transmitted by symbols [...] the essential core of culture consists of traditional [...] ideas and especially their attached values« (1952, S. 181). Der Fokus auf Werte ist in anderen Arbeiten weiter aufgegriffen worden (vgl. Kluckhohn und Strodtbeck, 1961). Kulturen sind komplexe Gebilde, die jedoch häufig theoretisch nach sehr einfachen Mustern umschrieben und kontrastiert werden: So werden zum Beispiel nur Sprache, Werthaltungen, Weltanschauungen und/oder sozioökonomische Faktoren gewählt. Eine umstrittene Variante eines politischen Kulturbegriffs geht auf Huntington (1998) zurück, der sich in seiner Analyse auf die islamische vs. die christliche Welt bezieht und religiöse Weltanschauungen als Bestimmungsmerkmale von Kulturen verwendet. Ähnlich, aber weniger konfrontativ lassen sich Kultursysteme gemäß monotheistischer und polytheistischer religiöser Auffassungen abgrenzen.

Neben Definitionen von Kultur im Sinne von Weltanschauungen und damit verbundenen Institutionen werden Kulturen häufig auch als traditionelle und moderne Systeme kontrastiert, wobei im Vordergrund die technologische und ökonomische Entwicklung steht. Auf der einen Seite werden anspruchsvolle Kulturkonzepte vorgeschlagen, die mehr als nur eine Dimension institutionalisierter Handlungssysteme umfassen. Auf der anderen Seite wird der Kulturbegriff inflationär und beliebig gehandhabt (zum Beispiel Organisationskultur, Streitkultur), oder er wird auch ganz in Frage gestellt als eine subjektive oder soziale Konstruktion, deren Ergebnis einmal Kultur sein kann.

Die Ansätze, die Kultur auf der Makroebene als Institutionalisierung von bestimmten Werthaltungen, Regeln und Verhaltenssystemen sehen, lassen sich von solchen Ansätzen unterscheiden, die Kultur als von Individuen informell geteilte Überzeugungen, als gewisse Konstanten in sozialer Interaktion verstehen, die in Sitten, Gebräuchen, Mythen, Alltagshandeln und Deutungsschemata (vgl. Boesch, 1991) repräsentiert sind. Eine vermittelnde Position nimmt Geertz (1973) ein. Ihm zufolge läßt sich Kultur weder in unmittelbaren Verhaltensmustern noch durch die ausschließliche Bezugnahme auf Institutionen fassen; sie wird vielmehr als von einer Gemeinschaft geschaffener Komplex von Kontrollmechanismen (Regeln und Anweisungen) gesehen, die für die individuelle Entwicklung unabdingbar sind.

In der Psychologie wird Kultur je nach theoretischer Ausrichtung verschieden verstanden. So betrachtet die *kulturvergleichende Psychologie* Kultur aus einer Langzeitperspektive als relativ stabiles Bedeutungssystem. Der zeitliche Aspekt von Kultur wird »eingefroren«. Hingegen betrachtet die *Kulturpsychologie* Kultur aus einer Kurzzeitperspektive: Kultur wird als Bedeutungsprozeß im praktischen Tun und in konkreten Situationen produziert und reproduziert. Während im ersteren Fall die Dynamik der Kultur nicht berücksichtigt wird, wird im letzteren Fall nicht erklärt, wie kulturelle Phänomene langzeitlich entstehen und aufrechterhalten werden. Beide Ansätze verhalten sich zueinander ähnlich wie in der Linguistik die Analyse von Sprache als einem gegebenen abstrakten System von linguistischen Zeichen zur Analyse des Sprechens in konkreten

Situationen (Kashima, 1997). Es wird auch die Auffassung vertreten, auf eine Definition des Kulturbegriffs könne ganz verzichtet werden; er sei durch operationalisierbare Variablen zu ersetzen: »The mystique of culture could [...] wither away, as it becomes replacable by specific, defined, operationalized variables of psychological interest« (Smith und Bond, 1993, S. 222).

Uns scheint die Suche nach einem einheitlichen Kulturkonzept müßig. Wesentlicher ist die Klärung der theoretischen Position und Fragestellungen, in denen Kultur eine Rolle spielt. Die zu untersuchenden Merkmale von Kultur werden in der Weise bestimmt und eingegrenzt, daß auch empirisch überprüfbare Ergebnisse erzielt werden können. Dann läßt sich Kultur systematisch in Zusammenhang mit individuellem Handeln untersuchen. Im folgenden soll dies näher erläutert und zugleich diskutiert werden, welche Funktion Sozialisationsbedingungen sowie Erziehungstheorien für den Zusammenhang zwischen Individuum und Kultur übernehmen.

2. Zusammenhang zwischen Kultur und Individuum

2.1 Erklärung menschlichen Handelns: Zur Anlage-Umwelt-Kontroverse

In der in den frühen Jahren des 20. Jahrhunderts aufkommenden Anlage-Umwelt-Kontroverse (»Nature-nurture«-Debatte) wurde einerseits die Position einer erfahrungsbedingten Entwicklung (»nurture«) vertreten, gemäß der die Entwicklung und das Handeln des Individuums bei gleichen biologischen Ausgangsbedingungen durch kulturspezifische Sozialisationsbedingungen geprägt wird; andererseits postulierte die Sichtweise der genetisch bedingten Entwicklung (»nature«) ein auf universellen Prinzipien beruhendes, nicht weiter vom Kontext beeinflußtes Handeln.

Gemäß der umweltdeterministischen Sichtweise (»nurture«) wurde das Kind als »tabula rasa« gesehen, das vielfältigen externen Einflüssen ausgesetzt ist, also auch dem Einfluß von Kultur. Diese Auffassung wurde bereits im 18. Jahrhundert von Locke vertreten und ging im 20. Jahrhundert in das sozialistische Menschenbild und Sozialisationsprogramm ein. Im Gegensatz dazu ging die von evolutionstheoretischen Ansätzen beeinflußte Sichtweise davon aus, daß die inhärenten genetisch programmierten Besonderheiten des einzelnen seine weitere Entwicklung und sein Handeln beeinflussen (Phänotyp und Genotyp). Diese Auffassung wurde im 18. Jahrhundert von Jean-Jacques Rousseau vertreten, der zwar den schädlichen Einfluß schlechter Umweltbedingungen betonte, aber zugleich annahm, daß Kinder ihr genetisch angelegtes Entwicklungspotential von allein vor allem dann entfalten können, wenn sie in einer geschützten Umwelt aufwachsen. Beide Ansätze sind insofern deterministisch, als ihnen die Annahme zugrunde liegt, daß das Kind als ein passiver Organismus – sei es durch Umwelt oder Anlagebedingungen – in eine bestimmte Richtung beeinflußt wird.

Inzwischen ist diese Sichtweise der Auffassung eines aktiven, seine eigene Entwicklung und die Umwelt konstruierenden Individuums gewichen (Haan, 1977; Lerner, 1982). Die schlichte Dichotomisierung von Anlage und Umwelt ist durch Theorien menschlicher Entwicklung, die von komplexen Wechselwirkungen ausgehen, aufgegeben worden. Damit wird nicht mehr von einer einseitigen (unidirektionalen) Einflußrichtung einer »unabhängigen« Variablen (Umwelt, Kultur) auf die »abhängige« Variable (menschliches Handeln) ausgegangen; in diesem integrierten Ansatz wird vielmehr angenommen, daß proximale und distale Einflüsse wirksam sind, wobei jedoch wiederum die teilweise angeborenen und teilweise in der Entwicklung aufgebauten Dispositionen die Art und Richtung des Einflusses bestimmen. Solche Dispositionen können als ein Filter für die kulturellen Einflüsse verstanden werden. Dabei werden sowohl hemmende als auch verstärkende Effekte wirksam, welche umgekehrt zugleich die kulturellen Faktoren beeinflussen. Menschliche Entwicklung erfolgt als aktiver Prozeß der Gestaltung eigener Entwicklung gemäß kulturellen Restriktionen und Chancen im Sinne einer optimalen Passung (Lerner, 1982; Trommsdorff, 2003).

2.2 Kulturvergleichender und kulturpsychologischer Ansatz

In der Psychologie, soweit sie Kultur mit berücksichtigte, haben sich seit den sechziger Jahren zwei unterschiedliche Forschungsrichtungen entwickelt: die kulturvergleichende Psychologie und die Kulturpsychologie. Ein Hauptziel der *kulturvergleichenden Psychologie* war anfänglich die Universalitätsprüfung psychologischer Theorien. Dieser Ansatz ist methodologisch der Tradition einer nomothetischen Wissenschaft verpflichtet. Der *nomothetische Ansatz des Kulturvergleichs* geht von der Annahme aus, daß unidirektionale Einflüsse von Kultur auf Handeln erfolgen und durch Vergleich möglichst verschiedener Kulturen universelle Gesetzmäßigkeiten über die Genese von Handeln aufgedeckt werden können. Durch die Auswahl von »richtigen« Kulturkontexten können in einzelnen Kulturen konfundierte Einflüsse entkonfundiert werden. Dieser quasi-experimentelle Ansatz betrachtet Kultur vorrangig als einen Kontext, der als unabhängiger Faktor die individuelle Entwicklung in bestimmter Richtung beeinflußt, zum Beispiel durch sozioökonomische Bedingungen, Familienstruktur, Schule, kulturelle Werthaltungen und/oder elterliche Erziehung (etwa autoritäre Erziehung als Bedingung für abweichendes Verhalten). Hier wird die *Funktion von Kultur für das Individuum* thematisiert. Dabei werden kausale, in einem mechanistischen Modell wirksame Bedingungen angenommen.

Im Gegensatz dazu entwickelte sich eine *kulturpsychologische* Schule, die sich stärker in der anthropologischen Forschung verankert sieht, die nomothetische Herangehensweise als unangemessen ablehnt und statt dessen einen idiographischen, das heißt kulturimmanenten, Ansatz fordert (Cole, 1996; Shweder, 1991). Der *idiographische Ansatz der Kulturpsychologie* geht von der Annahme aus, daß Kultur und Handeln eins sind und menschliches Handeln nicht ohne Kultur denkbar ist. So wirken zum Beispiel auf das Neugeborene in frühem Lebensalter alle möglichen kulturellen Besonderheiten ein, wie sie durch die Sprache, die Art des von den Bezugspersonen bevorzugten Körperkontaktes, Eßgewohnheiten etc. manifestiert sind, ohne aber »außerhalb« des Individuums zu liegen. Die Forderung für die Forschung ist somit, durch ausreichende Kenntnis der Kulturbesonderheiten angemessene Methoden zur Beschreibung menschlichen Handelns für den gegebenen kulturellen Kontext zu entwickeln. Kultur wird in diesem Ansatz als ein Kontext verstanden, der untrennbar mit der individuellen Entwicklung selbst verbunden ist. Die Kontextbedingungen stellen Restriktionen und Anregungsbedingungen dar und sind zugleich Teil individuellen Handelns (s. Friedlmeier, 1999 und in Druck; Greenfield, 1997; Jahoda und Krewer, 1997). So ist Kultur Teil des Denkens wie auch der Sprache (Cole, 1996).

Diese beiden Ansätze liefern sich fruchtbar ergänzende Perspektiven. Obwohl auch Polemik die kontroversen Diskussionen um die beiden Ansätze kennzeichnet, hat sich in der kulturvergleichenden Psychologie inzwischen die Überzeugung verbreitet, daß ohne Kulturkenntnis (*emic approach*) kein solider systematischer empirischer Vergleich zwischen Individuen verschiedener Kulturen (*etic approach*) durchführbar ist. Unter Berücksichtigung von Kultursonderheiten wird die kulturunabhängige Gültigkeit von theoretischen Aussagen geprüft, um diese gegebenenfalls durch kulturabhängige Spezifizierungen zu ergänzen. Die Kontrastierung der beiden Ansätze erscheint heute daher überholt. Wenn es darum geht, die Beziehungen zwischen Individuum und Kultur zu präzisieren, haben beide Ansätze ihre Berechtigung und ergänzen sich.

2.3 Kultur als »unabhängige« Variable

Wenn man die Frage zum Zusammenhang zwischen Individuum und Kultur aus soziologischer oder auch aus evolutionstheoretischer Sicht behandelt, läßt sich Kultur als ökologischer Kontext sehen, durch den Gesellschaften sich ihrer Umwelt anpassen (Berry, Poortinga, Segall und Dasen, 2002). So übernehmen kulturelle Institutionen, wie zum Beispiel die Familie, universell die Funktion für adaptive individuelle Prozesse. Diese Institutionen variieren in verschiedenen ökologischen Systemen beziehungsweise unter verschiedenen kulturellen Bedingungen hinsichtlich ihrer Struktur und Wirkungen.

Bei einer eindimensionalen Sichtweise von Kultur wird häufig die Wirtschaftsform als charakteristisches Merkmal gewählt. So haben die Studien von Berry und Mitarbeitern (zum Beispiel Berry, 1977; Berry, van de Koppel und Annis, 1988) gezeigt, daß signifikante Unterschiede in Persönlichkeitsvariablen bei Personen aus Jägerkulturen im Vergleich zu bäuerlichen Kulturen bestehen und daß sich auch die Erziehung der Kinder in diesen verschiedenen Kulturkontexten unterscheidet. Während in den bäuerlichen Kulturen Kinder eher Gehorsamsforderungen erfahren, werden Kinder in Jägerkulturen früher zur Selbständigkeit erzogen.

Es erscheint einleuchtend, daß je nach ökonomischen Gegebenheiten unterschiedliche Werthaltungen bestehen. Darauf beruht auch die von Demographen initiierte, international vergleichende Studie zum Wert von Kindern (Value of Children) von Fawcett, Arnold und Stalb (1975) und Arnold u. a. (1975). Die Wissenschaftler dieser groß angelegten Befragung junger Mütter und Väter in verschiedenen Ländern gingen von der These aus, daß in ökonomisch schlechter gestellten Ländern die Geburtenrate eher steigt, weil hier ein ökonomisch bedingter Wert von Kindern besteht. Eltern betrachten Kinder als wesentlichen Teil ihrer eigenen Altersversorgung. Diese These wurde in den siebziger Jahren empirisch bestätigt. Allerdings hat der ökonomische (und soziale) Wert von Kindern heute drastisch abgenommen, und das Geburtenverhalten wird vermutlich von anderen Faktoren beeinflußt, die damals nicht berücksichtigt und gegenwärtig in einer international vergleichenden neuen Studie zum Wert von Kindern und Intergenerationenbeziehungen untersucht werden (Nauck, 2001; Nauck und Suckow, 2002; Trommsdorff, 2001a und 2001b). Diese Faktoren werden u. a. in kulturellen Faktoren gesehen, die über ökonomische Bedingungen hinaus auch verschiedene Familienformen und allgemeinere kulturelle Werthaltungen umfassen.

Die Beschreibung von Kulturen auf der Grundlage von nur einer Dimension oder eines Merkmals (zum Beispiel westlich, modernisiert) weicht inzwischen der Kulturbeschreibung auf der Grundlage mehrerer Dimensionen. In ihrem komplexen ökokulturellen Ansatz haben bereits Whiting und Whiting (1975) erkannt, daß Kulturbesonderheiten von weiteren kontextuellen Bedingungen wie dem Klima und ökologischen Faktoren abhängen. Sie haben den Schluß gezogen, daß einerseits ein multidimensionales Verständnis von Kultur erforderlich ist, aber andererseits für theoretische Fragestellungen verschiedene Kulturmerkmale zu differenzieren sind.

Solche Merkmale sahen Whiting und Whiting (1975) u. a. in den verschiedenen Haushalts- beziehungsweise Familienformen, die den Rahmen für die Sozialisation der Kinder bilden und selbst ein Produkt sozioökonomischer und kultureller Faktoren sind. Die empirischen Befunde zeigen deutliche Zusammenhänge zwischen Haushalts- beziehungsweise Familienform und der Entwicklung des Sozialverhaltens, wie zum Beispiel prosozial kooperativem oder aggressiv kompetitivem Verhalten von Kindern. Solche Zusammenhänge lassen sich u. a. mit den Aufgaben und der Verantwortung erklären, die den Kindern im Kontext der spezifischen Familienformen übertragen werden.

Dieser Ansatz ist der erste große systematische Versuch in der frühen anthropologischen Sozialisationsforschung, theoretisch relevante Merkmale (wie Familien- und Haushaltssystem) in den untersuchten Kulturen zu beschreiben, um Aufschluß über Sozialisationsbedingungen und -ergebnisse zu gewinnen.

Bedeutsam ist für unsere Frage, daß der anthropologische Ansatz von Whiting und Whiting (1975) nicht von einer unidirektionalen Beziehung zwischen sozioökonomischem Kontext auf der Makroebene und individueller Entwicklung ausgeht, sondern intervenierende Faktoren annimmt, die als proximale Bedingungen auf die individuelle Entwicklung einwirken. Insofern liegen diesen beiden Ansätzen – implizit – psychologische Annahmen über Bedingungen der Persönlichkeitsentwicklung zugrunde. Mit der von Whiting und Whiting (1975) vorgeschlagenen systematischen Variation von Familienformen lassen sich einerseits bestimmte kulturelle Überzeugungen und Werthaltungen (zum Beispiel in bezug auf die Arbeitsteilung von Männern und Frauen, Hierarchien in der Familie, Geschlechtspräferenz von Kindern) operationalisieren und systematische Zusammenhänge zwischen kulturspezifischer Familienform (zum Beispiel Machtstruktur) und individuellen Werthaltungen prüfen (vgl. Strodtbeck, 1958, für Leistungswerte; Nauck und Suckow, 2002, für kindbezogene Werte). Die vermittelnde psychologische Variable ist in dem erfahrungsbedingten Nutzen bestimmter Werthaltungen zu sehen. Darüber hinaus lassen sich Zusammenhänge zwischen Werthaltungen (zum Beispiel Individualismus/Kollektivismus) als kultureller Dimension (vgl. Hofstede, 1980 und in Druck) und als individueller Orientierung (Triandis, 1995) annehmen, die spezifische elterliche Erziehungsziele und damit auch die Persönlichkeitsentwicklung des Kindes beeinflussen (Schwarz, Schäfermeier und Trommsdorff, in Druck; Trommsdorff, Mayer und Albert, 2004).

Allerdings stellt sich hier die Frage, ob eine bestimmte Kausalrichtung besteht, etwa derart, daß die ökonomischen und kulturellen Bedingungen die Sozialisationsbedingungen und damit die Entwicklung von Persönlichkeitsmerkmalen einschließlich der individuellen Werthaltungen beeinflussen, oder ob nicht umgekehrt auch individuelle Werthaltungen die Aufrechterhaltung von Erziehungszielen und -verhalten im Sinne der Bidirektionalität stabilisieren (Trommsdorff und Kornadt, 2003) und dies wiederum Kulturmerkmale festigt.

2.4 Kultur als abhängige Variable

Ein gutes Beispiel für die Perspektive auf Kulturen als abhängige Variable ist die Leistungsmotivationstheorie von McClelland (1985). Es handelt sich um eine monokausale, unidirektionale und nicht materialistische Theorie, die Annahmen über die Wirkung bestimmter subjektiver Überzeugungen auf die ökonomische Entwicklung eines Landes macht. Dabei geht McClelland auf Max Webers religionssoziologischen Ansatz zurück, der eine enge Beziehung zwischen protestantischer Ethik und wirtschaftlichem Erfolg postuliert. So besteht nach McClelland eine enge Verknüpfung zwischen geteilten kulturellen Werthaltungen, Sozialisationspraktiken und sozioökonomischem Erfolg. Tatsächlich kann McClelland nachweisen, daß in ökonomisch prosperierenden Ländern die auf individueller Ebene erfaßte Leistungsmotivation hoch ist (McClelland, Atkinson, Clark und Lowell, 1953). Hohe Leistungswerte hängen zusammen mit individueller Verzichtsbereitschaft, Selbständigkeit und Leistungswillen, was zum wirtschaftlichen Erfolg eines Landes beiträgt. Zur Erklärung dieses Zusammenhanges wird auf Sozialisationsbedingungen als intervenierende Variable zurückgegriffen. Empirische Forschungsergebnisse belegen einen Zusammenhang zwischen den mütterlichen Erwartungen in bezug auf die Selbständigkeit ihres Kindes und dessen Leistungsmotivation (vgl. Winterbottom, 1953; Strodtbeck, 1958). Dieser Befund wurde zunächst als empirischer Tatbestand, der universelle Gültigkeit hat, registriert.

Kulturspezifische Analysen haben inzwischen gezeigt, daß Leistungsmotivation nicht nur im Kontext von individualistischer Wettbewerbsmotivation entsteht, sondern auch im Kontext interdependenter sozialorientierter Werte (zum Beispiel in ostasiatischen Kulturen wie Japan) besonders ausgeprägt sein kann (vgl. DeVos, 1973; Doi, 1973), was wiederum durch kulturspezifische Sozialisationsbedingungen, insbesondere die Mutter-Kind-Beziehung, zu erklären ist.

2.5 Kultur als Kontext für intervenierende Prozesse und Kultur als Moderator

Die oben berichteten Untersuchungsergebnisse belegen, daß psychologische Prozesse zwischen Kultur und Individuum zwar in beiden Richtungen verlaufen können, daß dabei aber immer intervenierende Prozesse anzunehmen sind. Solche intervenierenden Variablen können ihrerseits als kulturabhängige Kontexte (Institutionen, Altersgruppen, Familienformen, elterliche Werte und Ziele) gesehen werden; sie können aber auch, im Sinne der Bidirektionalitätsannahme, vom Individuum mitgestaltete Kontexte darstellen. Wir gehen davon aus, daß die Zusammenhänge zwischen Kultur und Individuum nicht direkt, sondern vermittelt über andere kulturspezifische Gruppen oder soziale Interaktionen verlaufen. Die Wirkung solcher Sozialisationsbedingungen beziehungsweise der Vermittlungsprozesse zwischen Individuum und Kultur kann wiederum in Abhängigkeit vom kulturellen Kontext erfolgen.

So wurde in kulturvergleichenden Studien gezeigt, daß der postulierte Zusammenhang zwischen früher Selbständigkeitserwartung der Mutter und der Leistungsmotivation ihres Sohnes nicht linear ist, sondern von den in der jeweiligen Kultur üblichen Selbständigkeitserwartungen abhängt (vgl. Kornadt, Eckensberger und Emminghaus, 1980). Dieser Befund belegt, daß kulturelle Bedingungen keineswegs nur unidirektional die Entwicklung des einzelnen determinieren, sondern vielmehr bestimmte Einflüsse (u. a. diejenigen der mütterlichen Sozialisation) in kulturspezifischer Weise moderieren. Frühe Selbständigkeitserwartungen der Mütter können sich positiv, aber auch negativ auf das spätere Leistungsverhalten des Kindes auswirken, und zwar in Abhängigkeit von den jeweils üblichen kulturellen Erwartungen in bezug auf Selbständigkeit.

Ein anderes Beispiel für die moderierende Wirkung von Kultur auf die Wirkung von Erziehungspraktiken sind kulturspezifische Initiationsriten. Diese haben eine bestimmte Funktion für die Sozialisation der Kinder sowie für die Aufrechterhaltung und Transmission kultureller Werte (Trommsdorff und Kornadt, 2003; Trommsdorff, 2003). So berichtet Granzberg (1973) über eine spezifische Art des Erziehungsverhaltens in Familien zahlreicher traditioneller Kulturen, die ähnlich wie bei den Hopi-Familien die Kinder in den ersten Lebensjahren kaum kontrollieren, sondern vielmehr verwöhnen. Dann folgt eine gehorsamsfördernde Erziehung, die von Initiationsriten (wie Schlagen, Maskentragen) vorbereitet wird. Solche Rituale markieren den Eintritt in einen anderen, von Selbständigkeit gekennzeichneten Lebensabschnitt und erlauben den Kindern eine optimale Adaptation in ihrem Kulturkontext. In einem anderen kulturellen Kontext würde eine zunächst verwöhnende und dann schlagartig gehorsamsfördernde Erziehung, die durch körperliche Strafen eingeleitet wird, vermutlich nicht zur Herausbildung kulturangemessenen sozial kompetenten Verhaltens führen.

Eigene Untersuchungen zeigen, daß zum Beispiel elterliche Gehorsamsanforderungen von japanischen Jugendlichen als Zeichen von Wärme und Zuwendung, von deutschen Jugendlichen hingegen als Ablehnung verstanden werden (Trommsdorff, 1985 und 1995). Ähnliche Befunde berichten Pettengill und Rohner (1985) in bezug auf koreanische Jugendliche, die in Korea und in den USA aufgewachsen sind. Diese Befunde lassen sich gut einordnen, wenn man jeweils die spezifischen kulturellen Werthaltungen, in denen die Eltern und ihre Kinder leben, berücksichtigt. Während im koreanischen Kulturkontext Gehorsam und Pflichterfüllung gegenüber den Eltern als hoher Wert gelten, wird in westlichen Kulturen Selbständigkeit und Individualität des Kindes hoch geschätzt (vgl. Schwarz, Schäfermeier und Trommsdorff, in Druck). Erziehungspraktiken, die diesen kulturellen Werthaltungen zuwiderlaufen, werden offenbar von den Kindern als Zurückweisung gedeutet, was wiederum Folgen für die weitere Entwicklung, einschließlich der Internalisierung von Werten, haben müßte. Entsprechend den jeweils gegebenen Kontexten, in denen Kinder aufwachsen und die von der jeweiligen Kultur mit beeinflußt sind, werden elterliche Verhaltensweisen von den Kindern in bestimmter Weise gedeutet, und umgekehrt verhalten sich Eltern so, wie es ihnen in dem gegebenen kulturellen Kontext als »normal« und selbstverständlich erscheint.

Kulturvergleichende Analysen zur Bedeutung der Selbständigkeitserziehung zeigen darüber hinaus, daß unter diesem Konzept sehr Verschiedenes verstanden wird (Rothbaum und Trommsdorff, 2004). Schon die oben genannte Untersuchung von Winterbottom (1953) macht deutlich, daß je nach kulturellen Werthaltungen eine frühe Selbständigkeitserziehung als positiv und eine spätere als negativ angesehen werden kann oder umgekehrt; entsprechend unterscheiden sich elterliche »Entwicklungsfahrpläne« (*developmental time tables*) kulturspezifisch (Schwarz, Chakkarath und Trommsdorff, 2002).

Die kulturangepaßten Erziehungsformen erweisen sich jeweils als funktional für eine optimale Entwicklung in dem gegebenen kulturellen Kontext. Als optimal kann offenbar eine Entwicklung nur im Kontext der jeweiligen Kultur gedeutet werden. Entsprechend versucht man heute auch, kulturangemessene Beschreibungen von Intelligenz und von sozialer Kompetenz vorzunehmen. Je nach Kulturkontext sind bestimmte Sozialisationsbedingungen erforderlich, um die jeweils kulturangemessen optimale Kompetenz zu erreichen (Rothbaum, Pott, Azuma, Miyake und Weisz, 2000).

Wie bereits im vorangegangenen Abschnitt zum Thema Kultur als unabhängiger Variablen, wird auch bei dem Fokus auf Kultur als abhängiger und moderierende Variablen wieder deutlich, daß Sozialisationsbedingungen als vermittelnde Variable zwischen Individuum und Kultur eine gewichtige Rolle spielen. Dieses Thema werden wir im nächsten Punkt genauer ausführen.

3. Subjektive Theorien als Vermittlung zwischen Kultur und Individuum

3.1 Kulturelle und individuelle Werthaltungen

Eine der heute bekanntesten Differenzierungen zwischen Kulturen für kulturvergleichende psychologische Forschung sind die Arbeiten von Hofstede (1980, 2001). Hofstede untersuchte Werthaltungen von IBM-Angestellten in den verschiedensten Industrienationen und wies nach, daß sich die Werthaltungen auf fünf Dimensionen anordnen lassen: Individualismus/Kollektivismus, Feminität/Maskulinität, Unsichersicherheitsvermeidung, Machtdistanz und Langzeit-/Kurzzeitorientierung.

In nachfolgenden Studien gewann vor allem das Konzept des Individualismus/Kollektivismus den größten Einfluß. In vielen Studien wurde eine Kulturauswahl für Vergleiche vorgenommen, indem zum Beispiel Kulturangehörige von individualistisch eingestuften

Kulturen mit Angehörigen kollektivistisch eingestufter Kulturen in verschiedenen Merkmalen verglichen wurden. Die Vernachlässigung der Erfassung der individuellen Werthaltung sowie die Annahme der Eindimensionalität von Individualismus und Kollektivismus haben sich als problematisch erwiesen. Zum einen zeigt sich in vielen Studien, daß Kulturangehörige erhebliche individuelle Unterschiede aufweisen und daß es, um vorschnelle Generalisierungen zu vermeiden, unerläßlich ist, die intrakulturelle Varianz zu erfassen (Trommsdorff, Mayer und Albert, 2004). Zum anderen zeigte sich, daß ganz unterschiedliche Ausprägungen von kollektivistischen Werthaltungen bestehen können. So herrschen in ostasiatischen Kulturen vor allem auf die Familie bezogene kollektivistische Werte vor, während in Ländern wie Rußland unter Kollektivismus die Gleichverteilung von materiellem Besitz verstanden wird. Zudem können individualistische und kollektivistische Werthaltungen miteinander verbunden sein, wie dies am Beispiel der Kibbuz-Erziehung in Israel deutlich wird. Beide Werthaltungen können nebeneinander bestehen und miteinander verbunden werden (vgl. Kâgitçibâsi, 1994 und 1996; Oysermann, Coon und Kemmelmeier, 2002; Trommsdorff, 1996). Dies hat mit der Frage zu tun, inwieweit Autonomie als Merkmal von Individualismus und Verbundenheit als Merkmal von Kollektivismus miteinander vereinbare oder unvereinbare Werthaltungen sein können (Rothbaum und Trommsdorff, 2004).

Die Probleme der Generalisierung in bezug auf Kulturangehörige sowie der eindimensionalen Erfassung mehrdimensionaler Konzepte lassen sich entschärfen, wenn auf individueller Ebene Werthaltungen erfaßt und als Ausgangspunkt für weitere Analysen verwendet werden, und zwar als Ausprägungen auf jeweils einer Dimension, so daß auch Kombinationen der beiden Merkmale möglich sind (zum Beispiel hoher Individualismus und hoher Kollektivismus). Triandis, Leung, Villareal und Clark (1985) haben vorgeschlagen, zwischen Allozentrismus und Idiozentrismus für Werthaltungen auf der individuellen Ebene und den auf kultureller Ebene erfaßten Orientierungen als Individualismus und Kollektivismus zu unterscheiden. Will man Werte als kulturelle Dimension in Beziehung setzen zu individuellen Werten, ist das Problem der Heterogenität von Werten innerhalb einer Kultur (besonders in »individualistischen« Kulturen) zu berücksichtigen. Dies bedeutet

u. a., intrakulturelle Analysen zu möglichen Zusammenhängen zwischen allgemeinen kulturellen und spezifischen individuellen Werten beziehungsweise Vergleiche zwischen theoretisch relevanten sozialen Gruppen in bezug auf individuelle Werte durchzuführen, um auf diese Weise Aufschluß über mögliche moderierende Transmissionsbedingungen zwischen Kultur und Individuum zu gewinnen (vgl. Trommsdorff, Mayer und Albert, 2004).

3.2 Sozialisation als Vermittlung zwischen Individuum und Kultur: Die Rolle von subjektiven Erziehungstheorien

Es ist unbestreitbar, daß die Lebensbedingungen innerhalb einer Kultur das Erziehungsverhalten der Bezugspersonen beeinflussen. So sind in Kontexten mit hoher Säuglingssterblichkeit aufgrund gesundheitsgefährdender Umweltbedingungen Mütter eher darauf eingestellt, das Überleben ihrer Kinder zu sichern, als ihnen soziale Fertigkeiten zu vermitteln (LeVine, 1977). Klimatische und ökologische Bedingungen beeinflussen die materiellen Lebensumstände, unter denen das Kind aufwächst (zum Beispiel Körperkontakt zu älteren Geschwistern und den Eltern), aber auch die sozialen Erfahrungen, wie dauerhafte Verfügbarkeit von Bezugspersonen und die Kontakthäufigkeit mit weiteren Verwandten über die Kernfamilie hinaus.

Es sind aber auch die Repräsentationen von symbolischen Systemen, die den Entwicklungskontext des Kindes bestimmen. Hier kommen die elterlichen Überzeugungen zum Tragen, welche Fähigkeiten ein Kind haben sollte, und die Erziehungsvorstellungen, wie dem Kind solche Fähigkeiten vermittelt werden sollten. Nach Triandis (1987) lassen sich subjektive elterliche Erziehungstheorien als Teil einer »subjective culture« sehen, die die subjektiv bedeutsamen Vorstellungen über die Erziehung und die Entwicklung von Kindern beinhalten (vgl. Goodnow, Cashmore, Cotton und Knight, 1984; Goodnow und Collins, 1990). Diese subjektiven Erziehungstheorien werden auch als »ethnotheories« (Super und Harkenss, 1986) oder kulturelle Skripte (Goodnow, 1988) bezeichnet, die kulturelles Wissen (Whiting, Chasdi, Antonovsky und Ayres, 1974) beinhalten. Damit können sie als Verbindungsglied zwischen Kultur und individuellem Verhalten gesehen werden.

Ein wichtiger Teil elterlicher subjektiver Erziehungstheorien sind Vorstellungen über Erziehungsziele und -strategien sowie Vorstellungen der optimalen Entwicklung des Kindes. Damit verbunden sind Überzeugungen darüber, wie das ideale Kind sein sollte, welche Erziehungsziele zu verfolgen sind, wie die Entwicklung des Kindes beeinflußt wird (eher durch Reifungsprozesse und Anlagen des Kindes, eher durch Einwirkungen der Erzieher oder eher durch Eigenaktivität der Kinder) (vgl. die oben skizzierte Anlage-Umwelt-Kontroverse). Dies impliziert Vorstellungen darüber, was dem Kind schadet und nutzt, also zum Beispiel welches elterliche Verhalten wünschenswert für die optimale Entwicklung des Kindes ist und wie die Interaktion zwischen Kind und Eltern gestaltet werden sollte. Solche subjektiven Entwicklungs- und Erziehungstheorien beinhalten nicht unbedingt – wie dies in wissenschaftlichen Theorien der Fall sein sollte – reflektierte, logisch aufgebaute und konsistente, systematische Vorstellungen. Subjektive Erziehungstheorien sind »Alltagstheorien«; sie sind nicht nur deskriptiv, sondern auch normativ und präskriptiv. Sie beinhalten auch Annahmen über Wirkungsmechanismen (Wenn-Dann-Beziehungen). Darüber hinaus sind sie nicht nur als kognitive Konstruktionen zu sehen, sondern beinhalten emotionsbasierte Bewertungen, u. a. in bezug auf Erziehungsziele und Bewertungen des kindlichen Verhaltens als erwünscht oder unerwünscht. Die elterlichen Erziehungstheorien entstehen ihrerseits durch die mehr oder weniger ausgeprägte Übernahme von Werten, Skripten und Modellen der jeweiligen Kultur. Sie erscheinen als relativ stabil, aber sie sind grundsätzlich veränderbar, da sie erfahrungsabhängig sind. Diese Erfahrungen werden durch die eigene Sozialisation in der Familie und anderen Kontexten vermittelt sowie durch die Erfahrung mit dem eigenen Kind und gegebenenfalls mit dessen Geschwistern im Verlaufe von deren Entwicklung. Daher sind interindividuelle Unterschiede in subjektiven Erziehungstheorien auch innerhalb einer Kultur zu erwarten. Dies zeigt sich u. a. an Generationsunterschieden in bezug auf die Präferenz von Erziehungszielen (Trommsdorff, Mayer und Albert, 2004). Aufgrund der Annahme von Zusammenhängen mit den jeweils prominenten kulturellen Werten sind vor allem aber auch Unterschiede in Erziehungstheorien bei Angehörigen verschiedener Kulturen zu erwarten (vgl. Friedlmeier, 1995; Kornadt und Trommsdorff, 1990).

Subjektive Erziehungs- und Entwicklungstheorien repräsentieren als Teil der »developmental niche« (Super und Harkness, 1986 und 1997) einen wichtigen Sozialisationskontext. »Child development takes place within the cultural meaning systems of the people who inhabit these environments« (Valsiner, 1988, S. 283). Damit wird deutlich, daß die subjektiven Erziehungstheorien als funktionaler »Transmissionsriemen« zu verstehen sind, die Individuum und Kultur miteinander verbinden (vgl. Friedlmeier, 1995; Trommsdorff, Mayer und Albert, 2004).

Im folgenden werden kulturvergleichende empirische Studien zu subjektiven Erziehungs- und Entwicklungstheorien diskutiert.

3.3 Empirische kulturvergleichende Untersuchungen zu subjektiven Erziehungstheorien

In kulturvergleichenden Untersuchungen zum Inhalt und zur Funktion von subjektiven Erziehungs- und Entwicklungstheorien gingen wir von der Annahme aus, daß diese Theorien einerseits von allgemeinen kulturellen Werthaltungen beeinflußt sind, daß aber andererseits individuelle Erfahrungen in jeweils spezifischen Kontexten der Kultur zur Herausbildung von Unterschieden in diesen subjektiven Theorien führen müßten. Somit haben wir angenommen, daß subjektive Erziehungstheorien sowohl kulturelle Kernmerkmale beinhalten als auch intrakulturelle Differenzen aufweisen.

Im Rahmen des SFB 511 wurden Mütter und Kindergärtnerinnen (N = 300) sowie Kinder im Vorschulalter (N = 100) in drei Kulturkontexten untersucht: Deutschland (Konstanz), Brasilien (Niteroi) und Republik Korea (Mokpo und Seoul). Die untersuchten Personen kommen aus vergleichbaren sozialen Schichten[1] und wurden über Kindergärten rekrutiert. Als Untersuchungsinstrumente wurden strukturierte und teilstrukturierte Verfahren verwendet. Qualitative Daten wurden anhand von Inhaltsanalysen und Kategorienschemata kodiert und zusammen mit den quantitativen Daten aus

---

1 Eine Ausnahme bildet eine Teilstichprobe in Brasilien, die in öffentlichen Kindergärten erhoben wurde. Die Familien dieser Kinder gehören zur Unterschicht. Spezifische Ergebnisse zu dieser Teilgruppe werden hier nicht berücksichtigt.

den strukturierten Verfahren jeweils statistischen Tests unterzogen. Ziel dabei war es, theoretische Modelle zu Zusammenhängen zwischen Kultur, subjektiven Theorien, Erziehungspraktiken und Entwicklungsergebnis beim Kind zu prüfen. Im folgenden werden einige Befunde, die für unsere Fragestellung zum Zusammenhang von Individuum und Kultur relevant sind, berichtet und diskutiert.

3.3.1 Werthaltungen, Präferenz von Erziehungszielen und Merkmale des idealen Kindes

Ein erstes wichtiges Ziel des Projekts war es, kulturspezifische Unterschiede in individuellen Werthaltungen, bei der Präferenz von Entwicklungszielen und in bezug auf die Merkmale des idealen Kindes zu testen. Es wurde angenommen, daß diese Merkmale von der Kulturzugehörigkeit der Erziehenden (Mütter und Kindergärtnerinnen) beeinflußt werden (»Kultur als unabhängige Variable«). Zunächst verglichen wir die allozentrischen Werthaltungen der verschiedenen Kulturangehörigen. Die Ergebnisse bestätigten, daß das individuelle Ausmaß der »allozentrischen« Werthaltung kulturell variierte: Koreanische Erziehende wiesen im Vergleich zu den brasilianischen durchschnittlich eine stärker allozentrische Einstellung auf, und diese war wiederum ausgeprägter als bei den deutschen Erziehenden. Somit ließen sich die drei Kulturgruppen auf der Ebene individueller Werte deutlich unterscheiden. Zugleich spiegeln die subjektiven Einstellungen die auf der Ebene der Kulturdimensionen berichteten kulturellen Unterschiede wider: Korea ist kollektivistischer als Brasilien und Brasilien kollektivistischer als Deutschland (vgl. Hofstede, 2001).

Kulturspezifische Unterschiede in individuellen Einstellungen zeigten sich auch für die Erziehungszielpräferenzen. Deutsche Erzieher bevorzugten individualorientierte Ziele (zum Beispiel Selbständigkeit), koreanische Erzieher bevorzugten gruppenorientierte Ziele (zum Beispiel Kooperation, Sensitivität für die Bedürfnisse anderer), und die Präferenz der brasilianischen Erzieher lag dazwischen (vgl. Friedlmeier, Trommsdorff, Vasconcellos und Schäfermeier, 2004).

Ein ähnliches Muster kulturspezifischer Unterschiede zeigte sich hinsichtlich der Vorstellungen von Merkmalen eines idealen Kindes. Die Antworten auf die offene Frage nach dem idealen Kind wurden inhaltsanalytisch ausgewertet und vier Hauptkategorien gebildet: personzentrierte Merkmale (zum Beispiel Selbständigkeit, Eigenverantwortung, Selbstdisziplin), leistungsbezogene Merkmale (zum Beispiel Beharrlichkeit, gute Auffassungsgabe, Leistungsbereitschaft), sozialorientierte Merkmale (zum Beispiel Verantwortung für andere übernehmen, Geselligkeit, Kooperation und Sensibilität für die Bedürfnisse anderer) und Wohlverhalten (zum Beispiel Pflichterfüllung, Regeln einhalten, Grenzen akzeptieren und Anständigkeit). Der Vergleich dieser Merkmale eines idealen Kindes erbrachte deutliche Kulturunterschiede (Friedlmeier, Busch und Trommsdorff, 2003, Juli): Deutsche Erzieher betonten personzentrierte Merkmale, brasilianische Erzieher bevorzugten eine Mischung aus personzentrierten Merkmalen und Wohlverhalten, und die koreanischen Erzieher beschrieben vor allem sozialorientierte Merkmale und Wohlverhalten.

Insgesamt bestätigt diese kulturvergleichende Studie die Annahme, daß die Kulturzugehörigkeit die subjektiven Werthaltungen, die Erziehungsziele und die Vorstellung des idealen Kindes beeinflußt.

3.3.2 Zusammenhänge zwischen Werthaltungen und Elementen der Erziehungs- und Entwicklungstheorien

Hinsichtlich der Frage, ob die Kulturzugehörigkeit bestimmte Zusammenhänge zwischen individuellen Werthaltungen und Erziehungstheorien aufklären kann (»Kultur als intervenierende Variable«), wurde geprüft, ob die individuellen Werthaltungen mit der Präferenz für individual- und gruppenorientierte Entwicklungsziele in einem kulturspezifischen oder in einem kulturübergreifenden Zusammenhang stehen (Friedlmeier, Trommsdorff, Vasconcellos und Schäfermeier, 2004). Wenn ersteres gilt, dann wäre nach einer kulturspezifischen intervenierenden Variablen zu suchen. Die Ergebnisse unserer Studie erbrachten folgendes Bild: Die Einbeziehung der Daten aller Erzieher, unabhängig von ihrer Kulturzugehörigkeit, erbrachte einen signifikanten Zusammenhang: Je »idiozentrischer« (»individualistischer«) die Werthaltung der Erzieher, um so stärker wurden individualorientierte Ziele bevorzugt. Allerdings gab es innerhalb der einzelnen Kulturen keine systematischen Zusammenhänge. Das Fehlen der intrakulturellen Zusammenhänge läßt zumindest die Frage offen, ob nicht andere (hier nicht identifizierte) kulturspezifische Faktoren die intrakulturellen Zusammenhänge zwischen Werten und Zielen moderieren könnten.

Eine direktere moderierende Wirkung der Kultur besteht darin, daß Erziehung auch das Ziel beinhaltet, das Kind optimal auf die kulturellen Erwartungen vorzubereiten. Daher ist zu erwarten, daß sich die Erziehungspersonen weniger an den eigenen als an den (vermuteten) gesellschaftlichen Erwartungen und kulturellen Werthaltungen orientieren. Analysen für die brasilianischen und deutschen Erzieher, bei denen sich die gesellschaftlichen Erwartungen und die persönlichen Werte unterschieden, zeigten, daß die Erzieher ihre Präferenz von Erziehungszielen vor allem an den gesellschaftlichen Erwartungen und Werten ausrichten (Schäfermeier, 2003; Friedlmeier, Schäfermeier, Trommsdorff, Vasconcellos, 2004). Dabei traten auch intrakulturelle Unterschiede auf. So schätzten die brasilianischen Erzieher die eigenen Werthaltungen als ebenso wichtig ein wie die vermuteten kulturellen Werte.

Zusammenfassend lassen sich kulturübergreifende (universelle) Zusammenhänge zwischen subjektiven Werthaltungen und Erziehungszielen feststellen. Eine moderierende Wirkung von Kultur läßt sich nur indirekt erschließen, da diese Zusammenhänge innerhalb der einzelnen Kulturen nicht gelten. Eine direkte moderierende Wirkung von Kultur konnte allerdings in der Weise nachgewiesen werden, daß die Einschätzung der gesellschaftlichen Erwartungen und Normen die Erziehungszielpräferenzen eher beeinflussen als die eigenen subjektiven Werthaltungen. Dies bedeutet, daß sich Erzieher in ihren Erziehungsvorstellungen explizit am kulturellen Kontext orientieren. Es zeigte sich auch eine erhebliche intrakulturelle Varianz in bezug auf diese Zusammenhänge, so daß es sich lohnt, weitere Studien zur Aufklärung dieser individuellen Unterschiede durchzuführen.

3.3.3 Zusammenhänge zwischen verschiedenen Elementen der subjektiven Theorien

Eine weitere Forschungsfrage bezog sich auf den Inhalt und die Struktur der subjektiven Erziehungstheorien. Zunächst haben wir versucht, inhaltliche Komponenten, die theoretisch relevante und trennscharfe Konstrukte abbilden, zu differenzieren. Im folgenden sei nur auf die Aspekte eingegangen, die äquivalent zu der oben skizzierten Anlage-Umwelt-Kontroverse als wissenschaftlicher Diskurs über die Bedingungen menschlicher Entwicklung sind.

Kulturspezifische Faktorenanalysen zur Einschätzung verschiedener Einflußfaktoren auf die Entwicklung von Kindern für die koreanische und deutsche Stichprobe erbrachten drei konsistente Skalen: »Angeborene Kindmerkmale«, »Sozialisationseinflüsse« und »Eigenaktivität des Kindes«. Diese Zuordnung entspricht der eingangs dargestellten Differenzierung gemäß der Anlage-Umwelt-Kontroverse und neueren Ansätzen (»Kind als aktiver Organismus«). Koreanische Erzieher bewerteten den Einfluß sowohl von angeborenen Merkmalen als auch von Sozialisationsmerkmalen signifikant höher als die deutschen Erzieher. Die Merkmale des Kindes als entwicklungsrelevanter Faktor wurden bei beiden gleich stark bewertet.

Diese kulturspezifischen Unterschiede in der Entwicklungsvorstellung entsprachen den Unterschieden in bezug auf das bei den Erziehern ebenfalls erfaßte bevorzugte Kontrollverhalten hinsichtlich der berichteten Erziehungsstrategien. Bei der Erfassung der Erziehungsstrategien wurde jeweils kodiert, ob die Strategie (a) auf ein direktives Eingreifen abzielt; (b) indirekt angelegt ist, das heißt dem Kind eigene Kontrolle des Verhaltens gewährt; oder (c) beide Aspekte beinhaltet. Die koreanischen Erzieher bevorzugten weitaus häufiger eine direkte Kontrolle in der Umsetzung der Erziehungsziele, während in Deutschland und Brasilien überwiegend die Überzeugung vertreten wurde, daß sich die Ausübung von Kontrolle in den Erziehungssituationen auf die Erziehungsperson und das Kind in gleicher Weise verteilten.

Diese Befunde sprechen für eine kulturspezifische interne Konsistenz von Erziehungstheorien, hier in bezug auf Annahmen zu Anlage-Umwelt-Einflüssen und erforderlichen Kontrollmaßnahmen auf seiten der Erzieher und des Kindes. Dieser kulturspezifische

Zusammenhang läßt sich insbesondere durch die kulturell variierende Auffassung der Selbständigkeit des Kindes erklären. Die stärkere Betonung der Selbständigkeit des Kindes in individualistischen Kulturen geht einher mit der Auffassung, daß die Entwicklung des Kindes durch seine eigenen Aktivitäten gefördert wird (Kind als aktiver Selbstgestalter der eigenen Entwicklung), was zugleich auch mit einem geringeren Kontrollverhalten auf seiten der Erzieher verbunden ist. Die Auffassung eines stärkeren angeborenen (nature) Entwicklungseinflusses bei den koreanischen Erziehern erfordert (zur Kompensation) eine höhere Einflußnahme durch die Erzieher und damit mehr direktes Kontrollverhalten, und dieses stärkere Eingreifen wird zusätzlich durch die geringere Betonung der Selbständigkeit in kollektivistischen Kulturen unterstützt.

3.3.4 Zusammenhänge zwischen subjektiven Theorien und Erziehungsverhalten

Bisher haben wir Zusammenhänge innerhalb der subjektiven Überzeugungen der Erzieher behandelt. Die funktionale Bedeutung dieser subjektiven Theorien besteht aber vor allem darin, daß sie das Erziehungsverhalten leiten und damit auch die kulturspezifische Entwicklung des Kindes erklären sollten. Eine wichtige Funktion besteht in der Transmission entsprechender kultureller Werte an die nächste Generation (»Kultur als abhängige Variable«). In Deutschland und der Volksrepublik Korea wurden auch Kinder befragt und u. a. Merkmale sozialer Kompetenz erfaßt.

Bei den deutschen Kindern zeigten sich tendenziell negative Zusammenhänge zwischen der mütterlichen Präferenz für individualorientierte Ziele und der von den Kindern eingeschätzten sozialen Akzeptanz durch Gleichaltrige. Ein gegenläufiger Effekt trat für gruppenorientierte Ziele auf, das heißt, je größer die Präferenz gruppenorientierter Ziele seitens der Mutter, desto stärker meinten die Kinder, daß sie von ihren Gleichaltrigen akzeptiert würden. In der koreanischen Stichprobe traten keine Zusammenhänge auf. Eine Erklärung dieser kulturspezifischen Zusammenhänge könnten Kulturunterschiede in der Bedeutung von Sozialorientierung sein. Für Korea ist generell eine deutlich stärkere Ausprägung sozialer Orientierung im Sinne konfuzianischer Werte nachweisbar (Kim und Park, 2000) und auch bei der Frage nach dem idealen Kind wurden vor allem sozialorientierte Merkmale genannt (s. o.). Somit variiert die Bedeutsamkeit sozialer Merkmale in Deutschland stärker als in Korea. Möglicherweise sind im deutschen – eher individualistisch orientierten – Kulturkontext mütterliche Erziehungsziele mit Betonung von Sozialverhalten ein wichtigerer Faktor für die soziale Entwicklung des Kindes: Diese Mütter legen mehr Wert auf die soziale Kompetenz ihres Kindes; und diese Kinder lernen eher, sich in Gruppen von Gleichaltrigen zurechtzufinden und erleben sich eher als von den anderen akzeptiert und als sozial kompetent.

Zusammenfassend bestätigen die Ergebnisse unserer Kulturvergleiche die Annahme, daß die subjektiven Erziehungstheorien sowohl von persönlichen Werthaltungen der Erzieher als auch von den in der jeweiligen Kultur vorherrschenden Normen und Werten abhängen. Die jeweils kulturell variierenden subjektiven Erziehungstheorien und Überzeugungen wirken sich offensichtlich auch auf das Erziehungsverhalten und damit die Entwicklung der Kinder aus. Die Resultate in bezug auf die Funktion der Erziehungstheorien deuten auf direkte und indirekte Einflüsse auf das Sozialverhalten des Kindes hin.

4. Ausblick: Methodologische Probleme bei der Analyse des Zusammenhangs zwischen Individuum und Kultur

Im Rückgriff auf die Eingangsfrage des Beitrags nach dem Zusammenhang zwischen Kultur und Individuum wurde deutlich, daß die Konstruktion einer einheitlichen Theorie kaum möglich sein dürfte, weil es in der Natur dieser Forschungsfrage liegt, daß hier verschiedene Disziplinen mit unterschiedlichen theoretischen Ansätzen und Methoden, das heißt auch Analyseeinheiten für die Bearbeitung der Frage, kooperieren müssen. Das bedeutet aber nicht, daß eine solche Kooperation, die die Grenzen der jeweiligen Disziplinen überschreitet, nicht fruchtbar wäre.

Wir haben zu Beginn verschiedene Sichtweisen auf das Verhältnis von Kultur und Individuum dargelegt und die Relevanz dieser Sichtweisen an eigenen kulturvergleichenden Studien zu subjektiven Erziehungstheorien veranschaulicht. Dabei wurde deutlich, daß die Sichtweise von »Kultur« als »unabhängiger«, als »abhängiger« sowie auch als »moderierender« Variable einen Beitrag zur Beschreibung von Zusammenhängen zwischen Kultur und Individuum leisten kann. Dabei sind »subjektive Erziehungstheorien« offenbar nicht nur als theoretisches Konstrukt, sondern auch als empirisches Phänomen gut geeignet, zwischen Individuum und Kultur zu vermitteln.

Subjektive Erziehungstheorien werden von kulturellen Bedingungen beeinflußt (Kultur als »unabhängige Variable«); sie repräsentieren wichtige kulturelle Werte und Normen sowie überlieferte Vorstellungen über Zusammenhänge zwischen Erziehungszielen, -verhalten und -ergebnissen. Daher können sie teilweise als Indikator für Kulturbesonderheiten verwendet werden.

Andererseits sind Erziehungstheorien aber nicht ein eindeutiges Abbild der jeweiligen Kultur, denn sie werden durch individuelle Erfahrungen und auf der Grundlage individueller Werte, Motive und Selbstvorstellungen gebildet und können sich im Verlauf der lebenslangen Sozialisation ändern. Also ist immer auch die intrakulturelle Varianz subjektiver Erziehungstheorien zu berücksichtigen, wobei die Heterogenität von Erziehungstheorien innerhalb einer Kultur wiederum von den übergreifenden kulturellen Werten und deren Institutionalisierung abhängt (vgl. Trommsdorff, Mayer und Albert, 2004).

Aus entwicklungspsychologischer Perspektive ergibt sich damit eine weitere Sichtweise auf Kultur: nämlich Kultur als »abhängige Variable« und als Ergebnis von Interaktionen sowie von Sozialisations- und Transmissionsprozessen zu sehen. Wichtig ist hier, daß subjektive Erziehungstheorien nicht nur von den kulturellen Bedingungen geprägt werden, sondern ihrerseits einen Einfluß auf diese haben. So transportieren subjektive Erziehungstheorien kulturelles Wissen in das Überzeugungssystem der nächsten Generation. Die Wirksamkeit dieser Transmission hängt von dem Kontext, der Art der vermittelten Theorieinhalte, der Bereitschaft und Fähigkeit des Kindes, diese zu übernehmen, und nicht zuletzt von der Beziehung zwischen Erzieher und Kind ab (vgl. Grusec und Goodnow, 1994).

Mit der Transmission kultureller Werte durch subjektive Erziehungstheorien erfolgt eine wichtige funktionale Verbindung zwischen Individuum und Kultur. Damit läßt sich Kultur verstehen als Ergebnis von Interaktionen und von Sozialisations- und Transmissionsprozessen, und zwar sowohl in der Entwicklung des einzelnen als auch im soziokulturellen Kontext, der sich über die Zeit verändern kann. Damit wird der Blick auf den Prozeß der Wechselwirkungen zwischen Individuum und Kultur gerichtet.

Literatur

Arnold, F., R. A. Bulatao, C. Buripakdi, B. J. Chung, J. T. Fawcett, T. Iritani, S. J. Lee und T.-S. Wu (1975), *The value of children. A cross-national study* (Bd. 1), Honolulu: East-West Population Institute.

Berry, J. W. (1977), »Nomadic style and cognitive style«, in: H. McGurk (Hg.), *Ecological factors in human development* (S. 229-245), Amsterdam: North-Holland.

–, Y. H. Poortinga, M. H. Segall und P. R. Dasen (2002), *Cross-cultural psychology: Research and applications* (Bd. 2), New York: Cambridge University Press.

–, J. M. H. van de Koppel und R. C. Annis (1988), »A comparative study of cognitive style among Biaka Pygmies and Bangandu Villagers«, in: J. W. Berry, S. H. Irvine und E. B. Hunt (Hg.), *Indigenous cognition: Functioning in cultural context* (S. 187-210), Dordrecht, Netherlands: Nijhoff.

Boesch, E. E. (1991), *Symbolic action theory and cultural psychology*, New York: Springer.

Cole, M. (1996), *Cultural psychology: A once and future discipline.* Cambridge, MA: Harvard University Press.

DeVos, G. A. (1973), *Socialisation for achievement: Essays on the cultural psychology of the Japanese*, Berkeley, CA: University of California Press.

Doi, T. (1973), *The anatomy of dependence*, Tokio: Kodansha.

Fawcett, J. T., F. Arnold und L. L. Stalb (1975), *The value of children: An exploratory framework for family size decisions*, Honolulu, HI: University of Hawaii, Department of Sociology.

Friedlmeier, W. (1995), »Subjektive Erziehungstheorien im Kulturvergleich«, in: G. Trommsdorff (Hg.), *Kindheit und Jugend im Kulturvergleich* (S. 43-64), Weinheim: Juventa.

– (1999), »Sozialisation der Emotionsregulation«, in: *Zeitschrift für Soziologie der Erziehung und Sozialisation* 1, S. 35-51.

– (in Druck), »Kultur und Emotion. Zur Sozialisation menschlicher Gefühle«, in: B. Kleeberg, T. Walter und F. Crivellari (Hg.), *Urmensch und Wissenschaftskultur.* Tübingen: Gunter Narr Verlag.

–, H. Busch und G. Trommsdorff (2003, Juli), *Characteristics of an »ideal* child«: *A comparison between German, Brazilian, and Korean mothers and kindergarten teachers,* Poster presented at the 6th European Regional Congress of the IACCP in Budapest, Hungary.

–, G. Trommsdorff, V. Vasconcellos, V. und E. Schäfermeier (2004), *Allocentrism and developmental goals: A cross-cultural comparison between Brazilian, Korean, and German caregivers,* zur Veröffentlichung eingereichtes Manuskript.

–, E. Schäfermeier, G. Trommsdorff, V. Vasconcellos (2004), *Self-construal and cultural orientation as predictors for developmental goals: A comparison between Brazilian and German caregivers,* zur Veröffentlichung eingereichtes Manuskript.

Geertz, C. (1973), *The interpretation of cultures,* New York: Basic Books.

Gergen, K. J. (1990), »Toward a postmodern psychology«, in: *Humanistic Psychologist* 18, S. 23-34.

Goodnow, J. J. (1988), »Parents‹ ideas, actions, and feelings: Models and methods from developmental and social psychology«, in: *Child Development* 59, S. 286-320.

–, Cashmore, J. A., S. Cotton und R. Knight (1984), »Mothers‹ developmental timetables in two cultural groups«, in: *International Journal of Psychology* 19, S. 193-205.

–, und W. A Collins (Hg.) (1990), *Development according to parents: The nature, sources, and consequences of parents' ideas,* Hillsdale, NJ: Erlbaum.

Granzberg, G. (1973), »The psychological integration of culture: A cross-cultural study of Hopi type initiation rites«, in: *Journal of Social Psychology* 90, S. 3-7.

Greenfield, P. M. (1997), »Culture as process: Empirical methods for cultural psychology«, in: J. W. Berry, Y. H. Poortinga und J. Pandey (Hg.), *Handbook of cross-cultural psychology,* Bd. 1: *Theory and method* (S. 301-346), Boston: Allyn und Bacon.

Grusec, J. E., und J. J. Goodnow (1994), »Impact of parental discipline methods on the child's internalization of values: A reconceptualization of current points of view«, in: *Developmental Psychology* 30, S. 4-19.

Haan, N. (1977), *Coping and defending: processes of self-environment organization,* New York: Academic Press.

Hofstede, G. H. (1980), *Culture's consequences. International differences in work-related values,* Beverly Hills, CA: Sage.

– (2001), *Culture's consequences. Comparing values, behaviors, institutions and organizations across nations* (2. Auflage), Thousand Oaks, CA: Sage.

– (in Druck), »Der kulturelle Kontext psychologischer Prozesse«, in: G. Trommsdorff und H.-J. Kornadt (Hg.), *Enzyklopädie der Psychologie. Themenbereich C Theorie und Forschung, Serie VII Kulturvergleichende*

Psychologie, Bd. 1: *Theorien und Methoden in der kulturvergleichenden und kulturpsychologischen Forschung.* Göttingen: Hogrefe.

Huntington, S. P. (1998), *The clash of civilizations and the remaking of world order*, New York: Touchstone.

Jahoda, G., und B. Krewer (1997), »History of Cross-Cultural and Cultural Psychology«, in: J. W. Berry, Y. H. Poortinga und J. Pandey (Hg.), *Handbook of cross-cultural psychology*, Bd. 1: *Theory and method* (S. 1-42), Boston: Allyn und Bacon.

Kâgitçibâsi, Ç. (1994), »A critical appraisal of individualism and collectivism. Toward a new formulation«, in: U. Kim, H. C. Triandis, Ç. Kâgitçibâsi, S. -C. Choi und G. Yoon (Hg.), *Individualism and collectivism. Theory, method, and applications* (S. 52-65), Thousand Oaks, CA: Sage.

– (1996), *Family and human development across cultures. A view from the other side*, Mahwah, NJ: Erlbaum.

Kashima, Y. (1997), »Culture, narrative, and human motivation«, in: D. Munro, J. F. Schumaker und S. C. Carr (Hg.), *Motivation and culture* (S. 16-30), New York: Routledge.

Kim, U., und Y.-S. Park (2000), »Confucian and family values. Their impact on educational achievement in Korea«, in: *Zeitschrift für Erziehungswissenschaft* 3, S. 229-249.

Kluckhohn, F. R., und F. L. Strodtbeck (1961), *Variations in value orientations*, Evanston, IL: Row, Peterson.

Kornadt, H.-J., L. H. Eckensberger und W. B. Emminghaus (1980), »Cross-cultural research on motivation and its contribution to a general theory of motivation«, in: H. C. Triandis und W. J. Lonner (Hg.), *Handbook of cross-cultural psychology*, Bd. 3, *Basic processes* (S. 223-321), Boston: Allyn and Bacon.

–, und G. Trommsdorff (1990), »Naive Erziehungstheorien japanischer Mütter. Deutsch-japanischer Kulturvergleich«, in: *Zeitschrift für Sozialisationsforschung und Erziehungssoziologie* 10, S. 357-376.

Kroeber, A. L., und C. Kluckhohn (1952), *Culture. A critical review of concepts and definitions*, Papers Peabody Museum of Archaeology and Ethnology, Harvard University.

Lerner, R. M. (1982), »Children and adolescents as producers of their own development«, in: *Developmental Review* 2, S. 342-370.

LeVine, R. A. (1977), »Child rearing as cultural adaptation«, in: P. H. Leiderman, S. R. Tulkin und A. Rosenfeld (Hg.), *Culture and infancy. Variations in the human experience* (S. 15-28), New York: Academic Press.

McClelland, D. C. (1985), *Human motivation*, Glenview, Ill.: Scott, Foresman.

–, J. W. Atkinson, R. A. Clark und E. L. Lowell (1953), *The achievement motive*, Princeton: Van Nostrand.

Nauck, B. (2001), »Der Wert von Kindern für ihre Eltern. ›Value of children‹ als spezielle Handlungstheorie des generativen Verhaltens und von Generationenbeziehungen im interkulturellen Vergleich«, in: *Kölner Zeitschrift für Soziologie und Sozialpsychologie* 53, S. 407-435.

–, und J. Suckow (2002), »Soziale Netzwerke und Generationsbeziehungen im interkulturellen Vergleich. Soziale Beziehungen von Müttern und Großmüttern in Japan, Korea, China, Indonesien, Israel, Deutschland und der Türkei«, in: *Zeitschrift für Soziologie der Erziehung und Sozialisation* 22, S. 374-392.

Oyserman, D., H. M. Coon und M. Kemmelmeier (2002), »Rethinking individualism and collectivism. Evaluation of theoretical assumptions and meta-analyses«, in: *Psychological Bulletin* 128, S. 3-72.

Pettengill, S. M., und R. P. Rohner (1985), »Korean-American adolescents' perceptions of control, parental acceptance-rejection and parental-adolescent conflict«, in: I. R. Lagunes und Y. H. Poortinga (Hg.), *From a different perspective. Studies of behavior across cultures* (S. 241-249), Lisse: Swets and Zeitlinger.

Rothbaum, F., M. Pott, H. Azuma, K. Miyake und J. Weisz (2000), »The development of close relationships in Japan and the United States. Paths of symbiotic harmony and generative tension«, in: *Child Development* 71, S. 1121-1142.

–, und G. Trommsdorff (2004), »Cultural perspectives on relationships and autonomy-control«, in: J. E. Grusec und P. Hastings (Hg.), *Handbook of socialization*, New York: The Guilford Press.

Schäfermeier, E. (2003), *Erziehungsziele und allozentrische Orientierung im Kulturvergleich und deren Funktion für das Sozialverhalten von Vorschulkindern*, unveröffentlichte Dissertation, Universität Konstanz.

Schwarz, B., P. Chakkarathund und G. Trommsdorff (2002), »Generationenbeziehungen in Indonesien, der Republik Korea und Deutschland«, in: *Zeitschrift für Soziologie der Erziehung und Sozialisation* 22, S. 393-407.

–, E. Schäfermeier und G. Trommsdorff (in Druck), »The relationships between value orientation, child-rearing goals, and child-rearing behavior. A comparison of Korean and German mothers«, in: W. Friedlmeier, P. Chakkarath und B. Schwarz (Hg.), *Culture and human development. The importance of cross-cultural research to the social sciences*, New York: Swets and Zeitlinger.

Shweder, R. A. (1991), *Thinking through cultures. Expeditions in cultural psychology*, Cambridge, MA: Harvard University Press.

Smith, P. B., und M. H. Bond (1993), *Social psychology across cultures. Analysis and perspectives*, Hertfordshire, England: Harvester Wheatsheaf.

Strodtbeck, F. L. (1958), »Family interaction, values and achievement«, in:
D. C. McClelland, A. L. Baldwin, U. Bronfenbrenner und F. L. Strodtbeck (Hg.), *Talent and society. New perspectives in the identification of talent* (S. 135-185), New York: Van Nostrand.

Super, C. M., und S. Harkness (1986), »The developmental niche. A con-
ceptualization at the interface of child and culture«, in: *International
Journal of Behavioral Development* 9, S. 545-569.

–, und S. Harkness (1997), »The cultural structuring of child development«, in: J. W. Berry, P. R. Dasen und T. S. Saraswathi (Hg.), *Handbook
of cross-cultural psychology*, Bd. 2: *Basic processes and human development*
(2. Auflage, S. 1-39), Boston: Allyn and Bacon.

Triandis, H. C. (1987), »Collectivism vs. individualism. A reconceptualization of a basic concept in cross-cultural social psychology«, in: C. Bagley
und G. K. Verma (Hg.), *Personality, cognition and values. Cross-cultural
perspectives of childhood and adolescence* (S. 60-95), London: Macmillan.

– (1995), *Individualism und collectivism*. Boulder, CO: Westview Press.

–, K. Leung, M. J. Villareal und F. L. Clark (1985), »Allocentric versus idio-
centric tendencies. Convergent and discriminant validation«, in: *Journal
of Research in Personality* 19, S. 395-415.

Trommsdorff, G. (1985), »Some comparative aspects of socialization in Ja-
pan and Germany«, in: I. Reyes Lagunes und Y. H. Poortinga (Hg.),
From a different perspective. Studies of behavior across cultures (S. 231-240),
Amsterdam: Swets and Zeitlinger.

– (1995), »Werthaltungen und Sozialisationsbedingungen von Jugendlichen in westlichen und asiatischen Gesellschaften«, in: B. Nauck und C.
Onnen-Isemann (Hg.), *Familie im Brennpunkt von Wissenschaft und Forschung* (S. 279-295), Neuwied: Luchterhand.

– (Hg.) (1996), *Sozialisation und Entwicklung von Kindern vor und nach der
Vereinigung*, Opladen: Leske + Budrich.

– (2000), »Internationale Kultur? Kulturpsychologische Aspekte der Globalisierung«, in: I. Gogolin und B. Nauck (Hg.), *Migration, gesellschaftliche Differenzierung und Bildung. Resultate des Forschungsschwerpunktpro-
gramms FABER* (S. 387-414), Opladen: Leske + Budrich.

– (2001a), *Value of children and intergenerational relations. A cross-cultural
psychological study*, unter: *http://www.uni-konstanz.de/FuF/SozWiss/fg-psy/
ag-entw/*

– (2001b), »Eltern-Kind-Beziehungen aus kulturvergleichender Sicht«, in:
S. Walper und R. Pekrun (Hg.), *Familie und Entwicklung. Aktuelle Perspektiven der Familienpsychologie* (S. 36-62), Göttingen: Hogrefe.

– (2003), »Kulturvergleichende Psychologie«, in: A. Thomas (Hg.), *Kulturvergleichende Psychologie. Eine Einführung* (2. vollständig überarbeitete
Auflage, S. 139-179), Göttingen: Hogrefe.

–, und H.-J. Kornadt (2003), »Parent-child relations in cross-cultural perspective«, in: L. Kuczynski (Hg.), *Handbook of dynamics in parent-child relations* (S. 271-306), London: Sage.

–, B. Mayer und I. Albert (2004), »Dimensions of culture in intra-cultural comparisons. Individualism/collectivism and family-related values in three generations«, in: H. Vinken, J. Soeters und P. Ester (Hg.), *Comparing cultures. Dimensions of culture in a comparative perspective* (S. 157-184), Leiden, The Netherlands: Brill Academic Publishers.

Valsiner, J. (Hg.) (1988), *Social co-construction and environmental guidance in development*, Norwood, N. J.: Ablex Publishing Corporation.

Whiting, J. W. M., E. H. Chasdi, H. F. Antonovsky und B. C. Ayres (1974), »The learning of values«, in: R. A. LeVine (Hg.), *Culture and personality* (S. 155-187), Chicago: Aldine.

Whiting, B. B., und J. W. Whiting (1975), *Children of six cultures. A psychocultural analysis*, Cambridge, MA: Harvard University Press.

Winterbottom, M. R. (1953), »The relation of need achievement to learning experiences in independence and mastery«, in: J. W. Atkinson (Hg.), *Motives in fantasy, action and society* (S. 453-478), New York: Van Nostrand.

Hinweise zu den Autorinnen und Autoren

Aleida Assmann, Studium der Anglistik und der Ägyptologie in Heidelberg und Tübingen. Seit 1993 Professorin für Anglistik und Allgemeine Literaturwissenschaft an der Universität Konstanz.

Forschungsgebiete: Geschichte des Lesens, Historische Anthropologie der Medien, insbesondere Theorie und Geschichte der Schrift, Kulturelles Gedächtnis. Veröffentlichungen: Die Legitimität der Fiktion (1980), Arbeit am nationalen Gedächtnis (1993), Zeit und Tradition (1999), Erinnerungsräume (1999), Geschichtsvergessenheit/Geschichtsversessenheit (zus. mit Ute Frevert, 1999).

Ulrich Bröckling, Studium der Soziologie, Geschichte und Philosophie in Freiburg, nach Tätigkeit als Verlagslektor Wissenschaftlicher Mitarbeiter am Sonderforschungsbereich 511 Literatur und Anthropologie, seit Mai 2003 Wissenschaftlicher Koordinator des Graduiertenkollegs »Die Figur des Dritten« der Universität Konstanz.

Forschungsschwerpunkte: Soziologie der Sozial- und Selbsttechnologien. Veröffentlichungen u. a.: Disziplin. Soziologie und Geschichte militärischer Gehorsamsproduktion (1997), Gouvernementalität der Gegenwart (Hg. zus. mit Thomas Lemke und Susanne Krasmann, 2000), Anthropologie der Arbeit (Hg. zus. mit Eva Horn, 2002), Glossar der Gegenwart (Hg. zus. mit Susanne Krasmann und Thomas Lemke, 2004), Disziplinen des Lebens (Hg. zus. mit Benjamin Bühler, Marcus Hahn, Matthias Schöning und Manfred Weinberg, 2004), Vernunft – Entwicklung – Leben. Schlüsselbegriffe der Moderne (Hg. zus. mit Axel Paul und Stefan Kaufmann, 2004).

Wolfgang Friedlmeier, Studium der Psychologie und Philosophie in Bamberg; Promotion und Habilitation in Psychologie an der Universität Konstanz. Seit August 2004 Professor für kulturvergleichende Psychologie an der Grand Valley State University in Grand Rapids, Michigan, USA.

Forschungsgebiete: Soziale und emotionale Entwicklung in kultureller Perspektive, Gleichaltrigenbeziehungen, Selbstkonzept, Sozialisation, Ethnotheorien im Kulturvergleich und Methoden des Kulturvergleichs. Veröffentlichungen: Sozialisation der Emotionsregulation (1999), Soziale Entwicklung in der Kindheit aus beziehungstheoretischer Perspektive: Inter- und intraindividuelle Prozesse für die Entwicklung sozialer Kompetenz (2002), Development of emotions and their regulation (zus. mit Manfred Holodynski, 2004).

Ulrich Gaier, geb. 1935, Studium der Germanistik, Anglistik, Romanistik in Tübingen und Paris. Promotion 1962, Habilitation 1966 in Tübingen. 1963-67 University of California, Davis, als Assistant und Associate Professor. Ab 1968 Professor für Deutsche Literatur und Allgemeine Literaturwissenschaft, Universität Konstanz; seit 2000 emeritiert.

Forschungen und Veröffentlichungen zu Satire, Handlungstheorie, Sprachphilosophie, Anthropologie und Poetik, zu Brant, Herder, Goethe, Hölderlin, Novalis.

Gerhart von Graevenitz, Studium der Fächer Germanistik, Anglistik und Kunstgeschichte in Tübingen, München und Reading (England). Seit 1988 Professor für Neuere Deutsche Literatur und allgemeine Literaturwissenschaft an der Universität Konstanz.

Forschungsgebiete: Literaturgeschichte des 17. bis 19. Jahrhunderts, Johann Wolfgang Goethe; Medien- und Kulturgeschichte des 20. Jahrhunderts, literarische Gattungen, Literatur und Anthropologie, Literatur und Kulturwissenschaft. Veröffentlichungen: Die Setzung des Subjekts (1973), Eduard Mörike. Die Kunst der Sünde (1978), Mythos. Zur Geschichte einer Denkgewohnheit (1987), Das Ich am Rande (1989), Das Ornament des Blicks (1994), Beruf zur Wissenschaft (2000).

Ruth Groh, Studium der Philosophie und Literaturwissenschaft in Heidelberg und Konstanz, seit 1990 Lehre an den Universitäten Konstanz und St. Gallen.

Forschungsgebiete: Philosophie und Aufklärung, Geschichte der ästhetischen Naturerfahrung, Wissenschaftsgeschichte, politische Theorie, Kulturanthropologie. Veröffentlichungen: Ironie und Moral im Werk Diderots (1984), Weltbild und Naturaneignung (zus. mit Dieter Groh, 1991), Die Innenwelt der Außenwelt (zus. mit Dieter Groh, 1996), Arbeit an der Heillosigkeit der Welt. Zur politisch-theologischen Mythologie und Anthropologie Carl Schmitts (1998), Van Eycks Rolin-Madonna als Antwort auf die Krise des mittelalterlichen Universalismus (1999).

Thomas Hauschild, Studium der Ethnologie, Volkskunde und Religionswissenschaft in Hamburg, Feldforschungen in Süditalien 1982-1998, seit 1992 Professor für Ethnologie an der Eberhard-Karls-Universität Tübingen.

Forschungsgebiete: Religion und geographische Reserven im euromediterranen Raum, Ethnologie als Kulturwissenschaft. Veröffentlichungen u. a.: Der böse Blick (1982), Lebenslust und Fremdenfurcht. Ethnologie im III. Reich (1995), Inspecting Germany. Internationale Deutschland-Ethnographie der Gegenwart (mit B. J. Warneken, 2003), Macht und Magie in Italien (2003).

Wolfgang Iser, Professor emeritus Universität Konstanz und Distinguished Professor University of California, Irvine; o. Professor Würzburg (1960), Köln (1963), Konstanz (1967).

Forschungsgebiete: Englische Literatur der Neuzeit, Rezeptionstheorie, Literarische Anthropologie, Theorie der Interpretation, Emergenz: Modalitäten des Entstehens. Veröffentlichungen: Die Weltanschauung Henry Fieldings (1952), Walter Pater (1960), Der implizite Leser (1972), Der Akt des Lesens (1976), Sternes Tristram Shandy (1987), Shakespeares Historien (1988), Prospecting (1989), Das Fiktive und das Imaginäre (1991), The Range of Interpretation (2000), How to do Theory (2005).

Christiane Kruse, Studium der Kunstgeschichte, der neueren deutschen Literatur und der Mediävistik in Göttingen und München; seit 2002 Privatdozentin an der Universität Konstanz.

Forschungsgebiete: Kunstgeschichte des Mittelalters und der frühen Neuzeit, Bild- und Medienanthropologie, Bild-Text-Beziehung. Veröffentlichungen: (zus. mit Hans Belting) Die Erfindung des Gemäldes (1994), Wozu Menschen malen. Historische Begründungen eines Bildmediums (2003).

Renate Lachmann, Professorin (em.) für Slavische Literaturen und Allgemeine Literaturwissenschaft an der Universität Konstanz. Mitglied der Heidelberger Akademie der Wissenschaften und der Acadamia Europaea.

Publikationen auf dem Gebiet der Literaturtheorie, Rhetorik, Intertextualität, Memoria und Phantastik. Im Suhrkamp Verlag erschienene Publikationen: Gedächtnis und Literatur (1990), Erzählte Phantastik. Zur Phantasiegeschichte und Semantik phantastischer Texte (2002).

Jürgen Raab, geb. 1964, Dr. rer. soc., seit 1999 Wissenschaftlicher Mitarbeiter am Lehrstuhl für Allgemeine Soziologie an der Universität Konstanz. Studium der Soziologie und Politikwissenschaft in Berlin und Konstanz.

Forschungsgebiete: Wissenssoziologie, Kultursoziologie, Visuelle Soziologie. Veröffentlichungen: Soziologie des Geruchs (2001), Thomas Luckmann: Wissen und Gesellschaft (Hg. zus. mit Hubert Knoblauch und Bernt Schnettler, 2002).

Matthias Schöning, Dr. phil., studierte Germanistik und Philosophie in Bochum und arbeitet seit 1998 an der Universität Konstanz: bis 2001 Graduiertenkolleg »Theorie der Literatur und Kommunikation«, 2001-2002 Koordinator des SFB 511 »Literatur und Anthropologie«. Seit 2003 wissenschaftlicher Angestellter der HAW im Projekt »Europa und das historische Imaginäre«.

Forschungsgebiete: Literatur und Krieg 1914-34; Romantik, Ironie, Literarische und Philosophische Anthropologie. Veröffentlichungen: Gestik (2000, Mithg.), Ironieverzicht (2002), Disziplinen des Lebens (2004, Mithg.).

Gottfried Seebaß, Studium der Philosophie, Germanistik und Theologie in Tübingen, Mainz, Zürich, Heidelberg und Harvard. Seit 1993 Professor für Praktische Philosophie an der Universität Konstanz.

Forschungsgebiete: Sprachphilosophie, Philosophische Psychologie, Handlungstheorie, Freiheitstheorie, Rechts- und Sozialphilosophie. Veröffentlichungen: Das Problem von Sprache und Denken (1981), Social Action (zus. mit Raimo Tuomela, 1985), Wollen (1993), Handlung und Freiheit (2005).

Hans-Georg Soeffner, geb. 1939, Dr. phil., Studium an den Universitäten Tübingen, Köln, Bonn. Seit 1994 Professor der Soziologie, Lehrstuhl für Allgemeine Soziologie an der Universität Konstanz.

Forschungsschwerpunkte: Wissenssoziologie, Kultursoziologie, Religionssoziologie, Kommunikationssoziologie, Rechtssoziologie. Publikationen (Auszug): Auslegung des Alltags – Der Alltag der Auslegung (1989), Die Ordnung der Rituale – Die Auslegung des Alltags 2 (1992), Gesellschaft ohne Baldachin (2000), Figurative Politik (zus. mit D. Tänzler, 2002), Gewalt (zus. mit W. Heitmeyer, 2004).

Karlheinz Stierle, Studium der Romanistik, Germanistik und Philosophie. Von 1969 bis 1988 Professor für Romanische Philologie an der Universität Bochum, seit 1988 Professor für Romanische Literaturen an der Universität Konstanz.

Forschungsgebiete: Italienische Renaissance, Paris in der Literatur, Literaturtheorie. Veröffentlichungen u. a.: Der Mythos von Paris. Zeichen und Bewußtsein der Stadt (1993), Ästhetische Rationalität. Kunstwerk und Werkbegriff (1997), Francesco Petrarca. Ein Intellektueller im Europa des 14. Jahrhunderts (2003).

Gisela Trommsdorff, Studium der Soziologie und Psychologie in Göttingen, Berlin, Chapel Hill (UNC). Seit 1987 Lehrstuhl für Entwicklungspsychologie und Kulturvergleich an der Universität Konstanz.

Forschungsgebiete: Soziale und emotionale Entwicklung im Kulturvergleich; Sozialisation, Werte und Generationenbeziehungen im sozialen Wandel, insbesondere in Japan. Veröffentlichungen: Sozialisation im Kulturvergleich (1989); Psychologische Aspekte des sozio-politischen Wandels in Ostdeutschland (1994); Sozialisation und Entwicklung von Kindern vor und nach der Vereinigung (1996); Japan in transition: social and psychological aspects (zus. mit Wolfgang Friedlmeier und Hans-Joachim Kornadt, 1998); Enzyklopädie – Kulturvergleichende Psychologie (in Vorber., zus. mit H.-J.Kornadt).

Manfred Weinberg, Studium der Germanistik, Philosophie, Erziehungswissenschaft und Biologie an der Universität Bonn. Z.Zt. Lehrstuhlvertreter an der Universität Konstanz.

Forschungsgebiete: Interkulturalität, Ethnologie, Erinnerung/Gedächtnis, Literaturtheorie und Gender Studies. Veröffentlichungen: Akut. Geschichte. Struktur (zu Hubert Fichte, 1993), Das unendliche Thema. Erinnerung und Gedächtnis in der Literatur/Theorie (Tübingen 2004), Allegorie. Konfigurationen von Text, Bild und Lektüre (zus. mit Eva Horn, 1998), Disziplinen des Lebens. Zwischen Anthropologie, Literatur und Politik (zus. mit Ulrich Bröckling u. a., 2004).

Literatur- und Kulturwissenschaft
im Suhrkamp Verlag
Eine Auswahl

Roland Barthes
- Fragmente einer Sprache der Liebe. Übersetzt von Hans-Horst Henschen. st 1586. 279 Seiten
- Die helle Kammer. Bemerkungen zur Photographie. Übersetzt von Dietrich Leube. Mit zahlreichen Abbildungen. st 1642. 138 Seiten
- Die Lust am Text. Übersetzt von Traugott König. BS 378. 98 Seiten
- Mythen des Alltags. Übersetzt von Helmut Scheffel. es 92. 152 Seiten

Roland Barthes. Eine Biographie. Von Louis-Jean Calvet. Übersetzt von Wolfram Beyer. Mit zahlreichen Abbildungen. 376 Seiten. Gebunden

Roland Barthes. Eine intellektuelle Biographie. Von Ottmar Ette. es 2077. 522 Seiten

Michail M. Bachtin. Die Ästhetik des Wortes. Herausgegeben und Einleitung von Rainer Grübel. Übersetzt von Rainer Grübel und Sabine Reese. es 967. 366 Seiten

Michail M. Bachtin. Rabelais und seine Welt. Volkskultur als Gegenkultur. Übersetzt von Gabriele Leupold. Herausgegeben und Vorwort von Renate Lachmann. stw 1187. 546 Seiten

Karl Heinz Bohrer. Plötzlichkeit. Zum Augenblick des ästhetischen Scheins. es 1058. 261 Seiten

NF 104/1/3.00

Karl Heinz Bohrer. Der romantische Brief. Die Entstehung ästhetischer Subjektivität. es 1582. 268 Seiten

Pierre Bourdieu. Die Regeln der Kunst. Genese und Struktur des literarischen Feldes. Übersetzt von Bernd Schwibs und Achim Russer. 552 Seiten. Gebunden

Peter Bürger. Theorie der Avantgarde. es 727. 147 Seiten

Jacques Derrida. Grammatologie. Übersetzt von Hans-Jörg Rheinberger und Hanns Zischler. stw 417. 541 Seiten

Jacques Derrida. Die Schrift und die Differenz. Übersetzt von Rodolphe Gasché. stw 177. 451 Seiten

Arthur C. Danto. Die Verklärung des Gewöhnlichen Eine Philosophie der Kunst. Übersetzt von Max Looser. stw 957. 321 Seiten

Gilles Deleuze. Das Bewegungs-Bild. Kino 1. Übersetzt von Ulrich Christians und Ulrike Bokelmann. stw 1288. 332 Seiten

Gilles Deleuze. Das Zeit-Bild. Kino 2. Übersetzt von Klaus Englert. stw 1289. 454 Seiten

John Dewey. Kunst als Erfahrung. Übersetzt von Christa Velten, Gerhard vom Hofe und Dieter Sulzer. stw 703. 411 Seiten

Peter Gendolla/Thomas Kamphusmann (Hg.). Die Künste des Zufalls. stw 1432. 302 Seiten

Michael Giesecke. Der Buchdruck in der frühen Neuzeit. stw 1357. 957 Seiten

Michael Giesecke. Sinnenwandel, Sprachwandel, Kulturwandel. Studien zur Vorgeschichte der Informationsgesellschaft. stw 997. 374 Seiten

Ernst H. Gombrich/Julian Hochberg/Max Black. Kunst, Wahrnehmung, Wirklichkeit. Übersetzt von Max Looser. es 860. 156 Seiten

Nelson Goodmann. Sprachen der Kunst. Entwurf einer Symboltheorie Übersetzt von Bernd Philippi. stw 1304. 254 Seiten

Jack Goody. Die Logik der Schrift und die Organisation von Gesellschaft. Übersetzt von Uwe Opolka. 323 Seiten. Gebunden

Jack Goody (Hg.). Literalität in traditionellen Gesellschaften. Übersetzt von Friedhelm Herboth und Thomas Lindquist. 502 Seiten. Leinen

Jack Goody/Ian Watt/Kathleen Gough. Entstehung und Folgen der Schriftkultur. Übersetzt von Friedhelm Herboth. Einleitung Heinz Schlaffer. stw 600. 161 Seiten

André Leroi-Gourhan. Hand und Wort. Die Evolution von Technik, Sprache und Kunst. Übersetzt von Michael Bischoff. Mit 153 Zeichnungen des Autors. stw 700. 523 Seiten

Hans-Ulrich Gumbrecht/Ursula Link-Heer (Hg.). Epochenschwellen und Epochenstrukturen im Diskurs der Literatur- und Sprachhistorie. stw 486. 536 Seiten

Jochen Hörisch. Gott, Geld und Glück. Zur Logik der Liebe in den Bildungsromanen Goethes, Kellers und Thomas Manns. es 1180. 282 Seiten

Jochen Hörisch. Kopf oder Zahl. Die Poesie des Geldes.
es 1998. 370 Seiten

Jochen Hörisch. Die Wut des Verstehens. Zur Kritik der
Hermeneutik. es 1485. 111 Seiten

Wolfgang Iser. Das Fiktive und das Imaginäre. Perspektiven
literarischer Anthropologie. stw 1101. 522 Seiten

Hans Robert Jauß. Ästhetische Erfahrung und literarische
Hermeneutik. stw 955. 877 Seiten

Hans Robert Jauß. Studien zum Epochenwandel der ästhetischen Moderne. stw 864. 302 Seiten

Hans Robert Jauß. Zeit und Erinnerung in Marcel Prousts
»A la recherche du temps perdu«. Ein Beitrag zur Theorie des
Romans. stw 587. 366 Seiten

Julia Kristeva. Die Revolution der poetischen Sprache.
Übersetzung und Einleitung von Reinold Werner.
es 949. 252 Seiten

Wolf Lepenies. Melancholie und Gesellschaft. Mit einer
neuen Einleitung: Das Ende der Utopie und die Wiederkehr
der Melancholie. stw 967. 337 Seiten

Niklas Luhmann. Die Kunst der Gesellschaft.
stw 1303. 517 Seiten

Paul de Man. Allegorien des Lesens. Übersetzt von Werner
Hamacher und Peter Krumme. es 1357. 233 Seiten

Christoph Menke. Die Souveränität der Kunst. Ästhetische
Erfahrung nach Adorno und Derrida. stw 958. 311 Seiten

Winfried Menninghaus
- Walter Benjamins Theorie der Sprachmagie.
  stw 1168. 282 Seiten
- Paul Celan. Magie der Form. es 1026. 291 Seiten
- Ekel. Theorie und Geschichte einer starken Empfindung.
  592 Seiten. Gebunden
- Lob des Unsinns. Über Kant, Tieck und das Märchen vom
  Blaubart. 272 Seiten. Gebunden
- Schwellenkunde. Walter Benjamins Passage des Mythos.
  es 1349. 119 Seiten

K. Ludwig Pfeiffer. Das Mediale und das Imaginäre. Dimensionen kulturanthropologischer Medientheorie.
624 Seiten. Gebunden

Siegfried J. Schmidt. Die Selbstorganisation des Sozialsystems. Literatur im 18. Jahrhundert. 489 Seiten. Gebunden

Siegfried J. Schmidt. Die Zähmung des Blicks. Konstruktivismus – Empirie – Wissenschaft. stw 1372. 226 Seiten

Harro Segeberg (Hg.). Technik in der Literatur. Ein Forschungsüberblick und zwölf Aufsätze. stw 655. 527 Seiten

Robert Weimann (Hg.). Ränder der Moderne. Repräsentation und Alterität im (post)kolonialen Diskurs.
stw 1311. 356 Seiten

Hans Blumenberg
im Suhrkamp und im Insel Verlag

Ästhetische und metaphorologische Schriften. Herausgegeben von Anselm Haverkamp. stw 1513. 462 Seiten

Arbeit am Mythos. 699 Seiten. Gebunden

Begriffe in Geschichten. BS 1303. 260 Seiten

Die Genesis der kopernikanischen Welt. stw 352. 802 Seiten

Goethe zum Beispiel. Herausgegeben vom Hans-Blumenberg-Archiv unter Mitwirkung von Manfred Sommer. 248 Seiten. Gebunden

Höhlenausgänge. stw 1300. 827 Seiten

Das Lachen der Thrakerin. Eine Urgeschichte der Theorie. stw 652. 162 Seiten

Lebenszeit und Weltzeit. stw 1514. 378 Seiten

Die Legitimität der Neuzeit. Erneuerte Ausgabe. stw 1268. 707 Seiten

Die Lesbarkeit der Welt. stw 592. 415 Seiten

Löwen. BS 1336. 128 Seiten

Matthäuspassion. BS 998. 307 Seiten

Paradigmen zu einer Metaphorologie. stw 1301. 199 Seiten

NF 129/1/4.03

Schiffbruch mit Zuschauer. Paradigma einer Daseins-
metapher. BS 1263. 106 Seiten

Die Sorge geht über den Fluß. BS 965. 222 Seiten

Die Verführbarkeit des Philosophen. 210 Seiten. Leinen

Die Vollzähligkeit der Sterne. 557 Seiten. Leinen

Zu den Sachen und zurück. Aus dem Nachlaß herausgegeben von Manfred Sommer. 360 Seiten. Leinen

Über Hans Blumenberg

Die Kunst des Überlebens. Nachdenken über Hans Blumenberg. Herausgegeben von Franz Josef Wetz und Hermann
Timm. stw 1422. 476 Seiten